ÉTONNANTS • CLASSIQUES

S0-AXI-789

MAUPASSANT

Bel-Ami

Présentation, notes, dossier et cahier photos par
Stéphane GOUGELMANN,
Agrégé de lettres modernes, docteur ès lettres

Flammarion

**De Maupassant
dans la collection « Étonnants Classiques »**

Apparition, in *Nouvelles fantastiques* (vol. 1)
Bel-Ami
Boule de Suif
Hautot père et fils, in *Trois Nouvelles naturalistes*
Le Horla et autres contes fantastiques
Le Papa de Simon et autres nouvelles
La Parure et autres scènes de la vie parisienne
Pierre et Jean
Toine et autres contes normands
Une partie de campagne et autres nouvelles
Une vie

© Éditions Flammarion, 2013.
ISBN : 978-2-0812-4998-1
ISSN : 1269-8822

Mise en page : Meta-systems (59100 Roubaix)
N° d'édition : L.01EHRN000287.C004
Dépôt légal : janvier 2013
Imprimé par CPI (Barcelona).

SOMMAIRE

Bel-Ami

Bel-Ami, roman maupassantien

En 1884, quand il entame la rédaction de *Bel-Ami*, l'écrivain n'en est plus à ses débuts. Néanmoins, c'est avec cette œuvre qu'il s'affirme en tant que romancier.

À trente-quatre ans, Maupassant jouit déjà d'une grande notoriété. Mais il la doit surtout à des textes brefs – de nombreuses chroniques dans les journaux (en particulier *Le Gaulois*), des nouvelles à succès (« Boule de Suif », 1880) et des recueils de contes (*La Maison Tellier*, 1881 ; *Mademoiselle Fifi*, 1882 ; *Contes de la Bécasse*, 1883 ; *Clair de lune, Miss Harriet, Les Sœurs Rondoli*, 1884). *Bel-Ami* n'est pas non plus son premier roman : en 1883, *Une vie* a paru en feuilletons dans le *Gil Blas*. Mais la gestation de ce premier roman a été longue et douloureuse : il a fallu à Maupassant pas moins de six années et de nombreux remaniements pour raconter les malheurs conjugaux de Jeanne, une jeune aristocrate normande, comme si l'écrivain était plus à son aise dans le croquis d'une anecdote que dans le récit de toute une vie. En outre, ce premier roman est écrit sous influence : on y ressent fortement la tutelle de Gustave Flaubert, l'ami de la famille, le modèle et le mentor de l'écrivain. La Normandie, les désillusions de l'héroïne, la médiocrité des hommes et l'ennui sans fond qui se dégage de la réclusion provinciale sont des thématiques communes à *Une vie* et au célèbre roman de Gustave Flaubert, *Madame Bovary* (1857).

En 1884, Flaubert est mort depuis quatre ans et Maupassant a pris de l'assurance : un temps, il oublie les paysages de bocage, les mœurs confinées de la campagne et la neurasthénie[1] des jeunes filles mal mariées. Il se détourne du pays de son enfance pour s'intéresser à Paris et suivre la destinée qui sera celle de son héros, Georges Duroy. À certains égards, son personnage lui ressemble : il est natif de Normandie (Maupassant, lui, est né à Tourville-sur-Arques, près de Dieppe), plus précisément de Canteleu, bourg situé non loin de Rouen et très proche de Croisset – où se trouve la maison de Flaubert ; il est prêt à en découdre avec ses origines, son milieu, sa famille (au point de changer de patronyme), et, surtout, désireux de conquérir la capitale – comme Maupassant, certes issu d'un milieu plus nanti, aspire à devenir un maître du roman. La rédaction est menée tambour battant, rapide comme l'ascension sociale de Georges Duroy : si le héros met trois ans à s'élever dans la société, la parution de *Bel-Ami* en feuilletons dans le *Gil Blas* s'étend sur moins de deux mois, du 6 avril au 30 mai 1885. Le roman connaît un succès considérable et engendre des revenus si conséquents qu'il permet à son auteur d'acquérir un voilier de onze mètres. Juste retour du succès, le bateau est baptisé *Bel-Ami*...

Cependant, le style de ce deuxième roman n'est pas exempt de tout flaubertisme (notamment dans la description de Rouen au moment où Georges revient voir ses parents qui vivent au pays de Flaubert). On dénote également l'influence de Balzac dans ce récit d'une ascension sociale (dans Duroy se profile un

---

1. *Neurasthénie* : état d'abattement accompagné de troubles psychiques.

Rastignac[1]), et celle de Zola dans la volonté qu'a Maupassant de peindre la société de son temps — en particulier le mileu des journalistes — et de mettre au jour les ressorts fondamentaux des rapports humains. On a même associé Maupassant et Zola sous la bannière du même mouvement littéraire : le naturalisme. Chef de file de ce dernier, Zola prône le renfort des savoirs exacts en matière de création : les faits inventés par le romancier doivent être non seulement plausibles, mais également validés par une enquête de terrain préalable et par les acquis de la recherche scientifique. Maupassant a collaboré au recueil collectif de nouvelles intitulé *Les Soirées de Médan* (1880), où parut « Boule de Suif » et dont la publication fut l'un des actes fondateurs du naturalisme. Pourtant, l'écrivain a très vite pris ses distances avec ce mouvement et ne s'en est jamais tenu strictement à sa rigueur méthodologique.

Au-delà des interrogations sur sa filiation littéraire, *Bel-Ami* demeure une œuvre personnelle et originale, bel et bien maupassantienne dans le sarcasme du ton, dans cette façon d'éviter les surcharges et les digressions, les personnages superflus et les descriptions qui s'étirent, ainsi que dans cet effort de ne s'attaquer qu'à l'os d'une histoire qui procède selon une économie serrée, un plan sans faille, un rythme haletant : une leçon tirée sans doute du conte, école de concision et de sobriété d'effets.

---

1. *Rastignac* : personnage de *La Comédie humaine*, dont les aventures commencent dans *Le Père Goriot* (1834-1835). Il s'agit d'un jeune homme ambitieux prêt à tout pour parvenir à la réussite sociale.

De l'illusion en littérature

L'imagination au service de la vérité

Chez Maupassant, cette nervosité du style et cette rigueur de composition sont au service d'une haute ambition : ébranler le lecteur par la seule force évocatoire d'un récit imaginé. « Le but n'est point de nous raconter une histoire, de nous amuser ou de nous attendrir, mais de nous forcer à penser, à comprendre le sens profond et caché des événements », affirme l'auteur dans le manifeste intitulé « Le Roman » qu'il joint à son récit *Pierre et Jean* (1888). Il n'est donc pas permis au lecteur de s'abstraire de ses jours grisâtres, de fuir les petites misères de son quotidien monotone ; l'occasion ne lui est pas même fournie d'un franc dépaysement ni d'un complet délassement, comme ceux que procurent les grands romans populaires, où souvent se mêlent l'amour, l'aventure, voire l'exotisme et le merveilleux. Le roman représente non pas une porte de sortie, mais un point d'entrée, non pas un motif d'oubli de soi ou du monde, mais une piqûre de rappel de ce qu'est le réel, non pas une possibilité d'évasion, mais l'occasion d'une révélation de la vérité : voilà sa digne et haute mission ! Cependant, si le roman doit rendre compte de la vérité, cela n'implique pas qu'il soit aussi plat et décousu que peut l'être l'existence du lecteur ni qu'il distille l'ennui à force de mimer la banalité vécue. Pour Maupassant, le roman est une histoire ficelée, dramatisée et captivante. Ainsi, l'œuvre demeure entièrement divertissante, mais divertissante au sens premier du terme (du latin *divertere*, « se détourner, se séparer de, être différent ») : elle s'offre comme une voie différente, un chemin de traverse qui, pour peu qu'on veuille bien l'emprunter, conduit à la compréhension, à la pensée. D'une certaine façon, le roman possède des vertus éducatives : le souffle de la narration emporte le lecteur, l'arrache à lui-même, mais pour mieux le ramener aux « événements », à la société et à l'individu – séduisante manière d'inviter tout un chacun à prendre du recul, à se forger une opinion, à réfléchir à la nature et à l'histoire humaine. C'est par le détour de la fiction que s'ouvre un accès possible au sens et, peut-être, à la sagesse.

Un roman réaliste ?

En assignant à la littérature une fonction essentiellement heuristique[1], Maupassant se place délibérément dans la lignée de ces grands auteurs du XIXe siècle, tels Stendhal, Balzac, Flaubert, Hugo ou encore Zola, qui se posent en grandes consciences de leur temps et, par leurs œuvres, aspirent à éclairer leurs contemporains, à les aider à progresser dans la voie de la vérité. Plus précisément, Maupassant s'inscrit dans un courant à la fois littéraire et plastique, nommé « réalisme », qui assigne à l'art la mission de refléter la réalité : « un roman est un miroir qui se promène sur une grande route », selon le mot célèbre de Stendhal dans *Le Rouge et le Noir* (1830). Ainsi définie, l'écriture s'appuie avant tout sur un « emmagasinement d'observations », comme l'écrit Edmond de Goncourt, autre écrivain « réaliste », dans la préface du roman *Les Frères Zemganno* (1879). Elle découle d'une attention de tous les instants portée à l'existence, dans ses aspects les plus insolites comme les plus banals. Les peintres ou les romanciers réalistes scrutent ce qui les entoure, écoutent les paroles, notent les gestes, tentent de capter l'esprit d'une époque, d'un lieu, d'une société.

Mais, comme le rappelle Maupassant dans « Le Roman », « raconter tout serait impossible, car il faudrait alors un volume

---

1. *Heuristique* : liée à la découverte, au dévoilement de la vérité.

au moins par journée, pour énumérer les multitudes d'incidents insignifiants qui emplissent notre existence ». En effet, si l'œuvre n'était qu'une chambre d'enregistrement du réel, elle ne résonnerait que de sons confus, ne renverrait que des images floues, ne rendrait compte que d'actions incohérentes. Pour que se démêlent les fils enchevêtrés de l'existence, l'artiste ne peut se contenter du simple rôle de descripteur, il lui faut être aussi un décrypteur : il doit faire preuve de perspicacité, prendre de la hauteur, dégager la signification des faits, ce fameux « sens profond et caché des événements » qu'évoque Maupassant. Pour ce faire, il s'appuie sur les leçons de sa propre expérience, mais aussi sur sa vaste culture, et a même parfois recours à d'autres approches, moins empiriques – les sciences, la philosophie, la psychologie, la sociologie, par exemple –, tout un ensemble de savoirs qui l'aide à faire la lumière sur ce qu'il éprouve au contact du monde. Ce « sens profond » ne repose cependant pas sur une vérité absolue mais sur une connaissance toute relative, personnelle : le romancier ne prétend pas exprimer autre chose que son propre point de vue. L'expression est toujours connotée, subjective. Elle est le fruit d'un regard, certes aigu, mais critique et souvent même partisan. Ainsi *Bel-Ami* est-il bien une « tranche de vie », pour reprendre une expression de Zola, mais vue par un tempérament, celui de Maupassant.

Enfin, outre son rôle de descripteur et de décrypteur, le romancier a charge d'être un passeur, c'est-à-dire de transmettre au mieux, par l'écriture, ce qu'il a perçu de la vie. À cette fin, il élague, synthétise, modèle et reconstruit ce qu'il a saisi du monde pour donner à sa représentation le relief nécessaire à sa compréhension : « Le réaliste, s'il est artiste, cherchera, non pas à nous montrer la photographie banale de la vie, mais à nous en donner la vision plus complète, plus saisissante, plus probante que la réalité même », indique Maupassant dans « Le

Roman » ; et il conclut : « les Réalistes de talent devraient s'appeler plutôt des Illusionnistes ». Illusion de réalité, alors que rien de ce qui est raconté n'est réel, illusion que la vie se tient là, au fil des pages, alors que ce n'est qu'une vie de papier. Aux yeux des réalistes, c'est la perfection de cette illusion qui accrédite la réussite littéraire.

La fiction n'est donc pas production d'un imaginaire débridé, mais élaboration raisonnée, invention commandée par les nécessités du sens, trompe-l'œil plus saisissant que la nature elle-même qu'elle prétend imiter. Et c'est à cette condition que la vérité s'expose et se diffuse. En l'occurrence, quelles leçons de vérité *Bel-Ami* nous enseigne-t-il ? Beaucoup, à l'évidence, et c'est à chaque lecteur de les tirer à sa guise. On peut cependant suggérer quelques pistes.

Un roman de l'actualité

Parmi les vérités à mettre en lumière, Maupassant cherche « la révélation de ce qu'est véritablement l'homme contemporain devant ses yeux » (« Le Roman »).

Les dessous de la politique coloniale française

Bel-Ami est un roman de son époque, d'une brûlante actualité, ne serait-ce que par les passages faisant référence à l'expansion coloniale, fer de lance de la politique extérieure de Jules Ferry (1832-1893). En 1881 notamment, la France intervient en Tunisie, et en 1883 au Tonkin. Ainsi, derrière l'affaire marocaine inventée par le romancier se profile la trop réelle affaire tunisienne, objet d'une série de scandales. Sous prétexte de résoudre le problème des emprunts tunisiens, somme abyssale que le bey[1] de Tunis ne parvient plus à rembourser, la France n'hésite pas à servir ses intérêts au détriment du pays dont elle s'engage à garantir la dette : détournement de certains revenus tunisiens, acquisition de terres pour une bouchée de pain, exploitation ferroviaire et portuaire de façon gracieuse (avec les Italiens). Surtout, le règlement de la dette tunisienne donne lieu à des malversations financières et à des mouvements d'argent qui défrayent la chronique. Dans certains articles, Maupassant s'emploie à dénoncer les spéculations boursières et les expéditions militaires brutalement menées. Plus généralement, il condamne la politique coloniale de la France. En 1881, il se rend en Algérie, alors déchirée par la rébellion des Kroumis, peuple vivant à la frontière tunisienne. Il en revient persuadé que les Occidentaux n'ont rien à faire en Afrique : « Aucune de nos idées n'est applicable à ces gens. C'est faute de comprendre cette vérité que nous n'arrivons à rien avec eux », explique-t-il dans un article du *Gaulois* du 5 juillet 1881, intitulé « Zut ! ». À l'évidence, dans *Bel-Ami*, le souvenir de ces deux mois passés en Algérie alimente les *Souvenirs d'un chasseur d'Afrique*, la première chronique de Duroy[2].

Une plongée dans les arcanes du journalisme

Bel-Ami est également un roman de la contemporanéité par le milieu professionnel qu'il décrit. En se penchant sur l'univers de la presse, Maupassant observe la France de son temps. Le journal est une lentille sur l'actualité, un témoin du quotidien

---

1. *Bey* : souverain vassal du sultan.
2. Maupassant a aussi écrit une chronique intitulée « Lettre d'Afrique » (parue dans *Le Gaulois* du 20 août 1881).

(le titre fictif du journal dans lequel Duroy est employé renvoie à cette dimension métonymique : *La Vie française*). Il bruit des affaires politiques, financières, internationales, mais aussi des échos les plus dérisoires. Ainsi, dans le roman, la presse traite aussi bien des enjeux de la politique intérieure et extérieure de la France que d'une querelle entre une vieille femme et son boucher (relatée dans le chapitre VII de la première partie).

En parlant de la presse écrite, Maupassant touche de plus à un phénomène sociologique fondamental. Si les journaux n'ont cessé de se multiplier et de se diffuser tout au long du XIXe siècle – notamment grâce à la généralisation des presses rotatives et de la composition mécanique –, ils jouissent plus particulièrement d'un régime de quasi complète liberté, depuis la loi du 29 juillet 1881 : grâce à celle-ci, la création d'un organe de presse ne nécessite plus, comme auparavant, une autorisation préalable et le versement d'une caution. Seules les offenses à la personne, l'injure ou encore la diffamation peuvent faire l'objet de poursuites judiciaires. Autrement dit, le contrôle n'est plus préventif, mais s'exerce *a posteriori* et laisse ainsi la possibilité aux journalistes d'écrire ce qu'ils veulent. D'où la floraison de nouveaux titres (en 1885 on en compte mille cinq cent quarante, et mille six cent soixante-cinq en 1887). Les feuilles à scandales se multiplient, avec leurs tissus de ragots, de propos sulfureux et de données non vérifiées. Dans le roman, le bien-nommé Saint-Potin, qui fabrique ses interviews sans se donner la peine de rencontrer les personnalités qu'il a charge d'interroger, est emblématique de ce journalisme sans éthique professionnelle.

Cette absence de déontologie est couverte par les dirigeants des journaux que le trucage de l'information ne gêne pas, dès lors qu'il peut servir leurs intérêts économiques. La force de frappe de ces patrons de presse est considérable puisqu'ils savent orchestrer des campagnes d'« abattage », comme il est dit dans le roman, c'est-à-dire des rafales d'articles très critiques, voire diffamatoires, propres à faire tomber des ministres et des gouvernements. En fait, ils tirent profit des faiblesses inhérentes au régime républicain et jouent sur la confiance accordée par les électeurs aux élus : en la matière, la presse apparaît bien comme l'arme la plus efficace qui soit pour manipuler les opinions. Walter, le patron de *La Vie française*, est un représentant de ces « rois » tout-puissants ; Maupassant n'a fait qu'observer les directeurs de journaux de son époque pour inventer ce personnage. Son nom rappelle celui d'Arthur Meyer, le directeur du *Gaulois*, qui a su obtenir de très gros tirages ; les pratiques douteuses de Walter et la teneur de son journal renvoient quant à elles à la façon de faire d'Auguste Dumont, directeur du *Gil Blas*, un quotidien auquel Maupassant collaborait et qui jouait sur tous les tableaux : échos racoleurs et pages littéraires, commérages et éditoriaux moralisateurs, etc. Le journal de Walter est caractérisé par un mélange des genres assez semblable puisqu'il est « officieux, catholique, libéral, républicain, orléaniste, tarte à la crème et boutique à treize » (p. 100-101).

Le roman ne cache donc rien de cette collusion d'intérêts qui règne entre la politique, la finance et l'information. Si les journalistes sont sans scrupules et si, derrière les patrons de presse, se cachent d'insatiables capitalistes, le personnel politique semble pour sa part composé d'hommes véreux et opportunistes, comme le laisse transparaître le portrait ironique que dresse Maupassant de Laroche-Mathieu. D'abord homme de paille[1] de Walter en politique (« son associé en beaucoup d'affaires de finances », p. 268), puis député et ministre, il incarne bien l'« un de ces hommes politiques à plusieurs faces, sans conviction,

---

1. *Homme de paille* : personne qui en couvre une autre de son nom, permettant ainsi à cette dernière d'agir à sa guise, de façon anonyme.

sans grands moyens, sans audace et sans connaissances sérieuses, avocat de province, joli homme de chef-lieu, gardant un équilibre de finaud entre tous les partis extrêmes, sorte de jésuite républicain et de champignon libéral de nature douteuse, comme il en pousse par centaines sur le fumier populaire du suffrage universel » (p. 267). Le roman apparaît ainsi comme une dénonciation de la démagogie, du « machiavélisme de village » (p. 267), de la réussite des médiocres en politique. La violence de l'attaque laisse supposer de la part du romancier une vraie défiance à l'encontre de la démocratie.

La progression de Duroy ne peut d'ailleurs se comprendre que dans ce contexte. « J'ai voulu simplement raconter la vie d'un aventurier pareil à tous ceux que nous coudoyons chaque jour dans Paris », précise Maupassant dans sa réponse aux critiques de *Bel-Ami*[1]. Si Duroy réussit si bien dans la société de son temps, c'est qu'il en est le rejeton idéal, le plus pur produit. Les autres le plébiscitent parce qu'ils se reconnaissent en lui, comme en témoigne le dernier chapitre du roman où « une foule noire, bruissante, [est] venue là pour lui, pour lui Georges Du Roy. Le peuple de Paris le contemplait et l'enviait » (p. 415). Il est pareil à un « roi qu'un peuple [vient] acclamer », à « l'Homme-Dieu [...] descend[ant] sur la terre pour consacrer [son] triomphe » (p. 414). Mieux, il est l'Homme-Dieu lui-même, le nouveau Jésus de cette république commençante : sur le tableau de Karl Marcowitch, *Jésus marchant sur les flots*, c'est Duroy en Christ qui est représenté (p. 373) ! Bel-Ami, c'est donc la quintessence de la société nouvelle.

---

1. Voir dossier, p. 444.

Un roman moral

Le roman fonctionne sur un mode paradoxal : plus Duroy gravit l'échelle sociale – échelle symbolisée par les escaliers de l'immeuble bourgeois des Forestier où, à chaque palier, Duroy se transforme à vue d'œil –, plus il baisse sur l'échelle des valeurs. Chaque fois qu'il remporte un succès, c'est une défaite de la pensée, une déroute de la morale la plus élémentaire.

Car ce héros qui réussit si bien dans la vie, du moins dans le laps de temps raconté par le roman, demeure fondamentalement médiocre. Intellectuellement d'abord : lui qui a échoué deux fois au baccalauréat se montre incapable d'écrire un article sans l'aide de Madeleine Forestier, ce que lui rappellent cruellement les collaborateurs de *La Vie française* en le surnommant « Forestier ». Son seul mérite tient dans sa faculté d'adaptation aux nouveaux milieux qu'il fréquente, dans cette capacité qu'il a de nager en eau trouble, comme les poissons du bassin de l'hôtel des Walter. Moralement ensuite, il est une « crapule », comme l'a bien pressenti sa maîtresse, Mme de Marelle : « Tu trompes tout le monde, tu exploites tout le monde, tu prends du plaisir et de l'argent partout » (p. 405). Il veut posséder femmes et argent, est « ivre d'or et de chair », pour reprendre une expression employée par Zola dans *La Curée* : significativement, le roman de Maupassant s'ouvre sur l'image d'une pièce de monnaie et se termine par le mot « lit ».

Les femmes, auxiliaires et victimes

Narcissique, égoïste, matérialiste, Duroy ne pense qu'à lui-même et, de ce fait, utilise les autres pour son profit, à commencer par les femmes, à propos desquelles son ami Charles

Forestier professe : « C'est encore par elles qu'on arrive le plus vite » (p. 54). Grâce à elles, non seulement il obtient un soutien affectif (Rachel, Clotilde, Madeleine), psychologique, intellectuel (Madeleine) et financier (Clotilde, Virginie), mais aussi il goûte au plaisir du mâle dominant, cette « joie égoïste de l'homme adroit qui réussit, la joie subtile, faite de vanité flattée et de sensualité contente, que donne la tendresse des femmes » (p. 284). Celles-ci sont ses grandes victimes : il ment à Rachel la prostituée et l'humilie en faisant semblant de ne plus la reconnaître ; il déshonore Madeleine, sa première femme, par un flagrant délit d'adultère qu'il provoque de sang-froid ; il trompe à de multiples reprises sa maîtresse, Mme de Marelle, et entraîne « la Patronne », Mme Walter, vers les confins de la folie. En outre, la fin du roman nous laisse pressentir que Suzanne deviendra une épouse bien malheureuse puisque, le jour même de la cérémonie de mariage, Duroy aspire à renouer avec Mme de Marelle.

Toutefois ces femmes sont présentées comme des victimes consentantes – ce qui nous empêche de dire que le romancier prend véritablement leur défense : pourtant fine mouche, Madeleine croit que Duroy sera son homme-lige[1] dans les milieux de la presse, alors même que c'est elle qui finit par être exploitée, puis répudiée par lui ; Mme de Marelle ne renonce jamais à reprendre Duroy pour amant, malgré la piètre opinion qu'elle a de lui ; la très chrétienne Mme Walter abjure les principes auxquels elle croit le plus et s'avilit pour être aimée (« Il lui ferait mal, quel bonheur ! », p. 333, au point que, dans ses prières, elle en vient à substituer le nom de Georges à celui de Jésus ; enfin, la sage Suzanne accepte d'être enlevée par lui, bien qu'elle sache que ce rapt causera le désespoir de ses parents. Ce

---

1. Homme-lige : personne inconditionnellement dévouée à quelqu'un ou à quelque chose.

sont des femmes sous l'emprise d'une domination archaïque, presque animale, incapables de résister aux charmes vulgaires d'une gouape[1] à la virilité proéminente : grosse moustache et démarche chaloupée d'ancien sous-officier. Même Laurine, la fille de Clotilde, n'y résiste pas : c'est elle qui invente le surnom de « Bel-Ami ». « Vous êtes un ensorceleur » (p. 116), s'exclame alors la mère. On est loin d'un roman féministe !

Le parcours d'un arriviste dans une société corrompue

« L'avenir est aux malins ! », comme le proclame Norbert de Varenne. Et Georges a de l'avenir. Il est le roi, ou plutôt le « roy » de la crapulerie au royaume des « crapules ». Forestier, son initiateur dans le monde parisien, lui présentant le public des Folies-Bergère, lui décrit bien le marigot[2] dans lequel il s'apprête à mettre les pieds : « Il y a de tout, de toutes les professions et de toutes les castes, mais la crapule domine » (p. 51). Rompu aux mœurs des hautes sphères, Duroy confirme ce constat au cours d'un monologue intérieur tenu lors d'une promenade dans le quartier de l'Étoile, remarquant que les cavaliers, les amazones et les propriétaires de landaus qui se pavanent sur l'avenue du bois de Boulogne ne sont, en fait, que des prostituées de luxe au bras d'escrocs, des nouveaux riches, des parvenus et des déclassés. Et Duroy de sentir « vaguement qu'il y [a] quelque chose de commun entre eux, un lien de nature, qu'ils [sont] de même race, de même âme, et que son succès aur[a] des procédés audacieux du même ordre » (p. 183).

En tout cas, rien ni personne ne s'oppose à son avènement, bien au contraire. L'État ? Il est corrompu, vermoulu, gangrené

---

1. *Une gouape* : une canaille, un voyou.
2. *Marigot* : bourbier.

par les affaires. Les aînés ? Les parents de Georges sont ravis de voir leur fils devenir un monsieur, peu leur chaut de savoir comment il y est parvenu. Les patrons ? Walter est un précurseur de Duroy dans la crapulerie, un juif obscur (Maupassant n'évite pas sur ce point les clichés antisémites) qui a réussi à force d'intelligence et d'amoralisme : il est « un des maîtres du monde, un de ces financiers omnipotents, plus forts que des rois, qui font courber les têtes, balbutier les bouches et sortir tout ce qu'il y a de bassesse, de lâcheté et d'envie au fond du cœur humain » (p. 353). Le directeur de *La Vie française* serait bien en peine de jeter la pierre à son rédacteur ! D'ailleurs, il apprécie Duroy, le reconnaît comme l'un des siens, quand celui-ci prend Suzanne en otage : « C'est un homme d'avenir. Il sera député et ministre » (p. 399), prédit-il. La religion ? Elle n'a plus de sens : l'église de la Trinité n'est plus bonne, désormais, qu'à abriter des rendez-vous galants ; quant au prêtre de la Madeleine, la grande église où sont célébrées les noces de Georges et de Suzanne, il ne tarit pas d'éloge sur le marié : « Vous, monsieur, que votre talent élève au-dessus des autres... » (p. 413). Les maîtres à penser ? Un seul peut remplir cet office : c'est Norbert de Varenne. Le vieil homme de lettres met bien en garde le jeune ambitieux : l'argent, l'amour et la gloire sont des buts chimériques quand on sait que « la mort seule est certaine » (p. 179). Mais cette peinture de vanité ne suffit pas à ébranler Duroy. Le poète sitôt quitté, l'impétueux jeune homme sent son cœur palpiter en respirant le parfum d'une passante. Aussi frivole que l'effluve est volatil, il se montre incapable de renoncer à ses aspirations et croit fermement en sa bonne étoile : « Tout lui souriait, la vie l'accueillait avec tendresse. Comme c'était bon la réalisation des espérances ! Il s'endormit dans l'ivresse » (p. 181).

Cette « ivresse » porte un nom : c'est l'*hybris* dénoncée par les Grecs, cette démesure des hommes qui ne se résolvent pas à admettre leur condition d'hommes mortels. Maupassant n'écrit-il pas à propos de Duroy et Madeleine (double féminin de Duroy en matière d'ambition et de compromission) au moment du décès de Charles : « ils en avaient fini avec la mort » ? (p. 230). Or ce déni, cet oubli problématique, quasi pathologique, est le propre de bien des héros tragiques qui se rêvent invincibles, voire immortels. Cette inconscience caractérise aussi les enfants qui ne pensent pas à la mort et vivent dans l'impatience de la réalisation de leurs pulsions. Or Georges se montre plus enfantin que tragique dans sa soif inextinguible de concrétiser ses désirs, dans sa façon de convoiter ardemment ce qu'il n'a pas, « rage[ant] du triomphe du Patron » (p. 355) ou de l'enrichissement de Laroche : « Madeleine [...] le traitait en enfant maladroit. Elle s'étonnait d'ailleurs de sa constante mauvaise humeur, et répétait : "Je ne te comprends pas. Tu es toujours à te plaindre. Ta position est pourtant superbe" » (p. 356). Mais Duroy ne peut jamais être comblé. Il veut toujours plus : « l'envie, l'envie amère, lui tombait dans l'âme goutte à goutte, comme un fiel qui corrompait toutes ses joies, rendait odieuse son existence » (p. 359).

L'insolente ascension de Bel-Ami signe donc un crépuscule moral et social, une aberrante inversion des valeurs. L'absence de sanction, l'impunité dont semble jouir jusqu'au bout le personnage traduisent l'instauration d'un nouvel ordre qui a tout l'air d'un contre-ordre, où l'odieux n'est plus scandaleux, où l'écart transgressif devient la norme, où la scène tragique se retourne en farce cynique. Paris célébrant Duroy, c'est la ville qui choisit comme prince un enfant capricieux, jaloux et destructeur. L'apothéose de Bel-Ami souligne aussi que, dans cette France fin de siècle, la vie sociale n'est plus qu'une comédie des apparences : le prêtre fait des phrases (« Il parla de fidélité, longuement, en termes pompeux », p. 412) ; les journalistes jouent au bilboquet au lieu de travailler ; les roturiers s'inventent des noms d'aristocrates et, comme le dit Forestier : « À Paris, vois-tu, il vaudrait mieux n'avoir pas de lit que pas d'habit[1] » (p. 47). Tout est question d'apparences. Il s'agit de séduire, de donner le change, de se faire passer pour respectable. Ce jeu de dupes est symbolisé par la présence récurrente des miroirs. Ils indiquent une prédominance de la surface, du reflet, de l'illusion. Mais, derrière la belle image, c'est le néant d'une société qui a renoncé à toute transcendance, qui ne reconnaît plus de vraies figures d'autorité, une société atomisée, marquée par un individualisme forcené, une société anomique[2] où s'aiguisent des appétits sauvages (telle la voracité des poissons-monstres de la vasque de marbre des Walter), une société où « les hommes forts arrivent toujours, soit par un moyen, soit par un autre » (p. 365). De fait, les plus faibles sont éliminés ou voués à un état de soumission : malade, Forestier finit par mourir ; Langremont perd son duel ; quant aux femmes − sexe faible s'il en est dans le roman −, elles finissent toutes par céder à la puissance masculine de Georges. Dans ce schéma darwinien[3], l'ascendant que Madeleine prend sur Georges au moment de leur mariage (« il subissait vivement le charme physique et l'insensible domination » de son épouse, p. 261) constitue une anomalie. Georges se libère bien vite de ce joug. Le droit du plus fort finit par l'emporter. Ainsi, vraiment, « quelle salade de société ! » (p. 365).

---

1. Cette idée était déjà présente chez Balzac : « La question du costume est d'ailleurs énorme chez ceux qui veulent paraître avoir ce qu'ils n'ont pas, car c'est souvent le meilleur moyen de le posséder plus tard » (*Illusions perdues*, éd. Philippe Berthier, GF-Flammarion, 1990, p. 196).
2. *Anomique* : sans normes, sans ordre ni lois.
3. *Darwinien* : régi par la sélection naturelle, selon la conception du naturaliste anglais Charles Darwin (1809-1882).

Mais la dénonciation de cette faillite, l'expression satirique de cette décadence est rarement explicite. Le plus souvent, l'écriture de Maupassant est empreinte d'ironie, cette tonalité qui oblige le lecteur à trouver par lui-même la pensée exacte de l'auteur. C'est donc dans les creux du récit qu'on découvre le sarcasme. Alors on rit, mais on rit jaune, car le miroir tendu par le romancier ne renvoie pas le reflet flatteur que Duroy se plaît à contempler sur les grandes glaces d'escalier. Au contraire, c'est l'humanité dans ses aspects les plus vils qui s'y révèle. Roman de mœurs, mais aussi, surtout même, roman moral : symbole de ce délitement généralisé qui affecte, selon Maupassant, la France de la fin du XIXᵉ siècle, Duroy est un personnage que les pouvoirs de la fiction, propres à frapper l'imaginaire, parviennent à rendre détestable. En suscitant l'antipathie, peut-être même la révolte, Duroy est apte sans doute à éveiller la conscience critique du lecteur. Avec *Bel-Ami*, la littérature est bien une fleur du mal : c'est une œuvre belle et puissante, poétique et drôle, mais le parfum qui s'en exhale semble bien être celui « de la chair décomposée[1] ».

---

1. Voir Jean-Louis Bory, préface de *Bel-Ami*, Gallimard, coll. « Folio », 1973, p. 26.

CHRONOLOGIE

1850 1893
1850 1893

■ **Repères historiques et culturels**
■ **Vie et œuvre de l'auteur**

Repères historiques et culturels

1848   Début de la IIe République (février). Louis-Napoléon Bonaparte est élu président.

1851   Coup d'État puis plébiscite du prince président (2 décembre).

1852   La presse est censurée.
Proclamation du Second Empire (2 décembre).
Louis-Napoléon Bonaparte devient Napoléon III.

1854   Début des grands travaux du préfet Haussmann à Paris.

1856   Duranty, *Le Réalisme*.

1857   Flaubert, *Madame Bovary*.
Baudelaire, *Les Fleurs du mal*.
Procès de Flaubert et de Baudelaire.

1862   Tourgueniev, *Père et fils*.
Hugo, *Les Misérables*.

1865   Les frères Goncourt, *Germinie Lacerteux*.
Claude Bernard, *Introduction à l'étude de la médecine expérimentale*.

1866   Verlaine, *Poèmes saturniens*.
Zola, *Thérèse Raquin*.

1867   Les frères Goncourt, *Manette Salomon*.

1868   Mesures libérales, en France, sur la presse et les réunions.

1869   Flaubert, *L'Éducation sentimentale*.
Inauguration du canal de Suez.

1870-1871   Guerre franco-prussienne, qui conduit à la déroute des troupes françaises à Sedan et au siège de Paris. Chute de Napoléon III et proclamation de la IIIe République.

Vie et œuvre de l'auteur

1850 5 août, naissance de Guy, prétendûment au château de Miromesnil.

1850-1859 Enfance en Normandie. Séjours à Paris.

1856 Naissance du frère cadet de Guy, Hervé.

1860 Les parents se séparent : Laure, la mère, part s'installer avec ses fils dans la villa des Verguies, à Étretat.

1863 Guy entre comme pensionnaire au petit séminaire d'Yvetot. Premiers poèmes.

1866 Il sauve de la noyade le poète anglais Swinburne qui, en guise de remerciement, l'invite chez lui et lui montre une main d'écorché qui fournira à Maupassant le sujet de son premier conte (« La Main d'écorché »).

1868 Interne au lycée de Rouen ; il rencontre Gustave Flaubert et découvre la philosophie de Schopenhauer.

1869 Reçu bachelier, il part faire des études de droit à Paris, où il rejoint son père.

1870 La mobilisation interrompt ses études : il est assigné à l'intendance de Rouen. Il assiste à la débâcle française.

Repères historiques et culturels

1871   Armistice. La Commune (de mars à mai) : gouvernement parisien révolutionnaire et populaire, hostile à la capitulation. Ce mouvement est réprimé dans le sang par le gouvernement de Thiers.

1871-1873   Gouvernement de Thiers : réorganisation de la France et évacuation du territoire par les Prussiens.

1872   Zola, *La Curée*.

1873-1879   Gouvernement de Mac-Mahon : période de l'« Ordre moral », tentative avortée de restauration monarchique.
Zola, *Le Ventre de Paris*.

1874   Première exposition impressionniste.

1875   Lois constitutionnelles républicaines.

1876   Victoire républicaine aux élections législatives.

1877   Zola, *L'Assommoir*. Début de l'école naturaliste.
Edmond de Goncourt, *La Fille Élisa*.
Crise politique. Mac-Mahon dissout la Chambre. Succès républicain.

1879   Démission de Mac-Mahon. Jules Grévy devient président de la République.
La Marseillaise devient l'hymne national.

1880   Mort de Flaubert.
Zola, *Le Roman expérimental*, où sont énoncés les principes du naturalisme zolien.
Schopenhauer, *Pensées, maximes et fragments* (choix de textes et traduction par Jean Bourdeau), expression philosophique d'un profond pessimisme.
Début du gouvernement de Jules Ferry.

Vie et œuvre de l'auteur

1871   Il quitte l'armée en septembre et regagne Étretat.

1872   Il entre au ministère de la Marine, comme bénévole à titre provisoire. Il pratique le canotage sur la Seine, l'escrime et le tir au pistolet.

1873   Maupassant obtient des appointements et devient officiellement fonctionnaire.
Début du travail d'écriture assidu sous la direction de Flaubert.

1874   Chez Flaubert, le jeune Guy rencontre Alphonse Daudet, Émile Zola, Edmond de Goncourt, Joris-Karl Huysmans. Il fréquente également le salon de Zola, participe aux réunions des naturalistes.

1875   « La Main d'écorché » (conte).
Représentation privée d'*À la feuille de rose. Maison turque* (pièce pornographique).

1876   Il publie « En canot », qui deviendra « Sur l'eau » (conte).

1878   Maupassant quitte le ministère de la Marine pour celui de l'Instruction publique.
Il commence à souffrir de troubles oculaires, de migraines : premiers symptômes de la syphilis.

1879   « Le Papa de Simon » (conte).
« Une fille » (poème).

1880   Succès de « Boule de Suif » dans *Les Soirées de Médan*, recueil collectif de nouvelles naturalistes.
Maupassant quitte le ministère de l'Instruction publique.
Il entame une collaboration avec la revue *Le Gaulois*.
Voyage en Corse.
L'auteur d'« Une fille » est conduit devant la justice pour outrage aux bonnes mœurs. Flaubert intercède en sa faveur.

Repères historiques et culturels

1881 Lois fondamentales sur la liberté de la presse, la liberté de réunion et la liberté syndicale.
Colonisation de la Tunisie puis instauration du protectorat français sur celle-ci.

1881-1886 Lois scolaires de Jules Ferry : enseignement primaire laïc, gratuit et obligatoire ; généralisation de l'enseignement secondaire aux jeunes filles.

1882 Krach de l'Union générale.

1883 Vallès fonde le journal *Le Cri du peuple*.
Expédition au Tonkin.
Traité du Bardo : la France garantit la dette tunisienne.

1884 Loi autorisant le divorce.
Huysmans, *À rebours*.

1885 Mort de Victor Hugo.
Zola, *Germinal*.

1886 Manifeste symboliste.
Zola, *L'Œuvre*.
Drumont, *La France juive* (pamphlet antisémite).

1887 Zola, *La Terre*.
Scandale autour d'un trafic de décorations officielles. Jules Grévy doit démissionner.
Gouvernement de Sadi Carnot.

1887-1889 Agitation boulangiste (mouvement politique nationaliste et revanchard).

1889 Exposition universelle. Construction de la tour Eiffel.
Zola, *La Bête humaine*.

Vie et œuvre de l'auteur

1881   *La Maison Tellier* (premier recueil de contes).
Séjourne en Afrique du Nord pour des chroniques destinées
au *Gaulois*.
Début de la collaboration avec le *Gil Blas*.

1882   *Mademoiselle Fifi* (recueil de contes).

1883   *Une vie* (premier roman).
Contes de la Bécasse.
Il fait construire une maison, « La Guillette », près d'Étretat.

1884-1886   À Paris, il suit les cours du clinicien Charcot à la Salpêtrière.

1885   *Bel-Ami* (deuxième roman).
Yvette, Contes du jour et de la nuit, Toine (recueils de contes).
Voyages en Italie, en Sicile et dans le Massif central.

1887   *Mont-Oriol* (roman).
Le Horla (recueil de contes).
Voyage en Afrique du Nord.

1888   Croisière à bord du *Bel-Ami*. Voyage à Alger et à Tunis.
Pierre et Jean (roman), précédé de l'étude « Le Roman ».
Sur l'eau (carnet de voyage).
Le Rosier de Mme Husson (recueil de contes).
Ses troubles de santé s'aggravent.
Fin de la collaboration avec *Le Gaulois*.

1889   *Fort comme la mort* (roman).
Internement et agonie de son frère Hervé à l'hôpital
psychiatrique de Lyon.
Croisière sur le *Bel-Ami* en Italie.

Repères historiques et culturels

1891   Zola, *L'Argent*.

1892   Zola, *La Débâcle*.
Scandale de Panamá.
Attentat anarchiste de Vaillant.

1893   Zola, *Le Docteur Pascal*.
Progrès socialistes aux élections.

1894   Assassinat du président Sadi Carnot.
Condamnation du capitaine Dreyfus.

Vie et œuvre de l'auteur

1890 *L'Inutile Beauté* (dernier recueil de contes).
La Vie errante (carnet de voyage).
Notre cœur (ultime roman).
Guy part en cure à Aix-les-Bains, Plombières, Gérardmer.

1891 Maladie, dépression et fatigue : Maupassant ne peut plus écrire.
Fin de la collaboration avec le *Gil Blas*.

1892 Tentative de suicide dans la nuit du 1er au 2 janvier.
Guy entre le 7 janvier dans la maison de santé
du Dr Blanche.

1893 Convulsions. Maupassant meurt le 6 juillet. Il est inhumé
au cimetière du Montparnasse, à Paris.

Bel-Ami

PREMIÈRE PARTIE

I

Quand la caissière lui eut rendu la monnaie de sa pièce de cent sous[1], Georges Duroy sortit du restaurant.

Comme il portait beau[2], par nature et par pose d'ancien sous-officier, il cambra sa taille, frisa sa moustache d'un geste militaire et familier, et jeta sur les dîneurs attardés un regard rapide et circulaire, un de ces regards de joli garçon qui s'étendent comme des coups d'épervier[3].

Les femmes avaient levé la tête vers lui, trois petites ouvrières, une maîtresse de musique entre deux âges, mal peignée, négligée, coiffée d'un chapeau toujours poussiéreux et vêtue toujours d'une robe de travers, et deux bourgeoises avec leurs maris, habituées de cette gargote[4] à prix fixe.

Lorsqu'il fut sur le trottoir, il demeura un instant immobile, se demandant ce qu'il allait faire. On était au 28 juin, et il lui restait juste en poche trois francs quarante pour finir le mois.

---

1. Un sou désigne une pièce en bronze de cinq centimes. Une pièce de cent sous équivaut à cinq francs, ce qui est un faible montant.

2. *Portait beau* : avait fière allure.

3. *Épervier* : filet de pêche. Le terme fait aussi penser à l'oiseau rapace qui fond sur ses proies comme Duroy sur les femmes. C'est en ce sens que le terme sera réemployé pour qualifier Duroy au chapitre I de la seconde partie (p. 245).

4. *Gargote* : restaurant à bas prix, de piètre qualité.

Cela représentait deux dîners sans déjeuners, ou deux déjeuners sans dîners, au choix. Il réfléchit que les repas du matin étant de vingt-deux sous, au lieu de trente que coûtaient ceux du soir, il lui resterait, en se contentant des déjeuners, un franc vingt cen-
20 times de boni[1], ce qui représentait encore deux collations[2] au pain et au saucisson, plus deux bocks[3] sur le boulevard[4]. C'était là sa grande dépense et son grand plaisir des nuits, et il se mit à descendre la rue Notre-Dame-de-Lorette[5].

Il marchait ainsi qu'au temps où il portait l'uniforme des hus-
25 sards[6], la poitrine bombée, les jambes un peu entrouvertes comme s'il venait de descendre de cheval ; et il avançait brutale-ment dans la rue pleine de monde, heurtant les épaules, pous-sant les gens pour ne point se déranger de sa route. Il inclinait légèrement sur l'oreille son chapeau à haute forme assez défraî-
30 chi, et battait le pavé de son talon. Il avait l'air de toujours défier quelqu'un, les passants, les maisons, la ville entière, par chic[7] de beau soldat tombé dans le civil.

---

1. Boni : excédent, ce qui reste de la somme affectée à une dépense.
2. Collations : repas légers, goûters.
3. Bocks : verres de bière.
4. Boulevard : il s'agit du boulevard des Italiens (qui s'étend sur les 2ᵉ et 9ᵉ arrondissements de la capitale), centre de la vie mondaine, artistique et économique du Paris du XIXᵉ siècle.
5. Rue Notre-Dame-de-Lorette : rue du 9ᵉ arrondissement de Paris qui part de l'église Notre-Dame-de-Lorette et monte vers la rue Blanche. Le décor est planté : Duroy déambule dans une rue, dans un quartier où, dans la seconde moitié du XIXᵉ siècle, se côtoient petits bourgeois, artistes bohèmes (le quartier compte de nombreux ateliers, galeries d'art et salles de rédaction de revues), mais aussi « lorettes », filles faciles que les hommes, en quête d'aventures amoureuses, rencontrent aux abords de l'église. L'environnement du héros est donc à l'image de ce dernier : typique de son époque, populaire, voué aux plaisirs.
6. Hussards : soldats de la cavalerie légère.
7. Chic : conformité à une certaine façon de se tenir en société, qu'on estime élégante.

Quoique habillé d'un complet[1] de soixante francs, il gardait une certaine élégance tapageuse, un peu commune, réelle cependant. Grand, bien fait, blond, d'un blond châtain vaguement roussi, avec une moustache retroussée, qui semblait mousser sur sa lèvre, des yeux bleus, clairs, troués d'une pupille toute petite, des cheveux frisés naturellement, séparés par une raie au milieu du crâne, il ressemblait bien au mauvais sujet des romans populaires[2].

C'était une de ces soirées d'été où l'air manque dans Paris. La ville, chaude comme une étuve[3], paraissait suer dans la nuit étouffante. Les égouts soufflaient par leurs bouches de granit leurs haleines empestées, et les cuisines souterraines jetaient à la rue, par leurs fenêtres basses, les miasmes[4] infâmes des eaux de vaisselle et des vieilles sauces.

Les concierges, en manches de chemise[5], à cheval sur des chaises en paille, fumaient la pipe sous les portes cochères[6], et les passants allaient d'un pas accablé, le front nu, le chapeau à la main.

Quand Georges Duroy parvint au boulevard, il s'arrêta encore, indécis sur ce qu'il allait faire. Il avait envie maintenant de gagner les Champs-Élysées et l'avenue du bois de Boulogne[7]

---

1. *Complet* : costume masculin (composé d'une redingote, d'un pantalon, d'un gilet et d'un chapeau de soie).

2. *Mauvais sujet des romans populaires* : personnage de malfrat ou d'escroc séduisant, très souvent mis en scène dans les romans divertissants de l'époque.

3. *Étuve* : lieu clos caractérisé par sa chaleur et son humidité.

4. *Miasmes* : émanations malsaines.

5. *En manches de chemise* : sans veste, les manches de chemise apparentes.

6. *Portes cochères* : grandes portes à deux battants, qui permettent le passage des voitures.

7. *Avenue du bois de Boulogne* : depuis 1929, l'avenue du bois de Boulogne s'appelle l'avenue Foch. Ses larges « allées cavalières », situées entre la chaussée et les jardins, étaient recouvertes de terre battue permettant aux

pour trouver un peu d'air frais sous les arbres ; mais un désir
aussi le travaillait, celui d'une rencontre amoureuse.

Comment se présenterait-elle ? Il n'en savait rien, mais il
l'attendait depuis trois mois, tous les jours, tous les soirs. Quelquefois cependant, grâce à sa belle mine et à sa tournure galante,
il volait, par-ci par-là, un peu d'amour, mais il espérait toujours
plus et mieux.

La poche vide et le sang bouillant, il s'allumait au contact des
rôdeuses qui murmurent à l'angle des rues « Venez-vous chez
moi, joli garçon ? », mais il n'osait les suivre, ne les pouvant
payer ; et il attendait aussi autre chose, d'autres baisers, moins
vulgaires.

Il aimait cependant les lieux où grouillent les filles publiques,
leurs bals, leurs cafés, leurs rues ; il aimait les coudoyer, leur
parler, les tutoyer, flairer leurs parfums violents, se sentir près
d'elles. C'étaient des femmes enfin, des femmes d'amour. Il ne
les méprisait point du mépris inné des hommes de famille[1].

Il tourna vers la Madeleine[2] et suivit le flot de foule qui coulait accablé par la chaleur. Les grands cafés, pleins de monde,
débordaient sur le trottoir, étalant leur public de buveurs sous la
lumière éclatante et crue de leur devanture illuminée. Devant
eux, sur de petites tables carrées ou rondes, les verres conte-
naient des liquides rouges, jaunes, verts, bruns, de toutes les
nuances ; et dans l'intérieur des carafes on voyait briller les gros
cylindres transparents de glace qui refroidissaient la belle eau
claire.

Duroy avait ralenti sa marche et l'envie de boire lui séchait
la gorge.

---

cavaliers de rejoindre à cheval le bois de Boulogne, qui se situe à son extrémité ouest. C'était un lieu de promenade très mondain.
1. Hommes de famille : hommes de bonne famille, hommes bien nés.
2. La Madeleine : la plus vaste église de Paris, dans le 8e arrondissement.
Cet édifice est à nouveau présent dans le dernier chapitre du roman, ce qui
incite à comparer le début et la fin de l'œuvre.

Une soif chaude, une soif de soir d'été le tenait, et il pensait à la sensation délicieuse des boissons froides coulant dans la bouche. Mais s'il buvait seulement deux bocks dans la soirée, adieu le maigre souper du lendemain, et il les connaissait trop les heures affamées de la fin du mois.

Il se dit : « Il faut que je gagne dix heures, et je prendrai mon bock à l'Américain[1]. Nom d'un chien ! que j'ai soif tout de même ! » Et il regardait tous ces hommes attablés et buvant, tous ces hommes qui pouvaient se désaltérer tant qu'il leur plaisait. Il allait, passant devant les cafés d'un air crâne[2] et gaillard, et il jugeait d'un coup d'œil, à la mine, à l'habit, ce que chaque consommateur devait porter d'argent sur lui. Et une colère l'envahissait contre ces gens assis et tranquilles. En fouillant leurs poches, on trouverait de l'or, de la monnaie blanche[3] et des sous. En moyenne, chacun devait avoir au moins deux louis[4] ; ils étaient bien une centaine au café ; cent fois deux louis font quatre mille francs ! Il murmurait : « Les cochons ! » tout en se dandinant avec grâce. S'il avait pu en tenir un au coin d'une rue, dans l'ombre bien noire, il lui aurait tordu le cou, ma foi, sans scrupule, comme il faisait aux volailles des paysans, aux jours de grandes manœuvres[5].

Et il se rappelait ses deux années d'Afrique, la façon dont il rançonnait les Arabes dans les petits postes du Sud. Et un sourire cruel et gai passa sur ses lèvres au souvenir d'une escapade qui avait coûté la vie à trois hommes de la tribu des Ouled-Alane et qui leur avait valu, à ses camarades et à lui, vingt poules, deux moutons et de l'or, et de quoi rire pendant six mois.

---

1. *L'Américain* : grand café situé au 4, boulevard des Capucines, dans le 9e arrondissement.

2. *Crâne* : qui affecte la bravoure, qui veut paraître courageux.

3. *De la monnaie blanche* : des pièces d'argent (un, deux ou cinq francs, vingt ou cinquante centimes).

4. *Louis* : pièces d'or de vingt francs.

5. *Grandes manœuvres* : exercices militaires grandeur nature.

On n'avait jamais trouvé les coupables, qu'on n'avait guère
110 cherchés d'ailleurs, l'Arabe étant un peu considéré comme la
proie naturelle du soldat[1].

À Paris, c'était autre chose. On ne pouvait pas marauder[2]
gentiment, sabre au côté et revolver au poing, loin de la justice
civile, en liberté. Il se sentait au cœur tous les instincts du sous-
115 off[3] lâché en pays conquis. Certes, il les regrettait, ses deux
années de désert. Quel dommage de n'être pas resté là-bas ! Mais
voilà, il avait espéré mieux en revenant. Et maintenant !… Ah !
oui, c'était du propre, maintenant !

Il faisait aller sa langue dans sa bouche, avec un petit claque-
120 ment, comme pour constater la sécheresse de son palais.

La foule glissait autour de lui, exténuée et lente, et il pensait
toujours : « Tas de brutes ; tous ces imbéciles-là ont des sous dans
leur gilet. » Il bousculait les gens de l'épaule, et sifflotait des airs
joyeux. Des messieurs heurtés se retournaient en grognant ; des
125 femmes prononçaient : « En voilà un animal ! »

Il passa devant le Vaudeville[4], et s'arrêta en face du café Américain, se demandant s'il n'allait pas prendre son bock, tant la
soif le torturait. Avant de se décider, il regarda l'heure aux horloges lumineuses, au milieu de la chaussée. Il était neuf heures
130 un quart. Il se connaissait : dès que le verre plein de bière serait
devant lui, il l'avalerait. Que ferait-il ensuite, jusqu'à onze
heures ?

---

1. Ce passage rappelle la nouvelle « Mohammed-Fripouille » parue le 20 septembre 1884. Maupassant y narre des exactions commises par des militaires
à l'encontre des Arabes, dont il a été témoin lors de son séjour en Algérie en
tant qu'envoyé spécial du *Gaulois*.
2. *Marauder* : voler.
3. *Sous-off* : sous-officier.
4. *Le Vaudeville* : salle de spectacle située sur le boulevard des Capucines,
dans le 2e arrondissement. Inaugurée en 1869, elle a aujourd'hui disparu.
On y donnait des vaudevilles, c'est-à-dire des pièces légères, divertissantes,
comprenant souvent des parties chantées.

Il passa. « J'irai jusqu'à la Madeleine, se dit-il, et je reviendrai tout doucement. »

135 Comme il arrivait au coin de la place de l'Opéra, il croisa un gros jeune homme, dont il se rappela vaguement avoir vu la tête quelque part.

Il se mit à le suivre, en cherchant dans ses souvenirs, et répétant à mi-voix : « Où diable ai-je connu ce particulier-là[1] ? »

140 Il fouillait dans sa pensée sans parvenir à se le rappeler ; puis, tout d'un coup, par un singulier phénomène de mémoire, le même homme lui apparut, moins gros, plus jeune, vêtu d'un uniforme de hussard. Il s'écria tout haut : « Tiens, Forestier ! » et, allongeant le pas, il alla frapper sur l'épaule du marcheur. L'autre

145 se retourna, le regarda, puis dit : « Qu'est-ce que vous me voulez, monsieur ? »

Duroy se mit à rire : « Tu ne me reconnais pas ?

– Non.

– Georges Duroy du 6e hussards. »

150 Forestier tendit les deux mains : « Ah ! mon vieux ! comment vas-tu ?

– Très bien, et toi ?

– Oh ! moi, pas trop ; figure-toi que j'ai une poitrine de papier mâché maintenant ; je tousse six mois sur douze, à la suite

155 d'une bronchite que j'ai attrapée à Bougival[2], l'année de mon retour à Paris, voici quatre ans, maintenant.

– Tiens ! tu as l'air solide, pourtant. »

Et Forestier, prenant le bras de son ancien camarade, lui parla de sa maladie, lui raconta les consultations, les opinions et les

160 conseils des médecins, la difficulté de suivre leurs avis dans sa

---

1. *Particulier* : individu.

2. *Bougival* : commune à l'ouest de Paris, sur les bords de Seine, très fréquentée par la bourgeoisie parisienne de la seconde moitié du XIXe siècle. Maupassant en rend compte dans sa nouvelle « Le Horla » (1887).

position. On lui ordonnait de passer l'hiver dans le Midi ; mais
le pouvait-il ? Il était marié et journaliste, dans une belle
situation.

« Je dirige la politique à *La Vie française*. Je fais le Sénat au
165 *Salut*, et, de temps en temps, des chroniques littéraires pour *La
Planète*[1]. Voilà. J'ai fait mon chemin. »

Duroy, surpris, le regardait. Il était bien changé, bien mûri.
Il avait maintenant une allure, une tenue, un costume d'homme
posé, sûr de lui, et un ventre d'homme qui dîne bien. Autrefois
170 il était maigre, mince et souple, étourdi, casseur d'assiettes,
tapageur et toujours en train. En trois ans, Paris en avait fait
quelqu'un de tout autre, de gros et de sérieux, avec quelques cheveux blancs sur les tempes, bien qu'il n'eût pas plus de vingt-
sept ans.

175 Forestier demanda : « Où vas-tu ? »

Duroy répondit : « Nulle part, je fais un tour avant de rentrer.

– Eh bien, veux-tu m'accompagner à *La Vie française*, où j'ai
des épreuves[2] à corriger ; puis nous irons prendre un bock
ensemble ?

180 – Je te suis. »

Et ils se mirent à marcher en se tenant par le bras, avec cette
familiarité facile qui subsiste entre compagnons d'école et entre
camarades de régiment.

« Qu'est-ce que tu fais à Paris ? » dit Forestier.

185 Duroy haussa les épaules : « Je crève de faim, tout simplement. Une fois mon temps fini, j'ai voulu venir ici pour... pour
faire fortune ou plutôt pour vivre à Paris ; et voilà six mois que

---

1. *La Vie française*, *Le Salut*, *La Planète* : intitulés fictifs mais qui ressemblent à des noms de journaux ayant véritablement existé, comme *Le Gaulois* et *L'Univers*. Par prudence, Maupassant choisit de faire des références
indirectes à la presse de son temps.
2. *Épreuves* : texte mis en page par l'imprimeur. Une fois les épreuves corri-
gées par le rédacteur, le texte est tiré dans sa version définitive.

je suis employé aux bureaux du chemin de fer du Nord[1], à quinze cents francs par an[2], rien de plus. »

190 Forestier murmura : « Bigre, ça n'est pas gras.

– Je te crois. Mais comment veux-tu que je m'en tire ? Je suis seul, je ne connais personne, je ne peux me recommander de personne. Ce n'est pas la bonne volonté qui me manque, mais les moyens. »

195 Son camarade le regarda des pieds à la tête, en homme pratique, qui juge un sujet, puis il prononça d'un ton convaincu : « Vois-tu, mon petit, tout dépend de l'aplomb, ici. Un homme un peu malin devient plus facilement ministre que chef de bureau. Il faut s'imposer et non pas demander. Mais comment diable

200 n'as-tu pas trouvé mieux qu'une place d'employé au Nord ? »

Duroy reprit : « J'ai cherché partout, je n'ai rien découvert. Mais j'ai quelque chose en vue en ce moment, on m'offre d'entrer comme écuyer[3] au manège[4] Pellerin. Là, j'aurai, au bas mot, trois mille francs. »

205 Forestier s'arrêta net : « Ne fais pas ça, c'est stupide, quand tu devrais gagner dix mille francs. Tu te fermes l'avenir du coup. Dans ton bureau, au moins tu es caché, personne ne te connaît, tu peux en sortir si tu es fort, et faire ton chemin. Mais, une fois écuyer, c'est fini. C'est comme si tu étais maître d'hôtel

210 dans une maison où Tout-Paris va dîner. Quand tu auras donné des leçons d'équitation aux hommes du monde ou à leurs fils, ils ne pourront plus s'accoutumer à te considérer comme leur égal. »

Il se tut, réfléchit quelques secondes, puis demanda :

---

1. Chemin de fer du Nord : il s'agit de la Compagnie des chemins de fer du Nord qui a exploité le réseau ferroviaire du nord de la France de 1845 à 1938.
2. Montant exact de ce que touchait Maupassant à ses débuts comme « grattepapier » au ministère de la Marine. Plusieurs chroniques de Maupassant visent à dénoncer la misère des petits fonctionnaires.
3. Écuyer : professeur d'équitation.
4. Manège : bâtiment où l'on fait travailler les chevaux et où l'on reçoit des leçons d'équitation.

« Es-tu bachelier ?

215   — Non. J'ai échoué deux fois.

— Ça ne fait rien, du moment que tu as poussé tes études jusqu'au bout. Si on parle de Cicéron ou de Tibère[1], tu sais à peu près ce que c'est ?

— Oui, à peu près.

220   — Bon, personne n'en sait davantage, à l'exception d'une vingtaine d'imbéciles qui ne sont pas fichus de se tirer d'affaire. Ça n'est pas difficile de passer pour fort, va ; le tout est de ne pas se faire pincer en flagrant délit d'ignorance. On manœuvre, on esquive la difficulté, on tourne l'obstacle, et on colle les autres
225 au moyen d'un dictionnaire. Tous les hommes sont bêtes comme des oies et ignorants comme des carpes. »

Il parlait en gaillard tranquille qui connaît la vie, et il souriait en regardant passer la foule. Mais tout d'un coup il se mit à tousser, et s'arrêta pour laisser finir la quinte, puis, d'un ton
230 découragé : « Est-ce pas assommant de ne pouvoir se débarrasser de cette bronchite ? Et nous sommes en plein été. Oh ! cet hiver, j'irai me guérir à Menton[2]. Tant pis, ma foi, la santé avant tout. »

Ils arrivèrent au boulevard Poissonnière, devant une grande
235 porte vitrée, derrière laquelle un journal ouvert était collé sur les deux faces. Trois personnes arrêtées le lisaient.

Au-dessus de la porte s'étalait, comme un appel, en grandes lettres de feu dessinées par des flammes de gaz : *La Vie française*. Et les promeneurs, passant brusquement dans la clarté que
240 jetaient ces trois mots éclatants, apparaissaient tout à coup en

---

1. *Cicéron* (106-43 av. J.-C.) était un célèbre homme d'État et auteur latin, et ***Tibère*** (42 av. J.-C.-37 apr. J.-C.) un empereur romain. Leur connaissance appartient à la culture de base d'un bachelier du XIXe siècle.

2. *Menton* : station balnéaire méditerranéenne, proche de la frontière italienne ; son climat sec et doux en hiver avait la réputation d'être bénéfique aux malades souffrant de pathologies respiratoires.

pleine lumière, visibles, clairs et nets comme au milieu du jour, puis rentraient aussitôt dans l'ombre.

Forestier poussa cette porte : « Entre », dit-il. Duroy entra, monta un escalier luxueux et sale que toute la rue voyait, parvint
245 dans une antichambre[1], dont les deux garçons de bureau saluèrent son camarade, puis s'arrêta dans une sorte de salon d'attente, poussiéreux et fripé, tendu de faux velours d'un vert pisseux, criblé de taches et rongé par endroits, comme si des souris l'eussent grignoté.

250 « Assieds-toi, dit Forestier, je reviens dans cinq minutes. »

Et il disparut par une des trois sorties qui donnaient dans ce cabinet.

Une odeur étrange, particulière, inexprimable, l'odeur des salles de rédaction, flottait dans ce lieu. Duroy demeurait
255 immobile, un peu intimidé, surpris surtout. De temps en temps, des hommes passaient devant lui, en courant, entrés par une porte et partis par l'autre avant qu'il eût le temps de les regarder.

C'étaient tantôt des jeunes gens, très jeunes, l'air affairé, et
260 tenant à la main une feuille de papier qui palpitait au vent de leur course ; tantôt des ouvriers compositeurs[2], dont la blouse de toile tachée d'encre laissait voir un col de chemise bien blanc et un pantalon de drap pareil à celui des gens du monde ; et ils portaient avec précaution des bandes de papier imprimé, des
265 épreuves fraîches, tout humides. Quelquefois un petit monsieur entrait, vêtu avec une élégance trop apparente, la taille trop serrée dans la redingote[3], la jambe trop moulée sous l'étoffe, le

---

1. *Antichambre* : salle d'attente.
2. *Ouvriers compositeurs* : ouvriers chargés de mettre en page le texte. La composition consistait à prélever dans la « casse » (casier de bois divisé en petites cases ou « cassetins ») les caractères de plomb à assembler pour former les lignes de textes.
3. *Redingote* : veste longue à pans croisés.

pied étreint dans un soulier trop pointu, quelque reporter[1] mondain apportant les échos[2] de la soirée.

270 D'autres encore arrivaient, graves[3], importants, coiffés de hauts chapeaux à bords plats, comme si cette forme les eût distingués du reste des hommes.

Forestier reparut tenant par le bras un grand garçon maigre, de trente à quarante ans, en habit[4] noir et en cravate blanche, 275 très brun, la moustache roulée en pointes aiguës, et qui avait l'air insolent et content de lui.

Forestier lui dit : « Adieu, cher maître. »

L'autre lui serra la main : « Au revoir, mon cher », et il descendit l'escalier en sifflotant, la canne sous le bras.

280 Duroy demanda : « Qui est-ce ?

– C'est Jacques Rival, tu sais, le fameux chroniqueur, le duelliste. Il vient de corriger ses épreuves. Garin, Montel[5], et lui sont les trois premiers chroniqueurs d'esprit et d'actualité que nous ayons à Paris. Il gagne ici trente mille francs par an pour deux 285 articles par semaine[6]. »

Et comme ils s'en allaient, ils rencontrèrent un petit homme à longs cheveux, gros, d'aspect malpropre, qui montait les marches en soufflant.

Forestier salua très bas : « Norbert de Varenne, dit-il, le poète, 290 l'auteur des *Soleils morts*, encore un homme dans les grands

---

1. *Reporter* : journaliste chargé de collecter des informations sur place, de faire une enquête de terrain.
2. *Échos* : courts articles consacrés à une péripétie arrivée à une personnalité ou à un petit événement social.
3. *Graves* : qui ont l'air sérieux et digne.
4. *Habit* : veste et gilet d'une tenue de soirée masculine.
5. *Garin*, *Montel* : noms fictifs ; Maupassant songeait sans doute à deux célèbres chroniqueurs de son temps, Aurélien Scholl et Albert Wolff.
6. Cette somme correspond à ce que gagnait Maupassant au sommet de sa notoriété, en livrant deux contes ou chroniques par semaine au *Gaulois* et au *Gil Blas*.

prix. Chaque conte qu'il nous donne coûte trois cents francs, et les plus longs n'ont pas deux cents lignes. Mais entrons au Napolitain[1], je commence à crever de soif. »

Dès qu'ils furent assis devant la table du café, Forestier cria : 295 « Deux bocks ! », et il avala le sien d'un seul trait, tandis que Duroy buvait la bière à lentes gorgées, la savourant et la dégustant, comme une chose précieuse et rare.

Son compagnon se taisait, semblait réfléchir, puis tout à coup : « Pourquoi n'essaierais-tu pas du journalisme ? » 300 L'autre, surpris, le regarda ; puis il dit : « Mais... c'est que... je n'ai jamais rien écrit.

— Bah ! on essaie, on commence. Moi, je pourrais t'employer à aller chercher des renseignements, à faire des démarches et des visites. Tu aurais, au début, deux cent cinquante francs et tes voi- 305 tures payées. Veux-tu que j'en parle au directeur ?

— Mais certainement que je veux bien.

— Alors, fais une chose, viens dîner chez moi demain ; j'ai cinq ou six personnes seulement ; le patron, M. Walter, sa femme, Jacques Rival et Norbert de Varenne, que tu viens de 310 voir, plus une amie de Mme Forestier. Est-ce entendu ? »

Duroy hésitait, rougissant, perplexe. Il murmura enfin :
« C'est que... je n'ai pas de tenue convenable. »

Forestier fut stupéfait : « Tu n'as pas d'habit ? Bigre ! en voilà une chose indispensable pourtant. À Paris, vois-tu, il vaudrait 315 mieux n'avoir pas de lit que pas d'habit. »

Puis tout à coup, fouillant dans la poche de son gilet, il en tira une pincée d'or, prit deux louis, les posa devant son ancien camarade, et, d'un ton cordial et familier : « Tu me rendras ça quand tu pourras. Loue ou achète au mois, en donnant un 320 acompte, les vêtements qu'il te faut ; enfin arrange-toi, mais

---

1. *Le Napolitain* : situé au 1, boulevard des Capucines, dans le 9e arrondissement, ce café était connu pour être fréquenté par le Tout-Paris journalistique, littéraire et théâtral.

viens dîner à la maison, demain, sept heures et demie, dix-sept, rue Fontaine[1]. »

Duroy, troublé, ramassait l'argent en balbutiant : « Tu es trop aimable, je te remercie bien, sois certain que je n'oublierai
325 pas... »

L'autre l'interrompit : « Allons, c'est bon. Encore un bock, n'est-ce pas ? » Et il cria : « Garçon, deux bocks ! »

Puis, quand ils les eurent bus, le journaliste demanda :

« Veux-tu flâner un peu, pendant une heure ?
330 – Mais certainement. »

Et ils se remirent en marche vers la Madeleine.

« Qu'est-ce que nous ferions bien ? demanda Forestier. On prétend qu'à Paris un flâneur peut toujours s'occuper ; ça n'est pas vrai. Moi, quand je veux flâner, le soir, je ne sais jamais où
335 aller. Un tour au Bois[2] n'est amusant qu'avec une femme, et on n'en a pas toujours une sous la main ; les cafés-concerts peuvent distraire mon pharmacien et son épouse, mais pas moi. Alors, quoi faire ? Rien. Il devrait y avoir ici un jardin d'été comme le parc Monceau[3], ouvert la nuit, où on entendrait de la très bonne
340 musique en buvant des choses fraîches sous les arbres. Ce ne serait pas un lieu de plaisir, mais un lieu de flâne ; et on paierait cher pour entrer, afin d'attirer les jolies dames. On pourrait marcher dans les allées bien sablées, éclairées à la lumière électrique, et s'asseoir quand on voudrait pour écouter la musique de près
345 ou de loin. Nous avons eu à peu près ça autrefois chez Musard[4], mais avec un goût de bastringue[5] et trop d'airs de danse, pas assez d'étendue, pas assez d'ombre, pas assez de sombre. Il

---

1. *Rue Fontaine* : rue du 9e arrondissement, habitée par la petite et la moyenne bourgeoisies.

2. *Bois* : bois de Boulogne. Voir note 7, p. 37.

3. *Parc Monceau* : jardin public du 8e arrondissement. Voir note 1, p. 315.

4. *Philippe Musard* (1792-1859) était un créateur de concerts publics.

5. *Goût de bastringue* : goût pour les bals populaires.

faudrait un très beau jardin, très vaste. Ce serait charmant. Où veux-tu aller ? »

350 Duroy, perplexe, ne savait que dire ; enfin, il se décida :

« Je ne connais pas les Folies-Bergère[1]. J'y ferais volontiers un tour. »

Son compagnon s'écria : « Les Folies-Bergère, bigre ! nous y cuirons comme dans une rôtissoire. Enfin, soit, c'est toujours 355 drôle. »

Et ils pivotèrent sur leurs talons pour gagner la rue du Faubourg-Montmartre.

La façade illuminée de l'établissement jetait une grande lueur dans les quatre rues qui se joignent devant elle. Une file de 360 fiacres[2] attendait la sortie.

Forestier entrait, Duroy l'arrêta :

« Nous oublions de passer au guichet. »

L'autre répondit d'un ton important :

« Avec moi on ne paie pas. »

365 Quand il s'approcha du contrôle, les trois contrôleurs le saluèrent. Celui du milieu lui tendit la main. Le journaliste demanda :

« Avez-vous une bonne loge ?

– Mais certainement, monsieur Forestier. »

370 Il prit le coupon qu'on lui tendait, poussa la porte matelassée à battants garnis de cuir, et ils se trouvèrent dans la salle.

Une vapeur de tabac voilait un peu, comme un très fin brouillard, les parties lointaines, la scène et l'autre côté du

---

1. *Folies-Bergère* : théâtre construit en 1869, dans le 9e arrondissement. À l'époque du roman, on y donnait des spectacles très courus composés de numéros de chant, d'acrobatie, de danse, etc. C'est aux Folies-Bergère, en 1886, que furent produites les premières revues françaises de music-hall. Le lieu était surtout réputé pour son atmosphère d'élégance ditinguée et de débauche : à partir de 1918, les danseuses des Folies-Bergère se montrent de plus en plus dévêtues.

2. *Fiacres* : voitures à cheval faisant office de taxi.

théâtre. Et s'élevant sans cesse, en minces filets blanchâtres, de
375 tous les cigares et de toutes les cigarettes que fumaient tous ces
gens, cette brume légère montait toujours, s'accumulait au plafond, et formait, sous le large dôme, autour du lustre, au-dessus
de la galerie du premier chargée de spectateurs, un ciel ennuagé
de fumée.

380 Dans le vaste corridor d'entrée qui mène à la promenade circulaire, où rôde la tribu parée des filles[1], mêlée à la foule sombre
des hommes, un groupe de femmes attendait les arrivants devant
un des trois comptoirs où trônaient, fardées et défraîchies, trois
marchandes de boissons et d'amour[2].

385 Les hautes glaces, derrière elles, reflétaient leurs dos et les
visages des passants.

Forestier ouvrait les groupes, avançait vite, en homme qui a
droit à la considération.

Il s'approcha d'une ouvreuse :

390 « La loge dix-sept ? » dit-il.

« Par ici, monsieur. »

Et on les enferma dans une petite boîte en bois, découverte,
tapissée de rouge, et qui contenait quatre chaises de même couleur, si rapprochées qu'on pouvait à peine se glisser entre elles.

395 Les deux amis s'assirent ; et, à droite comme à gauche, suivant
une longue ligne arrondie aboutissant à la scène par les deux
bouts, une suite de cases semblables contenait des gens assis également et dont on ne voyait que la tête et la poitrine.

Sur la scène, trois jeunes hommes en maillot collant, un
400 grand, un moyen, un petit, faisaient, tour à tour, des exercices
sur un trapèze.

Le grand s'avançait d'abord, à pas courts et rapides, en souriant, et saluait avec un mouvement de la main comme pour
envoyer un baiser.

---

1. *Filles* : prostituées.
2. Les foyers des théâtres étaient souvent des lieux de prostitution.

405 On voyait, sous le maillot, se dessiner les muscles des bras et des jambes ; il gonflait sa poitrine pour dissimuler son estomac trop saillant ; et sa figure semblait celle d'un garçon coiffeur, car une raie soignée ouvrait sa chevelure en deux parties égales, juste au milieu du crâne. Il atteignait le trapèze d'un bond gracieux,
410 et, pendu par les mains tournait autour comme une roue lancée ; ou bien, les bras roides[1], le corps droit, il se tenait immobile, couché horizontalement dans le vide, attaché seulement à la barre fixe par la force des poignets.

Puis il sautait à terre, saluait de nouveau en souriant sous les
415 applaudissements de l'orchestre et allait se coller contre le décor en montrant bien, à chaque pas, la musculature de sa jambe.

Le second, moins haut, plus trapu, s'avançait à son tour et répétait le même exercice, que le dernier recommençait encore, au milieu de la faveur plus marquée du public.

420 Mais Duroy ne s'occupait guère du spectacle, et, la tête tournée, il regardait sans cesse derrière lui le grand promenoir plein d'hommes et de prostituées.

Forestier lui dit : « Remarque donc l'orchestre : rien que des bourgeois avec leurs femmes et leurs enfants, de bonnes têtes stu-
425 pides qui viennent pour voir. Aux loges, des boulevardiers[2], quelques artistes, quelques filles de demi-choix[3] ; et, derrière nous, le plus drôle de mélange qui soit dans Paris. Quels sont ces hommes ? Observe-les. Il y a de tout, de toutes les professions et de toutes les castes[4], mais la crapule domine. Voici des
430 employés, employés de banque, de magasin, de ministère, des reporters, des souteneurs[5], des officiers en bourgeois, des

---

1. *Roides* : figés, tendus.
2. *Boulevardiers* : habitués des établissements chic (cafés, restaurants et autres lieux de divertissements) des Grands Boulevards.
3. *Filles de demi-choix* : prostituées de peu d'attraits.
4. *Castes* : classes sociales.
5. *Souteneurs* : proxénètes.

gommeux[1] en habit, qui viennent de dîner au cabaret et qui sortent de l'Opéra avant d'entrer aux Italiens[2], et puis encore tout un monde d'hommes suspects qui défient l'analyse. Quant
435 aux femmes, rien qu'une marque[3] : la soupeuse de l'Américain, la fille à un ou deux louis qui guette l'étranger de cinq louis et prévient ses habitués quand elle est libre. On les connaît toutes depuis dix ans ; on les voit tous les soirs, toute l'année, aux mêmes endroits, sauf quand elles font une station hygiénique à
440 Saint-Lazare ou à Lourcine[4]. »

Duroy n'écoutait plus. Une de ces femmes, s'étant accoudée à leur loge, le regardait. C'était une grosse brune à la chair blanchie par la pâte[5], à l'œil noir, allongé, souligné par le crayon, encadré sous des sourcils énormes et factices. Sa poitrine, trop
445 forte, tendait la soie sombre de sa robe ; et ses lèvres peintes, rouges comme une plaie, lui donnaient quelque chose de bestial, d'ardent, d'outré, mais qui allumait le désir cependant.

Elle appela, d'un signe de tête, une de ses amies qui passait, une blonde aux cheveux rouges, grasse aussi, et elle lui dit d'une
450 voix assez forte pour être entendue :

« Tiens, v'là un joli garçon : s'il veut de moi pour dix louis, je ne dirai pas non. »

Forestier se retourna, et, souriant, il tapa sur la cuisse de Duroy : « C'est pour toi, ça, tu as du succès, mon cher. Mes com-
455 pliments. »

L'ancien sous-off avait rougi ; et il tâtait, d'un mouvement machinal du doigt, les deux pièces d'or dans la poche de son gilet.

---

1. *Gommeux* : jeunes hommes à l'élégance si recherchée qu'elle en est ridicule.
2. *Aux Italiens* : à l'Opéra-Comique, situé près du boulevard des Italiens.
3. *Marque* : sorte.
4. *Saint-Lazare, Lourcine* : hôpitaux où étaient soignées les prostituées atteintes de maladies vénériennes.
5. *Pâte* : crème de maquillage appliquée sur la peau.

Le rideau s'était baissé ; l'orchestre maintenant jouait une
460 valse.

Duroy dit : « Si nous faisions un tour dans la galerie ?

– Comme tu voudras. »

Ils sortirent, et furent aussitôt entraînés dans le courant des
promeneurs. Pressés, poussés, serrés, ballottés, ils allaient, ayant
465 devant les yeux un peuple de chapeaux. Et les filles, deux par
deux, passaient dans cette foule d'hommes, la traversaient avec
facilité, glissaient entre les coudes, entre les poitrines, entre les
dos, comme si elles eussent été bien chez elles, bien à l'aise, à la
façon des poissons dans l'eau, au milieu de ce flot de mâles.

470 Duroy, ravi, se laissait aller, buvait avec ivresse l'air vicié[1] par
le tabac, par l'odeur humaine et les parfums des drôlesses. Mais
Forestier suait, soufflait, toussait.

« Allons au jardin », dit-il.

Et, tournant à gauche, ils pénétrèrent dans une espèce de
475 jardin couvert, que deux grandes fontaines de mauvais goût
rafraîchissaient. Sous des ifs et des thuyas en caisse, des hommes
et des femmes buvaient sur des tables de zinc.

« Encore un bock ? demanda Forestier.

– Oui, volontiers. »

480 Ils s'assirent, en regardant passer le public.

De temps en temps, une rôdeuse s'arrêtait, puis demandait
avec un sourire banal : « M'offrez-vous quelque chose, monsieur ? » Et comme Forestier répondait : « Un verre d'eau à la fontaine », elle s'éloignait en murmurant : « Va donc, mufle ! »

485 Mais la grosse brune qui s'était appuyée tout à l'heure derrière la loge des deux camarades reparut, marchant arrogam-
ment, le bras passé sous celui de la grosse blonde. Cela faisait
vraiment une belle paire de femmes, bien assorties.

Elle sourit en apercevant Duroy, comme si leurs yeux se
490 fussent dit déjà des choses intimes et secrètes ; et, prenant une

---

1. Vicié : pollué.

chaise, elle s'assit tranquillement en face de lui et fit asseoir son amie, puis elle commanda d'une voix claire : « Garçon, deux grenadines ! » Forestier, surpris, prononça : « Tu ne te gênes pas, toi ! »

495 Elle répondit : « C'est ton ami qui me séduit. C'est vraiment un joli garçon. Je crois qu'il me ferait faire des folies ! »

Duroy, intimidé, ne trouvait rien à dire. Il retroussait sa moustache frisée en souriant d'une façon niaise. Le garçon apporta les sirops que les femmes burent d'un seul trait ; puis
500 elles se levèrent ; et la brune, avec un petit salut amical de la tête et un léger coup d'éventail sur le bras, dit à Duroy : « Merci, mon chat. Tu n'as pas la parole facile. »

Et elles partirent en balançant leur croupe.

Alors Forestier se mit à rire : « Dis donc, mon vieux, sais-tu
505 que tu as vraiment du succès auprès des femmes ? Il faut soigner ça. Ça peut te mener loin. »

Il se tut une seconde, puis reprit, avec ce ton rêveur des gens qui pensent tout haut : « C'est encore par elles qu'on arrive le plus vite. »

510 Et comme Duroy souriait toujours sans répondre, il demanda : « Est-ce que tu restes encore ? moi, je vais rentrer, j'en ai assez. »

L'autre murmura : « Oui, je reste encore un peu. Il n'est pas tard. »

515 Forestier se leva : « Eh bien, adieu, alors. À demain. N'oublie pas ? dix-sept, rue Fontaine, sept heures et demie.

– C'est entendu ; à demain. Merci. »

Ils se serrèrent la main, et le journaliste s'éloigna.

Dès qu'il eut disparu, Duroy se sentit libre, et de nouveau il
520 tâta joyeusement les deux pièces d'or dans sa poche ; puis, se levant, il se mit à parcourir la foule qu'il fouillait de l'œil.

Il les aperçut bientôt, les deux femmes, la blonde et la brune, qui voyageaient toujours de leur allure fière de mendiantes, à travers la cohue des hommes.

525 Il alla droit sur elles, et, quand il fut tout près, il n'osa plus.

La brune lui dit : « As-tu retrouvé ta langue ? »

Il balbutia : « Parbleu », sans parvenir à prononcer autre chose que cette parole.

Ils restaient debout tous les trois, arrêtés, arrêtant le mouve-
530 ment du promenoir, formant un remous autour d'eux.

Alors tout à coup elle demanda : « Viens-tu chez moi ? »

Et lui, frémissant de convoitise, répondit brutalement :

« Oui, mais je n'ai qu'un louis dans ma poche. »

Elle sourit avec indifférence : « Ça ne fait rien. »

535 Et elle prit son bras en signe de possession.

Comme ils sortaient, il songeait qu'avec les autres vingt francs il pourrait facilement se procurer, en location, un costume de soirée pour le lendemain[1].

II

« Monsieur Forestier, s'il vous plaît ?

– Au troisième, la porte à gauche. »

Le concierge avait répondu cela d'une voix aimable où apparaissait une considération pour son locataire. Et Georges Duroy
5 monta l'escalier.

Il était un peu gêné, intimidé, mal à l'aise. Il portait un habit pour la première fois de sa vie, et l'ensemble de sa toilette l'inquiétait. Il la sentait défectueuse en tout, par les bottines non vernies, mais assez fines cependant, car il avait la coquetterie du
10 pied, par la chemise de quatre francs cinquante achetée le matin

---

1. Dès le premier chapitre, les caractéristiques du personnage sont posées : ambitieux, cupide, séducteur, menteur, manipulateur.

même au Louvre[1], et dont le plastron[2] trop mince se cassait déjà. Ses autres chemises, celles de tous les jours, ayant des avaries[3] plus ou moins graves, il n'avait pu utiliser même la moins abîmée.

15 Son pantalon, un peu trop large, dessinait mal la jambe, semblait s'enrouler autour du mollet, avait cette apparence fripée que prennent les vêtements d'occasion sur les membres qu'ils recouvrent par aventure[4]. Seul, l'habit n'allait pas mal, s'étant trouvé à peu près juste pour la taille.

20 Il montait lentement les marches, le cœur battant, l'esprit anxieux, harcelé surtout par la crainte d'être ridicule ; et, soudain, il aperçut en face de lui un monsieur en grande toilette qui le regardait. Ils se trouvaient si près l'un de l'autre que Duroy fit un mouvement en arrière, puis il demeura stupéfait : c'était lui-
25 même, reflété par une haute glace en pied qui formait sur le palier du premier une longue perspective de galerie. Un élan de joie le fit tressaillir, tant il se jugea mieux qu'il n'aurait cru.

N'ayant chez lui que son petit miroir à barbe, il n'avait pu se contempler entièrement, et comme il n'y voyait que fort mal les
30 diverses parties de sa toilette improvisée, il s'exagérait les imperfections, s'affolait à l'idée d'être grotesque.

Mais voilà qu'en s'apercevant brusquement dans la glace, il ne s'était même pas reconnu ; il s'était pris pour un autre, pour un homme du monde, qu'il avait trouvé fort bien, fort chic, au
35 premier coup d'œil.

Et maintenant, en se regardant avec soin, il reconnaissait que, vraiment, l'ensemble était satisfaisant.

---

1. *Louvre* : les Grands Magasins du Louvre, en face du musée.
2. *Plastron* : pièce de vêtement rigide placée sur la poitrine.
3. *Avaries* : défauts, marques de détérioration.
4. *Par aventure* : de façon hasardeuse, non voulue ; sans être vraiment adaptés aux « membres ».

Alors il s'étudia comme font les acteurs pour apprendre leurs rôles. Il se sourit, se tendit la main, fit des gestes, exprima des
40 sentiments : l'étonnement, le plaisir, l'approbation ; et il chercha les degrés du sourire et les intentions de l'œil pour se montrer galant auprès des dames, leur faire comprendre qu'on les admire et qu'on les désire.

Une porte s'ouvrit dans l'escalier. Il eut peur d'être surpris et
45 il se mit à monter fort vite, avec la crainte d'avoir été vu minaudant ainsi, par quelque invité de son ami.

En arrivant au second étage, il aperçut une autre glace et il ralentit sa marche pour se regarder passer. Sa tournure lui parut vraiment élégante. Il marchait bien. Et une confiance immodérée
50 en lui-même emplit son âme. Certes, il réussirait avec cette figure-là et son désir d'arriver, et la résolution qu'il se connaissait et l'indépendance de son esprit. Il avait envie de courir, de sauter en gravissant le dernier étage. Il s'arrêta devant la troisième glace, frisa sa moustache d'un mouvement qui lui était familier,
55 ôta son chapeau pour rajuster sa chevelure, et murmura à mi-voix, comme il faisait souvent : « Voilà une excellente invention. » Puis, tendant la main vers le timbre[1], il sonna.

La porte s'ouvrit presque aussitôt, et il se trouva en présence d'un valet en habit noir, grave, rasé, si parfait de tenue que
60 Duroy se troubla de nouveau sans comprendre d'où lui venait cette vague émotion : d'une inconsciente comparaison, peut-être, entre la coupe de leurs vêtements. Ce laquais[2], qui avait des souliers vernis, demanda, en prenant le pardessus que Duroy tenait sur son bras par peur de montrer les taches :
65 « Qui dois-je annoncer ? »

Et il jeta le nom derrière une porte soulevée, dans un salon où il fallait entrer.

---

1. *Timbre* : sonnette (de la porte d'entrée).
2. *Laquais* : valet.

Mais Duroy, tout à coup, perdant son aplomb, se sentit perclus de crainte[1], haletant. Il allait faire son premier pas dans l'existence attendue, rêvée. Il s'avança, pourtant. Une jeune femme, blonde, était debout qui l'attendait, toute seule, dans une grande pièce bien éclairée et pleine d'arbustes, comme une serre.

Il s'arrêta net, tout à fait déconcerté. Quelle était cette dame qui souriait ? Puis il se souvint que Forestier était marié ; et la pensée que cette jolie blonde élégante devait être la femme de son ami acheva de l'effarer.

Il balbutia : « Madame, je suis… » Elle lui tendit la main : « Je le sais, monsieur. Charles m'a raconté votre rencontre d'hier soir, et je suis très heureuse qu'il ait eu la bonne inspiration de vous prier de dîner avec nous aujourd'hui. »

Il rougit jusqu'aux oreilles, ne sachant plus que dire ; et il se sentait examiné, inspecté des pieds à la tête, pesé, jugé.

Il avait envie de s'excuser, d'inventer une raison pour expliquer les négligences de sa toilette ; mais il ne trouva rien, et n'osa pas toucher à ce sujet difficile.

Il s'assit sur un fauteuil qu'elle lui désignait, et quand il sentit plier sous lui le velours élastique et doux du siège, quand il se sentit enfoncé, appuyé, étreint par ce meuble caressant dont le dossier et les bras capitonnés[2] le soutenaient délicatement, il lui sembla qu'il entrait dans une vie nouvelle et charmante, qu'il prenait possession de quelque chose de délicieux, qu'il devenait quelqu'un, qu'il était sauvé ; et il regarda Mme Forestier dont les yeux ne l'avaient point quitté.

Elle était vêtue d'une robe de cachemire bleu pâle qui dessinait bien sa taille souple et sa poitrine grasse.

---

1. *Perclus de crainte* : paralysé par l'effroi.
2. *Capitonnés* : ornés de capitons, c'est-à-dire de petits renflements dans le tissu matelassé.

La chair des bras et de la gorge sortait d'une mousse de dentelle blanche dont étaient garnis le corsage et les courtes manches ; et les cheveux relevés au sommet de la tête, frisant un peu sur la nuque, faisaient un léger nuage de duvet blond au-dessus du cou.

Duroy se rassurait sous son regard, qui lui rappelait, sans qu'il sût pourquoi, celui de la fille rencontrée la veille aux Folies-Bergère. Elle avait les yeux gris, d'un gris azuré qui en rendait étrange l'expression, le nez mince, les lèvres fortes, le menton un peu charnu, une figure irrégulière et séduisante, pleine de gentillesse et de malice. C'était un de ces visages de femme dont chaque ligne révèle une grâce particulière, semble avoir une signification, dont chaque mouvement paraît dire ou cacher quelque chose.

Après un court silence, elle lui demanda : « Vous êtes depuis longtemps à Paris ? »

Il répondit, en reprenant peu à peu possession de lui :

« Depuis quelques mois seulement, madame. J'ai un emploi dans les chemins de fer ; mais Forestier m'a laissé espérer que je pourrais, grâce à lui, pénétrer dans le journalisme. »

Elle eut un sourire plus visible, plus bienveillant ; et elle murmura en baissant la voix : « Je sais. »

Le timbre avait tinté de nouveau. Le valet annonça :

« Madame de Marelle. »

C'était une petite brune, de celles qu'on appelle des brunettes.

Elle entra d'une allure alerte ; elle semblait dessinée, moulée des pieds à la tête dans une robe sombre toute simple.

Seule une rose rouge, piquée dans ses cheveux noirs, attirait l'œil violemment, semblait marquer sa physionomie, accentuer son caractère spécial, lui donner la note vive et brusque qu'il fallait.

Une fillette en robe courte la suivait. Mme Forestier s'élança :

130 « Bonjour, Clotilde.

– Bonjour, Madeleine. »

Elles s'embrassèrent. Puis l'enfant tendit son front avec une assurance de grande personne, en prononçant :

« Bonjour, cousine. »

135 Mme Forestier la baisa ; puis fit les présentations :

« Monsieur Georges Duroy, un bon camarade de Charles.

– Madame de Marelle, mon amie, un peu ma parente. »

Elle ajouta : « Vous savez, nous sommes ici sans cérémonie, sans façon, et sans pose[1]. C'est entendu, n'est-ce pas ? »

140 Le jeune homme s'inclina.

Mais la porte s'ouvrit de nouveau, et un petit gros monsieur, court et rond, parut, donnant le bras à une grande et belle femme, plus haute que lui, beaucoup plus jeune, de manières distinguées et d'allure grave. C'était M. Walter, député, financier, 145 homme d'argent et d'affaires, juif et méridional, directeur de *La Vie française*, et sa femme, née Basile-Ravalau, fille du banquier de ce nom.

Puis parurent, coup sur coup, Jacques Rival très élégant, et Norbert de Varenne, dont le col d'habit luisait, un peu ciré par 150 le frottement des longs cheveux qui tombaient jusqu'aux épaules, et semaient dessus quelques grains de poussière blanche.

Sa cravate, mal nouée, ne semblait pas à sa première sortie. Il s'avança avec des grâces de vieux beau[2] et, prenant la main de Mme Forestier, mit un baiser sur son poignet. Dans le mouve-155 ment qu'il fit en se baissant, sa longue chevelure se répandit comme de l'eau sur le bras nu de la jeune femme.

Et Forestier entra à son tour, en s'excusant d'être en retard. Mais il avait été retenu au journal par l'affaire Morel. M. Morel,

---

1. *Sans pose* : sans manières affectées.
2. *Vieux beau* : homme d'un certain âge et à l'élégance désuète, qui cherche malgré tout à séduire.

député radical, venait d'adresser une question au ministère sur
160 une demande de crédit relative à la colonisation de l'Algérie.

Le domestique cria : « Madame est servie ! »

Et on passa dans la salle à manger.

Duroy se trouvait placé entre Mme de Marelle et sa fille. Il se
sentait de nouveau gêné, ayant peur de commettre quelque
165 erreur dans le maniement conventionnel de la fourchette, de la
cuiller ou des verres. Il y en avait quatre, dont un légèrement
teinté de bleu. Que pouvait-on boire dans celui-là ?

On ne dit rien pendant qu'on mangeait le potage, puis Norbert de Varenne demanda : « Avez-vous lu ce procès Gauthier ?
170 Quelle drôle de chose ! »

Et on discuta sur le cas d'adultère compliqué de chantage.
On n'en parlait point comme on parle, au sein des familles, des
événements racontés dans les feuilles publiques, mais comme on
parle d'une maladie entre médecins ou de légumes entre fruitiers.
175 On ne s'indignait pas, on ne s'étonnait pas des faits ; on en cherchait les causes profondes, secrètes, avec une curiosité professionnelle et une indifférence absolue pour le crime lui-même. On
tâchait d'expliquer nettement les origines des actions, de déter-
miner tous les phénomènes cérébraux dont était né le drame,
180 résultat scientifique d'un état d'esprit particulier. Les femmes
aussi se passionnaient à cette poursuite, à ce travail. Et d'autres
événements récents furent examinés, commentés, tournés sous
toutes leurs faces, pesés à leur valeur, avec ce coup d'œil pratique
et cette manière de voir spéciale des marchands de nouvelles, des
185 débitants de comédie humaine[1] à la ligne, comme on examine,
comme on retourne et comme on pèse, chez les commerçants,
les objets qu'on va livrer au public.

---

1. **Débitants de comédie humaine** : qui racontent toutes les scènes de la
vie humaine. L'expression rappelle l'œuvre romanesque de Balzac, *La Comédie humaine* (1842-1848).

Puis il fut question d'un duel et Jacques Rival prit la parole. Cela lui appartenait ; personne autre ne pouvait traiter cette affaire[1].

190 Duroy n'osait point placer un mot. Il regardait parfois sa voisine, dont la gorge ronde le séduisait. Un diamant tenu par un fil d'or pendait au bas de l'oreille, comme une goutte d'eau qui aurait glissé sur la chair. De temps en temps, elle faisait une

195 remarque qui éveillait toujours un sourire sur les lèvres. Elle avait un esprit drôle, gentil[2], inattendu, un esprit de gamine expérimentée qui voit les choses avec insouciance et les juge avec un scepticisme[3] léger et bienveillant.

Duroy cherchait en vain quelque compliment à lui faire, et,
200 ne trouvant rien, il s'occupait de sa fille, lui versait à boire, lui tenait ses plats, la servait. L'enfant, plus sévère que sa mère, remerciait avec une voix grave, faisait de courts saluts de la tête : « Vous êtes bien aimable, monsieur », et elle écoutait les grandes personnes d'un petit air réfléchi.

205 Le dîner était fort bon ; et chacun s'extasiait. M. Walter mangeait comme un ogre, ne parlait presque pas, et considérait d'un regard oblique, glissé sous ses lunettes, les mets qu'on lui présentait. Norbert de Varenne lui tenait tête et laissait tomber parfois des gouttes de sauce sur son plastron de chemise.

---

1. La pratique du duel fut interdite par un arrêt de la cour de cassation de 1837, qui l'assimilait à un assassinat prémédité ou à des coups et blessures volontaires. Cependant, malgré cette disposition légale, les tribunaux relaxaient les duellistes dans la plupart des cas. Faute de sanction, le duel est demeuré une pratique courante dans la bourgeoise et l'aristocratie, mais devait répondre à une codification précise : choix de l'offensé pour la date, le lieu et les armes du duel (l'épée de combat, le pistolet ou le sabre), nombre de témoins (deux pour le pistolet, quatre pour l'épée ou le sabre), types de duel (au premier sang ou à mort, au commandement, au visé, etc.).
2. *Gentil* : ici, plaisant.
3. *Scepticisme* : incrédulité, attitude de celui ou celle qui ne croit pas au dogme religieux, à la morale établie.

210   Forestier, souriant et sérieux, surveillait, échangeait avec sa
femme des regards d'intelligence, à la façon de compères accom-
plissant ensemble une besogne difficile et qui marche à souhait.

    Les visages devenaient rouges, les voix s'enflaient. De
moment en moment, le domestique murmurait à l'oreille des
215 convives : « Corton – Château-Laroze ? »

    Duroy avait trouvé le Corton de son goût et il laissait chaque
fois emplir son verre. Une gaieté délicieuse entrait en lui ; une
gaieté chaude, qui lui montait du ventre à la tête, lui courait dans
les membres, le pénétrait tout entier. Il se sentait envahi par un
220 bien-être complet, un bien-être de vie et de pensée, de corps et
d'âme.

    Et une envie de parler lui venait, de se faire remarquer, d'être
écouté, apprécié comme ces hommes dont on savourait les
moindres expressions.

225   Mais la causerie qui allait sans cesse, accrochant les idées les
unes aux autres, sautant d'un sujet à l'autre sur un mot, un rien,
après avoir fait le tour des événements du jour et avoir effleuré,
en passant, mille questions, revint à la grande interpellation de
M. Morel sur la colonisation de l'Algérie[1].

230   M. Walter, entre deux services, fit quelques plaisanteries, car
il avait l'esprit sceptique et gras. Forestier raconta son article du
lendemain, Jacques Rival réclama un gouvernement militaire
avec des concessions de terre accordées à tous les officiers après
trente années de service colonial.

235   « De cette façon, disait-il, vous créerez une société énergique,
ayant appris depuis longtemps à connaître et à aimer le pays,
sachant sa langue et au courant de toutes ces graves questions
locales auxquelles se heurtent infailliblement les nouveaux
venus. »

---

1. L'annexion de l'Algérie par la France date de 1830. Tout au long du
XIXᵉ siècle, il y eut des révoltes d'Algériens contre la colonisation, matées brutalement par l'armée française.

Norbert de Varenne l'interrompit :

« Oui… ils sauront tout, excepté l'agriculture. Ils parleront l'arabe, mais ils ignoreront comment on repique des betteraves[1] et comment on sème du blé. Ils seront même forts en escrime, mais très faibles sur les engrais. Il faudrait au contraire ouvrir lar-245 gement ce pays neuf à tout le monde. Les hommes intelligents s'y feront une place, les autres succomberont. C'est la loi sociale. »

Un léger silence suivit. On souriait.

Georges Duroy ouvrit la bouche et prononça, surpris par le son de sa voix, comme s'il ne s'était jamais entendu parler : « Ce 250 qui manque le plus là-bas, c'est la bonne terre. Les propriétés vraiment fertiles coûtent aussi cher qu'en France, et sont ache-tées, comme placement de fonds[2], par des Parisiens très riches. Les vrais colons, les pauvres, ceux qui s'exilent faute de pain, sont rejetés dans le désert, où il ne pousse rien, par manque 255 d'eau. »

Tout le monde le regardait. Il se sentit rougir. M. Walter demanda : « Vous connaissez l'Algérie, monsieur ? »

Il répondit : « Oui, monsieur, j'y suis resté vingt-huit mois, et j'ai séjourné dans les trois provinces[3]. »

260 Et brusquement, oubliant la question Morel, Norbert de Varenne l'interrogea sur un détail de mœurs qu'il tenait d'un officier. Il s'agissait du Mzab[4], cette étrange petite république

---

1. Comment on repique des betteraves : comment on met en terre de jeunes plants de betteraves pour qu'ils y terminent leur croissance.

2. Placement de fonds : investissement financier.

3. Maupassant a fait un séjour en Algérie en juillet et en août 1881, pour une série d'articles destinés au *Gaulois*.

4. Mzab : région du Sahara berbérophone, au nord de l'Algérie. En 1853, un traité est signé entre la Fédération des sept cités du Mzab et la France, garantissant une autonomie à la région. Mais, en 1882, la France annexe le Mzab. Maupassant a publié dans *Le Gaulois* du 27 septembre 1881 une chro-nique intitulée « Les Oasis et le Mzab ». Cependant, il est fort probable qu'il n'ait pas exploré le pays des Mozabites : pour rédiger son article, il se serait inspiré d'une brochure écrite par un militaire, le commandant Coyne.

arabe née au milieu du Sahara, dans la partie la plus desséchée de cette région brûlante.

265 Duroy avait visité deux fois le Mzab, et il raconta les mœurs de ce singulier pays où les gouttes d'eau ont la valeur de l'or, où chaque habitant est tenu à tous les services publics, où la probité commerciale[1] est poussée plus loin que chez les peuples civilisés.

Il parla avec une certaine verve hâbleuse[2], excité par le vin et
270 par le désir de plaire, il raconta des anecdotes de régiment, des traits de la vie arabe, des aventures de guerre. Il trouva même quelques mots colorés pour exprimer ces contrées jaunes et nues, interminablement désolées sous la flamme dévorante du soleil.

Toutes les femmes avaient les yeux sur lui. Mme Walter mur-
275 mura de sa voix lente : « Vous feriez avec vos souvenirs une charmante série d'articles. » Alors Walter considéra le jeune homme par-dessus le verre de ses lunettes, comme il faisait pour bien voir les visages. Il regardait les plats par-dessous.

Forestier saisit le moment : « Mon cher patron, je vous ai
280 parlé tantôt[3] de M. Georges Duroy, en vous demandant de me l'adjoindre pour le service des informations politiques. Depuis que Marambot nous a quittés, je n'ai personne pour aller prendre des renseignements urgents et confidentiels ; et le journal en souffre. »

285 Le père Walter devint sérieux et releva tout à fait ses lunettes pour regarder Duroy bien en face. Puis il dit : « Il est certain que M. Duroy a un esprit original. S'il veut bien venir causer avec moi, demain à trois heures, nous arrangerons ça. » Puis, après un silence, et se tournant tout à fait vers le jeune homme : « Mais
290 faites-nous tout de suite une petite série fantaisiste[4] sur l'Algérie. Vous raconterez vos souvenirs, et vous mêlerez à ça la question

---

1. *Probité commerciale* : droiture, honnêteté dans les affaires.
2. *Hâbleuse* : bavarde, qui exagère ou déforme la réalité.
3. *Tantôt* : il y a peu.
4. *Fantaisiste* : dont la source d'inspiration est l'imagination.

de la colonisation, comme tout à l'heure. C'est d'actualité, tout à fait d'actualité, et je suis sûr que ça plaira beaucoup à nos lecteurs. Mais dépêchez-vous ! Il me faut le premier article pour demain ou après-demain, pendant qu'on discute à la Chambre[1], afin d'amorcer le public. »

Mme Walter ajouta, avec cette grâce sérieuse qu'elle mettait en tout et qui donnait un air de faveurs à ses paroles : « Et vous avez un titre charmant : *Souvenirs d'un chasseur*[2] *d'Afrique*, n'est-ce pas, monsieur Norbert ? »

Le vieux poète, arrivé tard à la renommée, détestait et redoutait les nouveaux venus. Il répondit d'un air sec :

« Oui, excellent, à condition que la suite soit dans la note, car c'est là la grande difficulté ; la note juste, ce qu'en musique on appelle le ton. »

Mme Forestier couvrait Duroy d'un regard protecteur et souriant, d'un regard de connaisseur qui semblait dire : « Toi, tu arriveras. » Mme de Marelle s'était, à plusieurs reprises, tournée vers lui, et le diamant de son oreille tremblait sans cesse comme si la fine goutte d'eau allait se détacher et tomber.

La petite fille demeurait immobile et grave, la tête baissée sur son assiette.

Mais le domestique faisait le tour de la table, versant dans les verres bleus du vin de Johannisberg[3] ; et Forestier portait un toast en saluant M. Walter : « À la longue prospérité de *La Vie française* ! »

Tout le monde s'inclina vers le Patron qui souriait ; et Duroy, gris de triomphe[4], but d'un trait. Il aurait vidé de même une barrique entière, lui semblait-il ; il aurait mangé un bœuf, étranglé un lion. Il se sentait dans les membres une vigueur surhumaine,

---

1. *La Chambre* : la Chambre des députés.
2. *Chasseur* : chasseur à cheval, c'est-à-dire soldat, cavalier léger.
3. *Vin de Johannisberg* : vin blanc allemand (de la Hesse) réputé.
4. *Gris de triomphe* : enivré par le triomphe.

dans l'esprit une résolution invincible et une espérance infinie. Il était chez lui, maintenant, au milieu de ces gens ; il venait d'y prendre position, d'y conquérir sa place. Son regard se posait sur les visages avec une assurance nouvelle, et il osa, pour la pre-
325 mière fois, adresser la parole à sa voisine :

« Vous avez, madame, les plus jolies boucles d'oreilles que j'aie jamais vues. »

Elle se tourna vers lui en souriant : « C'est une idée à moi de pendre des diamants comme ça, simplement au bout du fil. On
330 dirait vraiment de la rosée, n'est-ce pas ? »

Il murmura, confus de son audace et tremblant de dire une sottise :

« C'est charmant… mais l'oreille aussi fait valoir la chose. »

Elle le remercia d'un regard, d'un de ces clairs regards de
335 femme qui pénètrent jusqu'au cœur.

Et comme il tournait la tête, il rencontra encore les yeux de Mme Forestier, toujours bienveillants, mais il crut y voir une gaieté plus vive, une malice, un encouragement.

Tous les hommes maintenant parlaient en même temps avec
340 des gestes et des éclats de voix ; on discutait le grand projet du chemin de fer métropolitain[1]. Le sujet ne fut épuisé qu'à la fin du dessert, chacun ayant une quantité de choses à dire sur la len-teur des communications dans Paris, les inconvénients des tram-ways, les ennuis des omnibus et la grossièreté des cochers de
345 fiacre.

Puis on quitta la salle à manger pour aller prendre le café. Duroy, par plaisanterie, offrit son bras à la petite fille. Elle le remercia gravement et se haussa sur la pointe des pieds pour arri-ver à poser la main sur le coude de son voisin.
350 En entrant dans le salon, il eut de nouveau la sensation de pénétrer dans une serre. De grands palmiers ouvraient leurs

---

1. *Chemin de fer métropolitain* : il s'agit du métro parisien, qui vit le jour près de vingt ans plus tard, en 1900.

feuilles élégantes dans les quatre coins de la pièce, montaient jusqu'au plafond, puis s'élargissaient en jets d'eau.

Des deux côtés de la cheminée, des caoutchoucs, ronds
355 comme des colonnes, étageaient l'une sur l'autre leurs longues
feuilles d'un vert sombre, et sur le piano deux arbustes inconnus,
ronds et couverts de fleurs, l'un tout rose et l'autre tout blanc,
avaient l'air de plantes factices, invraisemblables, trop belles
pour être vraies.

360 L'air était frais et pénétré d'un parfum vague, doux, qu'on
n'aurait pu définir, dont on ne pouvait dire le nom.

Et le jeune homme, plus maître de lui, considéra avec attention l'appartement. Il n'était pas grand ; rien n'attirait le regard
en dehors des arbustes ; aucune couleur vive ne frappait ; mais
365 on se sentait à son aise dedans, on se sentait tranquille, reposé ;
il enveloppait doucement, il plaisait, mettait autour du corps
quelque chose comme une caresse.

Les murs étaient tendus avec une étoffe ancienne d'un violet
passé, criblée de petites fleurs de soie jaune, grosses comme
370 des mouches.

Des portières en drap bleu-gris, en drap de soldat où l'on
avait brodé quelques œillets de soie rouge, retombaient sur les
portes ; et les sièges, de toutes les formes, de toutes les gran-
deurs, éparpillés au hasard dans l'appartement, chaises longues,
375 fauteuils énormes ou minuscules, poufs et tabourets, étaient couverts de soie Louis XVI ou du beau velours d'Utrecht[1], fond
crème, à dessins grenat[2].

« Prenez-vous du café, monsieur Duroy ? »

Et Mme Forestier lui tendait une tasse pleine, avec ce sourire
380 ami qui ne quittait point sa lèvre.

« Oui, madame, je vous remercie. »

---

1. *Velours d'Utrecht* : tissu d'ameublement (sièges, tentures).
2. La décoration intérieure chargée est typique des appartements bourgeois
de cette époque.

Il reçut la tasse, et comme il se penchait plein d'angoisse pour cueillir avec la pince d'argent un morceau de sucre dans le sucrier que portait la petite fille, la jeune femme lui dit à mi-voix :

385 « Faites donc votre cour à Mme Walter. »

Puis elle s'éloigna avant qu'il eût pu répondre un mot.

Il but d'abord son café qu'il craignait de laisser tomber sur le tapis ; puis, l'esprit plus libre, il chercha un moyen de se rapprocher de la femme de son nouveau directeur et d'entamer une

390 conversation.

Tout à coup, il s'aperçut qu'elle tenait à la main sa tasse vide ; et, comme elle se trouvait loin d'une table, elle ne savait où la poser. Il s'élança.

« Permettez, madame.

395 – Merci, monsieur. »

Il emporta la tasse, puis il revint : « Si vous saviez, madame, quels bons moments m'a fait passer *La Vie française*, quand j'étais là-bas dans le désert. C'est vraiment le seul journal qu'on puisse lire hors de France, parce qu'il est plus littéraire, plus spiri-

400 tuel et moins monotone que tous les autres. On trouve de tout là-dedans. »

Elle sourit, avec une indifférence aimable, et répondit gravement :

« M. Walter a eu bien du mal pour créer ce type de journal

405 qui répondait à un besoin nouveau[1]. »

Et ils se mirent à causer. Il avait la parole facile et banale, du charme dans la voix, beaucoup de grâce dans le regard et une séduction irrésistible dans la moustache. Elle s'ébouriffait sur sa lèvre, crépue, frisée, jolie, d'un blond teinté de roux avec une

410 nuance plus pâle dans les poils hérissés des bouts.

---

1. Journal dirigé par Walter, *La Vie française* rappelle *Le Gaulois*, organe de presse contrôlé par Arthur Meyer et destiné à la bourgeoisie conservatrice, très lu et très influent dans le monde économique et politique.

Ils parlèrent de Paris, des environs, des bords de la Seine, des villes d'eaux, des plaisirs de l'été, de toutes les choses courantes sur lesquelles on peut discourir indéfiniment sans se fatiguer l'esprit.

415 Puis, comme M. Norbert de Varenne s'approchait, un verre de liqueur à la main, Duroy s'éloigna par discrétion.

Mme de Marelle, qui venait de causer avec Forestier, l'appela : « Eh bien ! monsieur, lui dit-elle brusquement, vous voulez donc tâter du journalisme ? »

420 Alors il parla de ses projets, en termes vagues, puis recommença avec elle la conversation qu'il venait d'avoir avec Mme Walter ; mais, comme il possédait mieux son sujet, il s'y montra supérieur, répétant comme de lui des choses qu'il venait d'entendre. Et sans cesse il regardait dans les yeux sa voisine,
425 comme pour donner à ce qu'il disait un sens profond.

Elle lui raconta à son tour des anecdotes, avec un entrain facile de femme qui se sait spirituelle et qui veut toujours être drôle ; et, devenant familière, elle posait la main sur son bras, baissait la voix pour dire des riens qui prenaient ainsi un caractère
430 d'intimité. Il s'exaltait intérieurement à frôler cette jeune femme qui s'occupait de lui. Il aurait voulu tout de suite se dévouer pour elle, la défendre, montrer ce qu'il valait ; et les retards qu'il mettait à lui répondre indiquaient la préoccupation de sa pensée.

435 Mais tout à coup, sans raison, Mme de Marelle appela : « Laurine ! » et la petite fille s'en vint.

« Assieds-toi là, mon enfant, tu aurais froid près de la fenêtre. »

Et Duroy fut pris d'une envie folle d'embrasser la fillette,
440 comme si quelque chose de ce baiser eût dû retourner à la mère.

Il demanda d'un ton galant et paternel : « Voulez-vous me permettre de vous embrasser, mademoiselle ? »

L'enfant leva les yeux sur lui d'un air surpris, Mme de Marelle dit en riant : « Réponds : "Je veux bien, monsieur, pour aujour-
445 d'hui ; mais ce ne sera pas toujours comme ça." »

Duroy, s'asseyant aussitôt, prit sur son genou Laurine, puis effleura des lèvres les cheveux ondés[1] et fins de son front.

La mère s'étonna : « Tiens, elle ne s'est pas sauvée ; c'est stupéfiant. Elle ne se laisse d'ordinaire embrasser que par les femmes. Vous êtes irrésistible, monsieur Duroy[2]. »

Il rougit, sans répondre, et d'un mouvement léger il balançait la petite fille sur sa jambe.

Mme Forestier s'approcha et, poussant un cri d'étonnement : « Tiens, voilà Laurine apprivoisée, quel miracle ! »

Jacques Rival aussi s'en venait, un cigare à la bouche, et Duroy se leva pour partir, ayant peur de gâter par quelque mot maladroit la besogne faite, son œuvre de conquête commencée.

Il salua, prit et serra doucement la petite main tendue des femmes, puis secoua avec force la main des hommes. Il remarqua que celle de Jacques Rival était sèche et chaude et répondait cordialement à sa pression ; celle de Norbert de Varenne, humide et froide, et fuyait en glissant entre les doigts ; celle du père Walter, froide et molle, sans énergie, sans expression ; celle de Forestier, grasse et tiède. Son ami lui dit à mi-voix.

« Demain, trois heures, n'oublie pas.

– Oh ! non, ne crains rien. »

Quand il se retrouva sur l'escalier, il eut envie de descendre en courant, tant sa joie était véhémente[3], et il s'élança, enjambant les marches deux par deux ; mais tout à coup il aperçut, dans la grande glace du second étage, un monsieur pressé qui venait en gambadant à sa rencontre, et il s'arrêta net, honteux comme s'il venait d'être surpris en faute.

Puis il se regarda longuement, émerveillé d'être vraiment aussi joli garçon ; puis il se sourit avec complaisance ; puis,

---

1. *Ondés* : ondulés.
2. Par cette phrase est énoncé le grand ressort romanesque de la future ascension sociale de Duroy.
3. *Véhémente* : ardente, impétueuse.

475 prenant congé de son image, il se salua très bas avec cérémonie,
comme on salue les grands personnages[1].

III

Quand Georges Duroy se retrouva dans la rue, il hésita sur
ce qu'il ferait. Il avait envie de courir, de rêver, d'aller devant lui
en songeant à l'avenir et en respirant l'air doux de la nuit ; mais
la pensée de la série d'articles demandés par le père Walter le
5 poursuivait, et il se décida à rentrer tout de suite pour se mettre
au travail.

Il revint à grands pas, gagna le boulevard extérieur, et le suivit
jusqu'à la rue Boursault[2] qu'il habitait. Sa maison haute de six
étages était peuplée par vingt petits ménages ouvriers et bour-
10 geois, et il éprouva, en montant l'escalier, dont il éclairait avec
des allumettes-bougies[3] les marches sales où traînaient des bouts
de papiers, des bouts de cigarettes, des épluchures de cuisine,
une écœurante sensation de dégoût et une hâte de sortir de là,
de loger comme les hommes riches, en des demeures propres,
15 avec des tapis. Une odeur lourde de nourriture, de fosse
d'aisances[4] et d'humanité, une odeur stagnante de crasse et de

---

1. On note le même procédé de dissociation entre le personnage et son reflet
que lors de l'ascension de l'escalier. Au grotesque de ce personnage cabotin
(aux manières théâtrales) et narcissique, s'ajoute donc le comique de répétition. Le miroir comme témoin de la métamorphose de Duroy est récurrent
dans le roman.
2. *Rue Boursault* : rue située dans un quartier pauvre du 17e arrondissement de Paris, à proximité de la fosse creusée pour installer les voies de
chemin de fer qui partent de la gare Saint-Lazare.
3. *Allumettes-bougies* : fines mèches imprégnées de cire.
4. *Fosse d'aisances* : toilettes (sans système d'évacuation des excréments,
elles devaient être vidangées régulièrement).

vieille muraille, qu'aucun courant d'air n'eût pu chasser de ce logis, l'emplissait du haut en bas.

La chambre du jeune homme, au cinquième étage, donnait
20 comme sur un abîme profond, sur l'immense tranchée du chemin de fer de l'Ouest, juste au-dessus de la sortie du tunnel, près de la gare des Batignolles[1]. Duroy ouvrit sa fenêtre et s'accouda sur l'appui de fer rouillé.

Au-dessous de lui, dans le fond du trou sombre, trois signaux
25 rouges immobiles avaient l'air de gros yeux de bête ; et plus loin on en voyait d'autres, et encore d'autres, encore plus loin. À tout instant des coups de sifflet prolongés ou courts passaient dans la nuit, les uns proches, les autres à peine perceptibles, venus de là-bas, du côté d'Asnières[2]. Ils avaient des modulations comme des
30 appels de voix. Un d'eux se rapprochait, poussant toujours son cri plaintif qui grandissait de seconde en seconde, et bientôt une grosse lumière jaune apparut, courant avec un grand bruit ; et Duroy regarda le long chapelet des wagons s'engouffrer sous le tunnel.

35 Puis il se dit : « Allons, au travail ! » Il posa sa lumière sur sa table ; mais au moment de se mettre à écrire, il s'aperçut qu'il n'avait chez lui qu'un cahier de papier à lettres.

Tant pis, il l'utiliserait en ouvrant la feuille dans toute sa grandeur. Il trempa sa plume dans l'encre et écrivit en tête, de sa plus
40 belle écriture :

Souvenirs d'un chasseur d'Afrique.

Puis il chercha le commencement de la première phrase.

Il restait le front dans sa main, les yeux fixés sur le carré blanc déployé devant lui.

---

1. *Gare des Batignolles* : gare située rue Cardinet, non loin de la rue Boursault.

2. *Asnières* : ville de la petite ceinture parisienne, desservie par un train partant de la gare Saint-Lazare.

⁴⁵ Qu'allait-il dire ? Il ne trouvait plus rien maintenant de ce qu'il avait raconté tout à l'heure, pas une anecdote, pas un fait, rien. Tout à coup il pensa : « Il faut que je débute par mon départ. » Et il écrivit : « C'était en 1874, aux environs du 15 mai, alors que la France épuisée se reposait après les catastrophes de

⁵⁰ l'année terrible[1]... »

Et il s'arrêta net, ne sachant comment amener ce qui suivrait, son embarquement, son voyage, ses premières émotions.

Après dix minutes de réflexion, il se décida à remettre au lendemain la page préparatoire du début, et à faire tout de suite une

⁵⁵ description d'Alger.

Et il traça sur son papier : « Alger est une ville toute blanche... » sans parvenir à énoncer autre chose. Il revoyait en souvenir la jolie cité claire, dégringolant, comme une cascade de maisons plates, du haut de sa montagne dans la mer, mais il ne

⁶⁰ trouvait plus un mot pour exprimer ce qu'il avait vu, ce qu'il avait senti.

Après un grand effort, il ajouta : « Elle est habitée en partie par des Arabes... » Puis il jeta sa plume sur la table et se leva.

Sur son petit lit de fer, où la place de son corps avait fait un

⁶⁵ creux, il aperçut ses habits de tous les jours jetés là, vides, fatigués, flasques, vilains comme des hardes de la Morgue[2]. Et, sur une chaise de paille, son chapeau de soie, son unique chapeau semblait ouvert pour recevoir l'aumône.

Ses murs, tendus d'un papier gris à bouquets bleus, avaient

⁷⁰ autant de taches que de fleurs, des taches anciennes, suspectes, dont on n'aurait pu dire la nature, bêtes écrasées ou gouttes d'huile, bouts de doigts graissés de pommade ou écume de la

---

1. *L'Année terrible* est le titre d'un recueil poétique de Victor Hugo paru en 1872, dans lequel sont évoqués la guerre franco-prussienne de 1870 et l'épisode révolutionnaire de la Commune (1871).

2. *Hardes de la Morgue* : vêtements misérables, usagés, comme ceux que l'on trouve sur les cadavres entreposés à la Morgue.

cuvette projetée pendant les lavages. Cela sentait la misère honteuse, la misère en garni[1] de Paris. Et une exaspération le souleva
75 contre la pauvreté de sa vie. Il se dit qu'il fallait sortir de là, tout de suite, qu'il fallait en finir dès le lendemain avec cette existence besogneuse.

Une ardeur de travail l'ayant soudain ressaisi, il se rassit devant sa table et recommença à chercher des phrases pour bien
80 raconter la physionomie étrange et charmante d'Alger, cette antichambre de l'Afrique mystérieuse et profonde, l'Afrique des Arabes vagabonds et des nègres inconnus, l'Afrique inexplorée et tentante, dont on nous montre parfois, dans les jardins publics, les bêtes invraisemblables qui semblent créées pour des
85 contes de fées, les autruches, ces poules extravagantes, les gazelles, ces chèvres divines, les girafes surprenantes et grotesques, les chameaux graves, les hippopotames monstrueux, les rhinocéros informes et les gorilles, ces frères effrayants de l'homme.
90 Il sentait vaguement des pensées lui venir ; il les aurait dites, peut-être, mais il ne les pouvait point formuler avec des mots écrits. Et son impuissance l'enfiévrant, il se leva de nouveau, les mains humides de sueur et le sang battant aux tempes.

Et ses yeux étant tombés sur la note de sa blanchisseuse,
95 montée, le soir même, par le concierge, il fut saisi brusquement par un désespoir éperdu[2]. Toute sa joie disparut en une seconde, avec sa confiance en lui et sa foi dans l'avenir. C'était fini ; tout était fini, il ne ferait rien, il ne serait rien ; il se sentait vide, incapable, inutile, condamné.
100 Et il retourna s'accouder à la fenêtre, juste au moment où un train sortait du tunnel avec un bruit subit et violent. Il s'en allait là-bas, à travers les champs et les plaines, vers la mer. Et le souvenir de ses parents entra au cœur de Duroy.

---

1. *Garni* : appartement loué meublé.
2. *Éperdu* : égaré, désemparé.

Il allait passer près d'eux, ce convoi, à quelques lieues seule-
105 ment de leur maison. Il la revit, la petite maison, au haut de la
côte, dominant Rouen et l'immense vallée de la Seine, à l'entrée
du village de Canteleu[1].

Son père et sa mère tenaient un petit cabaret, une guinguette[2]
où les bourgeois des faubourgs venaient déjeuner le dimanche :
110 *À la Belle-Vue*. Ils avaient voulu faire de leur fils un monsieur, et
l'avaient mis au collège. Ses études finies et son baccalauréat
manqué, il était parti pour le service avec l'intention de devenir
officier, colonel, général. Mais, dégoûté de l'état militaire bien
avant d'avoir fini ses cinq années, il avait rêvé de faire fortune
115 à Paris.

Il y était venu, son temps expiré, malgré les prières du père
et de la mère, qui, leur songe envolé, voulaient le garder maintenant. À son tour, il espérait un avenir ; il entrevoyait le triomphe
au moyen d'événements encore confus dans son esprit, qu'il sau-
120 rait assurément faire naître et seconder.

Il avait eu au régiment des succès de garnison, des bonnes
fortunes faciles et même des aventures dans un monde plus
élevé, ayant séduit la fille d'un percepteur[3] qui voulait tout quitter pour le suivre, et la femme d'un avoué[4] qui avait tenté de se
125 noyer par désespoir d'être délaissée.

Ses camarades disaient de lui : « C'est un malin, c'est un roublard[5], c'est un débrouillard qui saura se tirer d'affaire. » Et il
s'était promis en effet d'être un malin, un roublard, un
débrouillard.

---

1. *Canteleu* : commune de Normandie, à cinq kilomètres de Rouen.

2. *Guinguette* : café en plein air, souvent (mais pas ici) au bord de l'eau, où
l'on peut danser.

3. *Percepteur* : fonctionnaire du Trésor chargé de collecter amendes et impôts.

4. *Avoué* : auxiliaire de justice chargé de représenter des personnes dans des
procès ou des démarches juridiques.

5. *Roublard* : rusé, astucieux.

130 Sa conscience native de Normand, frottée par la pratique quotidienne de l'existence de garnison, distendue par les exemples de maraudages[1] en Afrique, de bénefs illicites, de supercheries suspectes, fouettée aussi par les idées d'honneur qui ont cours dans l'armée, par les bravades militaires, les senti-
135 ments patriotiques, les histoires magnanimes[2] racontées entre sous-offs et par la gloriole[3] du métier, était devenue une sorte de boîte à triple fond où l'on trouvait de tout.

Mais le désir d'arriver y régnait en maître.

Il s'était remis, sans s'en apercevoir, à rêvasser, comme il fai-
140 sait chaque soir. Il imaginait une aventure d'amour magnifique qui l'amenait, d'un seul coup, à la réalisation de son espérance. Il épousait la fille d'un banquier ou d'un grand seigneur rencontrée dans la rue et conquise à première vue.

Le sifflet strident d'une locomotive qui, sortie toute seule du
145 tunnel, comme un gros lapin de son terrier, et courant à toute vapeur sur les rails, filait vers le garage des machines, où elle allait se reposer, le réveilla de son songe.

Alors, ressaisi par l'espoir confus et joyeux qui hantait toujours son esprit, il jeta, à tout hasard, un baiser dans la nuit, un
150 baiser d'amour vers l'image de la femme attendue, un baiser de désir vers la fortune convoitée. Puis il ferma sa fenêtre et commença à se dévêtir en murmurant :

« Bah, je serai mieux disposé demain matin. Je n'ai pas l'esprit libre ce soir. Et puis, j'ai peut-être aussi un peu trop bu.
155 On ne travaille pas bien dans ces conditions-là. »

Il se mit au lit, souffla la lumière, et s'endormit presque aussitôt.

---

1. *Maraudages* : ici, pillages exercés par des soldats.
2. *Magnanimes* : où les personnages font preuve de sentiments nobles, de grandeur d'âme face à l'ennemi.
3. *Gloriole* : vantardise, gloire que l'on tire de petites choses.

Il se réveilla de bonne heure, comme on s'éveille aux jours d'espérance vive ou de souci, et, sautant du lit, il alla ouvrir sa
160 fenêtre pour avaler une bonne tasse d'air frais, comme il disait.

Les maisons de la rue de Rome, en face, de l'autre côté du large fossé du chemin de fer, éclatantes dans la lumière du soleil levant, semblaient peintes avec de la clarté blanche. Sur la droite, au loin, on apercevait les coteaux d'Argenteuil, les hauteurs de
165 Sannois et les moulins d'Orgemont dans une brume bleuâtre et légère, semblable à un petit voile flottant et transparent qui aurait été jeté sur l'horizon.

Duroy demeura quelques minutes à regarder la campagne lointaine, et il murmura : « Il ferait bougrement bon, là-bas, un
170 jour comme ça. » Puis, il songea qu'il lui fallait travailler, et tout de suite, et aussi envoyer, moyennant dix sous, le fils de sa concierge dire à son bureau qu'il était malade.

Il s'assit devant sa table, trempa sa plume dans l'encrier, prit son front dans sa main et chercha des idées. Ce fut en vain. Rien
175 ne venait.

Il ne se découragea pas cependant. Il pensa : « Bah, je n'en ai pas l'habitude. C'est un métier à apprendre comme tous les métiers. Il faut qu'on m'aide les premières fois. Je vais trouver Forestier, qui me mettra mon article sur pied en dix minutes. »
180 Et il s'habilla.

Quand il fut dans la rue, il jugea qu'il était encore trop tôt pour se présenter chez son ami qui devait dormir tard. Il se promena donc, tout doucement, sous les arbres du boulevard extérieur[1].

185 Il n'était pas encore neuf heures, et il gagna le parc Monceau tout frais de l'humidité des arrosages.

S'étant assis sur un banc, il se remit à rêver. Un jeune homme allait et venait devant lui, très élégant, attendant une femme sans doute.

---

1. Boulevard extérieur : boulevard qui suit le tracé du mur des Fermiers généraux, mur d'enceinte construit à la fin du XVIIIe siècle et détruit en 1860.

190 Elle parut, voilée, le pied rapide, et, ayant pris son bras, après une courte poignée de main, ils s'éloignèrent.

Un tumultueux besoin d'amour entra au cœur de Duroy, un besoin d'amours distinguées, parfumées, délicates. Il se leva et se remit en route en songeant à Forestier. Avait-il de la chance, 195 celui-là !

Il arriva devant sa porte au moment où son ami sortait.

« Te voilà ! à cette heure-ci ! Que me voulais-tu ? »

Duroy, troublé de le rencontrer ainsi comme il s'en allait, balbutia :

200 « C'est que… c'est que… je ne peux pas arriver à faire mon article, tu sais, l'article que M. Walter m'a demandé sur l'Algérie. Ça n'est pas bien étonnant, étant donné que je n'ai jamais écrit. Il faut de la pratique pour ça comme pour tout. Je m'y ferai bien vite, j'en suis sûr, mais, pour débuter, je ne sais pas comment m'y 205 prendre. J'ai bien les idées, je les ai toutes, et je ne parviens pas à les exprimer. »

Il s'arrêta, hésitant un peu. Forestier souriait avec malice.

« Je connais ça. »

Duroy reprit : « Oui, ça doit arriver à tout le monde en com-210 mençant. Eh bien, je venais… je venais te demander un coup de main… En dix minutes tu me mettrais ça sur pied, toi, tu me montrerais la tournure qu'il faut prendre. Tu me donnerais là une bonne leçon de style, et sans toi je ne m'en tirerais pas. »

L'autre souriait toujours d'un air gai. Il tapa sur le bras de son 215 ancien camarade et lui dit :

« Va-t'en trouver ma femme, elle t'arrangera ton affaire aussi bien que moi. Je l'ai dressée à cette besogne-là. Moi, je n'ai pas le temps ce matin, sans quoi je l'aurais fait bien volontiers. »

Duroy, intimidé soudain, hésitait, n'osait point :

220 « Mais à cette heure-ci, je ne peux pas me présenter devant elle ?…

– Si, parfaitement. Elle est levée. Tu la trouveras dans mon cabinet de travail, en train de mettre en ordre des notes pour moi. »

225   L'autre refusait de monter.

« Non… ça n'est pas possible… »

Forestier le prit par les épaules, le fit pivoter sur ses talons, et le poussant vers l'escalier : « Mais, va donc, grand serin[1], quand je te dis d'y aller. Tu ne va pas me forcer à regrimper mes trois
230 étages pour te présenter et expliquer ton cas. »

Alors Duroy se décida : « Merci, j'y vais. Je lui dirai que tu m'as forcé, absolument forcé à venir la trouver.

– Oui. Elle ne te mangera pas, sois tranquille. Surtout n'oublie pas, tantôt[2], trois heures.

235   – Oh ! ne crains rien. »

Et Forestier s'en alla de son air pressé tandis que Duroy se mit à monter lentement, marche à marche, cherchant ce qu'il allait dire et inquiet de l'accueil qu'il recevrait.

Le domestique vint lui ouvrir. Il avait un tablier bleu et tenait
240 un balai dans ses mains.

« Monsieur est sorti », dit-il, sans attendre la question.

Duroy insista : « Demandez à Mme Forestier si elle peut me recevoir, et prévenez-la que je viens de la part de son mari, que j'ai rencontré dans la rue. »

245   Puis il attendit. L'homme revint, ouvrit une porte à droite, et annonça : « Madame attend monsieur. »

Elle était assise sur un fauteuil de bureau, dans une petite pièce dont les murs se trouvaient entièrement cachés par des livres bien rangés sur des planches de bois noir. Les reliures, de
250 tons différents, rouges, jaunes, vertes, violettes et bleues, mettaient de la couleur et de la gaieté dans cet alignement monotone de volumes.

Elle se retourna, souriant toujours, enveloppée d'un peignoir blanc garni de dentelle ; et elle tendit sa main, montrant son bras
255 nu dans la manche largement ouverte.

---

1. Serin : niais, nigaud.
2. Tantôt : ici, tout à l'heure.

« Déjà ? » dit-elle. Puis elle reprit : « Ce n'est point un reproche, c'est une simple question. »

Il balbutia : « Oh ! madame, je ne voulais pas monter ; mais votre mari, que j'ai rencontré en bas, m'y a forcé. Je suis telle-ment confus que je n'ose pas dire ce qui m'amène. »

Elle montrait un siège : « Asseyez-vous et parlez. »

Elle maniait entre deux doigts une plume d'oie en la tournant agilement ; et, devant elle, une grande page de papier demeurait écrite à moitié ; interrompue à l'arrivée du jeune homme.

Elle avait l'air chez elle devant cette table de travail, à l'aise comme dans son salon, occupée à sa besogne ordinaire. Un parfum léger s'envolait du peignoir, le parfum frais de la toilette récente. Et Duroy cherchait à deviner, croyait voir le corps jeune et clair, gras et chaud, doucement enveloppé dans l'étoffe moelleuse.

Elle reprit, comme il ne parlait pas : « Eh bien, dites, qu'est-ce que c'est ? »

Il murmura, en hésitant : « Voilà… mais vraiment… je n'ose pas… C'est que j'ai travaillé hier soir très tard… et ce matin… très tôt… pour faire cet article sur l'Algérie que M. Walter m'a demandé… et je n'arrive à rien de bon… j'ai déchiré tous mes essais… Je n'ai pas l'habitude de ce travail-là, moi ; et je venais demander à Forestier de m'aider… pour une fois… »

Elle l'interrompit, en riant de tout son cœur, heureuse, joyeuse et flattée : « Et il vous a dit de venir me trouver… ? C'est gentil, ça…

– Oui, madame. Il m'a dit que vous me tireriez d'embarras mieux que lui… mais, moi, je n'osais pas, je ne voulais pas. Vous comprenez ? »

Elle se leva : « Ça va être charmant de collaborer comme ça. Je suis ravie de votre idée. Tenez, asseyez-vous à ma place, car on connaît mon écriture au journal. Et nous allons vous tourner un article, mais là, un article à succès. »

Il s'assit, prit une plume, étala devant lui une feuille de 290 papier, et attendit.

Mme Forestier, restée debout, le regardait faire ses préparatifs ; puis elle atteignit une cigarette sur la cheminée et l'alluma :

« Je ne puis pas travailler sans fumer, dit-elle, voyons, qu'allez-vous raconter ? »

295 Il leva la tête vers elle avec étonnement.

« Mais je ne sais pas, moi, puisque je suis venu vous trouver pour ça. »

Elle reprit : « Oui, je vous arrangerai la chose. Je ferai la sauce, mais il me faut le plat. »

300 Il demeurait embarrassé ; enfin il prononça, avec hésitation : « Je voudrais raconter mon voyage depuis le commencement… »

Alors elle s'assit, en face de lui, de l'autre côté de la grande table, et, le regardant dans les yeux :

« Eh bien, racontez-le-moi d'abord, pour moi toute seule, 305 vous entendez, bien doucement, sans rien oublier, et je choisirai ce qu'il faut prendre. »

Mais comme il ne savait par où commencer, elle se mit à l'interroger comme aurait fait un prêtre au confessionnal[1], posant des questions précises qui lui rappelaient des détails 310 oubliés, des personnages rencontrés, des figures seulement aperçues.

Quand elle l'eut contraint à parler ainsi pendant un petit quart d'heure, elle l'interrompit tout à coup : « Maintenant, nous allons commencer. D'abord, nous supposons que vous adressez 315 à un ami vos impressions, ce qui vous permet de dire un tas de bêtises, de faire des remarques de toute espèce, d'être naturel et drôle, si nous pouvons. Commencez :

« Mon cher Henry, tu veux savoir ce que c'est que l'Algérie, tu le sauras. Je vais t'envoyer, n'ayant rien à faire dans la petite case

---

1. Confessionnal : dans une église, isoloir où le prêtre entend la confession d'un pénitent.

de boue sèche qui me sert d'habitation, une sorte de journal de ma vie, jour par jour, heure par heure. Ce sera un peu vif, quelquefois, tant pis, tu n'es pas obligé de le montrer aux dames de ta connaissance... »

Elle s'interrompit pour rallumer sa cigarette éteinte ; et, aussitôt, le petit grincement criard de la plume d'oie sur le papier s'arrêta.

« Nous continuons », dit-elle.

« L'Algérie est un grand pays français sur la frontière des grands pays inconnus qu'on appelle le désert, le Sahara, l'Afrique centrale, etc., etc.

« Alger est la porte, la porte blanche et charmante de cet étrange continent.

« Mais d'abord il faut y aller, ce qui n'est pas rose pour tout le monde. Je suis, tu le sais, un excellent écuyer, puisque je dresse les chevaux du colonel, mais on peut être bon cavalier et mauvais marin. C'est mon cas.

« Te rappelles-tu le major Simbretas, que nous appelions le docteur Ipéca [1] ? Quand nous nous jugions mûrs pour vingt-quatre heures d'infirmerie, pays béni, nous passions à la visite.

« Il était assis sur sa chaise, avec ses grosses cuisses ouvertes dans son pantalon rouge, ses mains sur ses genoux, les bras formant pont, le coude en l'air, et il roulait ses gros yeux de loto en mordillant sa moustache blanche.

« Tu te rappelles sa prescription :

"Ce soldat est atteint d'un dérangement d'estomac. Administrezlui le vomitif n° 3 selon ma formule, puis douze heures de repos ; il ira bien."

« Il était souverain, ce vomitif, souverain et irrésistible. On l'avalait donc, puisqu'il le fallait. Puis, quand on avait passé par la formule du docteur Ipéca, on jouissait de douze heures de repos bien gagné.

---

1. Ce nom est celui d'une plante qui entre dans la fabrication de vomitifs.

« Eh bien, mon cher, pour atteindre l'Afrique, il faut subir, pendant quarante heures, une autre sorte de vomitif irrésistible, selon la formule de la Compagnie transatlantique… »

355 Elle se frottait les mains, tout à fait heureuse de son idée.

Elle se leva et se mit à marcher, après avoir allumé une autre cigarette, et elle dictait, en soufflant des filets de fumée qui sortaient d'abord tout droit d'un petit trou rond au milieu de ses lèvres serrées, puis s'élargissant, s'évaporaient en laissant par
360 places, dans l'air, des lignes grises, une sorte de brume transparente, une buée pareille à des fils d'araignée. Parfois, d'un coup de sa main ouverte, elle effaçait ces traces légères et plus persistantes ; parfois aussi elle les coupait d'un mouvement tranchant de l'index et regardait ensuite, avec une attention grave, les deux
365 tronçons d'imperceptible vapeur disparaître lentement.

Et Duroy, les yeux levés, suivait tous ses gestes, toutes ses attitudes, tous les mouvements de son corps et de son visage occupés à ce jeu vague qui ne prenait point sa pensée.

Elle imaginait maintenant les péripéties de la route, portraiturait des compagnons de voyage inventés par elle, et ébauchait
370 une aventure d'amour avec la femme d'un capitaine d'infanterie[1] qui allait rejoindre son mari.

Puis, s'étant assise, elle interrogea Duroy sur la topographie[2] de l'Algérie, qu'elle ignorait absolument. En dix minutes, elle en
375 sut autant que lui, et elle fit un petit chapitre de géographie politique et coloniale pour mettre le lecteur au courant et le bien préparer à comprendre les questions sérieuses qui seraient soulevées dans les articles suivants.

Puis elle continua par une excursion dans la province
380 d'Oran, une excursion fantaisiste, où il était surtout question des femmes, des Mauresques[3], des Juives, des Espagnoles.

---

1. *Infanterie* : ensemble des unités militaires combattant à pied.
2. *Topographie* : configuration géographique.
3. *Mauresques* : femmes d'Afrique du Nord.

« Il n'y a que ça qui intéresse », disait-elle.

Elle termina par un séjour à Saïda, au pied des hauts plateaux, et par une jolie intrigue entre le sous-officier Georges
385 Duroy et une ouvrière espagnole employée à la manufacture
d'alfa[1] de Aïn-el-Hadjar[2]. Elle racontait les rendez-vous, la nuit,
dans la montagne pierreuse et nue, alors que les chacals, les
hyènes et les chiens arabes crient, aboient et hurlent au milieu
des rocs.

390 Et elle prononça d'une voix joyeuse : « La suite à demain[3] ! »
Puis, se relevant : « C'est comme ça qu'on écrit un article, mon
cher monsieur. Signez, s'il vous plaît. »

Il hésitait.

« Mais signez donc ! »

395 Alors, il se mit à rire et écrivit au bas de la page : « Georges
DUROY. »

Elle continuait à fumer en marchant ; et il la regardait toujours, ne trouvant rien à dire pour la remercier, heureux d'être
près d'elle, pénétré de reconnaissance et du bonheur sensuel de
400 cette intimité naissante. Il lui semblait que tout ce qui l'entourait
faisait partie d'elle, tout, jusqu'aux murs couverts de livres. Les
sièges, les meubles, l'air où flottait l'odeur du tabac avaient
quelque chose de particulier, de bon, de doux, de charmant, qui
venait d'elle.

405 Brusquement, elle demanda :

« Qu'est-ce que vous pensez de mon amie Mme de Marelle ? »

Il fut surpris : « Mais... je la trouve... je la trouve très
séduisante.

— N'est-ce pas ?

---

1. *Alfa* ou *halpha* : plante dont les feuilles servent à fabriquer des nattes et
des paniers, et à produire de la pâte à papier.
2. *Aïn-el-Hadjar* : ville au sud de Saïda, au nord-ouest de l'Algérie.
3. *La suite à demain !* : formule de conclusion traditionnelle des chroniques du XIXe siècle.

410   – Oui, certainement. »

Il avait envie d'ajouter : « Mais pas autant que vous. » Il n'osa point.

Elle reprit : « Et si vous saviez comme elle est drôle, originale, intelligente ! C'est une bohème[1], par exemple, une vraie
415 bohème. C'est pour cela que son mari ne l'aime guère. Il ne voit que le défaut et n'apprécie point les qualités. »

Duroy fut stupéfait d'apprendre que Mme de Marelle était mariée. C'était bien naturel, pourtant.

Il demanda : « Tiens… elle est mariée ? Et qu'est-ce que fait
420 son mari ? »

Mme Forestier haussa tout doucement les épaules et les sourcils d'un seul mouvement plein de significations incompréhensibles.

« Oh ! il est inspecteur de la ligne du Nord. Il passe huit jours
425 par mois à Paris. Ce que sa femme appelle "le service obligatoire" ou encore "la corvée de semaine", ou encore "la Semaine sainte[2]". Quand vous la connaîtrez mieux, vous verrez comme elle est fine[3] et gentille. Allez donc la voir un de ces jours.

Duroy ne pensait plus à partir, il lui semblait qu'il allait rester
430 toujours, qu'il était chez lui.

Mais la porte s'ouvrit sans bruit, et un grand monsieur s'avança, qu'on n'avait point annoncé.

---

1. _Bohème_ : fantaisiste qui semble vivre en marge des règles de la vie bourgeoise, sans souci du lendemain.
2. _La Semaine sainte_ : semaine célébrée par les chrétiens entre le dimanche des Rameaux et le vendredi saint et qui commémore les jours qui ont précédé la mort de Jésus. Mme Forestier est ironique quand elle emploie cette expression : M. de Marelle semble pareil à Jésus entré dans Jérusalem pour y subir sa Passion (souffrances qui précèdent et accompagnent la mort). Cette assimilation de Duroy à Jésus reviendra dans le roman à deux reprises : lorsque Mme Walter priera à l'église de la Trinité (p. 307-308) et lorsque sera exposé le tableau de Karl Marcowitch représentant le Christ marchant sur les flots (p. 354, 401).
3. _Fine_ : maligne, rusée.

Il s'arrêta en voyant un homme. Mme Forestier parut gênée une seconde, puis elle dit, de sa voix naturelle, bien qu'un peu
435 de rose lui fût monté des épaules au visage :

« Mais entrez donc, mon cher. Je vous présente un bon camarade de Charles, M. Georges Duroy, un futur journaliste. »

Puis, sur un ton différent, elle annonça : « Le meilleur et le plus intime de nos amis, le comte de Vaudrec. »

440 Les deux hommes se saluèrent en se regardant au fond des yeux, et Duroy tout aussitôt se retira.

On ne le retint pas. Il balbutia quelques remerciements, serra la main tendue de la jeune femme, s'inclina encore devant le nouveau venu qui gardait un visage froid et sérieux d'homme du
445 monde, et il sortit tout à fait troublé, comme s'il venait de commettre une sottise.

En se retrouvant dans la rue, il se sentit triste, mal à l'aise, obsédé par l'obscure sensation d'un chagrin voilé. Il allait devant lui, se demandant pourquoi cette mélancolie subite lui était
450 venue ; il ne trouvait point, mais la figure sévère du comte de Vaudrec, un peu vieux déjà, avec des cheveux gris, l'air tranquille et insolent d'un particulier très riche et sûr de lui, revenait sans cesse dans son souvenir.

Et il s'aperçut que l'arrivée de cet inconnu, brisant un tête-à-
455 tête charmant où son cœur s'accoutumait déjà, avait fait passer en lui cette impression de froid et de désespérance qu'une parole entendue, une misère entrevue, les moindres choses parfois suffisent à nous donner.

Et il lui semblait aussi que cet homme, sans qu'il devinât
460 pourquoi, avait été mécontent de le trouver là.

Il n'avait plus rien à faire jusqu'à trois heures ; et il n'était pas encore midi. Il lui restait en poche six francs cinquante : il alla déjeuner au bouillon Duval[1]. Puis il rôda sur le boulevard ; et

---

1. Bouillon Duval : restaurant populaire où l'on consommait notamment du bouillon. Le bouillon Duval a été ouvert par le boucher Duval (1811-

comme trois heures sonnaient, il monta l'escalier-réclame de *La*
465 *Vie française.*

Les garçons de bureau, assis sur une banquette, les bras croisés, attendaient, tandis que, derrière une sorte de petite chaire de professeur, un huissier classait la correspondance qui venait d'arriver. La mise en scène était parfaite pour en imposer aux
470 visiteurs. Tout le monde avait de la tenue, de l'allure, de la dignité, du chic, comme il convenait dans l'antichambre d'un grand journal.

Duroy demanda : « M. Walter, s'il vous plaît ? »

L'huissier répondit : « M. le directeur est en conférence. Si
475 monsieur veut bien s'asseoir un peu. » Et il indiqua le salon d'attente, déjà plein de monde.

On voyait là des hommes graves, décorés[1], importants, et des hommes négligés au linge[2] invisible, dont la redingote, fermée jusqu'au col, portait sur la poitrine des dessins de taches rappe-
480 lant les découpures des continents et des mers sur les cartes de géographie. Trois femmes étaient mêlées à ces gens. Une d'elles était jolie, souriante, parée, et avait l'air d'une cocotte[3] ; sa voisine, au masque tragique, ridée, parée aussi d'une façon sévère, portait en elle ce quelque chose de fripé, d'artificiel qu'ont, en
485 général, les anciennes actrices, une sorte de fausse jeunesse éventée, comme un parfum d'amour ranci.

La troisième femme, en deuil, se tenait dans un coin, avec une allure de veuve désolée. Duroy pensa qu'elle venait demander l'aumône.

490 Cependant on ne faisait entrer personne, et plus de vingt minutes s'étaient écoulées.

1870). Il en existait plusieurs à Paris, dont un situé près de la place de Clichy, non loin de l'appartement des Forestier.
1. *Décorés* : portant une distinction, une médaille.
2. *Linge* : vêtements de dessous.
3. *Cocotte* : femme qui vit aux crochets d'un ou de plusieurs hommes fortunés.

Alors Duroy eut une idée, et, retournant trouver l'huissier : « M. Walter m'a donné rendez-vous à trois heures, dit-il. En tout cas, voyez si mon ami M. Forestier n'est pas ici. »

495 Alors on le fit passer par un long corridor qui l'amena dans une grande salle où quatre messieurs écrivaient autour d'une large table verte.

Forestier, debout devant la cheminée, fumait une cigarette en jouant au bilboquet[1]. Il était très adroit à ce jeu et piquait à tous
500 coups la bille énorme en buis jaune sur la petite pointe de bois. Il comptait : « Vingt-deux, – vingt-trois, – vingt-quatre, – vingt-cinq. »

Duroy prononça : « Vingt-six. » Et son ami leva les yeux, sans arrêter le mouvement régulier de son bras : « Tiens, te voilà !
505 Hier, j'ai fait cinquante-sept coups de suite. Il n'y a que Saint-Potin qui soit plus fort que moi ici. As-tu vu le patron ? Il n'y a rien de plus drôle que de regarder cette vieille bedole[2] de Norbert jouer au bilboquet. Il ouvre la bouche comme pour avaler la boule. »

510 Un des rédacteurs tourna la tête vers lui :

« Dis donc, Forestier, j'en connais un à vendre, un superbe, en bois des îles. Il a appartenu à la reine d'Espagne, à ce qu'on dit. On en réclame soixante francs. Ça n'est pas cher. »

Forestier demanda : « Où loge-t-il ? » Et comme il avait
515 manqué son trente-septième coup, il ouvrit une armoire où Duroy aperçut une vingtaine de bilboquets superbes, rangés et numérotés comme des bibelots dans une collection. Puis ayant posé son instrument à sa place ordinaire, il répéta : « Où loge-t-il, ce joyau ? »

520 Le journaliste répondit : « Chez un marchand de billets du Vaudeville. Je t'apporterai la chose demain, si tu veux.

---

1. *Bilboquet* : jeu d'adresse ; le joueur doit lancer une boule en bois percée et reliée par une corde à un pic de façon que la boule retombe sur le pic.
2. *Bedole* : imbécile.

– Oui, c'est entendu. S'il est vraiment beau, je le prends, on n'a jamais trop de bilboquets. »

Puis se tournant vers Duroy : « Viens avec moi, je vais t'intro-
525 duire chez le patron, sans quoi tu pourrais moisir jusqu'à sept heures du soir. »

Ils retraversèrent le salon d'attente, où les mêmes personnes demeuraient dans le même ordre. Dès que Forestier parut, la jeune femme et la vieille actrice, se levant vivement, vinrent à lui.
530 Il les emmena, l'une après l'autre, dans l'embrasure de la fenêtre, et, bien qu'ils prissent soin de causer à voix basse, Duroy remarqua qu'il les tutoyait l'une et l'autre.

Puis, ayant poussé deux portes capitonnées, ils pénétrèrent chez le directeur.
535 La conférence, qui durait depuis une heure, était une partie d'écarté[1] avec quelques-uns de ces messieurs à chapeaux plats que Duroy avait remarqués la veille.

M. Walter tenait les cartes et jouait avec une attention concen-
trée et des mouvements cauteleux[2], tandis que son adversaire
540 abattait, relevait, maniait les légers cartons coloriés avec une sou-
plesse, une adresse et une grâce de joueur exercé. Norbert de Varenne écrivait un article, assis dans le fauteuil directorial, et Jacques Rival, étendu tout au long sur un divan, fumait un cigare, les yeux fermés.
545 On sentait là-dedans le renfermé, le cuir des meubles, le vieux tabac et l'imprimerie ; on sentait cette odeur particulière des salles de rédaction que connaissent tous les journalistes.

Sur la table en bois noir aux incrustations de cuivre, un incroyable amas de papier gisait : lettres, cartes, journaux,
550 revues, notes de fournisseurs, imprimés de toute espèce.

---

1. *Écarté* : jeu de cartes qui connut son heure de gloire au XIXᵉ siècle. Lors des parties, les joueurs misaient souvent de l'argent.
2. *Cauteleux* : rusés et méfiants.

Forestier serra les mains des parieurs debout derrière les joueurs, et sans dire un mot regarda la partie ; puis, dès que le père Walter eut gagné, il présenta :

« Voici mon ami Duroy. »

555 Le directeur considéra brusquement le jeune homme de son coup d'œil glissé par-dessus le verre des lunettes, puis il demanda :

« M'apportez-vous mon article ? Ça irait très bien aujourd'hui, en même temps que la discussion Morel. »

560 Duroy tira de sa poche les feuilles de papier pliées en quatre : « Voici, monsieur. »

Le patron parut ravi, et, souriant : « Très bien, très bien. Vous êtes de parole. Il faudra me revoir ça, Forestier ? »

Mais Forestier s'empressa de répondre :

565 « Ce n'est pas la peine, monsieur Walter, j'ai fait la chronique avec lui pour lui apprendre le métier. Elle est très bonne. »

Et le directeur, qui recevait à présent les cartes données par un grand monsieur maigre, un député du centre gauche, ajouta avec indifférence : « C'est parfait, alors. »

570 Forestier ne le laissa pas commencer sa nouvelle partie ; et, se baissant vers son oreille : « Vous savez que vous m'avez promis d'engager Duroy pour remplacer Marambot. Voulez-vous que je le retienne aux mêmes conditions ?

– Oui, parfaitement. »

575 Et prenant le bras de son ami, le journaliste l'entraîna pendant que M. Walter se remettait à jouer.

Norbert de Varenne n'avait pas levé la tête, il semblait n'avoir pas vu ou reconnu Duroy. Jacques Rival, au contraire, lui avait serré la main avec une énergie démonstrative et voulue de bon 580 camarade sur qui on peut compter en cas d'affaire.

Ils retraversèrent le salon d'attente, et comme tout le monde levait les yeux, Forestier dit à la plus jeune des femmes, assez haut pour être entendu des autres patients :

« Le directeur va vous recevoir tout à l'heure. Il est en confé-
585 rence en ce moment avec deux membres de la commission du
budget. »

Puis il passa vivement, d'un air important et pressé, comme
s'il allait rédiger aussitôt une dépêche[1] de la plus extrême
gravité.

590 Dès qu'ils furent rentrés dans la salle de rédaction, Forestier
retourna prendre immédiatement son bilboquet, et, tout en se
remettant à jouer, et en coupant ses phrases pour compter les
coups, il dit à Duroy : « Voilà. Tu viendras ici tous les jours à trois
heures et je te dirai les courses et les visites qu'il faudra faire, soit
595 dans le jour, soit dans la soirée, soit dans la matinée. – Un, – je
vais te donner d'abord une lettre d'introduction pour le chef du
premier bureau de la préfecture de police, – deux, – qui te mettra
en rapport avec un de ses employés. Et tu t'arrangeras avec lui
pour toutes les nouvelles importantes, – trois, – du service de la
600 préfecture, les nouvelles officielles et quasi officielles, bien
entendu. Pour tout le détail, tu t'adresseras à Saint-Potin, qui est
au courant, – quatre, – tu le verras tout à l'heure ou demain. Il
faudra surtout t'accoutumer à tirer les vers du nez des gens que
je t'enverrai voir, – cinq, – et à pénétrer partout malgré les portes
605 fermées, – six. – Tu toucheras pour cela deux cents francs par
mois de fixe, plus deux sous la ligne pour les échos intéressants
de ton cru, – sept, – plus deux sous la ligne également pour les
articles qu'on te commandera sur des sujets divers, – huit. – »

Puis il ne fit plus attention qu'à son jeu, et il continua à comp-
610 ter lentement, – neuf, – dix, – onze, – douze, – treize. – Il manqua
le quatorzième et, jurant : « Nom de Dieu de treize ; il me porte
toujours la guigne[2], ce bougre-là. Je mourrai un treize certainement. »

---

1. **Dépêche** : communication brève transmise par le moyen le plus rapide.
2. **La guigne** : la poisse.

Un des rédacteurs qui avait fini sa besogne prit à son tour un
615 bilboquet dans l'armoire ; c'était un tout petit homme qui avait
l'air d'un enfant, bien qu'il fût âgé de trente-cinq ans ; et plusieurs autres journalistes étant entrés, ils allèrent l'un après
l'autre chercher le joujou qui leur appartenait. Bientôt ils furent
six, côte à côte, le dos au mur, qui lançaient en l'air, d'un mouve-
620 ment pareil et régulier, les boules rouges, jaunes ou noires, suivant la nature du bois. Et une lutte s'étant établie, les deux
rédacteurs qui travaillaient encore se levèrent pour juger les
coups.

Forestier gagna de onze points. Alors le petit homme à l'air
625 enfantin, qui avait perdu, sonna le garçon de bureau et commanda : « Neuf bocks. » Et ils se remirent à jouer en attendant
les rafraîchissements.

Duroy but un verre de bière avec ses nouveaux confrères, puis
il demanda à son ami :
630   « Que faut-il que je fasse ? »

L'autre répondit :

« Je n'ai rien pour toi aujourd'hui. Tu peux t'en aller si tu
veux.

– Et… notre… notre article… est-ce ce soir qu'il passera ?
635   – Oui, mais ne t'en occupe pas, je corrigerai les épreuves.
Fais la suite pour demain, et viens ici à trois heures, comme
aujourd'hui. »

Et Duroy, ayant serré toutes les mains sans savoir même le
nom de leurs possesseurs, redescendit le bel escalier, le cœur
640 joyeux et l'esprit allègre.

IV

Georges Duroy dormit mal, tant l'excitait le désir de voir imprimé son article. Dès que le jour parut, il fut debout et il rôdait dans la rue bien avant l'heure où les porteurs de journaux vont, en courant, de kiosque en kiosque.

Alors il gagna la gare Saint-Lazare, sachant bien que *La Vie française* y arriverait avant de parvenir dans son quartier. Comme il était encore trop tôt, il erra sur le trottoir.

Il vit arriver la marchande qui ouvrit sa boutique de verre, puis il aperçut un homme portant sur sa tête un tas de grands papiers pliés. Il se précipita : c'étaient *Le Figaro*, le *Gil Blas*, *Le Gaulois*, *L'Événement*[1], et deux ou trois autres feuilles du matin ; mais *La Vie française* n'y était pas.

Une peur le saisit : « Si on avait remis au lendemain les *Souvenirs d'un chasseur d'Afrique*, ou si, par hasard, la chose n'avait pas plu, au dernier moment, au père Walter ? »

En redescendant vers le kiosque, il s'aperçut qu'on vendait le journal, sans qu'il l'eût vu apporter. Il se précipita, le déplia après avoir jeté les trois sous, et parcourut les titres de la première page. – Rien. – Son cœur se mit à battre ; il ouvrit la feuille, et il eut une forte émotion en lisant, au bas d'une colonne, en grosses lettres : « GEORGES DUROY ». Ça y était ! Quelle joie !

Il se mit à marcher, sans penser, le journal à la main, le chapeau sur le côté, avec une envie d'arrêter les passants pour leur dire : « Achetez ça – achetez ça ! Il y a un article, de moi. » Il aurait voulu pouvoir crier de tous ses poumons, comme font certains hommes, le soir, sur les boulevards : « Lisez *La Vie française*, lisez l'article de Georges Duroy : les *Souvenirs d'un*

---

1. À la différence de *La Vie française*, *Le Figaro*, le *Gil Blas*, *Le Gaulois* et *L'Événement* existent réellement et sont les plus importants de la presse de l'époque.

chasseur d'Afrique ! » Et, tout à coup, il éprouva le désir de lire
lui-même cet article, de le lire dans un endroit public, dans un
30 café, bien en vue. Et il chercha un établissement qui fût déjà fréquenté. Il lui fallut marcher longtemps. Il s'assit enfin devant une
espèce de marchand de vin où plusieurs consommateurs étaient
déjà installés et il demanda : « Un rhum », comme il aurait
demandé : « Une absinthe[1] », sans songer à l'heure. Puis il
35 appela :

« Garçon, donnez-moi *La Vie française.* »

Un homme à tablier blanc accourut :

« Nous ne l'avons pas, monsieur, nous ne recevons que *Le
Rappel, Le Siècle, La Lanterne* et *Le Petit Parisien*[2]. »

40 Duroy déclara, d'un ton furieux et indigné : « En voilà une
boîte[3] ! Alors, allez me l'acheter. » Le garçon y courut, la rapporta. Duroy se mit à lire son article ; et plusieurs fois il dit, tout
haut : *Très bien, très bien !* pour attirer l'attention des voisins et
leur inspirer le désir de savoir ce qu'il y avait dans cette feuille.
45 Puis il la laissa sur table en s'en allant. Le patron s'en aperçut,
le rappela :

« Monsieur, monsieur, vous oubliez votre journal ! »

Et Duroy répondit : « Je vous le laisse, je l'ai lu. Il y a
d'ailleurs aujourd'hui, dedans, une chose très intéressante. »

50 Il ne désigna pas la chose, mais il vit, en s'en allant, un de ses
voisins prendre *La Vie française* sur la table où il l'avait laissée.

---

1. *Absinthe* : liqueur à base de plante d'absinthe, appelée également « fée
verte », et qui connut un vif succès au XIXᵉ siècle. Mais cet alcool contient du
méthanol, un neurotoxique : les mises en garde contre « l'absinthe qui rend
fou » se multiplient dès les années 1870.
2. *Le Rappel, Le Siècle, La Lanterne, Le Petit Parisien* : journaux qui
revendiquaient une totale indépendance à l'encontre des pouvoirs. Tout le
contraire de *La Vie française*, qui confond information et manipulation du
public.
3. *Une boîte* : un établissement.

Il pensa : « Que vais-je faire, maintenant ? » Et il se décida à aller à son bureau toucher son mois et donner sa démission. Il tressaillait d'avance de plaisir à la pensée de la tête que feraient
55 son chef et ses collègues. L'idée de l'effarement du chef, surtout, le ravissait.

Il marchait lentement pour ne pas arriver avant neuf heures et demie, la caisse n'ouvrant qu'à dix heures.

Son bureau était une grande pièce sombre, où il fallait tenir
60 le gaz allumé presque tout le jour en hiver. Elle donnait sur une cour étroite, en face d'autres bureaux. Ils étaient huit employés là-dedans, plus un sous-chef dans un coin, caché derrière un paravent.

Duroy alla d'abord chercher ses cent dix-huit francs vingt-
65 cinq centimes, enfermés dans une enveloppe jaune et déposés dans le tiroir du commis chargé des paiements, puis il pénétra d'un air vainqueur dans la vaste salle de travail où il avait déjà passé tant de jours.

Dès qu'il fut entré, le sous-chef, M. Potel, l'appela :
70 « Ah ! c'est vous, monsieur Duroy ? Le chef vous a déjà demandé plusieurs fois. Vous savez qu'il n'admet pas qu'on soit malade deux jours de suite sans attestation du médecin. »

Duroy, qui se tenait debout au milieu du bureau, préparant son effet, répondit d'une voix forte :
75 « Je m'en fiche un peu, par exemple ! »

Il y eut parmi les employés un mouvement de stupéfaction, et la tête de M. Potel apparut, effarée, au-dessus du paravent qui l'enfermait comme une boîte.

Il se barricadait là-dedans, par crainte des courants d'air, car
80 il était rhumatisant[1]. Il avait seulement percé deux trous dans le papier pour surveiller son personnel.

---

1. Rhumatisant : atteint de douleurs dans les articulations. Les rhumatismes s'aggravent généralement au contact du froid et de l'humidité.

On entendait voler les mouches. Le sous-chef, enfin, demanda avec hésitation :

« Vous avez dit ?

85 — J'ai dit que je m'en fichais un peu. Je ne viens aujourd'hui que pour donner ma démission. Je suis entré comme rédacteur à *La Vie française* avec cinq cents francs par mois, plus les lignes. J'y ai même débuté ce matin. »

Il s'était pourtant promis de faire durer le plaisir ; mais il
90 n'avait pu résister à l'envie de tout lâcher d'un seul coup.

L'effet, du reste, était complet. Personne ne bougeait.

Alors Duroy déclara : « Je vais prévenir M. Perthuis, puis je viendrai vous faire mes adieux. » Et il sortit pour aller trouver le chef qui s'écria en l'apercevant :

95 « Ah ! vous voilà. Vous savez que je ne veux pas… »

L'employé lui coupa la parole :

« Ce n'est pas la peine de gueuler comme ça… »

M. Perthuis, un gros homme rouge comme une crête de coq, demeura suffoqué par la surprise.

100 Duroy reprit : « J'en ai assez de votre boutique. J'ai débuté ce matin dans le journalisme, où on me fait une très belle position. J'ai bien l'honneur de vous saluer. »

Et il sortit. Il était vengé.

Il alla en effet serrer la main de ses anciens collègues qui
105 osaient à peine lui parler, par peur de se compromettre[1], car on avait entendu sa conversation avec le chef, la porte étant restée ouverte.

Et il se retrouva dans la rue avec son traitement dans sa poche. Il se paya un déjeuner succulent dans un bon restaurant
110 à prix modérés, qu'il connaissait ; puis, ayant encore acheté et laissé *La Vie française* sur la table où il avait mangé, il pénétra

---

1. *Se compromettre* : se mettre dans une situation difficile, pouvant se révéler périlleuse.

dans plusieurs magasins où il acheta de menus objets, rien que pour les faire livrer chez lui et donner son nom : – Georges Duroy –. Il ajoutait : « Je suis le rédacteur de *La Vie française.* »

115 Puis il indiquait la rue et le numéro, en ayant soin de stipuler : « Vous laisserez chez le concierge. »

Comme il avait encore du temps, il entra chez un lithographe[1] qui fabriquait des cartes de visite à la minute, sous les yeux des passants ; et il s'en fit faire immédiatement une cen-
120 taine, qui portaient, imprimée sous son nom, sa nouvelle qualité.

Puis il se rendit au journal.

Forestier le reçut de haut, comme on reçoit un inférieur : « Ah ! te voilà, très bien. J'ai justement plusieurs affaires pour toi. Attends-moi dix minutes. Je vais d'abord finir ma besogne. »
125 Et il continua une lettre commencée.

À l'autre bout de la grande table, un petit homme très pâle, bouffi, très gras, chauve, avec un crâne tout blanc et luisant, écrivait le nez sur son papier, par suite d'une myopie excessive.

Forestier lui demanda : « Dis donc, Saint-Potin, à quelle
130 heure vas-tu interviewer[2] nos gens ?

– À quatre heures.

– Tu emmèneras avec toi le jeune Duroy ici présent et tu lui dévoileras les arcanes[3] du métier.

– C'est entendu. »
135 Puis se tournant vers son ami, Forestier ajouta :

« As-tu apporté la suite sur l'Algérie ? Le début de ce matin a eu beaucoup de succès. »

Duroy, interdit[4], balbutia : « Non, j'avais cru avoir le temps dans l'après-midi, j'ai eu un tas de choses à faire, je n'ai pas
140 pu... »

---

1. *Lithographe* : imprimeur qui a recours à l'impression par pierre calcaire.
2. En France, l'interview est d'un usage récent. Sa pratique se répand dans les vingt dernières années du XIXe siècle.
3. *Arcanes* : secrets.
4. *Interdit* : figé par l'étonnement.

L'autre leva les épaules d'un air mécontent : « Si tu n'es pas plus exact que ça, tu rateras ton avenir, toi. Le père Walter comptait sur ta copie. Je vais lui dire que ce sera pour demain. Si tu crois que tu seras payé pour ne rien faire, tu te trompes. »

145 Puis, après un silence, il ajouta : « On doit battre le fer quand il est chaud, que diable ! »

Saint-Potin se leva : « Je suis prêt », dit-il.

Alors Forestier, se renversant sur sa chaise, prit une pose presque solennelle pour donner ses instructions, et, se tournant
150 vers Duroy : « Voilà. Nous avons à Paris depuis deux jours le général chinois Li-Theng-Fao, descendu au Continental, et le rajah Taposahib Ramaderao Pali[1], descendu à l'hôtel Bristol. Vous allez leur prendre une conversation. »

Puis, se tournant vers Saint-Potin : « N'oublie point les princi-
155 paux points que je t'ai indiqués. Demande au général et au rajah leur opinion sur les menées de l'Angleterre dans l'Extrême-Orient, leurs idées sur son système de colonisation et de domination, leurs espérances relatives à l'intervention de l'Europe, et de la France en particulier, dans leurs affaires. »

160 Il se tut, puis il ajouta, parlant à la cantonade : « Il sera on ne peut plus intéressant pour nos lecteurs de savoir en même temps ce qu'on pense en Chine et dans les Indes sur ces questions, qui passionnent si fort l'opinion publique en ce moment. »

Il ajouta, pour Duroy : « Observe comment Saint-Potin s'y
165 prendra, c'est un excellent reporter, et tâche d'apprendre les ficelles pour vider un homme en cinq minutes. »

---

1. Ce nom évoque celui du rajah Abusahib Koanderao, qui mourut en 1884 à Étretat où il était en villégiature. Maupassant raconte ses funérailles par crémation au pied des falaises dans une chronique du *Figaro* du 7 septembre de la même année, sous le titre : « Le Bûcher ». Le nom du général semble, lui, totalement inventé. Ces deux personnages rappellent que la France pratique une politique d'expansion coloniale, notamment au Tonkin (région nord du Viêtnam) et, de ce fait, a des différends avec l'Annam (le Viêtnam) et la Chine.

Puis il recommença à écrire avec gravité, avec l'intention évidente de bien établir les distances, de bien mettre à sa place son ancien camarade et nouveau confrère.

170 Dès qu'ils eurent franchi la porte, Saint-Potin se mit à rire et dit à Duroy :

« En voilà un faiseur[1] ! Il nous la fait à nous-mêmes. On dirait vraiment qu'il nous prend pour ses lecteurs. »

Puis ils descendirent sur le boulevard, et le reporter 175 demanda :

« Buvez-vous quelque chose ?

– Oui, volontiers. Il fait très chaud. »

Ils entrèrent dans un café et se firent servir des boissons fraîches. Et Saint-Potin se mit à parler. Il parla de tout le monde 180 et du journal avec une profusion de détails surprenants.

« Le patron ? Un vrai juif ! Et vous savez, les juifs, on ne les changera jamais. Quelle race ! » Et il cita des traits étonnants d'avarice, de cette avarice particulière aux fils d'Israël, des économies de dix centimes, des marchandages de cuisinière, des rabais 185 honteux demandés et obtenus, toute une manière d'être d'usurier, de prêteur à gages[2].

« Et avec ça, pourtant, un bon zig[3] qui ne croit à rien et roule tout le monde. Son journal qui est officieux, catholique, libéral,

---

1. *Faiseur* : personne qui cherche à se faire valoir.
2. Un *usurier* prête de l'argent en exigeant en retour un fort taux d'intérêts ; un *prêteur à gages* consent également à mettre à disposition du demandeur une somme d'argent, à condition que, comme garantie de son remboursement, ce dernier dépose un bien matériel (d'une valeur égale au montant du prêt). Saint-Potin reprend ici des stéréotypes antisémites très répandus, y compris chez certains écrivains, comme Balzac – est-ce pour cela que, un peu plus loin, Walter « a des mots à la Balzac » ? (p. 101) – ou comme Zola (dans *L'Argent*) : le juif est cupide, avare, perfide, sans foi ni loi, prêt à tout pour réussir et irrésistible. Cette haine éclatera dans toute sa violence au moment de l'affaire Dreyfus (1898).
3. *Zig* : type.

républicain, orléaniste[1], tarte à la crème[2] et boutique à treize[3],
190 n'a été fondé que pour soutenir ses opérations de Bourse et ses
entreprises de toute sorte. Pour ça, il est très fort, et il gagne des
millions au moyen de sociétés qui n'ont pas quatre sous de
capital… »

Il allait toujours, appelant Duroy « mon cher ami ».

195 « Et il a des mots à la Balzac, ce grigou[4]. Figurez-vous que
l'autre jour, je me trouvais dans son cabinet avec cette antique
bedole de Norbert, et ce Don Quichotte[5] de Rival, quand Montelin, notre administrateur, arrive avec sa serviette en maroquin[6]
sous le bras, cette serviette que tout Paris connaît. Walter leva le
200 nez et demanda : "Quoi de neuf" ?

« Montelin répondit avec naïveté : "Je viens de payer les seize
mille francs que nous devions au marchand de papier."

« Le patron fit un bond, un bond étonnant.

« "Vous dites ?

205 « – Que je viens de payer M. Privas.

« – Mais vous êtes fou !

« – Pourquoi ?

« – Pourquoi… pourquoi… pourquoi…"

« Il ôta ses lunettes, les essuya. Puis il sourit, d'un drôle de
210 sourire qui court autour de ses grosses joues chaque fois qu'il va
dire quelque chose de malin ou de fort, et avec un ton gouailleur[7]

---

1. Orléaniste : favorable aux prétentions des princes de la famille d'Orléans
au trône de France. Partisans d'une monarchie parlementaire, les orléanistes
s'opposent aux républicains. Maupassant souligne ici avec ironie l'opportu-
nisme de M. Walter, qui défend selon ses intérêts les partis les plus divers.
2. Tarte à la crème : banal, rabâchant des lieux communs.
3. À treize : où tout est à treize sous.
4. Grigou : avare mesquin.
5. Don Quichotte : allusion au célèbre personnage du roman de l'écrivain
espagnol Cervantès (1547-1616). Don Quichotte est un chevalier grotesque,
connu pour se battre contre des moulins à vent.
6. Serviette en maroquin : cartable en cuir.
7. Gouailleur : moqueur.

et convaincu, il prononça : "Pourquoi ? Parce que nous pouvions obtenir là-dessus une réduction de quatre à cinq mille francs."

« Montelin, étonné, reprit : "Mais, monsieur le directeur, tous
215 les comptes étaient réguliers, vérifiés par moi et approuvés par vous…"

« Alors le patron, redevenu sérieux, déclara : "On n'est pas naïf comme vous. Sachez, monsieur Montelin, qu'il faut toujours accumuler ses dettes pour transiger[1]." »
220 Et Saint-Potin ajouta, avec un hochement de tête de connaisseur : « Hein ? Est-il à la Balzac, celui-là ? »

Duroy n'avait pas lu Balzac, mais il répondit avec conviction : « Bigre oui. »

Puis le reporter parla de Mme Walter, une grande dinde, de
225 Norbert de Varenne, un vieux raté, de Rival, une resucée de Fervacques[2]. Puis, il en vint à Forestier. « Quant à celui-là, il a de la chance d'avoir épousé sa femme, voilà tout. »

Duroy demanda :

« Qu'est-ce au juste que sa femme ? »
230 Saint-Potin se frotta les mains : « Oh ! une rouée[3], une fine mouche. C'est la maîtresse d'un vieux viveur[4] nommé Vaudrec, le comte de Vaudrec, qui l'a dotée et mariée… »

Duroy sentit brusquement une sensation de froid, une sorte de crispation nerveuse, un besoin d'injurier et de gifler ce bavard.
235 Mais il l'interrompit simplement pour lui demander :

« C'est votre nom, Saint-Potin ? »

L'autre répondit avec simplicité :

---

1. *Transiger* : obtenir des arrangements.
2. *Une resucée de Fervacques* : une pâle imitation de Fervacques. De son vrai nom Léon Duchemin, ce dernier était un chroniqueur peu connu de l'époque. Maupassant aurait-il craint de citer des journalistes plus influents ?
3. *Une rouée* : une personne pleine de ruse et sans scrupule.
4. *Viveur* : amateur de divertissements, qui aime faire la fête et mène une vie dissolue.

« Non, je m'appelle Thomas. C'est au journal qu'on m'a sur-
nommé Saint-Potin. »

240 Et Duroy, payant les consommations, reprit : « Mais il me
semble qu'il est tard et que nous avons deux nobles seigneurs
à visiter. »

Saint-Potin se mit à rire : « Vous êtes encore naïf, vous ! Alors
vous croyez comme ça que je vais aller demander à ce Chinois et
245 à cet Indien ce qu'ils pensent de l'Angleterre. Comme si je ne le
savais pas mieux qu'eux, ce qu'ils doivent penser pour les lecteurs
de *La Vie française*. J'en ai déjà interviewé cinq cents de ces Chinois, Persans, Hindous, Chiliens, Japonais et autres. Ils répondent
tous la même chose, d'après moi. Je n'ai qu'à reprendre mon
250 article sur le dernier venu et à le copier mot pour mot. Ce qui
change, par exemple, c'est leur tête, leur nom, leurs titres, leur
âge, leur suite. Oh ! là-dessus, il ne faut pas d'erreur, parce que je
serais relevé raide[1] par *Le Figaro* ou *Le Gaulois*. Mais sur ce sujet
le concierge de l'hôtel Bristol et celui du Continental m'auront
255 renseigné en cinq minutes. Nous irons à pied jusque-là en fumant
un cigare. Total : cent sous de voiture à réclamer au journal. Voilà,
mon cher, comment on s'y prend, quand on est pratique. »

Duroy demanda : « Ça doit rapporter bon d'être reporter
dans ces conditions-là ? »

260 Le journaliste répondit avec mystère : « Oui, mais rien ne rap-
porte autant que les échos, à cause des réclames[2] déguisées. »

Ils s'étaient levés et suivaient le boulevard, vers la Madeleine.
Et Saint-Potin, tout à coup, dit à son compagnon : « Vous savez,
si vous avez à faire quelque chose, je n'ai pas besoin de vous,
265 moi. »

Duroy lui serra la main, et s'en alla.

L'idée de son article à écrire dans la soirée le tracassait, et il
se mit à y songer. Il emmagasina des idées, des réflexions, des

---

1. *Relevé raide* : violemment critiqué.
2. *Réclames* : éloges publicitaires.

jugements, des anecdotes, tout en marchant, et il monta jusqu'au
270 bout de l'avenue des Champs-Élysées, où on ne voyait que de
rares promeneurs, Paris étant vide par ces jours de chaleur.

Ayant dîné chez un marchand de vin auprès de l'arc de
triomphe de l'Étoile, il revint lentement à pied chez lui par les
boulevards extérieurs, et il s'assit devant sa table, pour travailler.

275 Mais dès qu'il eut sous les yeux la grande feuille de papier
blanc, tout ce qu'il avait amassé de matériaux s'envola de son
esprit, comme si sa cervelle se fût évaporée. Il essayait de ressaisir
des bribes de souvenirs et de les fixer : ils lui échappaient à
mesure qu'il les reprenait, ou bien ils se précipitaient pêle-mêle,
280 et il ne savait comment les présenter, les habiller, ni par lequel
commencer.

Après une heure d'efforts, et cinq pages de papier noircies par
des phrases de début qui n'avaient point de suite, il se dit : « Je
ne suis pas encore assez rompu[1] au métier. Il faut que je prenne
285 une nouvelle leçon. » Et tout de suite la perspective d'une autre
matinée avec Mme Forestier, l'espoir de ce long tête-à-tête intime,
cordial, si doux, le firent tressaillir de désir. Il se coucha bien vite,
ayant presque peur à présent de se remettre à la besogne et de
réussir tout à coup.

290 Il ne se leva, le lendemain, qu'un peu tard, éloignant et
savourant d'avance le plaisir de cette visite.

Il était dix heures passées quand il sonna chez son ami.

Le domestique répondit :

« C'est que monsieur est en train de travailler. »

295 Duroy n'avait point songé que le mari pouvait être là. Il
insista cependant : « Dites-lui que c'est moi, pour une affaire
pressante. »

Après cinq minutes d'attente on le fit entrer dans le cabinet
où il avait passé une si bonne matinée.

---

1. *Rompu* : exercé.

300   À la place occupée par lui, Forestier maintenant était assis et écrivait, en robe de chambre, les pieds dans ses pantoufles, la tête couverte d'une petite toque anglaise ; tandis que sa femme, enveloppée du même peignoir blanc, et accoudée à la cheminée, dictait, une cigarette à la bouche.

305   Duroy, s'arrêtant sur le seuil, murmura : « Je vous demande bien pardon, je vous dérange ? »

    Et son ami ayant tourné la tête, une tête furieuse, grogna : « Qu'est-ce que tu veux encore ? Dépêche-toi, nous sommes pressés. »

310   L'autre, interdit, balbutiait : « Non, ce n'est rien, pardon. »

    Mais Forestier, se fâchant : « Allons, sacrebleu ! ne perds pas de temps, tu n'as pourtant pas forcé ma porte pour le plaisir de nous dire bonjour. »

    Alors Duroy, fort troublé, se décida : « Non... voilà... c'est
315 que... je n'arrive pas encore à faire mon article... et tu as été... vous avez été si... si... si gentils la dernière fois que... que j'espérais... que j'ai osé venir... »

    Forestier lui coupa la parole :

    « Tu te fiches du monde, à la fin. Alors tu t'imagines que je
320 vais faire ton métier, et que tu n'auras qu'à passer à la caisse au bout du mois. Non ! Elle est bonne, celle-là. »

    La jeune femme continuait à fumer, sans dire un mot, souriant toujours d'un vague sourire qui semblait un masque aimable sur l'ironie de sa pensée.

325   Et Duroy, rougissant, bégayait : « Excusez-moi... j'avais cru... j'avais pensé... » Puis, brusquement, d'une voix claire : « Je vous demande mille fois pardon, madame, en vous adressant encore mes remerciements les plus vifs pour la chronique si charmante que vous m'avez faite hier. »

330   Puis il salua, dit à Charles : « Je serai à trois heures au journal », et il sortit.

    Il retourna chez lui, à grands pas, en grommelant : « Eh bien, je m'en vais la faire celle-là, et tout seul, et ils verront. »

À peine rentré, la colère l'excitant, il se mit à écrire.

335 Il continua l'aventure commencée par Mme Forestier, accu-mulant des détails de roman-feuilleton[1], des péripéties surpre-nantes et des descriptions ampoulées[2], avec une maladresse de style de collégien et des formules de sous-officier. En une heure, il eut terminé une chronique qui ressemblait à un chaos de folies, 340 et il la porta, avec assurance, à *La Vie française*. La première per-sonne qu'il rencontra fut Saint-Potin qui, lui serrant la main avec une énergie de complice, demanda :

« Vous avez lu ma conversation avec le Chinois et avec l'Hindou. Est-ce assez drôle ? Ça a amusé tout Paris. Et je n'ai 345 pas vu seulement le bout de leur nez. »

Duroy, qui n'avait rien lu, prit aussitôt le journal, et il parcou-rut de l'œil un long article intitulé : « Inde et Chine », pendant que le reporter lui indiquait et soulignait les passages les plus intéressants.

350 Forestier survint, soufflant, pressé, l'air effaré :

« Ah bon, j'ai besoin de vous deux. »

Et il leur indiqua une série d'informations politiques qu'il fal-lait se procurer pour le soir même.

Duroy lui tendit son article.

355 « Voici la suite sur l'Algérie.

– Très bien, donne, je vais la remettre au patron. »

Ce fut tout.

Saint-Potin entraîna son nouveau confrère, et lorsqu'ils furent dans le corridor, il lui dit :

360 « Avez-vous passé à la caisse ?

– Non. Pourquoi ?

– Pourquoi ? Pour vous faire payer. Voyez-vous, il faut tou-jours prendre un mois d'avance. On ne sait pas ce qui peut arriver.

---

1. *Roman-feuilleton* : roman populaire, souvent plein de clichés, qui paraît en feuilletons dans la presse.
2. *Ampoulées* : pompeuses, grandiloquentes.

365 – Mais… je ne demande pas mieux.

– Je vais vous présenter au caissier. Il ne fera point de difficultés. On paie bien ici. »

Et Duroy alla toucher ses deux cents francs, plus vingt-huit francs pour son article de la veille, qui, joints à ce qui lui restait 370 de son traitement du chemin de fer, lui faisaient trois cent quarante francs en poche.

Jamais il n'avait tenu pareille somme ; et il se crut riche pour des temps indéfinis.

Puis Saint-Potin l'emmena bavarder dans les bureaux de 375 quatre ou cinq feuilles rivales, espérant que les nouvelles qu'on l'avait chargé de recueillir avaient été prises déjà par d'autres, et qu'il saurait bien les leur souffler, grâce à l'abondance et à l'astuce de sa conversation.

Le soir venu, Duroy, qui n'avait plus rien à faire, songea à 380 retourner aux Folies-Bergère, et, payant d'audace, il se présenta au contrôle :

« Je m'appelle Georges Duroy, rédacteur à *La Vie française*. Je suis venu l'autre jour avec M. Forestier, qui m'avait promis de demander mes entrées. Je ne sais s'il y a songé. »

385 On consulta un registre. Son nom ne s'y trouvait pas inscrit. Cependant le contrôleur, homme très affable[1], lui dit : « Entrez toujours, monsieur, et adressez vous-même votre demande à M. le directeur qui y fera droit assurément. »

Il entra, et presque aussitôt, il rencontra Rachel, la femme 390 emmenée le premier soir.

Elle vint à lui : « Bonjour, mon chat. Tu vas bien ?

– Très bien, et toi ?

– Moi, pas mal. Tu ne sais pas, j'ai rêvé deux fois de toi depuis l'autre jour. »

395 Duroy sourit, flatté : « Ah ! ah ! et qu'est-ce que ça prouve ?

---

1. *Affable* : bienveillant.

– Ça prouve que tu m'as plu, gros serin, et que nous recommencerons quand ça te dira.

– Aujourd'hui si tu veux.

– Oui, je veux bien.

400 – Bon, mais écoute… » Il hésitait, un peu confus de ce qu'il allait faire : « C'est que, cette fois, je n'ai pas le sou, je viens du cercle[1], où j'ai tout claqué. »

Elle le regardait au fond des yeux, flairant le mensonge avec son instinct et sa pratique de fille habituée aux rouéries[2] et aux
405 marchandages des hommes. Elle dit : « Blagueur ! Tu sais, ça n'est pas gentil avec moi cette manière-là. »

Il eut un sourire embarrassé : « Si tu veux dix francs, c'est tout ce qui me reste. »

Elle murmura avec un désintéressement de courtisane[3] qui se
410 paie un caprice :

« Ce qui te plaira, mon chéri, je ne veux que toi. »

Et levant ses yeux séduits vers la moustache du jeune homme, elle prit son bras et s'appuya dessus amoureusement :

« Allons boire une grenadine d'abord. Et puis nous ferons un
415 tour ensemble. Moi je voudrais aller à l'Opéra, comme ça, avec toi, pour te montrer. Et puis nous rentrerons de bonne heure, n'est-ce pas ? »

....

Il dormit tard chez cette fille. Il faisait jour quand il sortit, et
420 la pensée lui vint aussitôt d'acheter *La Vie française*. Il ouvrit le journal d'une main fiévreuse ; sa chronique n'y était pas ; et il demeurait debout sur le trottoir, parcourant anxieusement de l'œil les colonnes imprimées avec l'espoir d'y trouver enfin ce qu'il cherchait.

---

1. Cercle : cercle de jeu.
2. Roueries : ruses, fourberies.
3. Courtisane : femme de mœurs légères qui vit de ses charmes.

425   Quelque chose de pesant tout à coup accablait son cœur, car, après la fatigue d'une nuit d'amour, cette contrariété tombant sur sa lassitude avait le poids d'un désastre.

Il remonta chez lui et s'endormit tout habillé sur son lit.

En entrant quelques heures plus tard dans les bureaux de la
430 rédaction, il se présenta devant M. Walter. « J'ai été tout surpris ce matin, monsieur, de ne pas trouver mon second article sur l'Algérie. »

Le directeur leva la tête, et d'une voix sèche : « Je l'ai donné à votre ami Forestier, en le priant de le lire ; il ne l'a pas trouvé
435 suffisant ; il faudra me le refaire. »

Duroy, furieux, sortit sans répondre un mot, et, pénétrant brusquement dans le cabinet de son camarade : « Pourquoi n'as-tu pas fait paraître, ce matin, ma chronique ? »

Le journaliste fumait une cigarette, le dos au fond de son fau-
440 teuil et les pieds sur sa table, salissant de ses talons un article commencé. Il articula tranquillement avec un son de voix ennuyé et lointain, comme s'il parlait du fond d'un trou :

« Le patron l'a trouvé mauvais, et m'a chargé de te le remettre pour le recommencer. Tiens, le voilà. » Et il indiquait du doigt les
445 feuilles dépliées sous un presse-papiers.

Duroy, confondu, ne trouva rien à dire, et, comme il mettait sa prose dans sa poche, Forestier reprit :

« Aujourd'hui tu vas te rendre d'abord à la préfecture… »

Et il indiqua une série de courses d'affaires, de nouvelles à
450 recueillir. Duroy s'en alla, sans avoir pu découvrir le mot mordant qu'il cherchait.

Il rapporta son article le lendemain. Il lui fut rendu de nouveau. L'ayant refait une troisième fois, et le voyant refusé, il comprit qu'il allait trop vite et que la main de Forestier pouvait seule
455 l'aider dans sa route.

Il ne parla donc plus des *Souvenirs d'un chasseur d'Afrique*, en se promettant d'être souple et rusé, puisqu'il le fallait, et de faire, en attendant mieux, son métier de reporter avec zèle.

Il connut les coulisses des théâtres et celles de la politique, les
460 corridors et le vestibule des hommes d'État et de la Chambre des
députés, les figures importantes des attachés de cabinet[1] et les
mines renfrognées des huissiers endormis.

Il eut des rapports continus avec des ministres, des
concierges, des généraux, des agents de police, des princes, des
465 souteneurs, des courtisanes, des ambassadeurs, des évêques, des
proxénètes, des rastaquouères[2], des hommes du monde, des
grecs[3], des cochers de fiacre, des garçons de café et bien d'autres,
étant devenu l'ami intéressé et indifférent de tous ces gens, les
confondant dans son estime, les toisant à la même mesure, les
470 jugeant avec le même œil, à force de les voir tous les jours, à
toute heure, sans transition d'esprit, et de parler avec eux tous
des mêmes affaires concernant son métier. Il se comparait lui-
même à un homme qui goûterait, coup sur coup, les échantillons
de tous les vins et ne distinguerait bientôt plus le Château-Mar-
475 gaux de l'Argenteuil[4].

Il devint en peu de temps un remarquable reporter, sûr de ses
informations, rusé, rapide, subtil, une vraie valeur pour le journal, comme disait le père Walter, qui s'y connaissait en
rédacteurs.

480 Cependant, comme il ne touchait que dix centimes la ligne,
plus ses deux cents francs de fixe, et comme la vie de boulevard,
la vie de café, la vie de restaurant coûte cher, il n'avait jamais le
sou et se désolait de sa misère.

---

1. *Attachés de cabinet* : membres des ministères.
2. *Rastaquouères* : étrangers vulgaires, au mode de vie luxueux et tapageur,
et dont les ressources financières semblent suspectes (d'origine espagnole
sud-américaine, le mot est apparu au début des années 1880 ; il appartient
à un vocabulaire raciste).
3. *Grecs* : tricheurs au jeu.
4. *Château-Margaux, Argenteuil* : ce sont deux vins, mais le premier est
un grand bordeaux et le second un vin de table de mauvaise qualité.

C'est un truc à saisir, pensait-il, en voyant certains confrères
485 aller la poche pleine d'or, sans jamais comprendre quels moyens
secrets ils pouvaient bien employer pour se procurer cette
aisance. Et il soupçonnait avec envie des procédés inconnus et
suspects, des services rendus, toute une contrebande[1] acceptée
et consentie. Or il lui fallait pénétrer le mystère, entrer dans
490 l'association tacite[2], s'imposer aux camarades qui partageaient
sans lui.

Et il rêvait souvent le soir, en regardant de sa fenêtre passer
les trains, aux procédés qu'il pourrait employer.

V

Deux mois s'étaient écoulés ; on touchait à septembre, et la
fortune rapide que Duroy avait espérée lui semblait bien lente à
venir. Il s'inquiétait surtout de la médiocrité morale de sa situation et ne voyait pas par quelle voie il escaladerait les hauteurs
5 où l'on trouve la considération, la puissance et l'argent.

Il se sentait enfermé dans ce métier médiocre de reporter,
muré là-dedans à n'en pouvoir sortir. On l'appréciait, mais on
l'estimait selon son rang. Forestier même, à qui il rendait mille
services, ne l'invitait plus à dîner, le traitait en tout comme un
10 inférieur, bien qu'il le tutoyât comme un ami.

De temps en temps, il est vrai, Duroy, saisissant une occasion, plaçait un bout d'article, et ayant acquis par ses échos une
souplesse de plume et un tact qui lui manquaient lorsqu'il avait
écrit sa seconde chronique sur l'Algérie, il ne courait plus aucun

---

1. _Contrebande_ : commerce frauduleux.
2. _Tacite_ : qui n'est pas exprimée, secrète.

risque de voir refuser ses actualités. Mais de là à faire des chroniques au gré de sa fantaisie ou à traiter, en juge, les questions politiques, il y avait autant de différence qu'à conduire dans les avenues du Bois, étant cocher, ou à conduire, étant maître. Ce qui l'humiliait surtout, c'était de sentir fermées les portes du monde, de n'avoir pas de relations à traiter en égal, de ne pas entrer dans l'intimité des femmes, bien que plusieurs actrices connues l'eussent parfois accueilli avec une familiarité intéressée.

Il savait d'ailleurs, par expérience, qu'elles éprouvaient pour lui, toutes, mondaines[1] ou cabotines[2], un entraînement singulier, une sympathie instantanée, et il ressentait, de ne point connaître celles dont pourrait dépendre son avenir, une impatience de cheval entravé.

Bien souvent il avait songé à faire une visite à Mme Forestier ; mais la pensée de leur dernière rencontre l'arrêtait, l'humiliait ; et il attendait, en outre, d'y être engagé par le mari. Alors le souvenir lui vint de Mme de Marelle, et, se rappelant qu'elle l'avait prié de la venir voir, il se présenta chez elle, un après-midi qu'il n'avait rien à faire.

« J'y suis toujours jusqu'à trois heures », avait-elle dit.

Il sonnait à sa porte, à deux heures et demie.

Elle habitait rue de Verneuil[3], au quatrième.

Au bruit du timbre, une bonne vint ouvrir, une petite servante dépeignée qui nouait son bonnet en répondant :

« Oui, madame est là, mais je ne sais pas si elle est levée. »

Et elle poussa la porte du salon qui n'était point fermée.

Duroy entra. La pièce était assez grande, peu meublée et d'aspect négligé. Les fauteuils, défraîchis et vieux, s'alignaient le

---

1. **Mondaines** : femmes huppées, qui fréquentent le grand monde.
2. **Cabotines** : théâtrales, à la manière de mauvaises actrices.
3. **Rue de Verneuil** : rue du 7ᵉ arrondissement de Paris, où habitent des membres de la bourgeoisie et de l'aristocratie.

long des murs, selon l'ordre établi par la domestique, car on ne sentait en rien le soin élégant d'une femme qui aime le chez-soi.

45 Quatre pauvres tableaux, représentant une barque sur un fleuve, un navire sur la mer, un moulin dans une plaine et un bûcheron dans un bois, pendaient au milieu des quatre panneaux, au bout de cordons inégaux, et tous les quatre accrochés de travers. On devinait que depuis longtemps ils restaient penchés ainsi sous
50 l'œil négligent d'une indifférente.

Duroy s'assit et attendit. Il attendit longtemps. Puis une porte s'ouvrit et Mme de Marelle entra en courant, vêtue d'un peignoir japonais en soie rose où étaient brodés des paysages d'or, des fleurs bleues et des oiseaux blancs et elle s'écria :

55 « Figurez-vous que j'étais encore couchée. Que c'est gentil à vous de venir me voir. J'étais persuadée que vous m'aviez oubliée. »

Elle tendit ses deux mains d'un geste ravi, et Duroy, que l'aspect médiocre de l'appartement mettait à son aise, les ayant
60 prises, en baisa une, comme il avait vu faire à Norbert de Varenne.

Elle le pria de s'asseoir ; puis, le regardant des pieds à la tête : « Comme vous êtes changé ! Vous avez gagné de l'air. Paris vous fait du bien. Allons, racontez-moi les nouvelles. »

65 Et ils se mirent à bavarder tout de suite, comme s'ils eussent été d'anciennes connaissances, sentant naître entre eux une familiarité instantanée, sentant s'établir un de ces courants de confiance, d'intimité et d'affection qui font amis, en cinq minutes, deux êtres de même caractère et de même race.

70 Tout à coup, la jeune femme s'interrompit, et s'étonnant : « C'est drôle comme je suis avec vous. Il me semble que je vous connais depuis dix ans. Nous deviendrons, sans doute, bons camarades. Voulez-vous ? »

Il répondit : « Mais, certainement », avec un sourire qui en
75 disait plus.

Il la trouvait tout à fait tentante, dans son peignoir éclatant et doux, moins fine que l'autre dans son peignoir blanc, moins chatte, moins délicate, mais plus excitante, plus poivrée[1].

80 Quand il sentait près de lui Mme Forestier, avec son sourire immobile et gracieux qui attirait et arrêtait en même temps, qui semblait dire : « Vous me plaisez » et aussi : « Prenez garde », dont on ne comprenait jamais le sens véritable, il éprouvait surtout le désir de se coucher à ses pieds, ou de baiser la fine dentelle de son corsage et d'aspirer lentement l'air chaud et parfumé qui

85 devait sortir de là, glissant entre les seins. Auprès de Mme de Marelle, il sentait en lui un désir plus brutal, plus précis, un désir qui frémissait dans ses mains devant les contours soulevés de la soie légère.

Elle parlait toujours, semant en chaque phrase cet esprit facile

90 dont elle avait pris l'habitude, comme un ouvrier saisit le tour de main qu'il faut pour accomplir une besogne réputée difficile et dont s'étonnent les autres. Il l'écoutait, pensant : « C'est bon à retenir tout ça. On écrirait des chroniques parisiennes charmantes en la faisant bavarder sur les événements du jour. »

95 Mais on frappa doucement, tout doucement à la porte par laquelle elle était venue ; et elle cria : « Tu peux entrer, mignonne. » La petite fille parut, alla droit à Duroy et lui tendit la main.

La mère étonnée murmura : « Mais c'est une conquête. Je ne

100 la reconnais plus. » Le jeune homme ayant embrassé l'enfant, la fit asseoir à côté de lui, et lui posa, avec un air sérieux, des questions gentilles sur ce qu'elle avait fait depuis qu'ils ne s'étaient vus. Elle répondait de sa petite voix de flûte, avec son air grave de grande personne.

105 La pendule sonna trois heures. Le journaliste se leva.

---

1. *Poivrée* : qui produit un effet comparable à celui du poivre, donc qui procure une excitation savoureuse.

« Venez souvent, demanda Mme de Marelle, nous bavarderons comme aujourd'hui, vous me ferez toujours plaisir. Mais pourquoi ne vous voit-on plus chez les Forestier ? »

Il répondit : « Oh ! pour rien. J'ai eu beaucoup à faire.
110 J'espère bien que nous nous y retrouverons un de ces jours. »

Et il sortit, le cœur plein d'espoir, sans savoir pourquoi.

Il ne parla pas à Forestier de cette visite.

Mais il en garda le souvenir, les jours suivants, plus que le souvenir, une sorte de sensation de la présence irréelle et persis-
115 tante de cette femme. Il lui semblait avoir pris quelque chose d'elle, l'image de son corps restée dans ses yeux et la saveur de son être moral restée en son cœur. Il demeurait sous l'obsession de son image, comme il arrive quelquefois quand on a passé des heures charmantes auprès d'un être. On dirait qu'on subit une
120 possession étrange, intime, confuse, troublante et exquise parce qu'elle est mystérieuse.

Il fit une seconde visite au bout de quelques jours.

La bonne l'introduisit dans le salon, et Laurine parut aussitôt. Elle tendit, non plus sa main, mais son front, et dit :
125 « Maman m'a chargée de vous prier de l'attendre. Elle en a pour un quart d'heure, parce qu'elle n'est pas habillée. Je vous tiendrai compagnie. »

Duroy, qu'amusaient les manières cérémonieuses de la fillette, répondit : « Parfaitement, mademoiselle, je serai enchanté
130 de passer un quart d'heure avec vous ; mais je vous préviens que je ne suis point sérieux du tout, moi, je joue toute la journée ; je vous propose donc de faire une partie de chat perché. »

La gamine demeura saisie, puis elle sourit, comme aurait fait une femme, de cette idée qui la choquait un peu et l'étonnait
135 aussi, et elle murmura :

« Les appartements ne sont pas faits pour jouer. »

Il reprit : « Ça m'est égal. Moi, je joue partout. Allons, attrapez-moi. » Et il se mit à tourner autour de la table, en l'excitant

à le poursuivre, tandis qu'elle s'en venait derrière lui, souriant
140 toujours avec une sorte de condescendance[1] polie, et étendant
parfois la main pour le toucher, mais sans s'abandonner jusqu'à courir.

Il s'arrêtait, se baissait, et lorsqu'elle approchait, de son petit
pas hésitant, il sautait en l'air comme les diables enfermés en des
145 boîtes, puis il s'élançait d'une enjambée à l'autre bout du salon.
Elle trouvait ça drôle, finissait par rire, et, s'animant, commençait à trottiner derrière lui, avec de légers cris joyeux et craintifs,
quand elle avait cru le saisir. Il déplaçait les chaises, en faisait des
obstacles, la forçait à pivoter pendant une minute autour de la
150 même, puis, quittant celle-là, en saisissait une autre. Laurine courait maintenant, s'abandonnait tout à fait au plaisir de ce jeu
nouveau et, la figure rose, elle se précipitait d'un grand élan
d'enfant ravie, à chacune des fuites, à chacune des ruses, à chacune des feintes de son compagnon.

155 Brusquement, comme elle s'imaginait l'atteindre, il la saisit
dans ses bras, et, l'élevant jusqu'au plafond, il cria :

« Chat perché ! »

La fillette enchantée agitait ses jambes pour s'échapper et
riait de tout son cœur.

160 Mme de Marelle entra et, stupéfaite : « Ah ! Laurine… Laurine qui joue… Vous êtes un ensorceleur, monsieur. »

Il reposa par terre la gamine, baisa la main de la mère, et ils
s'assirent, l'enfant entre eux. Ils voulurent causer ; mais Laurine,
grisée, si muette d'ordinaire, parlait tout le temps, et il fallut
165 l'envoyer à sa chambre.

Elle obéit sans répondre, mais avec des larmes dans les yeux.

Dès qu'ils furent seuls, Mme de Marelle baissa la voix :

« Vous ne savez pas, j'ai un grand projet, et j'ai pensé à vous.
Voilà : comme je dîne toutes les semaines chez les Forestier, je

---

1. Condescendance : attitude plus ou moins sincère de politesse à l'égard
de quelqu'un d'inférieur à soi, ou que l'on juge comme tel.

170 leur rends ça, de temps en temps, dans un restaurant. Moi, je
n'aime pas à avoir du monde chez moi, je ne suis pas organisée
pour ça, et, d'ailleurs, je n'entends rien aux choses de la maison,
rien à la cuisine, rien à rien. J'aime vivre à la diable[1]. Donc je les
reçois de temps en temps au restaurant, mais ça n'est pas gai
175 quand nous ne sommes que nous trois, et mes connaissances à
moi ne vont guère avec eux. Je vous dis ça pour vous expliquer
une invitation peu régulière. Vous comprenez, n'est-ce pas, que
je vous demande d'être des nôtres samedi, au café Riche[2], sept
heures et demie. Vous connaissez la maison ? »

180   Il accepta avec bonheur. Elle reprit : « Nous serons tous les
quatre seulement, une vraie partie carrée[3]. C'est très amusant ces
petites fêtes-là, pour nous autres femmes qui n'y sommes pas
habituées. »

Elle portait une robe marron foncé, qui moulait sa taille, ses
185 hanches, sa gorge, ses bras d'une façon provocante et coquette ;
et Duroy éprouvait un étonnement confus, presque une gêne
dont il ne saisissait pas bien la cause, du désaccord de cette élégance soignée et raffinée avec l'insouci visible pour le logis
qu'elle habitait.

190   Tout ce qui vêtait son corps, tout ce qui touchait intimement
et directement sa chair, était délicat et fin, mais ce qui l'entourait
ne lui importait plus.

Il la quitta, gardant, comme l'autre fois, la sensation de sa
présence continuée dans une sorte d'hallucination de ses sens. Et
195 il attendit le jour du dîner avec une impatience grandissante.

Ayant loué pour la seconde fois un habit noir, ses moyens ne
lui permettaient point encore d'acheter un costume de soirée, il
arriva le premier au rendez-vous, quelques minutes avant l'heure.

---

1. À la diable : d'une manière désordonnée, négligée.
2. Le Café Riche : restaurant réputé du boulevard des Italiens.
3. Partie carrée : réunion plaisante entre deux hommes et deux femmes.

On le fit monter au second étage, et on l'introduisit dans un
200 petit salon de restaurant, tendu de rouge et ouvrant sur le boulevard son unique fenêtre.

Une table carrée, de quatre couverts, étalait sa nappe
blanche, si luisante qu'elle semblait vernie ; et les verres, l'argen-
terie, le réchaud brillaient gaiement sous la flamme de douze
205 bougies portées par deux hauts candélabres.

Au-dehors, on apercevait une grande tache d'un vert clair que
faisaient les feuilles d'un arbre, éclairées par la lumière vive des
cabinets particuliers.

Duroy s'assit sur un canapé très bas, rouge comme les ten-
210 tures des murs, et dont les ressorts fatigués, s'enfonçant sous lui,
lui donnèrent la sensation de tomber dans un trou. Il entendait
dans toute cette vaste maison une rumeur confuse, ce bruisse-
ment des grands restaurants fait du bruit des vaisselles et des
argenteries heurtées, du bruit des pas rapides des garçons, adou-
215 cis par le tapis des corridors, du bruit des portes un moment
ouvertes et qui laissent échapper le son des voix de tous ces
étroits salons où sont enfermés des gens qui dînent. Forestier
entra et lui serra la main avec une familiarité cordiale, qu'il ne lui
témoignait jamais dans les bureaux de *La Vie française*.

220 « Ces deux dames vont arriver ensemble, dit-il ; c'est très
gentil ces dîners-là ! »

Puis il regarda la table, fit éteindre tout à fait un bec de gaz[1]
qui brûlait en veilleuse, ferma un battant de la fenêtre, à cause
du courant d'air, et choisit sa place bien à l'abri, en déclarant :
225 « Il faut que je fasse grande attention ; j'ai été mieux pendant un
mois, et me voici repris depuis quelques jours. J'aurai attrapé
froid mardi en sortant du théâtre. »

On ouvrit la porte et les deux jeunes femmes parurent, suivies
d'un maître d'hôtel, voilées, cachées, discrètes, avec cette allure

---

1. *Bec de gaz* : lampe fonctionnant au gaz.

230 de mystère charmant, qu'elles prennent en ces endroits où les voisinages et les rencontres sont suspects.

Comme Duroy saluait Mme Forestier, elle le gronda fort de n'être pas revenu la voir, puis elle ajouta, avec un sourire vers son amie : « C'est ça, vous me préférez Mme de Marelle, vous trouvez 235 bien le temps pour elle. »

Puis on s'assit, et le maître d'hôtel ayant présenté à Forestier la carte des vins, Mme de Marelle s'écria : « Donnez à ces messieurs ce qu'ils voudront ; quant à nous, du champagne frappé[1], du meilleur, du champagne doux par exemple, rien autre chose. » 240 Et l'homme étant sorti, elle annonça avec un rire excité : « Je veux me pocharder[2] ce soir, nous allons faire une noce[3], une vraie noce. »

Forestier, qui paraissait n'avoir pas entendu, demanda :

« Cela ne vous ferait-il rien qu'on fermât la fenêtre ? j'ai la 245 poitrine un peu prise depuis quelques jours.

– Non, rien du tout. »

Il alla donc pousser le battant resté entrouvert et il revint s'asseoir avec un visage rasséréné, tranquillisé.

Sa femme ne disait rien, paraissait absorbée ; et, les yeux 250 baissés vers la table, elle souriait aux verres, de ce sourire vague qui semblait promettre toujours pour ne jamais tenir.

Les huîtres d'Ostende[4] furent apportées, mignonnes et grasses, semblables à de petites oreilles enfermées en des coquilles, et fondant entre le palais et la langue ainsi que des 255 bonbons salés.

Puis, après le potage, on servit une truite rose comme de la chair de jeune fille ; et les convives commencèrent à causer.

---

1. *Champagne frappé* : vin de champagne refroidi avec de la glace pilée disposée autour de la bouteille.
2. *Pocharder* : soûler (familier).
3. *Noce* : fête, partie de plaisir.
4. *Ostende* : port de pêche en Belgique.

On parla d'abord d'un cancan qui courait les rues, l'histoire d'une femme du monde surprise, par un ami de son mari, sou-
260 pant avec un prince étranger en cabinet particulier.

Forestier riait beaucoup de l'aventure ; les deux femmes déclaraient que le bavard indiscret n'était qu'un goujat et qu'un lâche. Duroy fut de leur avis et proclama bien haut qu'un homme a le devoir d'apporter en ces sortes d'affaires, qu'il soit
265 acteur, confident ou simple témoin, un silence de tombeau. Il ajouta : « Comme la vie serait pleine de choses charmantes si nous pouvions compter sur la discrétion absolue les uns des autres. Ce qui arrête souvent, bien souvent, presque toujours les femmes, c'est la peur du secret dévoilé. »

270 Puis il ajouta, souriant : « Voyons, n'est-ce pas vrai ? Combien y en a-t-il qui s'abandonneraient à un rapide désir, au caprice brusque et violent d'une heure, à une fantaisie d'amour, si elles ne craignaient de payer par un scandale irrémédiable et par des larmes douloureuses un court et léger bonheur ! »

275 Il parlait avec une conviction contagieuse, comme s'il avait plaidé une cause, sa cause, comme s'il eût dit : « Ce n'est pas avec moi qu'on aurait à craindre de pareils dangers. Essayez pour voir. »

Elles le contemplaient toutes les deux, l'approuvant du regard, trouvant qu'il parlait bien et juste, confessant par leur
280 silence ami que leur morale flexible de Parisiennes n'aurait pas tenu longtemps devant la certitude du secret.

Et Forestier, presque couché sur le canapé, une jambe repliée sous lui, la serviette glissée dans son gilet pour ne point maculer son habit, déclara tout à coup, avec un rire convaincu de
285 sceptique :

« Sacristi oui, on s'en paierait si on était sûr du silence. Bigre de bigre ! les pauvres maris. »

Et on se mit à parler d'amour. Sans l'admettre éternel, Duroy le comprenait durable, créant un lien, une amitié tendre, une
290 confiance ! L'union des sens n'était qu'un sceau à l'union des

cœurs. Mais il s'indignait des jalousies harcelantes, des drames, des scènes, des misères qui, presque toujours, accompagnent les ruptures.

Quand il se tut, Mme de Marelle soupira : « Oui, c'est la seule
295 bonne chose de la vie, et nous la gâtons souvent par des exigences impossibles. »

Mme Forestier, qui jouait avec un couteau, ajouta :

« Oui… oui… c'est bon d'être aimée… »

Et elle semblait pousser plus loin son rêve, songer à des
300 choses qu'elle n'osait point dire.

Et comme la première entrée n'arrivait pas, ils buvaient de temps en temps une gorgée de champagne en grignotant des croûtes arrachées sur le dos des petits pains ronds. Et la pensée de l'amour, lente et envahissante, entrait en eux, enivrait peu à
305 peu leur âme, comme le vin clair, tombé goutte à goutte en leur gorge, échauffait leur sang et troublait leur esprit.

On apporta des côtelettes d'agneau, tendres, légères, couchées sur un lit épais et menu de pointes d'asperges.

« Bigre ! la bonne chose ! » s'écria Forestier. Et ils mangeaient
310 avec lenteur, savourant la viande fine et le légume onctueux comme une crème.

Duroy reprit : « Moi, quand j'aime une femme, tout disparaît du monde autour d'elle. »

Il disait cela avec conviction, s'exaltant à la pensée de cette
315 jouissance d'amour, dans le bien-être de la jouissance de table qu'il goûtait.

Mme Forestier murmura, avec son air de n'y point toucher : « Il n'y a pas de bonheur comparable à la première pression des mains, quand l'un demande : "M'aimez-vous ?" et quand l'autre
320 répond : "Oui, je t'aime." »

Mme de Marelle, qui venait de vider d'un trait une nouvelle flûte de champagne, dit gaiement, en reposant son verre : « Moi, je suis moins platonique[1]. »

---

1. *Platonique* : chaste, sans désir sexuel.

Et chacun se mit à ricaner, l'œil allumé, en approuvant
325 cette parole.

Forestier s'étendit sur le canapé, ouvrit les bras, les appuya
sur des coussins et d'un ton sérieux : « Cette franchise vous
honore et prouve que vous êtes une femme pratique. Mais
peut-on vous demander quelle est l'opinion de M. de Marelle ? »

330 Elle haussa les épaules lentement, avec un dédain infini, pro-
longé, puis, d'une voix nette : « M. de Marelle n'a pas d'opinion
en cette matière. Il n'a que des... que des abstentions. »

Et la causerie, descendant des théories élevées sur la tendresse, entra dans le jardin fleuri des polissonneries[1] distinguées.

335 Ce fut le moment des sous-entendus adroits, des voiles levés
par des mots, comme on lève des jupes, le moment des ruses de
langage, des audaces habiles et déguisées, de toutes les hypocri-
sies impudiques, de la phrase qui montre des images dévêtues
avec des expressions couvertes, qui fait passer dans l'œil et dans
340 l'esprit la vision rapide de tout ce qu'on ne peut pas dire, et
permet aux gens du monde une sorte d'amour subtil et mystérieux, une sorte de contact impur des pensées par l'évocation
simultanée, troublante et sensuelle comme une étreinte, de
toutes les choses secrètes, honteuses et désirées de l'enlacement.
345 On avait apporté le rôti, des perdreaux flanqués de cailles, puis
des petits pois, puis une terrine de foie gras accompagnée d'une
salade aux feuilles dentelées, emplissant comme une mousse
verte un grand saladier en forme de cuvette. Ils avaient mangé de
tout cela sans y goûter, sans s'en douter, uniquement préoccupés
350 de ce qu'ils disaient, plongés dans un bain d'amour.

Les deux femmes, maintenant, en lançaient de roides[2],
Mme de Marelle avec une audace naturelle qui ressemblait à une
provocation, Mme Forestier avec une réserve charmante, une

---

1. *Polissonneries* : propos ou actes égrillards, grivois.
2. *En lançaient de roides* : tenaient des propos grivois.

pudeur dans le ton, dans la voix, dans le sourire, dans toute
355 l'allure, qui soulignait, en ayant l'air de les atténuer, les choses
hardies sorties de sa bouche.

Forestier, tout à fait vautré sur les coussins, riait, buvait, mangeait sans cesse et jetait parfois une parole tellement osée ou tellement crue que les femmes, un peu choquées par la forme et
360 pour la forme, prenaient un petit air gêné qui durait deux ou
trois secondes. Quand il avait lâché quelque polissonnerie trop
grosse, il ajoutait : « Vous allez bien, mes enfants. Si vous conti-
nuez comme ça, vous finirez par faire des bêtises. »

Le dessert vint, puis le café ; et les liqueurs versèrent dans les
365 esprits excités un trouble plus lourd et plus chaud.

Comme elle l'avait annoncé en se mettant à table,
Mme de Marelle était pocharde, et elle le reconnaissait, avec une
grâce gaie et bavarde de femme qui accentue, pour amuser ses
convives, une pointe d'ivresse très réelle.

370 Mme Forestier se taisait maintenant, par prudence peut-être ;
et Duroy, se sentant trop allumé pour ne pas se compromettre,
gardait une réserve habile.

On alluma des cigarettes, et Forestier, tout à coup, se mit à
tousser.

375 Ce fut une quinte terrible qui lui déchirait la gorge ; et, la face
rouge, le front en sueur, il étouffait dans sa serviette. Lorsque la
crise fut calmée, il grogna, d'un air furieux : « Ça ne me vaut rien,
ces parties-là ; c'est stupide. » Toute sa bonne humeur avait disparu dans la terreur du mal qui hantait sa pensée.

380 « Rentrons chez nous », dit-il.

Mme de Marelle sonna le garçon et demanda l'addition. On
la lui apporta presque aussitôt. Elle essaya de la lire, mais les chiffres tournaient devant ses yeux, et elle passa le papier à Duroy :
« Tenez, payez pour moi, je n'y vois plus, je suis trop grise[1]. »

---

1. *Grise* : excitée par la boisson, émêchée.

385   Et elle lui jeta en même temps sa bourse dans les mains.

Le total montait à cent trente francs. Duroy contrôla et vérifia la note, puis donna deux billets, et reprit la monnaie, en demandant à mi-voix : « Combien faut-il laisser aux garçons ?

– Ce que vous voudrez, je ne sais pas. »

390   Il mit cinq francs sur l'assiette, puis rendit la bourse à la jeune femme, en lui disant :

« Voulez-vous que je vous reconduise à votre porte ?

– Mais certainement. Je suis incapable de retrouver mon adresse. »

395   On serra les mains des Forestier ; et Duroy se trouva seul avec Mme de Marelle dans un fiacre qui roulait.

Il la sentait contre lui, si près, enfermée avec lui dans cette boîte noire, qu'éclairaient brusquement, pendant un instant, les becs de gaz des trottoirs. Il sentait, à travers sa manche, la cha-
400   leur de son épaule, et il ne trouvait rien à lui dire, absolument rien, ayant l'esprit paralysé par le désir impérieux de la saisir dans ses bras. « Si j'osais, que ferait-elle ? » pensait-il. Et le souvenir de toutes les polissonneries chuchotées pendant le dîner l'enhardissait, mais la peur du scandale le retenait en même
405   temps.

Elle ne disait rien non plus, immobile, enfoncée en son coin. Il eût pensé qu'elle dormait s'il n'avait vu briller ses yeux chaque fois qu'un rayon de lumière pénétrait dans la voiture.

« Que pensait-elle ? » Il sentait bien qu'il ne fallait point
410   parler, qu'un mot, un seul mot, rompant le silence, emporterait ses chances ; mais l'audace lui manquait, l'audace de l'action brusque et brutale.

Tout à coup il sentit remuer son pied. Elle avait fait un mouvement, un mouvement sec, nerveux, d'impatience ou d'appel
415   peut-être. Ce geste, presque insensible, lui fit courir, de la tête aux pieds, un grand frisson sur la peau, et, se tournant vivement, il se jeta sur elle, cherchant la bouche avec ses lèvres et la chair nue avec ses mains.

Elle jeta un cri, un petit cri, voulut se dresser, se débattre, le
420 repousser ; puis elle céda, comme si la force lui eût manqué pour
résister plus longtemps.

Mais la voiture s'étant arrêtée bientôt devant la maison
qu'elle habitait, Duroy, surpris, n'eut point à chercher des
paroles passionnées pour la remercier, la bénir et lui exprimer
425 son amour reconnaissant. Cependant, elle ne se levait pas, elle
ne remuait point, étourdie par ce qui venait de se passer. Alors
il craignit que le cocher n'eût des doutes, et il descendit le premier pour tendre la main à la jeune femme.

Elle sortit enfin du fiacre en trébuchant et sans prononcer une
430 parole. Il sonna, et, comme la porte s'ouvrait, il demanda, en
tremblant : « Quand vous reverrai-je ? »

Elle murmura si bas qu'il entendit à peine : « Venez déjeuner
avec moi demain. » Et elle disparut dans l'ombre du vestibule en
repoussant le lourd battant qui fit un bruit de coup de canon.

435 Il donna cent sous au cocher et se mit à marcher devant lui,
d'un pas rapide et triomphant, le cœur débordant de joie.

Il en tenait une, enfin, une femme mariée ! une femme du
monde ! du vrai monde ! du monde parisien ! Comme ça avait
été facile et inattendu !

440 Il s'était imaginé jusque-là que pour aborder et conquérir une
de ces créatures tant désirées, il fallait des soins infinis, des
attentes interminables, un siège habile fait de galanteries, de
paroles d'amour, de soupirs et de cadeaux. Et voilà que tout d'un
coup, à la moindre attaque, la première qu'il rencontrait s'aban-
445 donnait à lui, si vite qu'il en demeurait stupéfait.

« Elle était grise, pensait-il ; demain, ce sera une autre chan-
son. J'aurai les larmes. » Cette idée l'inquiéta, puis il se dit : « Ma
foi, tant pis. Maintenant je la tiens, je saurai bien la garder. »

Et, dans le mirage confus où s'égaraient ses espérances, espé-
450 rances de grandeur, de succès, de renommée, de fortune et
d'amour, il aperçut tout à coup, pareille à ces guirlandes de

figurantes qui se déroulent dans le ciel des apothéoses[1], une procession[2] de femmes élégantes, riches, puissantes, qui passaient
en souriant pour disparaître l'une après l'autre au fond du nuage
455 doré de ses rêves.

Et son sommeil fut peuplé de visions.

Il était un peu ému, le lendemain, en montant l'escalier de
Mme de Marelle. Comment allait-elle le recevoir ? Et si elle ne le
recevait pas ? Si elle avait défendu l'entrée de sa demeure ? Si elle
460 racontait… ? Mais non, elle ne pouvait rien dire sans laisser deviner la vérité tout entière. Donc il était maître de la situation.

La petite bonne ouvrit la porte. Elle avait son visage ordinaire. Il se rassura, comme s'il se fût attendu à ce que la domestique lui montrât une figure bouleversée.

465 Il demanda : « Madame va bien ? »

Elle répondit : « Oui, monsieur, comme toujours. »

Et elle le fit entrer dans le salon.

Il alla droit à la cheminée pour constater l'état de ses cheveux
et de sa toilette ; et il rajustait sa cravate devant la glace, quand
470 il aperçut dedans la jeune femme qui le regardait, debout sur le
seuil de la chambre.

Il fit semblant de ne l'avoir point vue, et ils se considérèrent
quelques secondes, au fond du miroir, s'observant, s'épiant,
avant de se trouver face à face.

475 Il se retourna. Elle n'avait point bougé, et semblait attendre.
Il s'élança, balbutiant : « Comme je vous aime ! Comme je vous
aime ! » Elle ouvrit les bras et tomba sur sa poitrine ; puis, ayant
levé la tête vers lui, ils s'embrassèrent longtemps.

Il pensait : « C'est plus facile que je n'aurais cru. Ça va très
480 bien. » Et, leurs lèvres s'étant séparées, il souriait, sans dire un
mot, en tâchant de mettre dans son regard une infinité d'amour.

---

1. *Apothéoses* : ici, scènes triomphales, souvent données en tableau final
d'une pièce de spectacle (cirque, danse, théâtre, opéra) et auxquelles participe toute la troupe.
2. *Procession* : ici, succession.

Elle aussi souriait, de ce sourire qu'elles ont pour offrir leur désir, leur consentement, leur volonté de se donner. Elle murmura : « Nous sommes seuls. J'ai envoyé Laurine déjeuner chez 485 une camarade. »

Il soupira, en lui baisant les poignets : « Merci, je vous adore. »

Alors elle lui prit le bras, comme s'il eût été son mari, pour aller jusqu'au canapé où ils s'assirent côte à côte.

490 Il lui fallait un début de causerie habile et séduisant ; ne le découvrant point à son gré, il balbutia :

« Alors vous ne m'en voulez pas trop ? »

Elle lui mit une main sur la bouche :

« Tais-toi ! »

495 Ils demeurèrent silencieux, les regards mêlés, les doigts enlacés et brûlants.

« Comme je vous désirais ! » dit-il.

Elle répéta : « Tais-toi ! »

On entendait la bonne remuer les assiettes dans la salle, der-500 rière le mur.

Il se leva : « Je ne veux pas rester si près de vous. Je perdrais la tête. »

La porte s'ouvrit :

« Madame est servie. »

505 Et il offrit son bras avec gravité.

Ils déjeunèrent face à face, se regardant et se souriant sans cesse, occupés uniquement d'eux, tout enveloppés par le charme si doux d'une tendresse qui commence. Ils mangeaient sans savoir quoi. Il sentit un pied, un petit pied, qui rôdait sous la 510 table. Il le prit entre les siens et l'y garda, le serrant de toute sa force.

La bonne allait, venait, apportait et enlevait les plats d'un air nonchalant, sans paraître rien remarquer.

Quand ils eurent fini de manger, ils rentrèrent dans le salon 515 et reprirent leur place sur le canapé, côte à côte.

Peu à peu, il se serrait contre elle, essayant de l'étreindre. Mais elle le repoussait avec calme : « Prenez garde, on pourrait entrer. »

Il murmura : « Quand pourrai-je vous voir bien seule pour
520 vous dire comme je vous aime ? »

Elle se pencha vers son oreille, et prononça tout bas :

« J'irai vous faire une petite visite chez vous un de ces jours. »

Il se sentit rougir : « C'est que… chez moi… c'est… c'est bien modeste… »

525 Elle sourit : « Ça ne fait rien. C'est vous que j'irai voir et non pas l'appartement. »

Alors il la pressa pour savoir quand elle viendrait. Elle fixa un jour éloigné de la semaine suivante, et il la supplia d'avancer la date, avec des paroles balbutiées, des yeux luisants, en lui
530 maniant et lui broyant les mains, le visage rouge, enfiévré, ravagé de désir, de ce désir impétueux qui suit les repas en tête à tête.

Elle s'amusait de le voir l'implorer avec cette ardeur, et cédait un jour, de temps en temps. Mais il répétait : « Demain… dites… demain. »

535 Elle y consentit à la fin : « Oui. Demain. Cinq heures. »

Il poussa un long soupir de joie ; et ils causèrent presque tranquillement, avec des allures d'intimité, comme s'ils se fussent connus depuis vingt ans.

Un coup de timbre les fit tressaillir ; et, d'une secousse, ils
540 s'éloignèrent l'un de l'autre.

Elle murmura : « Ce doit être Laurine. »

L'enfant parut, puis s'arrêta interdite, puis courut vers Duroy en battant des mains, transportée de plaisir en l'apercevant, et elle cria : « Ah ! Bel-Ami ! »

545 Mme de Marelle se mit à rire :

« Tiens ! Bel-Ami ! Laurine vous a baptisé ! C'est un bon petit nom d'amitié pour vous, ça ; moi aussi je vous appellerai Bel-Ami ! »

Il avait pris sur ses genoux la fillette, et il dut jouer avec elle
550 à tous les petits jeux qu'il lui avait appris.

Il se leva à trois heures moins vingt minutes, pour se rendre
au journal ; et, sur l'escalier, par la porte entrouverte, il murmura
encore, du bout des lèvres : « Demain. Cinq heures. »

La jeune femme répondit : « Oui », d'un sourire, et disparut.
555 Dès qu'il eut fini sa besogne journalière, il songea à la façon
dont il arrangerait sa chambre pour recevoir sa maîtresse et dissimuler le mieux possible la pauvreté du local. Il eut l'idée d'épin-
gler sur les murs de menus bibelots japonais[1], et il acheta pour
cinq francs toute une collection de crépons[2], de petits éventails
560 et de petits écrans, dont il cacha les taches trop visibles du
papier. Il appliqua sur les vitres de la fenêtre des images transparentes représentant des bateaux sur des rivières, des vols
d'oiseaux à travers des ciels rouges, des dames multicolores sur
des balcons et des processions de petits bonshommes noirs dans
565 les plaines remplies de neige.

Son logis, grand tout juste pour y dormir et s'y asseoir, eut
bientôt l'air de l'intérieur d'une lanterne de papier peint. Il jugea
l'effet satisfaisant, et il passa la soirée à coller sur le plafond des
oiseaux découpés dans des feuilles coloriées qui lui restaient.
570 Puis il se coucha, bercé par le sifflet des trains.

Il rentra de bonne heure le lendemain, portant un sac de
gâteaux et une bouteille de madère[3] achetée chez l'épicier. Il dut
ressortir pour se procurer deux assiettes et deux verres ; et il dis-
posa cette collation sur sa table de toilette, dont le bois sale fut
575 caché par une serviette ; la cuvette et le pot à l'eau étant dissimu-
lés par-dessous.

Puis il attendit.

---

1. Les éléments décoratifs japonais sont alors très prisés : c'est la mode du
japonisme.
2. *Crépons* : papiers fins et fripés.
3. *Madère* : vin produit à Madère, petite île volcanique proche du Portugal.

Elle arriva vers cinq heures un quart, et, séduite par le papillotement coloré des dessins, elle s'écria : « Tiens, c'est gentil chez vous. Mais il y a bien du monde dans l'escalier. »

Il l'avait prise dans ses bras, et il baisait ses cheveux avec emportement, entre le front et le chapeau, à travers le voile.

Une heure et demie plus tard, il la reconduisit à la station de fiacres de la rue de Rome. Lorsqu'elle fut dans la voiture, il murmura : « Mardi, à la même heure. »

Elle dit : « À la même heure, mardi. » Et, comme la nuit était venue, elle attira sa tête dans la portière et le baisa sur les lèvres. Puis, le cocher ayant fouetté sa bête, elle cria : « Adieu, Bel-Ami ! » et le vieux coupé s'en alla au trot fatigué d'un cheval blanc.

Pendant trois semaines, Duroy reçut ainsi Mme de Marelle tous les deux ou trois jours, tantôt le matin, tantôt le soir.

Comme il l'attendait, un après-midi, un grand bruit dans l'escalier l'attira sur sa porte. Un enfant hurlait. Une voix furieuse, celle d'un homme, cria : « Qu'est-ce qu'il a encore à gueuler, ce bougre-là ? » La voix glapissante et exaspérée d'une femme répondit : « C'est ct'e sale cocotte qui vient chez l'journaliste d'en haut qu'a renversé Nicolas sur l'palier. Comme si on devrait laisser des roulures[1] comme ça qui n'font seulement pas attention aux éfans dans les escaliers ! »

Duroy, éperdu, se recula, car il entendait un rapide frôlement de jupes et un pas précipité gravissant l'étage au-dessous de lui.

On frappa bientôt à sa porte, qu'il venait de refermer. Il ouvrit, et Mme de Marelle se jeta dans la chambre, essoufflée, affolée, balbutiant :

« As-tu entendu ? »

Il fit semblant de ne rien savoir.

« Non, quoi ?

---

1. *Roulures* : prostituées (familier).

– Comme ils m'ont insultée ?

610 – Qui ça ?

– Les misérables qui habitent au-dessous.

– Mais non, qu'est-ce qu'il y a, dis-moi ? »

Elle se mit à sangloter sans pouvoir prononcer un mot.

Il dut la décoiffer, la délacer, l'étendre sur le lit, lui tapoter les
615 tempes avec un linge mouillé : elle suffoquait ; puis quand son
émotion se fut un peu calmée, toute sa colère indignée éclata.

Elle voulait qu'il descendît tout de suite, qu'il se battît, qu'il
les tuât.

Il répétait : « Mais ce sont des ouvriers, des rustres. Songe
620 qu'il faudrait aller en justice, que tu pourrais être reconnue, arrêtée, perdue. On ne se commet pas avec des gens comme ça. »

Elle passa à une autre idée : « Comment ferons-nous, maintenant ? Moi, je ne peux pas rentrer ici. » Il répondit : « C'est bien
simple, je vais déménager. »

625 Elle murmura :

« Oui, mais ce sera long. » Puis, tout d'un coup, elle imagina
une combinaison, et rassérénée brusquement :

« Non, écoute, j'ai trouvé, laisse-moi faire, ne t'occupe de
rien. Je t'enverrai un petit bleu[1] demain matin. »

630 Elle appelait des « petits bleus » les télégrammes fermés circu-
lant dans Paris.

Elle souriait maintenant, ravie de son invention, qu'elle ne
voulait pas révéler ; et elle fit mille folies d'amour.

Elle était bien émue cependant, en redescendant l'escalier, et
635 elle s'appuyait de toute sa force sur le bras de son amant, tant
elle sentait fléchir ses jambes.

Ils ne rencontrèrent personne.

Comme il se levait tard, il était encore au lit, le lendemain
vers onze heures, quand le facteur du télégraphe lui apporta le
640 petit bleu promis.

---

1. *Petit bleu* : télégramme, ainsi désigné en raison de la couleur bleue du
papier sur lequel il était édité.

Duroy l'ouvrit et lut :

« Rendez-vous tantôt, cinq heures, rue de Constantinople , 127[1]. Tu te feras ouvrir l'appartement loué par Mme Duroy.

« CLO t'embrasse. »

645 À cinq heures précises, il entrait chez le concierge d'une grande maison meublée et demandait : « C'est ici que Mme Duroy a loué un appartement ?

– Oui, monsieur.

– Voulez-vous m'y conduire, s'il vous plaît. »

650 L'homme, habitué sans doute aux situations délicates où la prudence est nécessaire, le regardant dans les yeux, puis, choisissant dans la longue file de clefs :

« Vous êtes bien M. Duroy ?

– Mais oui, parfaitement. »

655 Et il ouvrit un petit logement composé de deux pièces et situé au rez-de-chaussée, en face de la loge.

Le salon, tapissé de papier ramage[2], assez frais, possédait un meuble d'acajou recouvert en reps[3] verdâtre à dessins jaunes, et un maigre tapis à fleurs, si mince que le pied sentait le bois
660 par-dessous.

La chambre à coucher était si exiguë que le lit l'emplissait aux trois quarts. Il tenait le fond, allant d'un mur à l'autre, un grand lit de maison meublée, enveloppé de rideaux bleus et lourds, également en reps, et écrasé sous un édredon de soie rouge maculé
665 de taches suspectes.

Duroy, inquiet et mécontent, pensait : « Ça va me coûter un argent fou, ce logis-là. Il va falloir que j'emprunte encore. C'est idiot, ce qu'elle a fait. »

---

1. *Rue de Constantinople* : rue du 8e arrondissement. Le numéro 127 n'existe pas.

2. *Papier ramage* : papier peint décoré de dessins de feuilles, rameaux ou arabesques.

3. *Reps* : tissu d'ameublement.

La porte s'ouvrit, et Clotilde se précipita en coup de vent,
670 avec un grand bruit de robe, les bras ouverts. Elle était enchantée : « Est-ce gentil, dis, est-ce gentil ? Et pas à monter, c'est sur
la rue, au rez-de-chaussée ! On peut entrer et sortir par la fenêtre
sans que le concierge vous voie. Comme nous nous aimerons
là-dedans. »

675   Il l'embrassait froidement, n'osant faire la question qui lui
venait aux lèvres.

Elle avait posé un gros paquet sur le guéridon, au milieu de
la pièce. Elle l'ouvrit et en tira un savon, une bouteille d'eau de
Lubin[1], une éponge, une boîte d'épingles à cheveux, un tire-bou-
680 chon et un petit fer à friser pour rajuster les mèches de son front
qu'elle défaisait toutes les fois.

Et elle joua à l'installation, cherchant la place de chaque
chose, s'amusant énormément.

Elle parlait tout en ouvrant les tiroirs : « Il faudra que
685 j'apporte un peu de linge, pour pouvoir en changer à l'occasion.
Ce sera très commode. Si je reçois une averse, par hasard, en faisant des courses, je viendrai me sécher ici. Nous aurons chacun
notre clef, outre celle laissée dans la loge pour le cas où nous
oublierions les nôtres. J'ai loué pour trois mois, à ton nom, bien
690 entendu, puisque je ne pouvais donner le mien. »

Alors il demanda : « Tu me diras quand il faudra payer ? »

Elle répondit simplement : « Mais c'est payé, mon chéri ! »

Il reprit : « Alors, c'est à toi que je le dois ?

– Mais non, mon chat, ça ne te regarde pas, c'est moi qui
695 veux faire cette petite folie. »

Il eut l'air de se fâcher : « Ah ! mais non, par exemple. Je ne
le permettrai point. »

Elle vint à lui suppliante, et, posant les mains sur ses épaules :
« Je t'en prie, Georges, ça me fera tant de plaisir, tant de plaisir

---

1. *Eau de Lubin* : eau de toilette de la maison de parfumerie François Lubin.

700 que ce soit à moi, notre nid, rien qu'à moi ! Ça ne peut pas te froisser ? En quoi ? Je voudrais apporter ça dans notre amour. Dis que tu veux bien, mon petit Géo, dis que tu veux bien ?... » Elle l'implorait du regard, de la lèvre, de tout son être.

Il se fit prier, refusant avec des mines irritées, puis il céda,
705 trouvant cela juste, au fond.

Et quand elle fut partie, il murmura, en se frottant les mains et sans chercher dans les replis de son cœur d'où lui venait, ce jour-là, cette opinion : « Elle est gentille, tout de même. »

Il reçut quelques jours plus tard un autre petit bleu qui lui
710 disait :

« Mon mari arrive ce soir, après six semaines d'inspection. Nous aurons donc relâche huit jours. Quelle corvée, mon chéri !

« Ta CLO. »

Duroy demeura stupéfait. Il ne songeait vraiment plus qu'elle
715 était mariée. En voilà un homme dont il aurait voulu voir la tête, rien qu'une fois, pour le connaître.

Il attendit avec patience cependant le départ de l'époux, mais il passa aux Folies-Bergère deux soirées qui se terminèrent chez Rachel.

720 Puis, un matin, nouveau télégramme contenant quatre mots :

« Tantôt, cinq heures. – CLO. »

Ils arrivèrent tous les deux en avance au rendez-vous. Elle se jeta dans ses bras avec un grand élan d'amour, le baisant passionnément à travers le visage ; puis elle lui dit : « Si tu veux,
725 quand nous nous serons bien aimés, tu m'emmèneras dîner quelque part. Je me suis faite libre. »

On était justement au commencement du mois, et bien que son traitement fût escompté[1] longtemps d'avance, et qu'il vécût

---

1. **Escompté** : ici, versé.

au jour le jour d'argent cueilli de tous les côtés, Duroy se trouvait
730 par hasard en fonds ; et il fut content d'avoir l'occasion de
dépenser quelque chose pour elle.

Il répondit : « Mais oui, ma chérie, où tu voudras. »

Ils partirent donc vers sept heures et gagnèrent le boulevard
extérieur. Elle s'appuyait fortement sur lui et lui disait, dans
735 l'oreille : « Si tu savais comme je suis contente de sortir à ton
bras, comme j'aime te sentir contre moi. »

Il demanda : « Veux-tu aller chez le père Lathuille[1] ? »

Elle répondit : « Oh ! non, c'est trop chic. Je voudrais quelque
chose de drôle, de commun, comme un restaurant où vont les
740 employés et les ouvrières ; j'adore les parties dans les guinguettes ! Oh ! si nous avions pu aller à la campagne ! »

Comme il ne connaissait rien en ce genre dans le quartier, ils
errèrent le long du boulevard, et ils finirent par entrer chez un
marchand de vin qui donnait à manger dans une salle à part. Elle
745 avait vu, à travers la vitre, deux fillettes en cheveux[2] attablées en
face de deux militaires.

Trois cochers de fiacre dînaient dans le fond de la pièce étroite
et longue, et un personnage, impossible à classer dans aucune
profession, fumait sa pipe, les jambes allongées, les mains dans la
750 ceinture de sa culotte, étendu sur sa chaise et la tête renversée en
arrière par-dessus la barre. Sa jaquette semblait un musée de
taches, et dans les poches gonflées comme des ventres on apercevait le goulot d'une bouteille, un morceau de pain, un paquet
enveloppé dans un journal et un bout de ficelle qui pendait. Il
755 avait des cheveux épais, crépus, mêlés, gris de saleté ; et sa casquette était par terre, sous sa chaise.

---

1. *Père Lathuille* : célèbre restaurant près de la place de Clichy, fréquenté
par le Tout-Paris artiste et politique.
2. *En cheveux* : les cheveux lâchés, non coiffés – signe de débauche et
d'aspect débraillé (une fille qui se montre en public « en cheveux » est une
prostituée).

L'entrée de Clotilde fit sensation par l'élégance de sa toilette. Les deux couples cessèrent de chuchoter, les trois cochers cessèrent de discuter, et le particulier qui fumait, ayant ôté sa pipe
760 de sa bouche et craché devant lui, regarda en tournant un peu la tête.

Mme de Marelle murmura : « C'est très gentil ! Nous serons très bien ; une autre fois, je m'habillerai en ouvrière. » Et elle s'assit sans embarras et sans dégoût en face de la table de bois
765 vernie par la graisse des nourritures, lavée par les boissons répandues et torchée d'un coup de serviette par le garçon. Duroy, un peu gêné, un peu honteux, cherchait une patère pour y pendre son haut chapeau. N'en trouvant point, il le déposa sur une chaise.

770 Ils mangèrent un ragoût de mouton, une tranche de gigot et une salade. Clotilde répétait : « Moi, j'adore ça. J'ai des goûts canailles[1]. Je m'amuse mieux ici qu'au café Anglais[2]. » Puis elle dit : « Si tu veux me faire tout à fait plaisir, tu me mèneras dans un bastringue. J'en connais un très drôle près d'ici qu'on appelle
775 La Reine blanche[3]. »

Duroy, surpris, demanda : « Qui est-ce qui t'a menée là ? »

Il la regardait et il la vit rougir, un peu troublée, comme si cette question brusque eût éveillé en elle un souvenir délicat. Après une de ces hésitations féminines si courtes qu'il les faut
780 deviner, elle répondit : « C'est un ami… » puis, après un silence, elle ajouta : « qui est mort. »

---

1. *Canailles* : de voyou.
2. *Café Anglais* : restaurant chic situé à l'angle du boulevard des Italiens et de la rue de Marivaux dans le 2e arrondissement.
3. *La Reine blanche* : salle de bal, située au 88, boulevard de Clichy, dans le 18e arrondissement (un des nombreux « bals de barrière », c'est-à-dire un bal installé en bordure externe de l'ancienne barrière des Fermiers Généraux, afin de ne pas payer les taxes parisiennes sur le vin). En 1889, La Reine blanche a laissé place au Moulin-Rouge.

Et elle baissa les yeux avec une tristesse bien naturelle. Et Duroy, pour la première fois, songea à tout ce qu'il ne savait point dans la vie passée de cette femme, et il rêva. Certes, elle
785 avait eu des amants, déjà, mais de quelle sorte ? de quel monde ? Une vague jalousie, une sorte d'inimitié[1] s'éveillait en lui contre elle, une inimitié pour tout ce qu'il ignorait, pour tout ce qui ne lui avait point appartenu dans ce cœur et dans cette existence. Il la regardait, irrité du mystère enfermé dans cette tête jolie et
790 muette et qui songeait, en ce moment-là même peut-être, à l'autre, aux autres, avec des regrets. Comme il eût aimé regarder dans ce souvenir, y fouiller, et tout savoir, tout connaître…

Elle répéta : « Veux-tu me conduire à La Reine blanche ? Ce sera une fête complète. »

795 Il pensa : « Bah ! qu'importe le passé ? Je suis bien bête de me troubler de ça. » Et, souriant, il répondit : « Mais certainement, ma chérie. »

Lorsqu'ils furent dans la rue, elle reprit, tout bas, avec ce ton mystérieux dont on fait les confidences : « Je n'osais point te
800 demander ça, jusqu'ici ; mais tu ne te figures pas comme j'aime ces escapades de garçon dans tous ces endroits où les femmes ne vont pas. Pendant le carnaval, je m'habillerai en collégien. Je suis drôle comme tout en collégien. »

Quand ils pénétrèrent dans la salle de bal, elle se serra contre
805 lui, effrayée et contente, regardant d'un œil ravi les filles et les souteneurs et, de temps en temps, comme pour se rassurer contre un danger possible, elle disait, en apercevant un municipal[2] grave et immobile : « Voilà un agent qui a l'air solide. » Au bout d'un quart d'heure, elle en eut assez, et il la reconduisit chez elle.
810 Alors commença une série d'excursions dans tous les endroits louches où s'amuse le peuple ; et Duroy découvrit dans

---

1. *Inimitié* : aversion, hostilité.
2. *Municipal* : agent de police.

sa maîtresse un goût passionné pour ce vagabondage d'étudiants en goguette[1].

Elle arrivait au rendez-vous habituel vêtue d'une robe de toile, la tête couverte d'un bonnet de soubrette, de soubrette de vaudeville[2] ; et, malgré la simplicité élégante et cherchée de la toilette, elle gardait ses bagues, ses bracelets et ses boucles d'oreilles en brillants, en donnant cette raison, quand il la suppliait de les ôter : « Bah ! on croira que ce sont des cailloux du Rhin[3]. »

Elle se jugeait admirablement déguisée, et, bien qu'elle fût en réalité cachée à la façon des autruches, elle allait dans les tavernes les plus mal famées.

Elle avait voulu que Duroy s'habillât en ouvrier ; mais il résista et garda sa tenue correcte de boulevardier sans vouloir même changer son haut chapeau contre un chapeau de feutre mou.

Elle s'était consolée de son obstination par ce raisonnement : « On pense que je suis une femme de chambre en bonne fortune avec un jeune homme du monde. » Et elle trouvait délicieuse cette comédie.

Ils entraient ainsi dans les caboulots[4] populaires et allaient s'asseoir au fond du bouge[5] enfumé, sur des chaises boiteuses, devant une vieille table de bois. Un nuage de fumée âcre où restait une odeur de poisson frit du dîner emplissait la salle ; des hommes en blouse gueulaient en buvant des petits verres ; et le garçon étonné dévisageait ce couple étrange, en posant devant lui deux cerises à l'eau-de-vie.

1. *En goguette* : d'humeur à faire la fête, et généralement dans un état d'ivresse.
2. *Vaudeville* : comédie légère, fondée sur de multiples jeux de langues, rebondissements et quiproquos.
3. *Cailloux du Rhin* : fausses pierres précieuses, cristaux sans valeur.
4. *Caboulots* : cabarets malfamés.
5. *Bouge* : ici, cabaret, café malfamé.

Elle, tremblante, apeurée et ravie, se mettait à boire le jus
840 rouge des fruits, à petits coups, en regardant autour d'elle d'un
œil inquiet et allumé. Chaque cerise avalée lui donnait la sensation d'une faute commise, chaque goutte du liquide brûlant et
poivré descendant en sa gorge lui procurait un plaisir âcre, la joie
d'une jouissance scélérate[1] et défendue[2].

845 Puis elle disait à mi-voix : « Allons-nous-en. » Et ils partaient.
Elle filait vivement, la tête basse, d'un pas menu, d'un pas
d'actrice qui quitte la scène, entre les buveurs accoudés aux
tables qui la regardaient passer d'un air soupçonneux et mécontent ; et quand elle avait franchi la porte, elle poussait un grand
850 soupir, comme si elle venait d'échapper à quelque terrible
danger.

Quelquefois, elle demandait à Duroy, en frissonnant :
« Si on m'injuriait dans ces endroits-là, qu'est-ce que tu
ferais ? »
855 Il répondait d'un ton crâne :
« Je te défendrais, parbleu ! »

Et elle lui serrait le bras avec bonheur, avec le désir confus
peut-être d'être injuriée et défendue, de voir des hommes se
battre pour elle, même ces hommes-là, avec son bien-aimé.

860 Mais ces excursions, se renouvelant deux ou trois fois par
semaine, commençaient à fatiguer Duroy, qui avait grand mal
d'ailleurs, depuis quelque temps, à se procurer le demi-louis qu'il
lui fallait pour payer la voiture et les consommations.

Il vivait maintenant avec une peine infinie, avec plus de peine
865 qu'aux jours où il était employé du Nord, car, ayant dépensé largement, sans compter, pendant ses premiers mois de journalisme, avec l'espoir constant de gagner de grosses sommes le

---

1. **Scélérate** : criminelle, condamnable.
2. Le paragraphe est la reprise à l'identique d'un passage de la nouvelle
« Misti » (22 janvier 1884). Maupassant aimait, lui aussi, fréquenter les
lieux canailles.

lendemain, il avait épuisé toutes ses ressources et tous les moyens de se procurer de l'argent.

870 Un procédé fort simple, celui d'emprunter à la caisse, s'était trouvé bien vite usé, et il devait déjà au journal quatre mois de son traitement, plus six cents francs sur ses lignes. Il devait, en outre, cent francs à Forestier, trois cents francs à Jacques Rival, qui avait la bourse large, et il était rongé par une multitude de 875 petites dettes inavouables de vingt francs ou de cent sous.

Saint-Potin, consulté sur les méthodes à employer pour trouver encore cent francs, n'avait découvert aucun expédient[1], bien qu'il fût un homme d'invention ; et Duroy s'exaspérait de cette misère, plus sensible maintenant qu'autrefois, parce qu'il avait 880 plus de besoins. Une colère sourde contre tout le monde couvait en lui, et une irritation incessante, qui se manifestait à tout propos, à tout moment, pour les causes les plus futiles.

Il se demandait parfois comment il avait fait pour dépenser une moyenne de mille livres[2] par mois, sans aucun excès, ni 885 aucune fantaisie ; et il constatait qu'en additionnant un déjeuner de huit francs avec un dîner de douze pris dans un grand café quelconque du boulevard, il arrivait tout de suite à un louis, qui, joint à une dizaine de francs d'argent de poche, de cet argent qui coule sans qu'on sache comment, formait un total de trente 890 francs. Or trente francs par jour donnent neuf cents francs à la fin du mois. Et il ne comptait pas là-dedans tous les frais d'habillement, de chaussure, de linge, de blanchissage, etc.

Donc, le 14 décembre, il se trouva sans un sou dans sa poche et sans un moyen dans l'esprit pour obtenir quelque monnaie.

895 Il fit, comme il avait fait souvent jadis, il ne déjeuna point et il passa l'après-midi au journal à travailler, rageant et préoccupé.

Vers quatre heures, il reçut un petit bleu de sa maîtresse, qui lui disait : « Veux-tu que nous dînions ensemble ? Nous ferons ensuite une escapade. »

---

1. *Expédient* : ici, moyen ingénieux de trouver de l'argent.
2. *Livres* : francs.

900 Il répondit aussitôt : « Impossible dîner. » Puis il réfléchit qu'il serait bien bête de se priver des moments agréables qu'elle pourrait lui donner, et il ajouta : « Mais je t'attendrai, à neuf heures, dans notre logis. »

Et ayant envoyé un des garçons porter ce mot, afin d'écono-
905 miser le prix du télégramme, il réfléchit à la façon dont il s'y prendrait pour se procurer le repas du soir.

À sept heures, il n'avait encore rien inventé ; et une faim terrible lui creusait le ventre. Alors il eut recours à un stratagème de désespéré. Il laissa partir tous ses confrères, l'un après l'autre, et,
910 quand il fut seul, il sonna vivement. L'huissier du patron, resté pour garder les bureaux, se présenta.

Duroy debout, nerveux, fouillait ses poches, et d'une voix brusque : « Dites donc, Foucart, j'ai oublié mon porte-monnaie chez moi, et il faut que j'aille dîner au Luxembourg. Prêtez-moi
915 cinquante sous pour payer ma voiture. »

L'homme tira trois francs de son gilet, en demandant :

« Monsieur Duroy ne veut pas davantage ?

– Non, non, cela me suffit. Merci bien. »

Et, ayant saisi les pièces blanches, Duroy descendit en cou-
920 rant l'escalier, puis alla dîner dans une gargotte où il échouait aux jours de misère.

À neuf heures, il attendait sa maîtresse, les pieds au feu dans le petit salon.

Elle arriva, très animée, très gaie, fouettée par l'air froid de la
925 rue : « Si tu veux, dit-elle, nous ferons d'abord un tour, puis nous rentrerons ici à onze heures. Le temps est admirable pour se promener. »

Il répondit d'un ton grognon : « Pourquoi sortir ? On est très bien ici. »

930 Elle reprit, sans ôter son chapeau : « Si tu savais, il fait un clair de lune merveilleux. C'est un vrai bonheur de se promener, ce soir.

– C'est possible, mais moi je ne tiens pas à me promener. »

Il avait dit cela d'un air furieux. Elle en fut saisie, blessée, et
935 demanda : « Qu'est-ce que tu as ? Pourquoi prends-tu ces
manières-là ? J'ai le désir de faire un tour, je ne vois pas en quoi
cela peut te fâcher. »

Il se souleva, exaspéré. « Cela ne me fâche pas. Cela
m'embête. Voilà. »

940 Elle était de celles que la résistance irrite et que l'impoli-
tesse exaspère.

Elle prononça, avec dédain, avec une colère froide :

« Je n'ai pas l'habitude qu'on me parle ainsi. Je m'en irai seule
alors ; adieu ! »

945 Il comprit que c'était grave, et s'élançant vivement vers elle,
il lui prit les mains, les baisa, en balbutiant :

« Pardonne-moi, ma chérie, pardonne-moi. Je suis très nerveux, ce soir, très irritable. C'est que j'ai des contrariétés, des
ennuis, tu sais, des affaires de métier. »

950 Elle répondit, un peu adoucie, mais non calmée :

« Cela ne me regarde pas, moi ; et je ne veux point supporter
le contrecoup de votre mauvaise humeur. »

Il la prit dans ses bras, l'attira vers le canapé :

« Écoute, ma mignonne, je ne voulais point te blesser ; je n'ai
955 point songé à ce que je disais. »

Il l'avait forcée à s'asseoir, et s'agenouillant devant elle :

« M'as-tu pardonné ? Dis-moi que tu m'as pardonné. »

Elle murmura, d'une voix froide :

« Soit, mais ne recommence pas. »

960 Et, s'étant relevée, elle ajouta :

« Maintenant, allons faire un tour. »

Il était demeuré à genoux, entourant les hanches de ses deux
bras ; il balbutia : « Je t'en prie, restons ici. Je t'en supplie.
Accorde-moi cela. J'aimerais tant à te garder ce soir, pour moi
965 tout seul, là, près du feu. Dis "oui", je t'en supplie, dis "oui". »

Elle répliqua nettement, durement : « Non. Je tiens à sortir, et je ne céderai pas à tes caprices. »

Il insista : « Je t'en supplie, j'ai une raison, une raison très sérieuse… »

970 Elle dit de nouveau : « Non. Et si tu ne veux pas sortir avec moi, je m'en vais. Adieu ! »

Elle s'était dégagée d'une secousse, et gagnait la porte. Il courut vers elle, l'enveloppa dans ses bras :

« Écoute, Clo, ma petite Clo, écoute, accorde-moi cela… »

975 Elle faisait non, de la tête, sans répondre, évitant ses baisers et cherchant à sortir de son étreinte pour s'en aller.

Il bégayait : « Clo, ma petite Clo, j'ai une raison. »

Elle s'arrêta, le regardant en face :

« Tu mens… laquelle ? »

980 Il rougit, ne sachant que dire. Et elle reprit, indignée :

« Tu vois bien que tu mens… sale bête… »

Et avec un geste rageur, les larmes aux yeux, elle lui échappa.

Il la prit encore une fois par les épaules, et désolé, prêt à tout avouer pour éviter cette rupture, il déclara avec un accent déses-
985 péré : « Il y a que je n'ai pas le sou… Voilà. »

Elle s'arrêta net, et le regardant au fond des yeux pour y lire la vérité : « Tu dis ? »

Il avait rougi jusqu'aux cheveux : « Je dis que je n'ai pas le sou. Comprends-tu ? Mais pas vingt sous, pas dix sous, pas de
990 quoi payer un verre de cassis dans le café où nous entrerons. Tu me forces à confesser des choses honteuses. Il ne m'était pourtant pas possible de sortir avec toi, et quand nous aurions été attablés devant deux consommations, de te raconter tranquillement que je ne pouvais pas les payer… »

995 Elle le regardait toujours en face : « Alors… c'est bien vrai… ça ? »

En une seconde, il retourna toutes ses poches, celles du pantalon, celles du gilet, celles de la jaquette, et il murmura : « Tiens… es-tu contente… maintenant ? »

Brusquement, ouvrant ses deux bras avec un élan passionné, elle lui sauta au cou, en bégayant : « Oh ! mon pauvre chéri… mon pauvre chéri… si j'avais su ! Comment cela t'est-il arrivé ? »

Elle le fit asseoir, et s'assit elle-même sur ses genoux, puis le tenant par le cou, le baisant à tout instant, baisant sa moustache, sa bouche, ses yeux, elle le força à raconter d'où lui venait cette infortune.

Il inventa une histoire attendrissante. Il avait été obligé de venir en aide à son père qui se trouvait dans l'embarras. Il lui avait donné non seulement toutes ses économies, mais il s'était endetté gravement.

Il ajouta : « J'en ai pour six mois au moins à crever de faim, car j'ai épuisé toutes mes ressources. Tant pis, il y a des moments de crise dans la vie. L'argent, après tout, ne vaut pas qu'on s'en préoccupe. »

Elle lui souffla dans l'oreille :

« Je t'en prêterai, veux-tu ? »

Il répondit avec dignité :

« Tu es bien gentille, ma mignonne, mais ne parlons plus de ça, je te prie. Tu me blesserais. »

Elle se tut ; puis, le serrant dans ses bras, elle murmura :

« Tu ne sauras jamais comme je t'aime. »

Ce fut une de leurs meilleures soirées d'amour.

Comme elle allait partir, elle reprit en souriant :

« Hein ! quand on est dans ta situation, comme c'est amusant de retrouver de l'argent oublié dans une poche, une pièce qui avait glissé dans la doublure. »

Il répondit avec conviction :

« Ah ! ça oui, par exemple. »

Elle voulut rentrer à pied sous prétexte que la lune était admirable, et elle s'extasiait en le regardant.

C'était une nuit froide et sereine du commencement de l'hiver. Les passants et les chevaux allaient vite, piqués par une claire gelée. Les talons sonnaient sur les trottoirs.

En le quittant, elle demanda : « Veux-tu nous revoir après-demain ?

– Mais oui, certainement.

– À la même heure ?

– À la même heure.

– Adieu, mon chéri. »

Et ils s'embrassèrent tendrement.

Puis il revint à grands pas, se demandant ce qu'il inventerait le lendemain, afin de se tirer d'affaire. Mais, comme il ouvrait la porte de sa chambre, il fouilla dans la poche de son gilet pour y trouver des allumettes, et il demeura stupéfait de rencontrer une pièce de monnaie qui roulait sous son doigt.

Dès qu'il eut de la lumière, il saisit cette pièce pour l'examiner. C'était un louis de vingt francs !

Il se pensa devenu fou.

Il le tourna, le retourna, cherchant par quel miracle cet argent se trouvait là. Il n'avait pourtant pas pu tomber du ciel dans sa poche.

Puis, tout à coup, il devina, et une colère indignée le saisit. Sa maîtresse avait parlé, en effet, de monnaie glissée dans la doublure et qu'on retrouvait aux heures de pauvreté. C'était elle qui lui avait fait cette aumône. Quelle honte !

Il jura : « Ah bien ! je vais la recevoir, après-demain ! Elle en passera un joli quart d'heure ! »

Et il se mit au lit, le cœur agité de fureur et d'humiliation.

Il s'éveilla tard. Il avait faim. Il essaya de se rendormir pour ne se lever qu'à deux heures ; puis il se dit : « Cela ne m'avancera à rien, il faut toujours que je finisse par découvrir de l'argent. » Puis il sortit, espérant qu'une idée lui viendrait dans la rue.

Il ne lui en vint pas, mais en passant devant chaque restaurant un désir ardent de manger lui mouillait la bouche de salive. À midi, comme il n'avait rien imaginé, il se décida brusquement : « Bah ! je vais déjeuner sur les vingt francs de Clotilde. Cela ne m'empêchera pas de les lui rendre demain. »

Il déjeuna donc dans une brasserie pour deux francs cinquante. En entrant au journal il remit encore trois francs à l'huis-
1070 sier. « Tenez, Foucart, voici ce que vous m'avez prêté hier soir pour ma voiture. »

Et il travailla jusqu'à sept heures. Puis il alla dîner et prit de nouveau trois francs sur le même argent. Les deux bocks de la soirée portèrent à neuf francs trente centimes sa dépense du jour.

1075 Mais comme il ne pouvait se refaire un crédit ni se recréer des ressources en vingt-quatre heures, il emprunta encore six francs cinquante le lendemain sur les vingt francs qu'il devait rendre le soir même, de sorte qu'il vint au rendez-vous convenu avec quatre francs vingt dans sa poche.

1080 Il était d'une humeur de chien enragé et se promettait bien de faire nette tout de suite la situation. Il dirait à sa maîtresse : « Tu sais, j'ai trouvé les vingt francs que tu as mis dans ma poche l'autre jour. Je ne te les rends pas aujourd'hui parce que ma position n'a point changé, et que je n'ai pas eu le temps de m'occu-
1085 per de la question d'argent. Mais je te les remettrai la première fois que nous nous verrons. »

Elle arriva, tendre, empressée, pleine de craintes. Comment allait-il la recevoir ? Et elle l'embrassa avec persistance pour éviter une explication dans les premiers moments.

1090 Il se disait, de son côté : « Il sera bien temps tout à l'heure d'aborder la question. Je vais chercher un joint[1]. »

Il ne trouva pas de joint et ne dit rien, reculant devant les premiers mots à prononcer sur ce sujet délicat.

Elle ne parla point de sortir et fut charmante de toutes façons.

1095 Ils se séparèrent vers minuit, après avoir pris rendez-vous seulement pour le mercredi de la semaine suivante, car Mme de Marelle avait plusieurs dîners en ville de suite.

---

1. *Chercher un joint* : trouver la meilleure façon de résoudre une difficulté.

Le lendemain, en payant son déjeuner, comme Duroy cherchait les quatre pièces de monnaie qui devaient lui rester, il s'aperçut qu'elles étaient cinq, dont une en or.

Au premier moment il crut qu'on lui avait rendu, la veille, vingt francs par mégarde, puis il comprit, et il sentit une palpitation de cœur sous l'humiliation de cette aumône persévérante.

Comme il regretta de n'avoir rien dit ! S'il avait parlé avec énergie, cela ne serait point arrivé.

Pendant quatre jours il fit des démarches et des efforts aussi nombreux qu'inutiles pour se procurer cinq louis, et il mangea le second de Clotilde.

Elle trouva moyen – bien qu'il lui eût dit, d'un air furieux : « Tu sais, ne recommence pas la plaisanterie des autres soirs, parce que je me fâcherais » – de glisser encore vingt francs dans la poche de son pantalon, la première fois qu'ils se rencontrèrent.

Quand il les découvrit, il jura « Nom de Dieu ! » et il les transporta dans son gilet pour les avoir sous la main, car il se trouvait sans un centime.

Il apaisait sa conscience par ce raisonnement : « Je lui rendrai le tout en bloc. Ce n'est en somme que de l'argent prêté. »

Enfin le caissier du journal, sur ses prières désespérées, consentit à lui donner cent sous par jour. C'était tout juste assez pour manger, mais pas assez pour restituer soixante francs.

Or, comme Clotilde fut reprise de sa rage pour les excursions nocturnes dans tous les lieux suspects de Paris, il finit par ne plus s'irriter outre mesure de trouver un jaunet[1] dans une de ses poches, un jour même dans sa bottine, et un autre jour dans la boîte de sa montre, après leurs promenades aventureuses.

Puisqu'elle avait des envies qu'il ne pouvait satisfaire dans le moment, n'était-il pas naturel qu'elle les payât plutôt que de s'en priver ?

---

1. *Jaunet* : pièce d'or (argot).

Il tenait compte d'ailleurs de tout ce qu'il recevait ainsi, pour
1130 le lui restituer un jour.

Un soir elle lui dit : « Croirais-tu que je n'ai jamais été aux
Folies-Bergère ? Veux-tu m'y mener ? » Il hésita, dans la crainte
de rencontrer Rachel. Puis il pensa : « Bah ! je ne suis pas marié,
après tout. Si l'autre me voit, elle comprendra la situation et ne
1135 me parlera pas. D'ailleurs, nous prendrons une loge. »

Une raison aussi le décida. Il était bien aise de cette occasion
d'offrir à Mme de Marelle une loge au théâtre sans rien payer.
C'était là une sorte de compensation.

Il laissa d'abord Clotilde dans la voiture pour aller chercher
1140 le coupon afin qu'elle ne vît pas qu'on le lui offrait, puis il la vint
prendre et ils entrèrent, salués par les contrôleurs.

Une foule énorme encombrait le promenoir. Ils eurent grand-
peine à passer à travers la cohue des hommes et des rôdeuses. Ils
atteignirent enfin leur case et s'installèrent, enfermés entre
1145 l'orchestre immobile et le remous de la galerie.

Mais Mme de Marelle ne regardait guère la scène, uniquem-
ment préoccupée des filles qui circulaient derrière son dos ; et
elle se retournait sans cesse pour les voir, avec une envie de les
toucher, de palper leur corsage, leurs joues, leurs cheveux, pour
1150 savoir comment c'était fait, ces êtres-là.

Elle dit soudain :

« Il y en a une grosse brune qui nous regarde tout le temps.
J'ai cru tout à l'heure qu'elle allait nous parler. L'as-tu vue ? »

Il répondit : « Non. Tu dois te tromper. » Mais il l'avait aper-
1155 çue depuis longtemps déjà. C'était Rachel qui rôdait autour
d'eux avec une colère dans les yeux et des mots violents sur les
lèvres.

Duroy l'avait frôlée tout à l'heure en traversant la foule, et elle
lui avait dit : « Bonjour » tout bas avec un clignement d'œil qui
1160 signifiait : « Je comprends. » Mais il n'avait point répondu à cette
gentillesse dans la crainte d'être vu par sa maîtresse, et il avait

passé froidement, le front haut, la lèvre dédaigneuse. La fille, qu'une jalousie inconsciente aiguillonnait déjà, revint sur ses pas, le frôla de nouveau et prononça d'une voix plus forte :

1165 « Bonjour, Georges. »

Il n'avait encore rien répondu. Alors elle s'était obstinée à être reconnue, saluée, et elle revenait sans cesse derrière la loge, attendant un moment favorable.

Dès qu'elle s'aperçut que Mme de Marelle la regardait, elle 1170 toucha du bout du doigt l'épaule de Duroy :

« Bonjour. Tu vas bien ? »

Mais il ne se retourna pas.

Elle reprit : « Eh bien ? es-tu devenu sourd depuis jeudi ? »

Il ne répondit point, affectant un air de mépris qui l'empê- 1175 chait de se compromettre, même par un mot, avec cette drôlesse.

Elle se mit à rire, d'un rire de rage et dit : « Te voilà donc muet ? Madame t'a peut-être mordu la langue ? »

Il fit un geste furieux, et d'une voix exaspérée :

« Qui est-ce qui vous permet de parler ? Filez ou je vous 1180 fais arrêter. »

Alors, le regard enflammé, la gorge gonflée, elle gueula :

« Ah ! c'est comme ça ! Va donc, mufle ! Quand on couche avec une femme, on la salue au moins. C'est pas une raison parce que t'es avec une autre pour ne pas me reconnaître aujourd'hui. 1185 Si tu m'avais seulement fait un signe quand j'ai passé contre toi, tout à l'heure, je t'aurais laissé tranquille. Mais t'as voulu faire le fier, attends, va ! Je vais te servir[1], moi ! Ah ! tu ne me dis seulement pas bonjour quand je te rencontre… »

Elle aurait crié longtemps, mais Mme de Marelle avait ouvert 1190 la porte de la loge, et elle se sauvait, à travers la foule, cherchant éperdument la sortie.

Duroy s'était élancé derrière elle et s'efforçait de la rejoindre.

---

1. Servir : dénoncer (argot).

Alors Rachel, les voyant fuir, hurla, triomphante :

« Arrêtez-la ! Arrêtez-la ! Elle m'a volé mon amant. »

Des rires coururent dans le public. Deux messieurs, pour plaisanter, saisirent par les épaules la fugitive et voulurent l'emmener en cherchant à l'embrasser. Mais Duroy, l'ayant rattrapée, la dégagea violemment et l'entraîna dans la rue.

Elle s'élança dans un fiacre vide arrêté devant l'établissement.

Il y sauta derrière elle, et comme le cocher demandait : « Où faut-il aller, bourgeois ? » il répondit : « Où vous voudrez. »

La voiture se mit en route lentement, secouée par les pavés. Clotilde, en proie à une sorte de crise nerveuse, les mains sur sa face, étouffait, suffoquait ; et Duroy ne savait que faire ni que dire. À la fin, comme il l'entendait pleurer, il bégaya : « Écoute, Clo, ma petite Clo, laisse-moi t'expliquer ! Ce n'est pas ma faute… J'ai connu cette femme-là autrefois… Dans les premiers temps… »

Elle dégagea brusquement son visage, et saisie par une rage de femme amoureuse et trahie, une rage furieuse qui lui rendit la parole, elle balbutia, par phrases rapides, hachées, en haletant : « Ah !… misérable… misérable… quel gueux[1] tu fais !… Est-ce possible ?… quelle honte… Oh ! mon Dieu !… quelle honte !… »

Puis, s'emportant de plus en plus, à mesure que les idées s'éclaircissaient en elle et que les arguments lui venaient :

« C'est avec mon argent que tu la payais, n'est-ce pas ? Et je lui donnais de l'argent… pour cette fille… Oh ! le misérable !… »

Elle sembla chercher, pendant quelques secondes, un autre mot plus fort qui ne venait point, puis soudain, elle expectora[2], avec le mouvement qu'on fait pour cracher :

---

1. Gueux : personne méprisable. Au sens premier, un gueux est un misérable.
2. Expectora : ici, dit avec colère et mépris.

« Oh !… cochon… cochon… cochon… Tu la payais avec mon argent… cochon… cochon !… »

Elle ne trouvait plus autre chose et répétait :

1225 « Cochon… cochon… »

Tout à coup, elle se pencha dehors, et, saisissant le cocher par sa manche : « Arrêtez ! » puis, ouvrant la portière, elle sauta dans la rue.

Georges voulut la suivre, mais elle cria : « Je te défends de des-
1230 cendre », d'une voix si forte que les passants se massèrent autour d'elle ; et Duroy ne bougea point par crainte d'un scandale.

Alors elle tira sa bourse de sa poche et chercha de la monnaie à la lueur de la lanterne, puis ayant pris deux francs cinquante, elle les mit dans les mains du cocher, en lui disant d'un ton
1235 vibrant : « Tenez… voilà votre heure… C'est moi qui paie… Et reconduisez-moi ce salop-là rue Boursault, aux Batignolles. »

Une gaieté s'éleva dans le groupe qui l'entourait. Un monsieur dit : « Bravo, la petite ! » et un jeune voyou arrêté entre les roues du fiacre, enfonçant sa tête dans la portière ouverte, cria
1240 avec un accent suraigu : « Bonsoir, Bibi[1] ! »

Puis la voiture se remit en marche, poursuivie par des rires.

VI

Georges Duroy eut le réveil triste, le lendemain. Il s'habilla lentement, puis s'assit devant sa fenêtre et se mit à réfléchir. Il se sentait dans tout le corps une espèce de courbature, comme s'il avait reçu, la veille, une volée de coups de bâton.

---

1. *Bibi* : interpellation affectueuse (« mon bibi » équivaut à « mon chéri »).

5   Enfin, la nécessité de trouver de l'argent l'aiguillonna et il se
rendit d'abord chez Forestier.

Son ami le reçut, les pieds au feu, dans son cabinet.

« Qu'est-ce qui t'a fait lever si tôt ?

– Une affaire très grave, j'ai une dette d'honneur.

10   – De jeu ? »

Il hésita, puis avoua : « De jeu.

– Grosse ?

– Cinq cents francs ! »

Il n'en devait que deux cent quatre-vingts.

15   Forestier, sceptique, demanda :

« À qui dois-tu ça ? »

Duroy ne put pas répondre tout de suite.

« … Mais à… à… à un monsieur de Carleville.

– Ah ! Et où demeure-t-il ?

20   – Rue… rue… »

Forestier se mit à rire : « Rue du Cherche-Midi à quatorze
heures, n'est-ce pas ? Je connais ce monsieur-là, mon cher. Si tu
veux vingt francs, j'ai encore ça à ta disposition, mais pas
davantage. »

25   Duroy accepta la pièce d'or.

Puis il alla de porte en porte, chez toutes les personnes qu'il
connaissait, et il finit par réunir, vers cinq heures, quatre-vingts
francs.

Comme il lui en fallait trouver encore deux cents, il prit son
30 parti résolument, et, gardant ce qu'il avait recueilli, il murmura :
« Zut, je ne vais pas me faire de bile pour cette garce-là. Je la paierai quand je pourrai. »

Pendant quinze jours, il vécut d'une vie économe, réglée et
chaste, l'esprit plein de résolutions énergiques. Puis il fut pris
35 d'un grand désir d'amour. Il lui semblait que plusieurs années
s'étaient écoulées depuis qu'il n'avait tenu une femme dans ses
bras, et, comme le matelot qui s'affole en revoyant la terre, toutes
les jupes rencontrées le faisaient frissonner.

Alors il retourna, un soir, aux Folies-Bergère, avec l'espoir d'y
40 trouver Rachel. Il l'aperçut en effet, dès l'entrée, car elle ne quittait guère cet établissement.

Il alla vers elle en souriant, la main tendue. Mais elle le toisa
de la tête aux pieds :

« Qu'est-ce que vous me voulez ? »

45 Il essaya de rire : « Allons, ne fais pas ta poire[1]. »

Elle lui tourna les talons en déclarant : « Je ne fréquente pas
les dos verts[2]. »

Elle avait cherché la plus grossière injure. Il sentit le sang lui
empourprer la face, et il rentra seul.

50 Forestier, malade, affaibli, toussant toujours, lui faisait, au
journal, une existence pénible, semblait se creuser l'esprit pour
lui trouver des corvées ennuyeuses. Un jour même dans un
moment d'irritation nerveuse, et après une longue quinte
d'étouffement, comme Duroy ne lui apportait point un rensei-
55 gnement demandé, il grogna :

« Cristi, tu es plus bête que je n'aurais cru. »

L'autre faillit le gifler, mais il se contint et s'en alla en murmurant : « Toi, je te rattraperai. » Une pensée rapide lui traversa
l'esprit, et il ajouta : « Je te vas faire cocu, mon vieux. » Et il s'en
60 alla en se frottant les mains, réjoui par ce projet.

Il voulut, dès le jour suivant, en commencer l'exécution. Il fit
à Mme Forestier une visite en éclaireur.

Il la trouva qui lisait un livre, étendue tout au long sur son
canapé.

65 Elle lui tendit la main, sans bouger, tournant seulement la
tête, et elle dit : « Bonjour, Bel-Ami ! » Il eut la sensation d'un
soufflet reçu : « Pourquoi m'appelez-vous ainsi ? »

Elle répondit en souriant : « J'ai vu Mme de Marelle l'autre
semaine, et j'ai su comment on vous avait baptisé chez elle. »

---

1. *Ne fais pas ta poire* : ne sois pas méprisante.
2. *Dos verts* : souteneurs, proxénètes (argot).

70 Il se rassura devant l'air aimable de la jeune femme. Comment aurait-il pu craindre, d'ailleurs ?

Elle reprit : « Vous la gâtez ! Quant à moi, on me vient voir quand on y pense, les trente-six du mois, ou peu s'en faut ? »

Il s'était assis près d'elle et il la regardait avec une curiosité
75 nouvelle, une curiosité d'amateur qui bibelote[1]. Elle était charmante, blonde d'un blond tendre et chaud, faite pour les caresses ; et il pensa : « Elle est mieux que l'autre certainement. » Il ne doutait point du succès, il n'aurait qu'à allonger la main, lui semblait-il, et à la prendre, comme on cueille un fruit.

80 Il dit résolument : « Je ne venais point vous voir parce que cela valait mieux. »

Elle demanda, sans comprendre : « Comment ? Pourquoi ?

– Pourquoi ? Vous ne devinez pas ?

– Non, pas du tout.

85 – Parce que je suis amoureux de vous... oh ! un peu, rien qu'un peu... et que je ne veux pas le devenir tout à fait... »

Elle ne parut ni étonnée, ni choquée, ni flattée ; elle continuait de sourire du même sourire indifférent, et elle répondit avec tranquillité :

90 « Oh ! vous pouvez venir tout de même. On n'est jamais amoureux de moi longtemps. »

Il fut surpris du ton plus encore que des paroles, et il demanda : « Pourquoi ?

– Parce que c'est inutile et que je le fais comprendre tout de
95 suite. Si vous m'aviez raconté plus tôt votre crainte, je vous aurais rassuré et engagé au contraire à venir le plus possible. »

Il s'écria, d'un ton pathétique : « Avec ça qu'on peut commander aux sentiments ! »

Elle se tourna vers lui : « Mon cher ami, pour moi un homme
100 amoureux est rayé du nombre des vivants. Il devient idiot, pas

---

1. Bibelote : achète et collectionne des bibelots.

seulement idiot, mais dangereux. Je cesse, avec les gens qui m'aiment d'amour ou qui le prétendent, toute relation intime, parce qu'ils m'ennuient d'abord, et puis parce qu'ils me sont suspects comme un chien enragé qui peut avoir une crise. Je les mets donc en quarantaine[1] morale jusqu'à ce que leur maladie soit passée. Ne l'oubliez point. Je sais bien que chez vous l'amour n'est autre chose qu'une espèce d'appétit, tandis que chez moi ce serait, au contraire, une espèce de… de… de communion des âmes qui n'entre pas dans la religion des hommes. Vous en comprenez la lettre, et moi l'esprit. Mais… regardez-moi bien en face… »

Elle ne souriait plus. Elle avait un visage calme et froid, et elle dit en appuyant sur chaque mot : « Je ne serai jamais, jamais votre maîtresse, entendez-vous. Il est donc absolument inutile, il serait même mauvais pour vous de persister dans ce désir… Et maintenant que… l'opération est faite… voulez-vous que nous soyons amis, bons amis, mais là, de vrais amis, sans arrière-pensée ?… »

Il avait compris que toute tentative resterait stérile devant cette sentence sans appel. Il en prit son parti tout de suite, franchement, et, ravi de pouvoir se faire cette alliée dans l'existence, il lui tendit les deux mains :

« Je suis à vous, madame, comme il vous plaira. »

Elle sentit la sincérité de la pensée dans la voix, et elle donna ses mains.

Il les baisa, l'une après l'autre, puis il dit simplement en relevant la tête : « Cristi, si j'avais trouvé une femme comme vous, avec quel bonheur je l'aurais épousée ! »

Elle fut touchée, cette fois, caressée par cette phrase comme les femmes le sont par les compliments qui trouvent leur cœur, et elle lui jeta un de ces regards rapides et reconnaissants qui nous font leurs esclaves.

---

1. Quarantaine : isolement.

Puis, comme il ne trouvait pas de transition pour reprendre la conversation, elle prononça, d'une voix douce, en posant un doigt sur son bras :

« Et je vais commencer tout de suite mon métier d'amie. Vous êtes maladroit, mon cher… »

Elle hésita, et demanda : « Puis-je parler librement ?

– Oui.

– Tout à fait ?

– Tout à fait.

– Eh bien ! allez donc voir madame Walter, qui vous apprécie beaucoup, et plaisez-lui. Vous trouverez à placer par là vos compliments, bien qu'elle soit honnête, entendez-moi bien, tout à fait honnête. Oh ! pas d'espoir de… de maraudage[1] non plus de ce côté. Vous y pourrez trouver mieux, en vous faisant bien voir. Je sais que vous occupez encore dans le journal une place inférieure. Mais ne craignez rien, ils reçoivent tous les rédacteurs avec la même bienveillance. Allez-y, croyez-moi. »

Il dit, en souriant : « Merci, vous êtes un ange… un ange gardien. » Puis ils parlèrent de choses et d'autres.

Il resta longtemps, voulant prouver qu'il avait plaisir à se trouver près d'elle ; et, en la quittant, il demanda encore :

« C'est entendu, nous sommes des amis ?

– C'est entendu. »

Comme il avait senti l'effet de son compliment, tout à l'heure, il l'appuya, ajoutant :

« Et si vous deveniez jamais veuve. Je m'inscris. »

Puis il se sauva bien vite pour ne point lui laisser le loisir de se fâcher.

Une visite à Mme Walter gênait un peu Duroy, car il n'avait point été autorisé à se présenter chez elle, et il ne voulait pas

---

1. *Maraudage* : vol, chapardage. Madeleine sous-entend que Duroy ne pourra pas ravir Mme Walter à son mari.

commettre de maladresse. Le patron lui témoignait de la bienveillance, appréciait ses services, l'employait de préférence aux besognes difficiles ; pourquoi ne profiterait-il pas de cette faveur pour pénétrer dans la maison ?

Un jour donc, s'étant levé de bonne heure, il se rendit aux halles au moment des ventes, et il se procura, moyennant une dizaine de francs, une vingtaine d'admirables poires. Les ayant ficelées avec soin dans une bourriche[1] pour faire croire qu'elles venaient de loin, il les porta chez le concierge de la patronne avec sa carte où il avait écrit :

Georges Duroy
Prie humblement Mme Walter d'accepter ces quelques fruits
qu'il a reçus ce matin de Normandie.

Il trouva le lendemain dans sa boîte aux lettres, au journal, une enveloppe contenant, en retour, la carte de Mme Walter « qui remerciait bien vivement M. Georges Duroy, et restait chez elle tous les samedis ».

Le samedi suivant, il se présenta.

M. Walter habitait, boulevard Malesherbes[2], une maison double lui appartenant, et dont une partie était louée, procédé économique de gens pratiques. Un seul concierge, gîté entre les deux portes cochères, tirait le cordon[3] pour le propriétaire et pour le locataire, et donnait à chacune des entrées un grand air d'hôtel riche et comme il faut par sa belle tenue de suisse d'église[4], ses gros mollets emmaillotés en des bas blancs, et son vêtement de représentation à boutons d'or et à revers écarlates.

---

1. *Bourriche* : panier tressé.
2. *Boulevard Malesherbes* : boulevard des 8e et 17e arrondissements, habité par la haute bourgeoisie.
3. *Cordon* : cordon avec lequel le concierge ouvre la porte cochère.
4. *Suisse d'église* : dans une église, laïc chargé du bon ordre des processions et des cérémonies.

Les salons de réception étaient au premier étage, précédés
190 d'une antichambre tendue de tapisseries et enfermée par des
portières. Deux valets sommeillaient sur des sièges. Un d'eux
prit le pardessus de Duroy, et l'autre s'empara de sa canne,
ouvrit une porte, devança de quelques pas le visiteur, puis, s'effa-
çant, le laissa passer, en criant son nom dans un appartement
195 vide.

Le jeune homme, embarrassé, regardait de tous les côtés,
quand il aperçut dans une glace des gens assis et qui semblaient
fort loin. Il se trompa d'abord de direction, le miroir ayant égaré
son œil, puis il traversa encore deux salons vides pour arriver
200 dans une sorte de petit boudoir[1] tendu de soie bleue à boutons
d'or où quatre dames causaient à mi-voix autour d'une table
ronde qui portait des tasses de thé.

Malgré l'assurance qu'il avait gagnée dans son existence parisienne et surtout dans son métier de reporter qui le mettait inces-
205 samment en contact avec des personnages marquants, Duroy se
sentait un peu intimidé par la mise en scène de l'entrée et par la
traversée des salons déserts.

Il balbutia : « Madame, je me suis permis… » en cherchant de
l'œil la maîtresse de la maison.

210 Elle lui tendit la main qu'il prit en s'inclinant, et lui ayant dit :
« Vous êtes fort aimable, monsieur, de venir me voir », elle lui
montra un siège où, voulant s'asseoir, il se laissa tomber, l'ayant
cru beaucoup plus haut.

On s'était tu. Une des femmes se remit à parler. Il s'agissait
215 du froid qui devenait violent, pas assez cependant pour arrêter
l'épidémie de fièvre typhoïde ni pour permettre de patiner. Et
chacune donna son avis sur cette entrée en scène de la gelée à
Paris ; puis elles exprimèrent leurs préférences dans les saisons,

---

1. Boudoir : petite pièce à la décoration intime, réservée généralement aux
femmes.

avec toutes les raisons banales qui traînent dans les esprits
220 comme la poussière dans les appartements.

Un bruit léger de porte fit retourner la tête de Duroy et il
aperçut, à travers deux glaces sans tain[1], une grosse dame qui
s'en venait. Dès qu'elle apparut dans le boudoir une des visi-
teuses se leva, serra les mains, puis partit ; et le jeune homme
225 suivit du regard, par les autres salons, son dos noir où brillaient
des perles de jais[2].

Quand l'agitation de ce changement de personnes se fut
calmée, on parla spontanément, sans transition, de la question
du Maroc et de la guerre en Orient, et aussi des embarras de
230 l'Angleterre à l'extrémité de l'Afrique[3].

Ces dames discutaient ces choses de mémoire, comme si elles
eussent récité une comédie mondaine et convenable, répétée
bien souvent.

Une nouvelle entrée eut lieu, celle d'une petite blonde frisée,
235 qui détermina la sortie d'une grande personne sèche entre
deux âges.

---

1. *Sans tain* : qui permet d'observer par transparence sans être vu.
2. *Perles de jais* : perles taillées dans le jais, pierre fine d'un noir intense
et brillant.
3. La « question du Maroc », renvoie dans la réalité à la question de la Tunisie. En 1881, des Kroumirs (habitants de la Kroumirie, région montagneuse
située sur la frontière tuniso-algérienne) semèrent le trouble en Algérie,
département français. Prenant prétexte de ces exactions, Jules Ferry (1832-
1893) ordonna l'invasion du territoire tunisien. En mai 1881 fut signé le
traité du Bardo qui instaura le protectorat français en Tunisie. La France
garantit alors la dette tunisienne. À la suite de cette affaire, Jules Ferry dut
céder sa place de président du Conseil à Léon Gambetta. Notons que sur le
manuscrit de *Bel-Ami*, Maupassant avait d'abord parlé du Tonkin et, dans la
version publiée dans le *Gil Blas*, il évoquait l'Égypte, pays où il y eut réellement des révoltes en 1881. La « guerre d'Orient » semble faire allusion aux
conflits qui eurent lieu en Chine, en Turquie et en Égypte, les années précé-
dentes. Les « embarras de l'Angleterre » font référence au soulèvement en
Afrique du Sud des colons d'origine néerlandaise (les Boers) contre la domination britannique (1877-1884).

Et on parla des chances qu'avait M. Linet pour entrer à l'Académie[1]. La nouvelle venue pensait fermement qu'il serait battu par M. Cabanon-Lebas[2], l'auteur de la belle adaptation en vers
240 français de *Don Quichotte* pour le théâtre.

« Vous savez que ce sera joué à l'Odéon l'hiver prochain ?

– Ah ! vraiment. J'irai certainement voir cette tentative très littéraire. »

Mme Walter répondait gracieusement, avec calme et indiffé-
245 rence, sans hésiter jamais sur ce qu'elle devait dire, son opinion étant toujours prête d'avance.

Mais elle s'aperçut que la nuit venait et elle sonna pour les lampes, tout en écoutant la causerie qui coulait comme un ruisseau de guimauve, et en pensant qu'elle avait oublié de passer
250 chez le graveur pour les cartes d'invitation du prochain dîner.

Elle était un peu trop grasse, belle encore, à l'âge dangereux où la débâcle est proche. Elle se maintenait à force de soins, de précautions, d'hygiène et de pâtes pour la peau. Elle semblait sage en tout, modérée et raisonnable, une de ces femmes dont
255 l'esprit est aligné comme un jardin français. On y circule sans surprise, tout en y trouvant un certain charme. Elle avait de la raison, une raison fine, discrète et sûre qui lui tenait lieu de fantaisie, de la bonté, du dévouement, et une bienveillance tranquille, large pour tout le monde et pour tout.

260 Elle remarqua que Duroy n'avait rien dit, qu'on ne lui avait point parlé, et qu'il semblait un peu contraint ; et comme ces dames n'étaient point sorties de l'Académie, ce sujet préféré les retenant toujours longtemps, elle demanda : « Et vous qui devez être renseigné mieux que personne, monsieur Duroy, pour qui
265 sont vos préférences ? »

---

1. Académie : Académie française, chargée de la rédaction du *Dictionnaire*, mais, surtout, lieu de consécration littéraire.
2. Linet, Cabanon-Lebas : noms fictifs.

Il répondit sans hésiter : « Dans cette question, madame, je n'envisagerais jamais le mérite, toujours contestable, des candidats, mais leur âge et leur santé. Je ne demanderais point leurs titres, mais leur mal. Je ne rechercherais point s'ils ont fait une traduction rimée de Lope de Vega[1], mais j'aurais soin de m'informer de l'état de leur foie, de leur cœur, de leurs reins et de leur moelle épinière. Pour moi, une bonne hypertrophie[2], une bonne albuminurie[3], et surtout un bon commencement d'ataxie locomotrice[4] vaudraient cent fois mieux que quarante volumes de digressions sur l'idée de patrie dans la poésie barbaresque[5]. »

Un silence étonné suivit cette opinion.

Mme Walter, souriant, reprit : « Pourquoi donc ? » Il répondit : « Parce que je ne cherche jamais que le plaisir qu'une chose peut causer aux femmes. Or, madame, l'Académie n'a vraiment d'intérêt pour vous que lorsqu'un académicien meurt. Plus il en meurt, plus vous devez être heureuses. Mais pour qu'ils meurent vite, il faut les nommer vieux et malades. »

Comme on demeurait un peu surpris, il ajouta : « Je suis comme vous d'ailleurs et j'aime beaucoup lire dans les échos de Paris le décès d'un académicien. Je me demande tout de suite : "Qui va le remplacer ?" Et je fais ma liste. C'est un jeu, un petit jeu très gentil auquel on joue dans tous les salons parisiens à chaque trépas d'immortel : "Le jeu de la mort et des quarante vieillards[6]." »

---

1. *Lope de Vega* : écrivain espagnol (1562-1635), mais qui n'est pas l'auteur de *Don Quichotte*. Duroy le confond-il avec Cervantès (voir note 5, p. 101) ?
2. *Hypertrophie* : croissance anormale d'un organe.
3. *Albuminurie* : pathologie caractérisée par la présence d'albumine dans les urines.
4. *Ataxie locomotrice* : pathologie caractérisée par l'impossibilité de maîtriser et de coordonner les mouvements du corps au point d'entraver la marche.
5. *Poésie barbaresque* : allusion, sans doute, aux *Poèmes barbares* (1862) de Leconte de Lisle (1818-1894). L'adjectif désigne ce qui a trait aux pays d'Afrique du Nord (pays berbères).
6. L'Académie (voir note 1, p. 160) compte quarante membres. L'ironie de Duroy vient du fait qu'on nomme les académiciens les « immortels ».

290 Ces dames, un peu déconcertées encore, commençaient cependant à sourire, tant était juste sa remarque.

Il conclut en se levant : « C'est vous qui les nommez, mesdames, et vous ne les nommez que pour les voir mourir. Choisissez-les donc vieux, très vieux, le plus vieux possible, et ne vous 295 occupez jamais du reste. »

Puis il s'en alla avec beaucoup de grâce.

Dès qu'il fut parti, une des femmes déclara : « Il est drôle, ce garçon. Qui est-ce ? » Mme Walter répondit : « Un de nos rédacteurs, qui ne fait encore que la menue besogne du journal, mais 300 je ne doute pas qu'il arrive vite. »

Duroy descendait le boulevard Malesherbes gaiement, à grands pas dansants, content de sa sortie et murmurant : « Bon départ. »

Il se réconcilia avec Rachel, ce soir-là.

305 La semaine suivante lui apporta deux événements. Il fut nommé chef des Échos et invité à dîner chez Mme Walter. Il vit tout de suite un lien entre les deux nouvelles.

La Vie française était avant tout un journal d'argent, le patron étant un homme d'argent à qui la presse et la députation[1] 310 avaient servi de leviers. Se faisant de la bonhomie une arme, il avait toujours manœuvré sous un masque souriant de brave homme, mais il n'employait à ses besognes, quelles qu'elles fussent, que des gens qu'il avait tâtés, éprouvés, flairés, qu'il sentait retors, audacieux et souples. Duroy, nommé chef des Échos, 315 lui semblait un garçon précieux.

Cette fonction avait été remplie jusque-là par le secrétaire de la rédaction, M. Boisrenard, un vieux journaliste correct, ponctuel et méticuleux comme un employé. Depuis trente ans, il avait été secrétaire de la rédaction de onze journaux différents, sans 320 modifier en rien sa manière de faire ou de voir. Il passait d'une

---

1. *Députation* : fonction de député.

rédaction dans une autre comme on change de restaurant, s'apercevant à peine que la cuisine n'avait pas tout à fait le même goût. Les opinions politiques et religieuses lui demeuraient étrangères. Il était dévoué au journal quel qu'il fût, entendu dans la besogne et précieux par son expérience. Il travaillait comme un aveugle qui ne voit rien, comme un sourd qui n'entend rien, et comme un muet qui ne parle jamais de rien. Il avait cependant une grande loyauté professionnelle, et ne se fût point prêté à une chose qu'il n'aurait pas jugée honnête, loyale et correcte, au point de vue spécial de son métier.

M. Walter, qui l'appréciait cependant, avait souvent désiré un autre homme pour lui confier les Échos, qui sont, disait-il, la moelle du journal. C'est par eux qu'on lance les nouvelles, qu'on fait courir les bruits, qu'on agit sur le public et sur la rente[1]. Entre deux soirées mondaines, il faut savoir glisser, sans avoir l'air de rien, la chose importante, plutôt insinuée que dite. Il faut, par des sous-entendus, laisser deviner ce qu'on veut, démentir de telle sorte que la rumeur s'affirme, ou affirmer de telle manière que personne ne croie au fait annoncé. Il faut que, dans les échos, chacun trouve, chaque jour, une ligne au moins qui l'intéresse, afin que tout le monde les lise. Il faut penser à tout et à tous, à tous les mondes, à toutes les professions, à Paris et à la Province, à l'Armée et aux Peintres, au Clergé et à l'Université, aux Magistrats et aux Courtisanes.

L'homme qui les dirige et qui commande au bataillon des reporters doit être toujours en éveil, et toujours en garde, méfiant, prévoyant, rusé, alerte et souple, armé de toutes les astuces et doué d'un flair infaillible pour découvrir la nouvelle fausse du premier coup d'œil, pour juger ce qui est bon à dire et bon à celer[2], pour deviner ce qui portera sur le public ; et il doit savoir le présenter de telle façon que l'effet en soit multiplié.

---

1. Rente : profit, revenu annuel.
2. Celer : cacher.

M. Boisrenard, qui avait pour lui une longue pratique, manquait de maîtrise et de chic ; il manquait surtout de la rouerie native qu'il fallait pour pressentir chaque jour les idées secrètes du patron.

Duroy devait faire l'affaire en perfection, et il complétait admirablement la rédaction de cette feuille « qui naviguait sur les fonds de l'État et sur les bas-fonds de la politique », selon l'expression de Norbert de Varenne.

Les inspirateurs et véritables rédacteurs de *La Vie française* étaient une demi-douzaine de députés intéressés dans toutes les spéculations que lançait ou que soutenait le directeur. On les nommait à la Chambre « la bande à Walter » et on les enviait parce qu'ils devaient gagner de l'argent avec lui et par lui.

Forestier, rédacteur politique, n'était que l'homme de paille[1] de ces hommes d'affaires ; l'exécuteur des intentions suggérées par eux. Ils lui soufflaient ses articles de fond qu'il allait toujours écrire chez lui pour être tranquille, disait-il.

Mais, afin de donner au journal une allure littéraire et parisienne, on y avait attaché deux écrivains célèbres en des genres différents, Jacques Rival, chroniqueur d'actualité, et Norbert de Varenne, poète et chroniqueur fantaisiste, ou plutôt conteur, suivant la nouvelle école[2].

Puis on s'était procuré, à bas prix, des critiques d'art, de peinture, de musique, de théâtre, un rédacteur criminaliste et un rédacteur hippique[3], parmi la grande tribu mercenaire des écrivains à tout faire. Deux femmes du monde, « Domino rose » et « Patte blanche » envoyaient des variétés mondaines, traitaient les questions de mode, de vie élégante, d'étiquette, de savoir-vivre, et commettaient des indiscrétions sur les grandes dames.

---

1. *Homme de paille* : voir note 1, p. 14.
2. S'agit-il de l'école symboliste, en rupture radicale avec le naturalisme et qui prend son essor dans les années 1880 ?
3. *Hippique* : spécialisé dans les courses de chevaux.

Et *La Vie française* « naviguait sur les fonds et bas-fonds », manœuvrée par toutes ces mains différentes.

Duroy était dans toute la joie de sa nomination aux fonctions de chef des Échos quand il reçut un petit carton gravé, où il lut :
385 « M. et Mme Walter prient monsieur Georges Duroy de leur faire le plaisir de venir dîner chez eux le jeudi 20 janvier. »

Cette nouvelle faveur, tombant sur l'autre, l'emplit d'une telle joie qu'il baisa l'invitation comme il eût fait d'une lettre d'amour. Puis il alla trouver le caissier pour traiter la grosse question des
390 fonds.

Un chef des Échos a généralement son budget sur lequel il paie ses reporters et les nouvelles, bonnes ou médiocres, apportées par l'un ou l'autre, comme les jardiniers apportent leurs fruits chez un marchand de primeurs.

395 Douze cents francs par mois, au début, étaient alloués à Duroy, qui se proposait bien d'en garder une forte partie.

Le caissier, sur ses représentations pressantes, avait fini par lui avancer quatre cents francs. Il eut, au premier moment, l'intention formelle de renvoyer à Mme de Marelle les deux cent
400 quatre-vingts francs qu'il lui devait, mais il réfléchit presque aussitôt qu'il ne lui resterait plus entre les mains que cent vingt francs, somme tout à fait insuffisante pour faire marcher, d'une façon convenable, son nouveau service, et il remit cette restitution à des temps plus éloignés.

405 Pendant deux jours, il s'occupa de son installation, car il héritait d'une table particulière et de casiers à lettres, dans la vaste pièce commune à toute la rédaction. Il occupait un bout de cette pièce, tandis que Boisrenard, dont les cheveux d'un noir d'ébène, malgré son âge, étaient toujours penchés sur une feuille
410 de papier, tenait l'autre bout.

La longue table du centre appartenait aux rédacteurs volants[1]. Généralement, elle servait de banc pour s'asseoir, soit

---

1. **Rédacteurs volants** : rédacteurs sans journal attitré, journalistes « pigistes ».

les jambes pendantes le long des bords, soit à la turque sur le milieu. Ils étaient quelquefois cinq ou six accroupis sur cette
415 table, et jouant au bilboquet avec persévérance, dans une pose de magots[1] chinois.

Duroy avait fini par prendre goût à ce divertissement et il commençait à devenir fort, sous la direction et grâce aux conseils de Saint-Potin.

420 Forestier, de plus en plus souffrant, lui avait confié son beau bilboquet en bois des îles, le dernier acheté, qu'il trouvait un peu lourd, et Duroy manœuvrait d'un bras vigoureux la grosse boule noire au bout de sa corde, en comptant tout bas : « Un – deux – trois – quatre – cinq – six. »

425 Il arriva justement, pour la première fois, à faire vingt fois de suite, le jour même où il devait dîner chez Mme Walter. « Bonne journée, pensa-t-il, j'ai tous les succès. » Car l'adresse au bilboquet conférait vraiment une sorte de supériorité, dans les bureaux de *La Vie française*.

430 Il quitta la rédaction de bonne heure pour avoir le temps de s'habiller, et il remontait la rue de Londres, quand il vit trotter devant lui une petite femme qui avait la tournure de Mme de Marelle. Il sentit une chaleur lui monter au visage, et son cœur se mit à battre. Il traversa la rue pour la regarder de profil.
435 Elle s'arrêta pour traverser aussi. Il s'était trompé ; il respira.

Il s'était souvent demandé comment il devrait se comporter en la rencontrant face à face. La saluerait-il, ou bien aurait-il l'air de ne la point voir ?

« Je ne la verrais pas », pensa-t-il.

440 Il faisait froid, les ruisseaux gelés gardaient des empâtements de glace. Les trottoirs étaient secs et gris sous la lueur du gaz.

Quand le jeune homme entra chez lui, il songea : « Il faut que je change de logement. Cela ne me suffit plus maintenant. » Il se

---

1. *Magots* : bibelots d'Extrême-Orient représentant un personnage grotesque.

sentait nerveux et gai, capable de courir sur les toits, et il répétait
445 tout haut, en allant de son lit à la fenêtre : « C'est la fortune qui
arrive ! c'est la fortune ! Il faudra que j'écrive à papa. »

De temps en temps, il écrivait à son père ; et la lettre apportait toujours une joie vive dans le petit cabaret normand, au bord
de la route, au haut de la grande côte d'où l'on domine Rouen
450 et la large vallée de la Seine.

De temps en temps aussi, il recevait une enveloppe bleue
dont l'adresse était tracée d'une grosse écriture tremblée, et il
lisait infailliblement les mêmes lignes au début de la lettre
paternelle :
455 « Mon cher fils, la présente est pour te dire que nous allons
bien, ta mère et moi. Pas grand-chose de nouveau dans le pays.
Je t'apprendrai cependant... »

Et il gardait au cœur un intérêt pour les choses du village,
pour les nouvelles des voisins et pour l'état des terres et des
460 récoltes.

Il se répétait, en nouant sa cravate blanche devant sa petite
glace : « Il faut que j'écrive à papa dès demain. S'il me voyait, ce
soir, dans la maison où je vais, serait-il épaté, le vieux ! Sacristi,
je ferai tout à l'heure un dîner comme il n'en a jamais fait. » Et
465 il revit brusquement la cuisine noire de là-bas, derrière la salle de
café vide, les casseroles jetant des lueurs jaunes le long des murs,
le chat dans la cheminée, le nez au feu, avec sa pose de Chimère[1]
accroupie, la table de bois graissée par le temps et par les
liquides répandus, une soupière fumant au milieu, et une chan-
470 delle allumée entre deux assiettes. Et il les aperçut aussi,
l'homme et la femme, le père et la mère, les deux paysans aux
gestes lents, mangeant la soupe à petites gorgées. Il connaissait
les moindres plis de leurs vieilles figures, les moindres

---

1. *Chimère* : animal fabuleux, généralement à tête de lion, corps de chèvre
et queue de dragon.

mouvements de leurs bras et de leur tête. Il savait même ce qu'ils
475 se disaient, chaque soir, en soupant face à face.

Il pensa encore : « Il faudra pourtant que je finisse par aller
les voir. » Mais comme sa toilette était terminée, il souffla sa
lumière et descendit.

Le long du boulevard extérieur, des filles l'accostèrent.

480 Il leur répondait en dégageant son bras : « Fichez-moi donc la
paix ! » avec un dédain violent, comme si elles l'eussent insulté,
méconnu… Pour qui le prenaient-elles ? Ces rouleuses-là ne
savaient donc point distinguer les hommes ? La sensation de son
habit noir endossé pour aller dîner chez des gens très riches, très
485 connus, très importants, lui donnait le sentiment d'une personnalité nouvelle, la conscience d'être devenu un autre homme, un
homme du monde, du vrai monde.

Il entra avec assurance dans l'antichambre éclairée par les
hautes torchères[1] de bronze et il remit, d'un geste naturel, sa
490 canne et son pardessus aux deux valets qui s'étaient approchés
de lui.

Tous les salons étaient illuminés. Mme Walter recevait dans
le second, le plus grand. Elle l'accueillit avec un sourire charmant, et il serra la main des deux hommes arrivés avant lui,
495 M. Firmin et M. Laroche-Mathieu, députés rédacteurs anonymes
de *La Vie française*. M. Laroche-Mathieu avait dans le journal
une autorité spéciale provenant d'une grande influence sur la
Chambre. Personne ne doutait qu'il ne fût ministre un jour.

Puis arrivèrent les Forestier, la femme en rose, et ravissante.
500 Duroy fut stupéfait de la voir intime avec les deux représentants
du pays. Elle causa tout bas, au coin de la cheminée, pendant
plus de cinq minutes, avec M. Laroche-Mathieu. Charles paraissait exténué. Il avait maigri beaucoup depuis un mois, et il toussait sans cesse en répétant : « Je devrais me décider à aller finir
505 l'hiver dans le Midi. »

---

1. *Torchères* : chandeliers.

Norbert de Varenne et Jacques Rival apparurent ensemble. Puis une porte s'étant ouverte au fond de l'appartement, M. Walter entra avec deux grandes jeunes filles de seize et dix-huit ans, une laide et l'autre jolie.

510 Duroy savait pourtant que le patron était père de famille, mais il fut saisi d'étonnement. Il n'avait jamais songé aux filles de son directeur que comme on songe aux pays lointains qu'on ne verra jamais. Et puis il se les était figurées toutes petites et il voyait des femmes. Il en ressentait le léger trouble moral que pro-
515 duit un changement à vue[1].

Elles lui tendirent la main, l'une après l'autre, après la présentation, et elles allèrent s'asseoir à une petite table qui leur était sans doute réservée, où elles se mirent à remuer un tas de bobines de soie dans une bannette[2].

520 On attendait encore quelqu'un et on demeurait silencieux, dans cette sorte de gêne qui précède les dîners entre gens qui ne se trouvent pas dans la même atmosphère d'esprit, après les occupations différentes de leur journée. Duroy ayant levé par désœuvrement les yeux vers le mur, M. Walter lui dit, de loin,
525 avec un désir visible de faire valoir son bien : « Vous regardez *mes* tableaux ? »

Le *mes* sonna. « Je vais vous les montrer. » Et il prit une lampe pour qu'on pût distinguer tous les détails.

« Ici les paysages », dit-il.

530 Au centre du panneau on voyait une grande toile de Guillemet[3], une plage de Normandie sous un ciel d'orage. Au-dessous, un bois de Harpignies[4], puis une plaine d'Algérie, par

---

1. Changement à vue : au théâtre, changement rapide de décor qui a lieu sous les yeux du spectateur.

2. Bannette : petit panier en osier ou en bois léger.

3. Antoine Guillemet (1841-1918), peintre paysagiste. Il a fait du canotage avec Maupassant.

4. Henri Harpignies (1819-1916), peintre paysagiste très en vogue au XIXe siècle.

Guillaumet[1], avec un chameau à l'horizon, un grand chameau sur ses hautes jambes, pareil à un étrange monument.

535 M. Walter passa au mur voisin et annonça, avec un ton sérieux, comme un maître de cérémonies : « La grande peinture. » C'étaient quatre toiles : une *Visite d'hôpital*, par Gervex[2] ; une *Moissonneuse*, par Bastien-Lepage[3] ; une *Veuve*, par Bouguereau[4], et une *Exécution*, par Jean-Paul Laurens[5]. Cette dernière
540 œuvre représentait un prêtre vendéen fusillé contre le mur de son église par un détachement de Bleus[6].

Un sourire passa sur la figure grave du patron en indiquant le panneau suivant : « Ici les fantaisistes[7]. » On apercevait d'abord une petite toile de Jean Béraud[8], intitulée : *Le Haut et le bas*.
545 C'était une jolie Parisienne montant l'escalier d'un tramway en marche. Sa tête apparaissait au niveau de l'impériale[9], et les messieurs assis sur les bancs découvraient, avec une satisfaction avide, le jeune visage qui venait vers eux, tandis que les hommes debout sur la plate-forme du bas considéraient les jambes de la jeune
550 femme avec une expression différente de dépit et de convoitise.

1. *Gustave Guillaumet* (1840-1887), peintre orientaliste réputé, également écrivain (*Tableaux algériens*, 1879-1884).
2. *Henri Gervex* (1852-1929), peintre ami de Maupassant (il a fait son portrait au pastel).
3. *Jules Bastien-Lepage* (1848-1884), peintre spécialisé dans les scènes paysannes.
4. *William Bouguereau* (1825-1905), un des plus sûrs représentants de l'académisme.
5. *Jean-Paul Laurens* (1838-1921), peintre réputé pour ses scènes religieuses.
6. La guerre de Vendée est la guerre civile qui opposa partisans (Bleus) et adversaires (Blancs) du mouvement révolutionnaire dans l'ouest de la France, au cours de la Révolution française, entre l'an I et l'an IV du calendrier républicain (1793-1796), et plus particulièrement pendant la Ire République.
7. *Fantaisistes* : peintres spécialisés dans la représentation de scènes anecdotiques, piquantes ou plaisantes.
8. *Jean Béraud* (1849-1935), peintre apprécié pour ses vues parisiennes réalistes et anecdotiques.
9. *Impériale* : partie supérieure d'un moyen de transport public.

M. Walter tenait la lampe à bout de bras, et répétait en riant d'un rire polisson : « Hein ? Est-ce drôle ? est-ce drôle ? »

Puis il éclaira : *Un sauvetage*, par Lambert[1].

555 Au milieu d'une table desservie, un jeune chat, assis sur son derrière, examinait avec étonnement et perplexité une mouche se noyant dans un verre d'eau. Il avait une patte levée, prêt à cueillir l'insecte d'un coup rapide. Mais il n'était point décidé. Il hésitait. Que ferait-il ?

Puis le patron montra un Détaille[2] : *La Leçon*, qui représen-560 tait un soldat dans une caserne, apprenant à un caniche à jouer du tambour, et il déclara : « En voilà de l'esprit ! »

Duroy riait d'un rire approbateur et s'extasiait :

« Comme c'est charmant, comme c'est charmant, char... » Il s'arrêta net, en entendant derrière lui la voix de Mme de Marelle 565 qui venait d'entrer.

Le patron continuait à éclairer les toiles, en les expliquant.

Il montrait maintenant une aquarelle de Maurice Leloir[3] : *L'Obstacle*. C'était une chaise à porteurs arrêtée, la rue se trouvant barrée par une bataille entre deux hommes du peuple, deux 570 gaillards luttant comme des hercules. Et on voyait sortir par la fenêtre de la chaise un ravissant visage de femme qui regardait... qui regardait... sans impatience, sans peur, et avec une certaine admiration le combat de ces deux brutes.

M. Walter disait toujours : « J'en ai d'autres dans les pièces 575 suivantes, mais ils sont de gens moins connus, moins classés. Ici

---

1. *Louis Eugène Lambert* (1825-1900) jouit d'une réputation mondiale comme peintre animalier. Il peignit en particulier des chiens et des chats (d'où son surnom de « Raphaël des chats »).
2. *Édouard Détaille* (1842-1912), peintre de scènes militaires.
3. *Maurice Leloir* (1853-1940), peintre moins connu que son frère Louis (1843-1884), mais qui fut un ami de Maupassant : c'est dans son atelier que, le 19 avril 1875, fut représentée *À la feuille de rose*, pièce licencieuse de Maupassant.

c'est mon Salon carré[1]. J'achète des jeunes en ce moment, des tout jeunes, et je les mets en réserve dans les appartements intimes, en attendant le moment où les auteurs seront célèbres. » Puis il prononça tout bas :

580 « C'est l'instant d'acheter des tableaux. Les peintres crèvent de faim. Ils n'ont pas le sou, pas le sou... »

Mais Duroy ne voyait rien, entendait sans comprendre. Mme de Marelle était là, derrière lui. Que devait-il faire ? S'il la saluait, n'allait-elle point lui tourner le dos ou lui jeter quelque 585 insolence ? S'il ne s'approchait pas d'elle, que penserait-on ?

Il se dit : « Je vais toujours gagner du temps. » Il était tellement ému qu'il eut l'idée un moment de simuler une indisposition subite qui lui permettrait de s'en aller.

La visite des murs était finie. Le patron alla reposer sa lampe 590 et saluer la dernière venue, tandis que Duroy recommençait tout seul l'examen des toiles comme s'il ne se fût pas lassé de les admirer.

Il avait l'esprit bouleversé. Que devait-il faire ? Il entendait les voix, il distinguait la conversation. Mme Forestier l'appela : 595 « Dites donc, monsieur Duroy. » Il courut vers elle. C'était pour lui recommander une amie qui donnait une fête et qui aurait bien voulu une citation dans les Échos de *La Vie française*.

Il balbutiait : « Mais certainement, madame, certainement... »

Mme de Marelle se trouvait maintenant tout près de lui. Il 600 n'osait point se retourner pour s'en aller.

Tout à coup, il se crut devenu fou ; elle avait dit, à haute voix : « Bonjour, Bel-Ami. Vous ne me reconnaissez donc plus ? »

Il pivota sur ses talons avec rapidité. Elle se tenait debout devant lui, souriante, l'œil plein de gaieté et d'affection. Et elle 605 lui tendit la main.

---

1. *Salon carré* : salle du Louvre où se tenait traditionnellement le « Salon », exposition d'artistes agréés par l'Académie des beaux-arts.

Il la prit en tremblant, craignant encore quelque ruse et quelque perfidie. Elle ajouta avec sérénité :

« Que devenez-vous ? On ne vous voit plus. »

Il bégayait, sans parvenir à reprendre son sang-froid :

610 « Mais j'ai eu beaucoup à faire, madame, beaucoup à faire. M. Walter m'a confié un nouveau service qui me donne énormément d'occupation. »

Elle répondit, en le regardant toujours en face, sans qu'il pût découvrir dans son œil autre chose que de la bienveillance : « Je 615 le sais. Mais ce n'est pas une raison pour oublier vos amis. »

Ils furent séparés par une grosse dame qui entrait, une grosse dame décolletée, aux bras rouges, aux joues rouges, vêtue et coiffée avec prétention, et marchant si lourdement qu'on sentait, à la voir aller, le poids et l'épaisseur de ses cuisses.

620 Comme on paraissait la traiter avec beaucoup d'égards, Duroy demanda à Mme Forestier :

« Quelle est cette personne ?

– La vicomtesse de Percemur, celle qui signe : "Patte blanche". »

625 Il fut stupéfait et saisi par une envie de rire : « Patte blanche ! Patte blanche ! Moi qui voyais, en pensée, une jeune femme comme vous ! C'est ça, Patte blanche ? Ah ! elle est bien bonne ! bien bonne ! »

Un domestique apparut dans la porte et annonça :

630 « Madame est servie. »

Le dîner fut banal et gai, un de ces dîners où l'on parle de tout sans rien dire. Duroy se trouvait entre la fille aînée du patron, la laide, Mlle Rose, et Mme de Marelle. Ce dernier voisinage le gênait un peu, bien qu'elle eût l'air fort à l'aise et causât avec son 635 esprit ordinaire. Il se troubla d'abord, contraint, hésitant, comme un musicien qui a perdu le ton. Peu à peu, cependant, l'assurance lui revenait, et leurs yeux, se rencontrant sans cesse, s'interrogeaient, mêlaient leurs regards, d'une façon intime, presque sensuelle, comme autrefois.

640 Tout à coup, il crut sentir, sous la table, quelque chose effleurer son pied. Il avança doucement la jambe et rencontra celle de sa voisine qui ne recula point à ce contact. Ils ne parlaient pas, en ce moment, tournés tous deux vers leurs autres voisins.

Duroy, le cœur battant, poussa un peu plus son genou. Une
645 pression légère lui répondit. Alors il comprit que leurs amours recommençaient.

Que dirent-ils ensuite ? Pas grand-chose ; mais leurs lèvres frémissaient chaque fois qu'ils se regardaient.

Le jeune homme, cependant, voulant être aimable pour la
650 fille de son patron, lui adressait une phrase de temps en temps. Elle y répondait, comme l'aurait fait sa mère, n'hésitant jamais sur ce qu'elle devait dire.

À la droite de M. Walter, la vicomtesse de Percemur prenait des allures de princesse ; et Duroy, s'égayant à la regarder,
655 demanda tout bas à Mme de Marelle :

« Est-ce que vous connaissez l'autre, celle qui signe : "Domino rose" ?

– Oui, parfaitement ; la baronne de Livar.

– Est-elle du même cru ?

660 – Non. Mais aussi drôle. Une grande sèche, soixante ans, frisons[1] faux, dents à l'anglaise[2], esprit de la Restauration[3], toilettes même époque.

– Où ont-ils déniché ces phénomènes de lettres ?

– Les épaves de la noblesse sont toujours recueillies par les
665 bourgeois parvenus[4].

---

1. *Frisons* : boucles de cheveux.

2. *Dents à l'anglaise* : dents longues et proéminentes (familier).

3. *Restauration* : période où les Bourbons (Louis XVIII, Charles X) reviennent au pouvoir, entre 1814 et 1830. Avoir « un esprit de la Restauration », c'est donc être attaché à la monarchie et à ses valeurs.

4. *Parvenus* : individus qui se sont enrichis et élevés socialement sans pour autant avoir acquis les usages, la culture de leur nouvelle classe (terme péjoratif).

– Pas d'autre raison ?

– Aucune autre. »

Puis une discussion politique commença entre le patron, les deux députés, Norbert de Varenne et Jacques Rival ; et elle dura jusqu'au dessert.

Quand on fut retourné dans le salon, Duroy s'approcha de nouveau de Mme de Marelle, et, la regardant au fond des yeux : « Voulez-vous que je vous reconduise, ce soir ?

– Non.

– Pourquoi ?

– Parce que M. Laroche-Mathieu, qui est mon voisin, me laisse à ma porte chaque fois que je dîne ici.

– Quand vous verrai-je ?

– Venez déjeuner avec moi, demain. »

Et ils se séparèrent sans rien dire de plus.

Duroy ne resta pas tard, trouvant monotone la soirée. Comme il descendait l'escalier, il rattrapa Norbert de Varenne qui venait aussi de partir. Le vieux poète lui prit le bras. N'ayant plus à redouter de rivalité dans le journal, leur collaboration étant essentiellement différente, il témoignait maintenant au jeune homme une bienveillance d'aïeul.

« Eh bien, vous allez me reconduire un bout de chemin ? » dit-il.

Duroy répondit : « Avec joie, cher maître. »

Et ils se mirent en route, en descendant le boulevard Malesherbes, à petits pas.

Paris était presque désert cette nuit-là, une nuit froide, une de ces nuits qu'on dirait plus vastes que les autres, où les étoiles sont plus hautes, où l'air semble apporter dans ses souffles glacés quelque chose venu de plus loin que les astres.

Les deux hommes ne parlèrent point dans les premiers moments. Puis Duroy, pour dire quelque chose, prononça :

« Ce M. Laroche-Mathieu a l'air fort intelligent et fort instruit. »

700   Le vieux poète murmura : « Vous trouvez ? »

Le jeune homme, surpris, hésitait : « Mais oui ; il passe d'ailleurs pour un des hommes les plus capables de la Chambre.

– C'est possible. Dans le royaume des aveugles les borgnes sont rois. Tous ces gens-là, voyez-vous, sont des médiocres, parce 705 qu'ils ont l'esprit entre deux murs – l'argent et la politique. Ce sont des cuistres[1], mon cher, avec qui il est impossible de parler de rien, de rien de ce que nous aimons. Leur intelligence est à fond de vase, ou plutôt à fond de dépotoir, comme la Seine à Asnières.

710   « Ah ! c'est qu'il est difficile de trouver un homme qui ait de l'espace dans la pensée, qui vous donne la sensation de ces grandes haleines du large qu'on respire sur les côtes de la mer. J'en ai connu quelques-uns, ils sont morts. »

Norbert de Varenne parlait d'une voix claire, mais retenue, 715 qui aurait sonné dans le silence de la nuit s'il l'avait laissée s'échapper. Il semblait surexcité et triste, d'une de ces tristesses qui tombent parfois sur les âmes et les rendent vibrantes comme la terre sous la gelée.

Il reprit : « Qu'importe, d'ailleurs, un peu plus ou un peu 720 moins de génie, puisque tout doit finir ! »

Et il se tut. Duroy, qui se sentait le cœur gai, ce soir-là, dit, en souriant : « Vous avez du noir, aujourd'hui, cher maître. »

Le poète répondit : « J'en ai toujours, mon enfant, et vous en aurez autant que moi dans quelques années. La vie est une côte. 725 Tant qu'on monte, on regarde le sommet, et on se sent heureux ; mais, lorsqu'on arrive en haut, on aperçoit tout d'un coup la descente, et la fin, qui est la mort. Ça va lentement quand on monte, mais ça va vite quand on descend. À votre âge, on est joyeux. On espère tant de choses, qui n'arrivent jamais, d'ailleurs. Au mien, 730 on n'attend plus rien... que la mort. »

---

1. *Cuistres* : hommes vaniteux, qui étalent leur savoir.

Duroy se mit à rire : « Bigre, vous me donnez froid dans le dos. »

Norbert de Varenne reprit : « Non, vous ne me comprenez pas aujourd'hui, mais vous vous rappellerez plus tard ce que je vous dis en ce moment.

« Il arrive un jour, voyez-vous, et il arrive de bonne heure pour beaucoup, où c'est fini de rire, comme on dit, parce que derrière tout ce qu'on regarde c'est la mort qu'on aperçoit.

« Oh ! vous ne comprenez même pas ce mot-là, vous, la mort. À votre âge, ça ne signifie rien. Au mien, il est terrible.

« Oui, on le comprend tout d'un coup, on ne sait pas pourquoi ni à propos de quoi, et alors tout change d'aspect, dans la vie. Moi, depuis quinze ans, je la sens qui me travaille comme si je portais en moi une bête rongeuse. Je l'ai sentie peu à peu, mois par mois, heure par heure, me dégrader ainsi qu'une maison qui s'écroule. Elle m'a défiguré si complètement que je ne me reconnais pas. Je n'ai plus rien de moi, de moi l'homme radieux, frais et fort, que j'étais à trente ans. Je l'ai vue teindre en blanc mes cheveux noirs, et avec quelle lenteur savante et méchante ! Elle m'a pris ma peau ferme, mes muscles, mes dents, tout mon corps de jadis, ne me laissant qu'une âme désespérée qu'elle enlèvera bientôt aussi.

« Oui, elle m'a émietté, la gueuse, elle a accompli doucement et terriblement la longue destruction de mon être, seconde par seconde. Et maintenant je me sens mourir en tout ce que je fais. Chaque pas m'approche d'elle, chaque mouvement, chaque souffle hâte son odieuse besogne. Respirer, dormir, boire, manger, travailler, rêver, tout ce que nous faisons, c'est mourir. Vivre enfin, c'est mourir !

« Oh ! vous saurez cela ! Si vous réfléchissiez seulement un quart d'heure, vous la verriez.

« Qu'attendez-vous ? de l'amour ? Encore quelques baisers, et vous serez impuissant[1].

---

1. Impuissant : incapable d'avoir une relation sexuelle.

« Et puis, après ? de l'argent ? Pour quoi faire ? pour payer
765 des femmes ? Joli bonheur ! Pour manger beaucoup, devenir
obèse et crier des nuits entières sous les morsures de la goutte[1] ?

« Et puis encore ? de la gloire ? À quoi cela sert-il quand on
ne peut plus la cueillir sous forme d'amour ?

« Et puis, après ? Toujours la mort pour finir.

770 « Moi, maintenant, je la vois de si près que j'ai souvent envie
d'étendre les bras pour la repousser. Elle couvre la terre et emplit
l'espace. Je la découvre partout. Les petites bêtes écrasées sur les
routes, les feuilles qui tombent, le poil blanc aperçu dans la
barbe d'un ami, me ravagent le cœur et me crient : "La voilà !"

775 « Elle me gâte tout ce que je fais, tout ce que je vois, ce que
je mange et ce que je bois, tout ce que j'aime, les clairs de lune,
les levers de soleil, la grande mer, les belles rivières, et l'air des
soirs d'été, si doux à respirer ! »

Il allait doucement, un peu essoufflé, rêvant tout haut,
780 oubliant presque qu'on l'écoutait.

Il reprit : « Et jamais un être ne revient, jamais… On garde les
moules des statues, les empreintes qui refont toujours des objets
pareils ; mais mon corps, mon visage, mes pensées, mes désirs
ne reparaîtront jamais. Et pourtant il naîtra des millions, des mil-
785 liards d'êtres qui auront dans quelques centimètres carrés un
nez, des yeux, un front, des joues et une bouche comme moi, et
aussi une âme comme moi, sans que jamais je revienne, moi,
sans que jamais même quelque chose de moi reconnaissable
reparaisse dans ces créatures innombrables et différentes, indé-
790 finiment différentes bien que pareilles à peu près.

« À quoi se rattacher ? Vers qui jeter des cris de détresse ? À
quoi pouvons-nous croire ?

« Toutes les religions sont stupides avec leur morale puérile et
leurs promesses égoïstes, monstrueusement bêtes.

---

1. Goutte : excès d'acide urique dans le sang qui occasionne des douleurs
aiguës dans les articulations.

795 « La mort seule est certaine. »

Il s'arrêta, prit Duroy par les deux extrémités du col de son pardessus, et, d'une voix lente :

« Pensez à tout cela, jeune homme, pensez-y pendant des jours, des mois et des années, et vous verrez l'existence d'une
800 autre façon. Essayez donc de vous dégager de tout ce qui vous enferme, faites cet effort surhumain de sortir vivant de votre corps, de vos intérêts, de vos pensées et de l'humanité tout entière, pour regarder ailleurs, et vous comprendrez combien ont peu d'importance les querelles des romantiques et des natura-
805 listes, et la discussion du budget. »

Il se remit à marcher d'un pas plus rapide.

« Mais aussi vous sentirez l'effroyable détresse des désespérés. Vous vous débattrez, éperdu, noyé, dans les incertitudes. Vous crierez "à l'aide" de tous les côtés, et personne ne vous répondra.
810 Vous tendrez les bras, vous appellerez pour être secouru, aimé, consolé, sauvé ! et personne ne viendra.

« Pourquoi souffrons-nous ainsi ? C'est que nous étions nés sans doute pour vivre davantage selon la matière et moins selon l'esprit ; mais, à force de penser, une disproportion s'est faite
815 entre l'état de notre intelligence agrandie et les conditions immuables de notre vie.

« Regardez les gens médiocres ; à moins de grands désastres tombant sur eux, ils se trouvent satisfaits, sans souffrir du malheur commun. Les bêtes non plus ne le sentent pas. »
820 Il s'arrêta encore, réfléchit quelques secondes, puis d'un air las[1] et résigné :

« Moi, je suis un être perdu. Je n'ai ni père, ni mère, ni frère, ni sœur, ni femme, ni enfants, ni Dieu. »

Il ajouta, après un silence : « Je n'ai que la rime. »
825 Puis, levant la tête vers le firmament, où luisait la face pâle de la pleine lune, il déclama :

---

1. *Las* : fatigué.

Et je cherche le mot de cet obscur problème
Dans le ciel noir et vide où flotte un astre blême.

Ils arrivaient au pont de la Concorde, ils le traversèrent en
830 silence, puis ils longèrent le Palais-Bourbon. Norbert de Varenne
se remit à parler : « Mariez-vous, mon ami, vous ne savez pas ce
que c'est que de vivre seul, à mon âge. La solitude, aujourd'hui,
m'emplit d'une angoisse horrible ; la solitude dans le logis,
auprès du feu, le soir. Il me semble alors que je suis seul sur la
835 terre, affreusement seul, mais entouré de dangers vagues, de
choses inconnues et terribles ; et la cloison, qui me sépare de
mon voisin que je ne connais pas, m'éloigne de lui autant que
des étoiles aperçues par ma fenêtre. Une sorte de fièvre m'envahit, une fièvre de douleur et de crainte, et le silence des murs
840 m'épouvante. Il est si profond et si triste, le silence de la chambre
où l'on vit seul. Ce n'est pas seulement un silence autour du
corps, mais un silence autour de l'âme, et, quand un meuble
craque, on tressaille jusqu'au cœur, car aucun bruit n'est attendu
dans ce morne logis. »
845   Il se tut encore une fois, puis ajouta : « Quand on est vieux,
ce serait bon, tout de même, des enfants ! »

Ils étaient arrivés vers le milieu de la rue de Bourgogne. Le
poète s'arrêta devant une haute maison, sonna, serra la main de
Duroy, et lui dit : « Oubliez tout ce rabâchage de vieux, jeune
850 homme, et vivez selon votre âge ; adieu ! »

Et il disparut dans le corridor noir.

Duroy se remit en route, le cœur serré. Il lui semblait qu'on
venait de lui montrer quelque trou plein d'ossements, un trou
inévitable où il lui faudrait tomber un jour. Il murmura : « Bigre,
855 ça ne doit pas être gai, chez lui. Je ne voudrais pas un fauteuil de
balcon[1] pour assister au défilé de ses idées, nom d'un chien ! »

---

1. Balcon : balcon de théâtre.

Mais, s'étant arrêté pour laisser passer une femme parfumée qui descendait de voiture et rentrait chez elle, il aspira d'un grand souffle avide la senteur de verveine et d'iris envolée dans l'air. Ses poumons et son cœur palpitèrent brusquement d'espérance et de joie ; et le souvenir de Mme de Marelle qu'il reverrait le lendemain l'envahit des pieds à la tête.

Tout lui souriait, la vie l'accueillait avec tendresse. Comme c'était bon, la réalisation des espérances !

Il s'endormit dans l'ivresse et se leva de bonne heure pour faire un tour à pied, dans l'avenue du bois de Boulogne, avant d'aller à son rendez-vous.

Le vent ayant changé, le temps s'était adouci pendant la nuit, et il faisait une tiédeur et un soleil d'avril. Tous les habitués du Bois étaient sortis ce matin-là, cédant à l'appel du ciel clair et doux.

Duroy marchait lentement, buvant l'air léger, savoureux comme une friandise de printemps. Il passa l'arc de triomphe de l'Étoile et s'engagea dans la grande avenue, du côté opposé aux cavaliers. Il les regardait, trottant ou galopant, hommes et femmes, les riches du monde, et c'est à peine s'il les enviait maintenant. Il les connaissait presque tous de nom, savait le chiffre de leur fortune et l'histoire secrète de leur vie, ses fonctions ayant fait de lui une sorte d'almanach[1] des célébrités et des scandales parisiens.

Les amazones[2] passaient, minces et moulées dans le drap sombre de leur taille, avec ce quelque chose de hautain et d'inabordable qu'ont beaucoup de femmes à cheval ; et Duroy s'amusait à réciter à mi-voix, comme on récite des litanies[3] dans

---

1. *Almanach* : recueil de renseignements publiés chaque année sur un sujet donné.
2. *Amazones* : femmes qui montent à cheval.
3. *Litanies* : prières répétitives et monotones formées d'une longue suite d'invocations à Dieu, à Jésus, aux saints.

885 une église, les noms, titres et qualités des amants qu'elles avaient
eus ou qu'on leur prêtait ; et, quelquefois même au lieu de dire :

> Baron de Tanquelet
> Prince de la Tour-Enguerrand ;

il murmurait : Côté Lesbos[1]

890 Louise Michot, du Vaudeville
Rose Marquetin, de l'Opéra.

Ce jeu l'amusait beaucoup, comme s'il eût constaté, sous les
sévères apparences, l'éternelle et profonde infamie de l'homme,
et que cela l'eût réjoui, excité, consolé.

895 Puis il prononça tout haut : « Tas d'hypocrites ! » et chercha
de l'œil les cavaliers sur qui couraient les plus grosses histoires.

Il en vit beaucoup soupçonnés de tricher au jeu, pour qui les
cercles, en tout cas, étaient la grande ressource, la seule ressource, ressource suspecte à coup sûr.

900 D'autres, fort célèbres, vivaient uniquement des rentes de
leurs femmes, c'était connu ; d'autres des rentes de leurs maîtresses, on l'affirmait. Beaucoup avaient payé leurs dettes (acte
honorable) sans qu'on eût jamais deviné d'où leur était venu
l'argent nécessaire (mystère bien louche). Il vit des hommes de
905 finance dont l'immense fortune avait un vol pour origine, et
qu'on recevait partout, dans les plus nobles maisons, puis des
hommes si respectés que les petits bourgeois se découvraient sur
leur passage, mais dont les tripotages[2] effrontés, dans les
grandes entreprises nationales, n'étaient un mystère pour aucun
910 de ceux qui savaient les dessous du monde.

---

1. Côté Lesbos : côté secret des femmes évoquées, en l'occurrence leur
homosexualité ; Lesbos est une île greque où, au Vᵉ siècle av. J.-C., vécut la
poétesse Sappho, qui chantait notamment son amour pour les femmes.
2. Tripotages : opérations financières louches.

Tous avaient l'air hautain, la lèvre fière, l'œil insolent, ceux à favoris[1] et ceux à moustaches.

Duroy riait toujours, répétant : « C'est du propre, tas de crapules, tas d'escarpes[2] ! »

915 Mais une voiture passa, découverte, basse et charmante, traînée au grand trot par deux minces chevaux blancs dont la crinière et la queue voltigeaient, et conduite par une petite jeune femme blonde, une courtisane connue qui avait deux grooms assis derrière elle. Duroy s'arrêta, avec une envie de saluer et

920 d'applaudir cette parvenue de l'amour qui étalait avec audace dans cette promenade et à cette heure des hypocrites aristocrates le luxe crâne gagné sur ses draps. Il sentait peut-être vaguement qu'il y avait quelque chose de commun entre eux, un lien de nature, qu'ils étaient de même race, de même âme, et que son

925 succès aurait des procédés audacieux de même ordre.

Il revint plus doucement, le cœur chaud de satisfaction, et il arriva, un peu avant l'heure, à la porte de son ancienne maîtresse.

Elle le reçut, les lèvres tendues, comme si aucune rupture

930 n'avait eu lieu, et elle oublia même, pendant quelques instants, la sage prudence qu'elle opposait, chez elle, à leurs caresses. Puis elle lui dit, en baisant les bouts frisés de ses moustaches : « Tu ne sais pas l'ennui qui m'arrive, mon chéri ? J'espérais une bonne lune de miel, et voilà mon mari qui me tombe sur le dos pour

935 six semaines ; il a pris un congé. Mais je ne veux pas rester six semaines sans te voir, surtout après notre petite brouille, et voilà comment j'ai arrangé les choses. Tu viendras me demander à dîner lundi, je lui ai déjà parlé de toi. Je te présenterai. »

Duroy hésitait, un peu perplexe, ne s'étant jamais trouvé

940 encore en face d'un homme dont il possédait la femme. Il

---

1. *Favoris* : touffes de barbe qu'on laisse pousser sur les joues, le menton étant rasé.

2. *Escarpes* : bandits qui assassinent pour voler (argot).

craignait que quelque chose le trahît, un peu de gêne, un regard, n'importe quoi. Il balbutiait :

« Non, j'aime mieux ne pas faire la connaissance de ton mari. » Elle insista, fort étonnée, debout devant lui et ouvrant des 945 yeux naïfs. « Mais pourquoi ? quelle drôle de chose ? Ça arrive tous les jours, ça ! Je ne t'aurais pas cru si nigaud, par exemple. »

Il fut blessé : « Eh bien, soit, je viendrai dîner lundi. »

Elle ajouta : « Pour que ce soit bien naturel, j'aurai les Forestier. Ça ne m'amuse pourtant pas de recevoir du monde chez 950 moi. »

Jusqu'au lundi, Duroy ne pensa plus guère à cette entrevue ; mais voilà qu'en montant l'escalier de Mme de Marelle, il se sentit étrangement troublé, non pas qu'il lui répugnât de prendre la main de ce mari, de boire son vin et de manger son pain, mais 955 il avait peur de quelque chose, sans savoir de quoi.

On le fit entrer dans le salon, et il attendit, comme toujours. Puis la porte de la chambre s'ouvrit, et il aperçut un grand homme à barbe blanche, décoré, grave et correct, qui vint à lui avec une politesse minutieuse : « Ma femme m'a souvent parlé de 960 vous, monsieur, et je suis charmé de faire votre connaissance. »

Duroy s'avança en tâchant de donner à sa physionomie un air de cordialité expressive, et il serra avec une énergie exagérée la main tendue de son hôte. Puis, s'étant assis, il ne trouva rien à lui dire.

965 M. de Marelle remit un morceau de bois au feu, et demanda : « Voici longtemps que vous vous occupez de journalisme ? »

Duroy répondit : « Depuis quelques mois seulement.

– Ah ! vous avez marché vite.

– Oui, assez vite » ; et il se mit à parler au hasard, sans trop 970 songer à ce qu'il disait, débitant toutes les banalités en usage entre gens qui ne se connaissent point. Il se rassurait maintenant et commençait à trouver la situation fort amusante. Il regardait la figure sérieuse et respectable de M. de Marelle, avec une envie

de rire sur les lèvres, en pensant : « Toi, je te fais cocu, mon vieux,
je te fais cocu. » Et une satisfaction intime, vicieuse, le pénétrait,
une joie de voleur qui a réussi et qu'on ne soupçonne pas, une
joie fourbe, délicieuse. Il avait envie, tout à coup, d'être l'ami de
cet homme, de gagner sa confiance, de lui faire raconter les
choses secrètes de sa vie.

Mme de Marelle entra brusquement, et les ayant couverts
d'un coup d'œil souriant et impénétrable, elle alla vers Duroy
qui n'osa point, devant le mari, lui baiser la main, ainsi qu'il le
faisait toujours.

Elle était tranquille et gaie comme une personne habituée à
tout, qui trouvait cette rencontre naturelle et simple, en sa rouerie native et franche. Laurine apparut, et vint, plus sagement que
de coutume, tendre son front à Georges, la présence de son père
l'intimidant. Sa mère lui dit : « Eh bien, tu ne l'appelles plus Bel-
Ami, aujourd'hui. » Et l'enfant rougit, comme si on venait de
commettre une grosse indiscrétion, de révéler une chose qu'on
ne devait pas dire, de dévoiler un secret intime et un peu coupable de son cœur.

Quand les Forestier arrivèrent, on fut effrayé de l'état de
Charles. Il avait maigri et pâli affreusement en une semaine et il
toussait sans cesse. Il annonça d'ailleurs qu'ils partaient pour
Cannes le jeudi suivant, sur l'ordre formel du médecin.

Ils se retirèrent de bonne heure, et Duroy dit en hochant la
tête :

« Je crois qu'il file un bien mauvais coton. Il ne fera pas de
vieux os. » Mme de Marelle affirma avec sérénité : « Oh ! il est
perdu ! En voilà un qui avait eu de la chance de trouver une
femme comme la sienne. »

Duroy demanda : « Elle l'aide beaucoup ?

– C'est-à-dire qu'elle fait tout. Elle est au courant de tout, elle
connaît tout le monde sans avoir l'air de voir personne ; elle
obtient ce qu'elle veut, comme elle veut et quand elle veut. Oh !

elle est fine, adroite et intrigante[1] comme aucune, celle-là. En voilà un trésor pour un homme qui veut parvenir. »

Georges reprit : « Elle se remariera bien vite, sans doute ? »

1010 Mme de Marelle répondit : « Oui. Je ne serais même pas étonnée qu'elle eût en vue quelqu'un… un député… à moins que… qu'il ne veuille pas…, car… car…, il y aurait peut-être de gros obstacles… moraux… Enfin, voilà. Je ne sais rien. »

M. de Marelle grommela avec une lente impatience :

1015 « Tu laisses toujours soupçonner un tas de choses que je n'aime pas. Ne nous mêlons jamais des affaires des autres. Notre conscience nous suffit à gouverner. Ce devrait être une règle pour tout le monde. »

Duroy se retira, le cœur troublé et l'esprit plein de vagues

1020 combinaisons.

Il alla le lendemain faire une visite aux Forestier et il les trouva terminant leurs bagages. Charles, étendu sur un canapé, exagérait la fatigue de sa respiration et répétait : « Il y a un mois que je devrais être parti » ; puis il fit à Duroy une série de recom-

1025 mandations pour le journal, bien que tout fût réglé et convenu avec M. Walter.

Quand Georges s'en alla, il serra énergiquement les mains de son camarade : « Eh bien, mon vieux, à bientôt ! » Mais, comme Mme Forestier le reconduisait jusqu'à la porte, il lui dit vive-

1030 ment : « Vous n'avez pas oublié notre pacte ? Nous sommes des amis et des alliés, n'est-ce pas ? Donc, si vous avez besoin de moi, en quoi que ce soit, n'hésitez point. Une dépêche ou une lettre, et j'obéirai. »

Elle murmura : « Merci, je n'oublierai pas. » Et son œil lui dit :

1035 « Merci », d'une façon plus profonde et plus douce.

Comme Duroy descendait l'escalier, il rencontra, montant à pas lents, M. de Vaudrec, qu'une fois déjà il avait vu chez elle. Le comte semblait triste – de ce départ, peut-être ?

---

1. *Intrigante* : qui a recours aux intrigues, aux stratagèmes, pour atteindre son but.

Voulant se montrer homme du monde, le journaliste le salua
1040 avec empressement.

L'autre rendit avec courtoisie, mais d'une manière un peu
fière.

Le ménage Forestier partit le jeudi soir.

VII

La disparition[1] de Charles donna à Duroy une importance
plus grande dans la rédaction de *La Vie française*. Il signa
quelques articles de fond, tout en signant aussi ses échos, car le
patron voulait que chacun gardât la responsabilité de sa copie.
5 Il eut quelques polémiques dont il se tira avec esprit ; et ses relations constantes avec les hommes d'État le préparaient peu à peu
à devenir à son tour un rédacteur politique adroit et perspicace.

Il ne voyait qu'une tache dans tout son horizon. Elle venait
d'un petit journal frondeur[2] qui l'attaquait constamment, ou
10 plutôt qui attaquait en lui le chef des Échos de *La Vie française*,
le chef des Échos à surprises de M. Walter, disait le rédacteur
anonyme de cette feuille appelée *La Plume*[3]. C'étaient, chaque
jour, des perfidies, des traits mordants, des insinuations de
toute nature.

15 Jacques Rival dit un jour à Duroy : « Vous êtes patient. »

L'autre balbutia : « Que voulez-vous, il n'y a pas d'attaque
directe. »

---

1. ***Disparition*** : ici, absence.
2. ***Frondeur*** : d'opposition.
3. ***La Plume*** : titre inventé par Maupassant pour désigner un petit journal
à scandales.

Or, un après-midi, comme il entrait dans la salle de rédaction, Boisrenard lui tendit le numéro de *La Plume* :

20 « Tenez, il y a encore une note désagréable pour vous.

– Ah ! à propos de quoi ?

– À propos de rien, de l'arrestation d'une dame Aubert par un agent des mœurs. »

Georges prit le journal qu'on lui tendait, et lut, sous ce titre,

25 *Duroy s'amuse* [1] :

« L'illustre reporter de *La Vie française* nous apprend aujourd'hui que la dame Aubert, dont nous avons annoncé l'arrestation par un agent de l'odieuse brigade des mœurs [2], n'existe que dans notre imagination. Or, la personne en question demeure 18, rue
30 de l'Écureuil, à Montmartre. Nous comprenons trop, d'ailleurs, quel intérêt ou quels intérêts peuvent avoir les agents de la banque Walter à soutenir ceux du préfet de police qui tolère leur commerce. Quant au reporter dont il s'agit, il ferait mieux de nous donner quelqu'une de ces bonnes nouvelles à sensation
35 dont il a le secret : nouvelles de morts démenties le lendemain, nouvelles de batailles qui n'ont pas eu lieu, annonce de paroles graves prononcées par des souverains qui n'ont rien dit, toutes les informations enfin qui constituent les "Profits Walter", ou même quelqu'une des petites indiscrétions sur des soirées de
40 femmes à *succès*, ou sur l'excellence de certains produits qui sont d'une grande *ressource* à quelques-uns de nos confrères. »

Le jeune homme demeurait interdit, plus qu'irrité, comprenant seulement qu'il y avait là-dedans quelque chose de fort désagréable pour lui.

45 Boisrenard reprit : « Qui vous a donné cet écho ? »

---

1. Jeu de mots avec un drame romantique de Victor Hugo, *Le roi s'amuse* (1832), dans lequel le monarque se livre aux pires débauches.
2. ***Brigade des mœurs*** : département de la police chargé des affaires attentant à la moralité publique, aux bonnes mœurs.

Duroy cherchait, ne se rappelant plus. Puis, tout à coup, le souvenir lui revint :

« Ah ! oui, c'est Saint-Potin. » Puis il relut l'alinéa de *La Plume*, et il rougit brusquement, révolté par l'accusation de
50 vénalité[1].

Il s'écria : « Comment, on prétend que je suis payé pour… »

Boisrenard l'interrompit : « Dame, oui. C'est embêtant pour vous. Le patron est fort sur l'œil à ce sujet. Ça pourrait arriver si souvent dans les échos… »

55 Saint-Potin, justement, entrait. Duroy courut à lui :

« Vous avez vu la note de *La Plume* ?

— Oui, et je viens de chez la dame Aubert. Elle existe parfaitement, mais elle n'a pas été arrêtée. Ce bruit n'a aucun fondement. »

60 Alors Duroy s'élança chez le patron qu'il trouva un peu froid, avec un œil soupçonneux. Après avoir écouté le cas, M. Walter répondit : « Allez vous-même chez cette dame et démentez de façon qu'on n'écrive plus de pareilles choses sur vous. Je parle de ce qui suit. C'est fort ennuyeux pour le journal, pour moi et
65 pour vous. Pas plus que la femme de César, un journaliste ne doit être soupçonné[2]. »

Duroy monta en fiacre avec Saint-Potin pour guide, et il cria au cocher : « 18, rue de l'Écureuil, à Montmartre. »

C'était dans une immense maison dont il fallut escalader les
70 six étages. Une vieille femme en caraco[3] de laine vint leur

---

1. Vénalité : comportement d'une personne uniquement motivée par le gain d'argent.

2. Phrase adaptée d'une sentence qu'aurait prononcée Jules César au moment de répudier sa troisième épouse Pompeia, coupable d'adultère avec Clodius, un proche de l'empereur. Le moraliste grec Plutarque (v. 50-125 apr. J.-C.) a rapporté cette sentence dans *La Vie des hommes illustres* : *Cæsaris mulier non fit suspecta !* (« La femme de César ne doit pas être soupçonnée ! »). Cela signifie qu'une personnalité doit être irréprochable, jamais entachée du moindre soupçon.

3. Caraco : corsage ample.

ouvrir : « Qu'est-ce que vous me r'voulez ? » dit-elle en apercevant Saint-Potin.

Il répondit : « Je vous amène monsieur, qui est inspecteur de police et qui voudrait bien savoir votre affaire. »

75 Alors elle les fit entrer, en racontant : « Il en est encore r'venu deux d'puis vous pour un journal, je n'sais point l'quel. » Puis, se tournant vers Duroy : « Donc, c'est monsieur qui désire savoir ?

– Oui. Est-ce que vous avez été arrêtée par un agent des mœurs ? »

80 Elle leva les bras : « Jamais d'la vie, mon bon monsieur, jamais d'la vie. Voilà la chose. J'ai un boucher qui sert bien mais qui pèse mal. Je m'en ai aperçu souvent sans rien dire, mais l'autre jour, comme je lui demandais deux livres de côtelettes, vu que j'aurais ma fille et mon gendre, je m'aperçois qu'il me pèse 85 des os de déchet, des os de côtelettes, c'est vrai, mais pas des miennes. J'aurais pu en faire du ragoût, c'est encore vrai, mais quand je demande des côtelettes, c'est pas pour avoir le déchet des autres. Je refuse donc, alors y me traite de vieux rat, je lui réplique vieux fripon ; bref, de fil en aiguille, nous nous sommes 90 tant chamaillés, qu'il y avait plus de cent personnes devant la boutique et qui riaient, qui riaient ! Tant qu'enfin un agent fut attiré et nous invita à nous expliquer chez le commissaire. Nous y fûmes, et on nous renvoya dos à dos. Moi, depuis, je m'sers ailleurs, et je n'passe même pu devant la porte, pour éviter des 95 esclandres[1]. »

Elle se tut. Duroy demanda : « C'est tout ?

– C'est toute la vérité, mon cher monsieur », et, lui ayant offert un verre de cassis qu'il refusa de boire, la vieille insista pour qu'on parlât dans le rapport des fausses pesées du boucher.

100 De retour au journal, Duroy rédigea sa réponse :

---

1. *Esclandres* : disputes bruyantes, à la suite d'un incident jugé scandaleux.

« Un écrivaillon anonyme de *La Plume*, s'en étant arraché une, me cherche noise[1] au sujet d'une vieille femme qu'il prétend avoir été arrêtée par un agent des mœurs, ce que je nie. J'ai vu moi-même la dame Aubert, âgée de soixante ans au moins, et elle m'a raconté par le menu sa querelle avec un boucher, au sujet d'une pesée de côtelettes, ce qui nécessita une explication devant le commissaire de police.

« Voilà toute la vérité.

« Quant aux autres insinuations du rédacteur de *La Plume*, je les méprise. On ne répond pas, d'ailleurs, à de pareilles choses, quand elles sont écrites sous le masque.

                                                    « Georges Duroy. »

M. Walter et Jacques Rival, qui venait d'arriver, trouvèrent cette note suffisante, et il fut décidé qu'elle passerait le jour même, à la suite des échos.

Duroy rentra tôt chez lui, un peu agité, un peu inquiet. Qu'allait répondre l'autre ? Qui était-il ? Pourquoi cette attaque brutale ? Avec les mœurs brusques des journalistes, cette bêtise pouvait aller loin, très loin. Il dormit mal.

Quand il relut sa note dans le journal, le lendemain, il la trouva plus agressive imprimée que manuscrite. Il aurait pu, lui semblait-il, atténuer certains termes.

Il fut fiévreux tout le jour et il dormit mal encore la nuit suivante. Il se leva dès l'aurore pour chercher le numéro de *La Plume* qui devait répondre à sa réplique.

Le temps s'était remis au froid ; il gelait dur. Les ruisseaux, saisis comme ils coulaient encore, déroulaient le long des trottoirs deux rubans de glace.

Les journaux n'étaient point arrivés chez les marchands et Duroy se rappela le jour de son premier article : les *Souvenirs d'un chasseur d'Afrique*. Ses mains et ses pieds s'engourdis-

---

1. *Cherche noise* : cherche querelle.

saient, devenaient douloureux, au bout des doigts surtout ; et il se mit à courir en rond autour du kiosque vitré, où la vendeuse, accroupie sur sa chaufferette, ne laissait voir, par la petite fenêtre, 135 qu'un nez et des joues rouges dans un capuchon de laine.

Enfin le distributeur de feuilles publiques passa le paquet attendu par l'ouverture du carreau, et la bonne femme tendit à Duroy *La Plume* grande ouverte. Il chercha son nom d'un coup d'œil et ne vit rien d'abord. Il respirait déjà, quand il aperçut la 140 chose entre deux tirets.

« Le sieur Duroy, de *La Vie française*, nous donne un démenti ; et, en nous démentant, il ment. Il avoue cependant qu'il existe une femme Aubert, et qu'un agent l'a conduite à la police. Il ne reste donc qu'à ajouter deux mots : "des mœurs" après le mot 145 "agent" et c'est dit.

« Mais la conscience de certains journalistes est au niveau de leur talent.

« Et je signe : LOUIS LANGREMONT. »

Alors le cœur de Georges se mit à battre violemment, et il 150 rentra chez lui pour s'habiller, sans trop savoir ce qu'il faisait. Donc, on l'avait insulté, et d'une telle façon, qu'aucune hésitation n'était possible. Pourquoi ? Pour rien. À propos d'une vieille femme qui s'était querellée avec son boucher.

Il s'habilla bien vite et se rendit chez M. Walter, quoiqu'il fût 155 à peine huit heures du matin.

M. Walter, déjà levé, lisait *La Plume*. « Eh bien, dit-il avec un visage grave, en apercevant Duroy, vous ne pouvez pas reculer ? »

Le jeune homme ne répondit rien. Le directeur reprit :

160 « Allez tout de suite trouver Rival qui se chargera de vos intérêts. »

Duroy balbutia quelques mots vagues et sortit pour se rendre chez le chroniqueur, qui dormait encore. Il sauta du lit, au coup

de sonnette, puis ayant lu l'écho : « Bigre, il faut y aller. Qui
165 voyez-vous comme autre témoin ?

– Mais, je ne sais pas, moi.

– Boisrenard ? Qu'en pensez-vous ?

– Oui, Boisrenard.

– Êtes-vous fort aux armes ?

170 – Pas du tout.

– Ah ! diable ! Et au pistolet ?

– Je tire un peu.

– Bon. Vous allez vous exercer pendant que je m'occuperai
de tout. Attendez-moi une minute. »

175 Il passa dans son cabinet de toilette et reparut bientôt, lavé,
rasé, correct.

« Venez avec moi », dit-il.

Il habitait au rez-de-chaussée d'un petit hôtel, et il fit descendre Duroy dans la cave, une cave énorme, convertie en salle
180 d'armes et en tir, toutes les ouvertures sur la rue étant bouchées.

Après avoir allumé une ligne de becs de gaz conduisant jusqu'au fond d'un second caveau, où se dressait un homme de fer
peint en rouge et en bleu, il posa sur une table deux paires de
pistolets d'un système nouveau chargeant par la culasse, et il
185 commença les commandements d'une voix brève comme si on
eût été sur le terrain.

« Prêt ?

– Feu ! – un, deux, trois. »

Duroy, anéanti, obéissait, levait les bras, visait, tirait, et
190 comme il atteignait souvent le mannequin en plein ventre, car il
s'était beaucoup servi dans sa première jeunesse d'un vieux pistolet d'arçon[1] de son père pour tuer des oiseaux dans la cour,
Jacques Rival satisfait déclarait : « Bien – très bien – très bien
– vous irez – vous irez. »

---

1. *Pistolet d'arçon* : pistolet utilisé par les soldats de cavalerie, placé dans
la selle de cheval.

195 Puis il le quitta : « Tirez comme ça jusqu'à midi. Voilà des munitions, n'ayez pas peur de les brûler. Je viendrai vous prendre pour déjeuner et vous donner des nouvelles. » Et il sortit.

Resté seul, Duroy tira encore quelques coups, puis il s'assit et se mit à réfléchir.

200 Comme c'était bête, tout de même, ces choses-là ! Qu'est-ce que ça prouvait ? Un filou était-il moins un filou après s'être battu ? Que gagnait un honnête homme insulté à risquer sa vie contre une crapule ? Et son esprit, vagabondant dans le noir, se rappela les choses dites par Norbert de Varenne sur la pauvreté 205 d'esprit des hommes, la médiocrité de leurs idées et de leurs préoccupations, la niaiserie de leur morale !

Et il déclara tout haut : « Comme il a raison, sacristi ! »

Puis il sentit qu'il avait soif, et ayant entendu un bruit de gouttes d'eau derrière lui, il aperçut un appareil à douches et il 210 alla boire au bout de la lance. Puis il se remit à songer. Il faisait triste dans cette cave, triste comme dans un tombeau. Le roulement lointain et sourd des voitures semblait un tremblement d'orage éloigné. Quelle heure pouvait-il être ? Les heures passaient là-dedans comme elles devaient passer au fond des pri- 215 sons, sans que rien les indique et que rien les marque, sauf les retours du geôlier[1] portant les plats. Il attendit, longtemps, longtemps.

Puis tout d'un coup il entendit des pas, des voix, et Jacques Rival reparut, accompagné de Boisrenard. Il cria dès qu'il aper- 220 çut Duroy : « C'est arrangé ! »

L'autre crut l'affaire terminée par quelque lettre d'excuses ; son cœur bondit, et il balbutia : « Ah !... merci. » Le chroniqueur reprit : « Ce Langremont est très carré, il a accepté toutes nos conditions. Vingt-cinq pas, une balle au commandement en 225 levant le pistolet. On a le bras beaucoup plus sûr ainsi qu'en l'abaissant. Tenez, Boisrenard, voyez ce que je vous disais. »

---

1. Geôlier : gardien de prison.

Et prenant des armes, il se mit à tirer en démontrant comment on conservait bien mieux la ligne en levant le bras.

Puis il dit : « Maintenant, allons déjeuner, il est midi passé. »

230 Et ils se rendirent dans un restaurant voisin. Duroy ne parlait plus guère. Il mangea pour n'avoir pas l'air d'avoir peur, puis dans le jour il accompagna Boisrenard au journal et il fit sa besogne d'une façon distraite et machinale. On le trouva crâne.

Jacques Rival vint lui serrer la main vers le milieu de l'après-235 midi ; et il fut convenu que ses témoins le prendraient chez lui en landau[1], le lendemain à sept heures du matin, pour se rendre au bois du Vésinet[2] où la rencontre aurait lieu.

Tout cela s'était fait inopinément, sans qu'il y prît part, sans qu'il dît un mot, sans qu'il donnât son avis, sans qu'il acceptât 240 ou refusât, et avec tant de rapidité qu'il demeurait étourdi, effaré, sans trop comprendre ce qui se passait.

Il se retrouva chez lui vers neuf heures du soir après avoir dîné chez Boisrenard, qui ne l'avait point quitté de tout le jour par dévouement.

245 Dès qu'il fut seul, il marcha pendant quelques minutes, à grands pas vifs, à travers sa chambre. Il était trop troublé pour réfléchir à rien. Une seule idée emplissait son esprit : « Un duel demain », sans que cette idée éveillât en lui autre chose qu'une émotion confuse et puissante. Il avait été soldat, il avait tiré sur 250 des Arabes, sans grand danger pour lui, d'ailleurs, un peu comme on tire sur un sanglier, à la chasse.

En somme, il avait fait ce qu'il devait faire. Il s'était montré ce qu'il devait être. On en parlerait, on l'approuverait, on le féli-citerait. Puis il prononça à haute voix, comme on parle dans les 255 grandes secousses de pensée :

« Quelle brute que cet homme ! »

---

1. *Landau* : type de voiture à cheval fabriquée à Landau, en Allemagne.
2. *Bois du Vésinet* : bois situé à l'ouest de Paris.

Il s'assit et se mit à réfléchir. Il avait jeté sur sa petite table une carte de son adversaire remise par Rival, afin de garder son adresse. Il la relut comme il l'avait déjà lue vingt fois dans la jour-
260 née. *Louis Langremont, 176, rue Montmartre.* Rien de plus.

Il examinait ces lettres assemblées qui lui paraissaient mysté-rieuses, pleines de sens inquiétants. « Louis Langremont », qui était cet homme ? De quel âge ? De quelle taille ? De quelle figure ? N'était-ce pas révoltant qu'un étranger, un inconnu, vînt
265 ainsi troubler notre vie, tout d'un coup, sans raison, par pur caprice, à propos d'une vieille femme qui s'était querellée avec son boucher ?

Il répéta encore une fois, à haute voix : « Quelle brute ! »

Et il demeura immobile, songeant, le regard toujours planté
270 sur la carte. Une colère s'éveillait en lui contre ce morceau de papier, une colère haineuse où se mêlait un étrange sentiment de malaise. C'était stupide cette histoire-là ! Il prit une paire de ciseaux à ongles qui traînaient et il les piqua au milieu du nom imprimé comme s'il eût poignardé quelqu'un.

275 Donc il allait se battre, et se battre au pistolet ? Pourquoi n'avait-il pas choisi l'épée ? Il en aurait été quitte pour une piqûre au bras ou à la main, tandis qu'avec le pistolet on ne savait jamais les suites possibles.

Il dit : « Allons, il faut être crâne. »

280 Le son de sa voix le fit tressaillir, et il regarda autour de lui. Il commençait à se sentir fort nerveux. Il but un verre d'eau, puis se coucha.

Dès qu'il fut au lit, il souffla sa lumière et ferma les yeux.

Il avait très chaud dans ses draps, bien qu'il fît très froid dans
285 sa chambre, mais il ne pouvait parvenir à s'assoupir. Il se tour-nait et se retournait, demeurait cinq minutes sur le dos, puis se plaçait sur le côté gauche, puis se roulait sur le côté droit.

Il avait encore soif. Il se releva pour boire, puis une inquié-tude le saisit : « Est-ce que j'aurais peur ? »

290   Pourquoi son cœur se mettait-il à battre follement à chaque bruit connu de sa chambre ? Quand son coucou allait sonner, le petit grincement du ressort lui faisait faire un sursaut ; et il lui fallait ouvrir la bouche pour respirer pendant quelques secondes, tant il demeurait oppressé.

295   Il se mit à raisonner en philosophe sur la possibilité de cette chose : « Aurais-je peur ? »

Non, certes, il n'aurait pas peur puisqu'il était résolu à aller jusqu'au bout, puisqu'il avait cette volonté bien arrêtée de se battre, de ne pas trembler. Mais il se sentait si profondément ému 300 qu'il se demanda : « Peut-on avoir peur malgré soi ? » Et ce doute l'envahit, cette inquiétude, cette épouvante ! Si une force plus puissante que sa volonté, dominatrice, irrésistible, le domptait, qu'arriverait-il ? Oui, que pouvait-il arriver ?

Certes, il irait sur le terrain puisqu'il voulait y aller. Mais s'il 305 tremblait ? Mais s'il perdait connaissance ? Et il songea à sa situation, à sa réputation, à son avenir.

Et un singulier besoin le prit tout à coup de se relever pour se regarder dans la glace. Il ralluma sa bougie. Quand il aperçut son visage reflété dans le verre poli, il se reconnut à peine, et il 310 lui sembla qu'il ne s'était jamais vu. Ses yeux lui parurent énormes ; et il était pâle, certes, il était pâle, très pâle.

Tout d'un coup, cette pensée entra en lui à la façon d'une balle : « Demain, à cette heure-ci, je serai peut-être mort. » Et son cœur se remit à battre furieusement.

315   Il se retourna vers sa couche et il se vit distinctement étendu sur le dos dans ces mêmes draps qu'il venait de quitter. Il avait ce visage creux qu'ont les morts et cette blancheur des mains qui ne remueront plus.

Alors il eut peur de son lit, et afin de ne plus le voir il ouvrit 320 la fenêtre pour regarder dehors.

Un froid glacial lui mordit la chair de la tête aux pieds, et il se recula, haletant.

La pensée lui vint de faire du feu. Il l'attisa lentement, sans se retourner. Ses mains tremblaient un peu d'un frémissement nerveux quand elles touchaient les objets. Sa tête s'égarait ; ses pensées tournoyantes, hachées, devenaient fuyantes, douloureuses ; une ivresse envahissait son esprit comme s'il eût bu.

Et sans cesse il se demandait : « Que vais-je faire ? que vais-je devenir ? »

Il se remit à marcher, répétant, d'une façon continue, machinale : « Il faut que je sois énergique, très énergique. »

Puis il se dit : « Je vais écrire à mes parents, en cas d'accident. »

Il s'assit de nouveau, prit un cahier de papier à lettres, traça : « Mon cher papa, ma chère maman... »

Puis il jugea ces termes trop familiers dans une circonstance aussi tragique. Il déchira la première feuille et recommença : « Mon cher père ; ma chère mère ; je vais me battre au point du jour, et comme il peut arriver que... »

Il n'osa pas écrire le reste et se releva d'une secousse.

Cette pensée l'écrasait maintenant. Il allait se battre en duel. Il ne pouvait plus éviter cela. Que se passait-il donc en lui ? Il voulait se battre ; il avait cette intention et cette résolution fermement arrêtées ; et il lui semblait, malgré tout l'effort de sa volonté, qu'il ne pourrait même pas conserver la force nécessaire pour aller jusqu'au lieu de la rencontre.

De temps en temps, ses dents s'entrechoquaient dans sa bouche avec un petit bruit sec ; et il demandait :

« Mon adversaire s'est-il déjà battu ? a-t-il fréquenté les tirs ? est-il connu ? est-il classé ? » Il n'avait jamais entendu prononcer ce nom. Et, cependant, si cet homme n'était pas un tireur au pistolet remarquable, il n'aurait point accepté ainsi, sans hésitation, sans discussion, cette arme dangereuse.

Alors Duroy se figurait leur rencontre, son attitude à lui et la tenue de son ennemi. Il se fatiguait la pensée à imaginer les moindres détails du combat ; et tout à coup il voyait en face de lui ce petit trou noir et profond du canon dont allait sortir une balle.

Et il fut pris brusquement d'une crise de désespoir épouvantable. Tout son corps vibrait, parcouru de tressaillements saccadés. Il serrait les dents pour ne pas crier, avec un besoin fou de se rouler par terre, de déchirer quelque chose, de mordre. Mais il aperçut un verre sur sa cheminée et il se rappela qu'il possédait dans son armoire un litre d'eau-de-vie[1] presque plein ; car il avait conservé l'habitude militaire de *tuer le ver*[2] chaque matin.

Il saisit la bouteille et but, à même le goulot, à longues gorgées, avec avidité. Et il la reposa seulement lorsque le souffle lui manqua. Elle était vidée d'un tiers.

Une chaleur pareille à une flamme lui brûla bientôt l'estomac, se répandit dans ses membres, raffermit son âme en l'étourdissant.

Il se dit : « Je tiens le moyen. » Et comme il se sentait maintenant la peau brûlante, il rouvrit la fenêtre.

Le jour naissait, calme et glacial. Là-haut, les étoiles semblaient mourir au fond du firmament éclairci, et dans la tranchée profonde du chemin de fer les signaux verts, rouges et blancs pâlissaient.

Les premières locomotives sortaient du garage et s'en venaient en sifflant chercher les premiers trains. D'autres, dans le lointain, jetaient des appels aigus et répétés, leurs cris de réveil, comme font les coqs dans les champs.

Duroy pensait : « Je ne verrai peut-être plus tout ça. » Mais comme il sentit qu'il allait de nouveau s'attendrir sur lui-même, il réagit violemment : « Allons, il ne faut songer à rien jusqu'au moment de la rencontre, c'est le seul moyen d'être crâne. »

---

1. *Eau-de-vie* : boisson très alcoolisée.
2. *Tuer le ver* : boire à jeun un verre d'alcool, dans l'espoir de noyer le ver solitaire dont on est atteint.

Et il se mit à sa toilette. Il eut encore, en se rasant, une seconde de défaillance en songeant que c'était peut-être la dernière fois qu'il regardait son visage.

Il but une nouvelle gorgée d'eau-de-vie, et acheva de
390 s'habiller.

L'heure qui suivit fut difficile à passer. Il marchait de long en large en s'efforçant en effet d'immobiliser son âme. Lorsqu'il entendit frapper à sa porte, il faillit s'abattre sur le dos, tant la commotion[1] fut violente. C'étaient ses témoins. Déjà !

395 Ils étaient enveloppés de fourrures. Rival déclara, après avoir serré la main de son client :

« Il fait un froid de Sibérie. » Puis il demanda :

« Ça va bien ?

– Oui, très bien.

400 – On est calme ?

– Très calme.

– Allons, ça ira. Avez-vous bu et mangé quelque chose ?

– Oui, je n'ai besoin de rien. »

Boisrenard, pour la circonstance, portait une décoration
405 étrangère, verte et jaune, que Duroy ne lui avait jamais vue.

Ils descendirent. Un monsieur les attendait dans le landau. Rival nomma : « Le docteur Le Brument. » Duroy lui serra la main en balbutiant : « Je vous remercie », puis il voulut prendre place sur la banquette du devant et il s'assit sur quelque chose
410 de dur qui le fit relever comme si un ressort l'eût redressé. C'était la boîte aux pistolets.

Rival répétait : « Non ! Au fond le combattant et le médecin, au fond ! » Duroy finit par comprendre et il s'affaissa à côté du docteur.

415 Les deux témoins montèrent à leur tour et le cocher partit. Il savait où on devait aller.

---

1. *Commotion* : puissante secousse.

Mais la boîte aux pistolets gênait tout le monde, surtout Duroy, qui eût préféré ne pas la voir. On essaya de la placer derrière les dos ; elle cassait les reins ; puis on la mit debout entre Rival et Boisrenard ; elle tombait tout le temps. On finit par la glisser sous les pieds.

La conversation languissait, bien que le médecin racontât des anecdotes. Rival seul lui répondait. Duroy eût voulu prouver de la présence d'esprit, mais il avait peur de perdre le fil de ses idées, de montrer le trouble de son âme ; et il était hanté par la crainte torturante de se mettre à trembler.

La voiture fut bientôt en pleine campagne. Il était neuf heures environ. C'était une de ces rudes matinées d'hiver où toute la nature est luisante, cassante et dure comme du cristal. Les arbres, vêtus de givre, semblent avoir sué de la glace ; la terre sonne sous les pas ; l'air sec porte au loin les moindres bruits ; le ciel bleu paraît brillant à la façon des miroirs, et le soleil passe dans l'espace, éclatant et froid lui-même, jetant sur la création gelée des rayons qui n'échauffent rien.

Rival disait à Duroy : « J'ai pris les pistolets chez Gastine Renette[1]. Il les a chargés lui-même. La boîte est cachetée. On les tirera au sort, d'ailleurs, avec ceux de notre adversaire. »

Duroy répondit machinalement : « Je vous remercie. »

Alors Rival lui fit des recommandations minutieuses, car il tenait à ce que son client ne commît aucune erreur. Il insistait sur chaque point plusieurs fois : « Quand on demandera : "Êtes-vous prêts, messieurs ?" vous répondrez d'une voix forte : "Oui !"

« Quand on commandera "Feu !" vous élèverez vivement le bras, et vous tirerez avant qu'on ait prononcé trois. »

Et Duroy se répétait également mentalement : « Quand on commandera feu, j'élèverai le bras, – quand on commandera feu, j'élèverai le bras. »

---

1. *Gastine Renette* : en fait, Gastinne Renette. Célèbre armurier dont la belle boutique se trouvait avenue d'Antin (désormais baptisée avenue Franklin-D.-Roosevelt), dans le 8ᵉ arrondissement.

Il apprenait cela comme les enfants apprennent leurs leçons en le murmurant à satiété[1] pour se le bien graver dans la tête. « Quand on commandera feu, j'élèverai le bras. »

Le landau entra sous un bois, tourna à droite dans une avenue, puis encore à droite. Rival, brusquement, ouvrit la portière pour crier au cocher : « Là, par ce petit chemin. » Et la voiture s'engagea dans une route à ornières entre deux taillis où tremblotaient des feuilles mortes bordées d'un liséré de glace.

Duroy marmottait[2] toujours : « Quand on commandera feu, j'élèverai le bras. » Et il pensa qu'un accident de voiture arrangerait tout. Oh ! si on pouvait verser[3], quelle chance ! s'il pouvait se casser une jambe !...

Mais il aperçut au bout d'une clairière une autre voiture arrêtée et quatre messieurs qui piétinaient pour s'échauffer les pieds ; et il fut obligé d'ouvrir la bouche, tant sa respiration devenait pénible.

Les témoins descendirent d'abord, puis le médecin et le combattant. Rival avait pris la boîte aux pistolets et il s'en alla avec Boisrenard vers deux des étrangers qui venaient à eux. Duroy les vit se saluer avec cérémonie, puis marcher ensemble dans la clairière en regardant tantôt par terre et tantôt dans les arbres, comme s'ils avaient cherché quelque chose qui aurait pu tomber ou s'envoler. Puis ils comptèrent des pas et enfoncèrent avec grand-peine deux cannes dans le sol gelé. Ils se réunirent ensuite en groupe et ils firent les mouvements du jeu de pile ou face, comme des enfants qui s'amusent.

Le docteur Le Brument demandait à Duroy :
« Vous vous sentez bien ? Vous n'avez besoin de rien ?
– Non, de rien, merci. »

---

1. *À satiété* : jusqu'à satisfaction.
2. *Marmottait* : parlait entre ses dents.
3. *Verser* : se renverser.

Il lui semblait qu'il était fou, qu'il dormait, qu'il rêvait, que quelque chose de surnaturel était survenu qui l'enveloppait.

Avait-il peur ? Peut-être ? Mais il ne savait pas. Tout était 480 changé autour de lui.

Jacques Rival revint et lui annonça tout bas avec satisfaction : « Tout est prêt. La chance nous a favorisés pour les pistolets. »

Voilà une chose qui était indifférente à Duroy.

On lui ôta son pardessus. Il se laissa faire. On tâta les poches 485 de sa redingote pour s'assurer qu'il ne portait point de papiers ni de portefeuille protecteur.

Il répétait en lui-même, comme une prière : « Quand on commandera feu, j'élèverai le bras. »

Puis on l'amena jusqu'à une des cannes piquées en terre et 490 on lui remit son pistolet. Alors il aperçut un homme debout, en face de lui, tout près, un petit homme ventru, chauve, qui portait des lunettes. C'était son adversaire.

Il le vit très bien, mais il ne pensait à rien qu'à ceci : « Quand on commandera feu, j'élèverai le bras et je tirerai. » Une voix 495 résonna dans le grand silence de l'espace, une voix qui semblait venir de très loin ; et elle demanda :

« Êtes-vous prêts, messieurs ? »

Georges cria : « Oui ! »

Alors la même voix ordonna : « Feu… »

500 Il n'écouta rien de plus, il ne s'aperçut de rien, il ne se rendit compte de rien, il sentit seulement qu'il levait le bras en appuyant de toute sa force sur la gâchette.

Et il n'entendit rien.

Mais il vit aussitôt un peu de fumée au bout du canon de son 505 pistolet ; et comme l'homme en face de lui demeurait toujours debout, dans la même posture également, il aperçut aussi un autre petit nuage blanc qui s'envolait au-dessus de la tête de son adversaire.

Ils avaient tiré tous les deux. C'était fini.

510 Ses témoins et le médecin le touchaient, le palpaient, débou-
tonnaient ses vêtements en demandant avec anxiété : « Vous
n'êtes pas blessé ? » Il répondit au hasard : « Non, je ne crois
pas. »

Langremont d'ailleurs, demeurait aussi intact que son
515 ennemi, et Jacques Rival murmura d'un ton mécontent :

« Avec ce sacré pistolet, c'est toujours comme ça, on se rate
ou on se tue. Quel sale instrument ! »

Duroy ne bougeait point, paralysé de surprise et de joie :
« C'était fini ! » Il fallut lui enlever son arme qu'il tenait toujours
520 serrée dans sa main. Il lui semblait maintenant qu'il se serait
battu contre l'univers entier. C'était fini. Quel bonheur ! Il se sentait brave tout à coup à provoquer n'importe qui.

Tous les témoins causèrent quelques minutes, prenant
rendez-vous dans le jour pour la rédaction du procès-verbal, puis
525 on remonta dans la voiture ; et le cocher qui riait sur son siège
repartit en faisant claquer son fouet.

Ils déjeunèrent tous les quatre sur le boulevard, en causant de
l'événement. Duroy disait ses impressions :

« Ça ne m'a rien fait, absolument rien. Vous avez dû le voir
530 du reste ? »

Rival répondit : « Oui, vous vous êtes bien tenu. »

Quand le procès-verbal fut rédigé, on le présenta à Duroy qui
devait l'insérer dans les échos. Il s'étonna de voir qu'il avait
échangé deux balles avec M. Louis Langremont, et, un peu
535 inquiet, il interrogea Rival :

« Mais nous n'avons tiré qu'une balle. »

L'autre sourit :

« Oui, une balle… une balle chacun… ça fait deux balles. »

Et Duroy, trouvant l'explication satisfaisante, n'insista pas.
540 Le père Walter l'embrassa : « Bravo, bravo, vous avez défendu le
drapeau de *La Vie française*, bravo ! »

Georges se montra, le soir, dans les principaux grands journaux et dans les principaux grands cafés du boulevard. Il rencontra deux fois son adversaire qui se montrait également.

545 Ils ne se saluèrent pas. Si l'un des deux avait été blessé, ils se seraient serré les mains. Chacun jurait d'ailleurs avec conviction avoir entendu siffler la balle de l'autre.

Le lendemain, vers onze heures du matin, Duroy reçut un petit bleu : « Mon Dieu, que j'ai eu peur ! Viens donc tantôt rue 550 de Constantinople, que je t'embrasse, mon amour. Comme tu es brave – je t'adore. – CLO. »

Il alla au rendez-vous et elle s'élança dans ses bras, le couvrant de baisers : « Oh ! mon chéri, si tu savais mon émotion quand j'ai lu les journaux ce matin. Oh ! raconte-moi. Dis-moi 555 tout. Je veux savoir. »

Il dut raconter les détails avec minutie. Elle demandait :

« Comme tu as dû avoir une mauvaise nuit avant le duel !

– Mais non. J'ai bien dormi.

– Moi, je n'aurais pas fermé l'œil. Et sur le terrain, dis-moi 560 comment ça s'est passé. »

Il fit un récit dramatique : « Lorsque nous fûmes en face l'un de l'autre, à vingt pas, quatre fois seulement la longueur de cette chambre, Jacques, après avoir demandé si nous étions prêts, commanda : "Feu". J'ai élevé mon bras immédiatement, bien en 565 ligne, mais j'ai eu le tort de vouloir viser la tête. J'avais une arme fort dure et je suis accoutumé à des pistolets bien doux, de sorte que la résistance de la gâchette a relevé le coup. N'importe, ça n'a pas dû passer loin. Lui aussi il tire bien, le gredin. Sa balle m'a effleuré la tempe. J'en ai senti le vent. »

570 Elle était assise sur ses genoux et le tenait dans ses bras comme pour prendre part à son danger. Elle balbutiait :

« Oh ! mon pauvre chéri, mon pauvre chéri… »

Puis quand il eut fini de conter, elle lui dit : « Tu ne sais pas, je ne peux plus me passer de toi ! Il faut que je te voie ; et, avec 575 mon mari à Paris, ça n'est pas commode. Souvent, j'aurais une heure le matin, avant que tu sois levé, et je pourrais aller t'embrasser, mais je ne veux pas rentrer dans ton affreuse maison. Comment faire ? »

Il eut brusquement une inspiration et demanda :

580 « Combien paies-tu ici ?

– Cent francs par mois.

– Eh bien, je prends l'appartement à mon compte et je vais l'habiter tout à fait. Le mien n'est plus suffisant dans ma nouvelle position. »

585 Elle réfléchit quelques instants, puis répondit :

« Non. Je ne veux pas. »

Il s'étonna : « Pourquoi ça ?

– Parce que...

– Ce n'est pas une raison. Ce logement me convient très
590 bien. J'y suis. J'y reste. »

Il se mit à rire : « D'ailleurs, il est à mon nom. »

Mais elle refusait toujours : « Non, non, je ne veux pas...

– Pourquoi ça, enfin ? »

Alors elle chuchota tout bas, tendrement : « Parce que tu y
595 amènerais des femmes, et je ne veux pas. »

Il s'indigna : « Jamais de la vie, par exemple. Je te le promets.

– Non, tu en amènerais tout de même.

– Je te le jure.

– Bien vrai ?

600 – Bien vrai. Parole d'honneur. C'est notre maison, ça, rien
qu'à nous. »

Elle l'étreignit dans un élan d'amour : « Alors je veux bien, mon chéri. Mais tu sais, si tu me trompes une fois, rien qu'une fois, ce sera fini entre nous, fini pour toujours. »

605 Il jura encore avec des protestations, et il fut convenu qu'il s'installerait le jour même, afin qu'elle pût le voir quand elle passerait devant la porte.

Puis elle lui dit : « En tout cas, viens dîner dimanche. Mon mari te trouve charmant. »

610 Il fut flatté : « Ah ! vraiment ?...

– Oui, tu as fait sa conquête. Et puis écoute, tu m'as dit que tu avais été élevé dans un château à la campagne, n'est-ce pas ?

– Oui, pourquoi ?

– Alors tu dois connaître un peu la culture ?

615 – Oui.

– Eh bien, parle-lui de jardinage et de récoltes, il aime beaucoup ça.

– Bon. Je n'oublierai pas. »

Elle le quitta, après l'avoir indéfiniment embrassé, ce duel 620 ayant exaspéré[1] sa tendresse.

Et Duroy pensait, en se rendant au journal : « Quel drôle d'être ça fait ! Quelle tête d'oiseau ! Sait-on ce qu'elle veut et ce qu'elle aime ? Et quel drôle de ménage ! Quel fantaisiste[2] a bien pu préparer l'accouplement de ce vieux et de cette écervelée ? 625 Quel raisonnement a décidé cet inspecteur à épouser cette étudiante ? Mystère ! Qui sait ? L'amour, peut-être ? »

Puis il conclut : « Enfin, c'est une bien gentille maîtresse ; je serais rudement bête de la lâcher. »

VIII

Son duel avait fait passer Duroy au nombre des chroniqueurs de tête de *La Vie française* ; mais, comme il éprouvait une peine infinie à découvrir des idées, il prit la spécialité des déclamations[3] sur la décadence des mœurs, sur l'abaissement des carac-
5 tères, l'affaissement du patriotisme et l'anémie[4] de l'honneur français. (Il avait trouvé le mot « anémie » dont il était fier.)

---

1. *Exaspéré* : amplifié, rendu plus intense.
2. *Fantaisiste* : ici, farceur.
3. *Déclamations* : discours pompeux, emphatiques.
4. *Anémie* : au sens propre, état maladif dû à un appauvrissement du sang ; ici, au sens figuré, manque d'énergie.

Et quand Mme de Marelle, pleine de cet esprit gouailleur, sceptique et gobeur[1] qu'on appelle l'esprit de Paris, se moquait de ses tirades qu'elle crevait d'une épigramme[2], il répondait en souriant : « Bah ! ça me fait une bonne réputation pour plus tard. »

Il habitait maintenant rue de Constantinople, où il avait transporté sa malle, sa brosse, son rasoir et son savon, ce qui constituait son déménagement. Deux ou trois fois par semaine, la jeune femme arrivait avant qu'il fût levé, se déshabillait en une minute et se glissait dans le lit, toute frémissante du froid du dehors.

Duroy, par contre, dînait tous les jeudis dans le ménage et faisait la cour au mari en lui parlant agriculture ; et comme il aimait lui-même les choses de la terre, ils s'intéressaient parfois tellement tous les deux à la causerie qu'ils oubliaient tout à fait leur femme sommeillant sur le canapé.

Laurine aussi s'endormait, tantôt sur les genoux de son père, tantôt sur les genoux de Bel-Ami.

Et quand le journaliste était parti, M. de Marelle ne manquait point de déclarer avec ce ton doctrinaire[3] dont il disait les moindres choses : « Ce garçon est vraiment fort agréable. Il a l'esprit très cultivé. »

Février touchait à sa fin. On commençait à sentir la violette dans les rues en passant le matin auprès des voitures traînées par les marchandes de fleurs.

Duroy vivait sans un nuage dans son ciel.

Or, une nuit, comme il rentrait, il trouva une lettre glissée sous sa porte. Il regarda le timbre et il vit « Cannes ». L'ayant ouverte, il lut :

---

1. *Gobeur* : ici, manquant de distance critique.
2. *Épigramme* : phrase brève, satirique, pleine d'esprit.
3. *Doctrinaire* : très assuré, qui cherche à imposer des principes.

« Cannes, villa Jolie.

« Cher monsieur et ami, vous m'avez dit, n'est-ce pas, que je pouvais compter sur vous en tout ? Eh bien, j'ai à vous demander un cruel service, c'est de venir m'assister, de ne pas me laisser seule aux derniers moments de Charles qui va mourir. Il ne passera peut-être pas la semaine, bien qu'il se lève encore, mais le médecin m'a prévenue.

« Je n'ai plus la force ni le courage de voir cette agonie jour et nuit. Et je songe avec terreur aux derniers moments qui approchent. Je ne puis demander une pareille chose qu'à vous, car mon mari n'a plus de famille. Vous étiez son camarade ; il vous a ouvert la porte du journal. Venez, je vous en supplie. Je n'ai personne à appeler.

« Croyez-moi votre camarade toute dévouée.

« Madeleine Forestier. »

Un singulier sentiment entra comme un souffle d'air au cœur de Georges, un sentiment de délivrance, d'espace qui s'ouvrait devant lui, et il murmura : « Certes, j'irai. Ce pauvre Charles ! Ce que c'est que de nous, tout de même ! »

Le patron, à qui il communiqua la lettre de la jeune femme, donna en grognant son autorisation. Il répétait :

« Mais revenez vite, vous nous êtes indispensable. »

Georges Duroy partit pour Cannes le lendemain par le rapide[1] de sept heures, après avoir prévenu le ménage de Marelle par un télégramme.

Il arriva, le jour suivant, vers quatre heures du soir.

Un commissionnaire[2] le guida vers la villa Jolie, bâtie à mi-côte, dans cette forêt de sapins peuplée de maisons blanches, qui va du Cannet au golfe Juan[3].

---

1. *Rapide* : train rapide, qui ne s'arrête qu'aux gares importantes.
2. *Commissionnaire* : individu chargé du transport.
3. *Golfe Juan* : station balnéaire.

65 La maison était petite, basse, de style italien, au bord de la
route qui monte en zigzag à travers les arbres montrant à chaque
détour d'admirables points de vue.

Le domestique ouvrit la porte et s'écria :

« Oh ! monsieur, madame vous attend avec bien de
70 l'impatience. »

Duroy demanda : « Comment va votre maître ?

– Oh ! pas bien, monsieur. Il n'en a pas pour longtemps. »

Le salon où le jeune homme entra était tendu de perse[1] rose
à dessins bleus. La fenêtre, large et haute, donnait sur la ville et
75 sur la mer.

Duroy murmurait : « Bigre, c'est chic ici comme maison de
campagne. Où diable prennent-ils tout cet argent-là ? »

Un bruit de robe le fit se retourner.

Mme Forestier lui tendait les deux mains : « Comme vous êtes
80 gentil, comme c'est gentil d'être venu ! » Et brusquement elle
l'embrassa. Puis ils se regardèrent.

Elle était un peu pâlie, un peu maigrie, mais toujours fraîche,
et peut-être plus jolie encore avec son air plus délicat. Elle murmura : « Il est terrible, voyez-vous, il se sait perdu et il me tyran-
85 nise atrocement. Je lui ai annoncé votre arrivée. Mais où est
votre malle ? »

Duroy répondit : « Je l'ai laissée au chemin de fer, ne sachant
pas dans quel hôtel vous me conseilleriez de descendre pour être
près de vous. »

90 Elle hésita, puis reprit : « Vous descendrez ici, dans la villa.
Votre chambre est prête, du reste. Il peut mourir d'un moment à
l'autre, et si cela arrivait la nuit, je serais seule. J'enverrai chercher
votre bagage. »

Il s'inclina : « Comme vous voudrez.

95 – Maintenant, montons », dit-elle.

---

1. Perse : toile d'ameublement peinte, provenant à l'origine d'Orient.

Il la suivit. Elle ouvrit une porte au premier étage, et Duroy
aperçut auprès d'une fenêtre, assis dans un fauteuil et enroulé
dans des couvertures, livide sous la clarté rouge du soleil couchant, une espèce de cadavre qui le regardait. Il le reconnaissait
100 à peine ; il devina plutôt que c'était son ami.

On sentait dans cette chambre la fièvre, la tisane, l'éther[1], le
goudron[2], cette odeur innommable et lourde des appartements
où respire un poitrinaire[3].

Forestier souleva sa main d'un geste pénible et lent :
105 « Te voilà, dit-il, tu viens me voir mourir. Je te remercie. »

Duroy affecta de rire : « Te voir mourir ! ce ne serait pas un
spectacle amusant, et je ne choisirais point cette occasion-là pour
visiter Cannes. Je viens te dire bonjour et me reposer un peu. »

L'autre murmura : « Assieds-toi », et il baissa la tête comme
110 enfoncé en des méditations désespérées.

Il respirait d'une façon rapide, essoufflée, et parfois poussait
une sorte de gémissement, comme s'il eût voulu rappeler aux
autres combien il était malade.

Voyant qu'il ne parlait point, sa femme vint s'appuyer à la
115 fenêtre et elle dit en montrant l'horizon d'un coup de tête :
« Regardez cela ! Est-ce beau ? »

En face d'eux, la côte semée de villas descendait jusqu'à la
ville qui était couchée le long du rivage en demi-cercle, avec sa
tête à droite vers la jetée que dominait la vieille cité surmontée
120 d'un vieux beffroi[4], et ses pieds à gauche à la pointe de la Croi-
sette, en face des îles de Lérins. Elles avaient l'air, ces îles, de
deux taches vertes, dans l'eau toute bleue. On eût dit qu'elles

---

1. *Éther* : liquide très odorant utilisé pour ses vertus antiseptiques et anes-
thésiques.
2. *Goudron* : eau dans laquelle a macéré du goudron végétal (substance hui-
leuse) et qui est prescrite pour soigner certaines maladies respiratoires.
3. *Poitrinaire* : personne atteinte de tuberculose pulmonaire.
4. *Beffroi* : tour d'une ville ou d'un château.

flottaient comme deux feuilles immenses, tant elles semblaient plates de là-haut.

125 Et tout au loin, fermant l'horizon de l'autre côté du golfe, au-dessus de la jetée et du beffroi, une longue suite de montagnes bleuâtres dessinait sur un ciel éclatant une ligne bizarre et charmante de sommets tantôt arrondis, tantôt crochus, tantôt pointus, et qui finissait par un grand mont en pyramide plongeant
130 son pied dans la pleine mer.

Mme Forestier l'indiqua : « C'est l'Estérel[1]. »

L'espace derrière les cimes sombres était rouge, d'un rouge sanglant et doré que l'œil ne pouvait soutenir.

Duroy subissait malgré lui la majesté de cette fin du jour.

135 Il murmura, ne trouvant point d'autre terme assez imagé pour exprimer son admiration :

« Oh ! oui, c'est épatant, ça ! »

Forestier releva la tête vers sa femme et demanda :

« Donne-moi un peu d'air. »

140 Elle répondit : « Prends garde, il est tard, le soleil se couche, tu vas encore attraper froid, et tu sais que ça ne te vaut rien dans ton état de santé. »

Il fit de la main droite un geste fébrile et faible qui aurait voulu être un coup de poing et il murmura avec une grimace de
145 colère, une grimace de mourant qui montrait la minceur des lèvres, la maigreur des joues et la saillie de tous les os : « Je te dis que j'étouffe. Qu'est-ce que ça te fait que je meure un jour plus tôt ou un jour plus tard, puisque je suis foutu… »

Elle ouvrit toute grande la fenêtre.

150 Le souffle qui entra les surprit tous les trois comme une caresse. C'était une brise molle, tiède, paisible, une brise de

---

1. *Estérel* : massif montagneux situé en Provence. Pour Maupassant, la Côte d'Azur est le pays des morts : « Ce pays ravissant et tiède, c'est l'hôpital du monde et le cimetière de l'Europe […]. Partout, le long de cet adorable rivage, nous sommes chez la Mort » (« Chez la mort », chronique du *Gaulois*, 1882).

printemps nourrie déjà par les parfums des arbustes et des fleurs capiteuses[1] qui poussent sur cette côte. On y distinguait un goût puissant de résine et l'âcre saveur des eucalyptus.

155 Forestier la buvait d'une haleine courte et fiévreuse. Il crispa les ongles de ses mains sur les bras de son fauteuil, et dit d'une voix basse, sifflante, rageuse : « Ferme la fenêtre. Cela me fait mal. J'aimerais mieux crever dans une cave. »

Et sa femme ferma la fenêtre lentement, puis elle regarda au 160 loin, le front contre la vitre.

Duroy, mal à l'aise, aurait voulu causer avec le malade, le rassurer.

Mais il n'imaginait rien de propre à le réconforter.

Il balbutia : « Alors ça ne va pas mieux depuis que tu es ici ? »
165 L'autre haussa les épaules avec une impatience accablée :

« Tu le vois bien. » Et il baissa de nouveau la tête.

Duroy reprit : « Sacristi, il fait rudement bon ici, comparativement à Paris. Là-bas on est encore en plein hiver. Il neige, il grêle, il pleut, et il fait sombre à allumer les lampes dès trois heures de 170 l'après-midi. »

Forestier demanda : « Rien de nouveau au journal ?

– Rien de nouveau. On a pris pour te remplacer le petit Lacrin qui sort du *Voltaire*[2] ; mais il n'est pas mûr. Il est temps que tu reviennes ! »

175 Le malade balbutia : « Moi ? J'irai faire de la chronique à six pieds sous terre maintenant. »

L'idée fixe revenait comme un coup de cloche à propos de tout, reparaissait sans cesse dans chaque pensée, dans chaque phrase.

180 Il y eut un long silence, un silence douloureux et profond. L'ardeur du couchant se calmait lentement ; et les montagnes

---

1. *Capiteuses* : dont le parfum est entêtant.
2. *Voltaire* : journal républicain fondé en 1878.

devenaient noires sur le ciel rouge qui s'assombrissait. Une ombre colorée, un commencement de nuit qui gardait des lueurs de brasier mourant entrait dans la chambre, semblait teindre les
185 meubles, les murs, les tentures, les coins avec des tons mêlés d'encre et de pourpre. La glace de la cheminée, reflétant l'horizon, avait l'air d'une plaque de sang.

Mme Forestier ne remuait point, toujours debout, le dos à l'appartement, le visage contre le carreau.

190 Et Forestier se mit à parler d'une voix saccadée, essoufflée, déchirante à entendre : « Combien est-ce que j'en verrai encore, de couchers de soleil ?… huit… dix… quinze ou vingt… peut-être trente… pas plus… Vous avez du temps, vous autres… moi, c'est fini… Et ça continuera après moi, comme si j'étais là… »

195 Il demeura muet quelques minutes, puis reprit : « Tout ce que je vois me rappelle que je ne le verrai plus dans quelques jours… C'est horrible… je ne verrai plus rien… rien de ce qui existe… les plus petits objets qu'on manie… les verres… les assiettes… les lits où l'on se repose si bien… les voitures. C'est bon de se
200 promener en voiture, le soir… Comme j'aimais tout ça ! »

Il faisait avec les doigts de chaque main un mouvement nerveux et léger, comme s'il eût joué du piano sur les deux bras de son siège. Et chacun de ses silences était plus pénible que ses paroles, tant on sentait qu'il devait penser à d'épouvantables
205 choses.

Et Duroy tout à coup se rappela ce que lui disait Norbert de Varenne, quelques semaines auparavant : « Moi, maintenant, je vois la mort de si près que j'ai souvent envie d'étendre le bras pour la repousser… Je la découvre partout. Les petites bêtes écra-
210 sées sur les routes, les feuilles qui tombent, le poil blanc aperçu dans la barbe d'un ami, me ravagent le cœur et me crient : la voilà ! »

Il n'avait pas compris, ce jour-là ; maintenant il comprenait en regardant Forestier. Et une angoisse inconnue, atroce, entrait

215 en lui, comme s'il eût senti tout près, sur ce fauteuil où haletait cet homme, la hideuse mort à portée de sa main. Il avait envie de se lever, de s'en aller, de se sauver, de retourner à Paris tout de suite ! Oh ! s'il avait su, il ne serait pas venu.

220 La nuit maintenant s'était répandue dans la chambre, comme un deuil hâtif qui serait tombé sur ce moribond. Seule la fenêtre restait visible encore, dessinant dans son carré plus clair, la silhouette immobile de la jeune femme.

Et Forestier demanda avec irritation : « Eh bien, on n'apporte pas la lampe aujourd'hui ? Voilà ce qu'on appelle soigner un
225 malade. »

L'ombre du corps qui se découpait sur les carreaux disparut, et on entendit tinter un timbre électrique dans la maison sonore.

Un domestique entra bientôt qui posa une lampe sur la cheminée. Mme Forestier dit à son mari : « Veux-tu te coucher, ou
230 descendras-tu pour dîner ? »

Il murmura : « Je descendrai. »

Et l'attente du repas les fit demeurer encore près d'une heure immobiles, tous les trois, prononçant seulement parfois un mot, un mot quelconque inutile, banal, comme s'il y eût eu du danger,
235 un danger mystérieux, à laisser durer trop longtemps ce silence, à laisser se figer l'air muet de cette chambre, de cette chambre où rôdait la mort.

Enfin le dîner fut annoncé. Il sembla long à Duroy, interminable. Ils ne parlaient pas, ils mangeaient sans bruit, puis émiet-
240 taient du pain du bout des doigts. Et le domestique faisait le service, marchait, allait et venait sans qu'on entendît ses pieds, car le bruit des semelles irritant Charles, l'homme était chaussé de savates. Seul le tic-tac dur d'une horloge de bois troublait le calme des murs de son mouvement mécanique et régulier.

245 Dès qu'on eut fini de manger, Duroy, sous prétexte de fatigue, se retira dans sa chambre, et, accoudé à sa fenêtre, il regardait la pleine lune au milieu du ciel, comme un globe de

lampe énorme, jeter sur les murs blancs des villas sa clarté sèche et voilée, et semer sur la mer une sorte d'écaillé de lumière mouvante et douce. Et il cherchait une raison pour s'en aller bien vite, inventant des ruses, des télégrammes qu'il allait recevoir, un appel de M. Walter.

Mais ses résolutions de fuite lui parurent plus difficiles à réaliser, en s'éveillant le lendemain. Mme Forestier ne se laisserait point prendre à ses adresses, et il perdrait par sa couardise[1] tout le bénéfice de son dévouement. Il se dit : « Bah ! c'est embêtant ; eh bien, tant pis, il y a des passes désagréables dans la vie ; et puis, ça ne sera peut-être pas long. »

Il faisait un temps bleu, de ce bleu du Midi qui vous emplit le cœur de joie ; et Duroy descendit jusqu'à la mer, trouvant qu'il serait assez tôt de voir Forestier dans la journée.

Quand il rentra pour déjeuner, le domestique lui dit :

« Monsieur a déjà demandé monsieur deux ou trois fois. Si monsieur veut monter chez monsieur. »

Il monta. Forestier semblait dormir dans un fauteuil. Sa femme lisait, allongée sur le canapé.

Le malade releva la tête. Duroy demanda : « Eh bien, comment vas-tu ? Tu m'as l'air gaillard ce matin. »

L'autre murmura : « Oui, ça va mieux, j'ai repris des forces. Déjeune bien vite avec Madeleine, parce que nous allons faire un tour en voiture. »

La jeune femme, dès qu'elle fut seule avec Duroy, lui dit : « Voilà ! aujourd'hui il se croit sauvé. Il fait des projets depuis le matin. Nous allons tout à l'heure au golfe Juan acheter des faïences pour notre appartement de Paris. Il veut sortir à toute force, mais j'ai horriblement peur d'un accident. Il ne pourra pas supporter les secousses de la route. »

---

1. *Couardise* : lâcheté.

Quand le landau fut arrivé, Forestier descendit l'escalier pas à pas, soutenu par son domestique. Mais dès qu'il aperçut la voiture, il voulut qu'on la découvrît.

Sa femme résistait : « Tu vas prendre froid. C'est de la folie. »

Il s'obstina : « Non, je vais beaucoup mieux. Je le sens bien. »

On passa d'abord dans ces chemins ombreux qui vont toujours entre deux jardins et qui font de Cannes une sorte de parc anglais, puis on gagna la route d'Antibes, le long de la mer.

Forestier expliquait le pays. Il avait indiqué d'abord la villa du comte de Paris[1]. Il en nommait d'autres. Il était gai, d'une gaieté voulue, factice et débile[2] de condamné. Il levait le doigt, n'ayant point la force de tendre le bras.

« Tiens, voici l'île Sainte-Marguerite et le château dont Bazaine[3] s'est évadé. Nous en a-t-on donné à garder avec cette affaire-là ! »

Puis il eut des souvenirs de régiment ; il nomma des officiers qui leur rappelaient des histoires. Mais, tout à coup, la route ayant tourné, on découvrit le golfe Juan tout entier avec son village blanc dans le fond et la pointe d'Antibes à l'autre bout.

Et Forestier, saisi soudain d'une joie enfantine, balbutia : « Ah ! l'escadre[4], tu vas voir l'escadre ! »

Au milieu de la vaste baie, on apercevait, en effet, une demi-douzaine de gros navires qui ressemblaient à des rochers couverts de ramures. Ils étaient bizarres, difformes, énormes, avec

---

1. ***Comte de Paris*** (1838-1894) : Philippe d'Orléans, héritier du roi Louis-Philippe, qui dut s'exiler en Angleterre lors de la proclamation de la IIe République. Il fut le prétendant orléaniste au trône de France.

2. ***Débile*** : faible.

3. Accusé de la défaite de l'armée française, lors de la guerre avec la Prusse en 1870, le général Bazaine avait été incarcéré à l'île Sainte-Marguerite d'où il s'est évadé en 1874.

4. ***Escadre*** : ensemble de bateaux de guerre formant une unité.

des excroissances, des tours, des éperons s'enfonçant dans l'eau comme pour aller prendre racine sous la mer.

On ne comprenait pas que cela pût se déplacer, remuer, tant ils semblaient lourds et attachés au fond. Une batterie[1] flottante, ronde, haute, en forme d'observatoire, ressemblait à ces phares qu'on bâtit sur des écueils.

Et un grand trois-mâts passait auprès d'eux pour gagner le large, toutes ses voiles déployées blanches et joyeuses. Il était gracieux et joli auprès des monstres de guerre, des monstres de fer, des vilains monstres accroupis sur l'eau.

Forestier s'efforçait de les reconnaître. Il nommait : *Le Colbert*, *Le Suffren*, *L'Amiral-Duperré*, *Le Redoutable*, *La Dévastation*, puis il reprenait : « Non, je me trompe, c'est celui-là *La Dévastation*. »

Ils arrivèrent devant une sorte de grand pavillon où on lisait : « Faïences d'art du golfe Juan », et la voiture ayant tourné autour d'un gazon s'arrêta devant la porte.

Forestier voulut acheter deux vases pour les poser sur sa bibliothèque. Comme il ne pouvait guère descendre de voiture, on lui apportait les modèles l'un après l'autre. Il fut longtemps à choisir, consultant sa femme et Duroy :

« Tu sais, c'est pour le meuble au fond de mon cabinet. De mon fauteuil, j'ai cela sous les yeux tout le temps. Je tiens à une forme ancienne, à une forme grecque. » Il examinait les échantillons, s'en faisait apporter d'autres, reprenait les premiers. Enfin, il se décida ; et ayant payé, il exigea que l'expédition fût faite tout de suite. « Je retourne à Paris dans quelques jours », disait-il.

Ils revinrent, mais, le long du golfe, un courant d'air froid les frappa soudain, glissé dans le pli d'un vallon, et le malade se mit à tousser.

---

1. **Batterie** : partie du bateau où sont disposés les canons.

Ce ne fut rien d'abord, une petite crise ; mais elle grandit, devint une quinte ininterrompue, puis une sorte de hoquet, un râle.

Forestier suffoquait, et chaque fois qu'il voulait respirer la toux lui déchirait la gorge, sortie du fond de sa poitrine. Rien ne la calmait, rien ne l'apaisait. Il fallut le porter du landau dans sa chambre, et Duroy, qui lui tenait les jambes, sentait les secousses de ses pieds, à chaque convulsion de ses poumons.

La chaleur du lit n'arrêta point l'accès, qui dura jusqu'à minuit ; puis les narcotiques[1], enfin, engourdirent les spasmes mortels de la toux. Et le malade demeura jusqu'au jour, assis dans son lit, les yeux ouverts.

Les premières paroles qu'il prononça furent pour demander le barbier, car il tenait à être rasé chaque matin. Il se leva pour cette opération de toilette ; mais il fallut le recoucher aussitôt, et il se mit à respirer d'une façon si courte, si dure, si pénible, que Mme Forestier, épouvantée, fit réveiller Duroy, qui venait de se coucher, pour le prier d'aller chercher le médecin.

Il ramena presque immédiatement le docteur Gavaut qui prescrivit un breuvage et donna quelques conseils ; mais comme le journaliste le reconduisait pour lui demander son avis : « C'est l'agonie, dit-il. Il sera mort demain matin. Prévenez cette pauvre jeune femme et envoyez chercher un prêtre. Moi, je n'ai plus rien à faire. Je me tiens cependant entièrement à votre disposition. »

Duroy fit appeler Mme Forestier : « Il va mourir. Le docteur conseille d'envoyer chercher un prêtre. Que voulez-vous faire ? »

Elle hésita longtemps, puis, d'une voix lente, ayant tout calculé : « Oui, ça vaut mieux… sous bien des rapports… Je vais le préparer, lui dire que le curé désire le voir… Je ne sais quoi, enfin. Vous seriez bien gentil, vous, d'aller m'en chercher un, un curé, et de le choisir. Prenez-en un qui ne nous fasse pas trop de

---

1. Narcotiques : drogues.

simagrées[1]. Tâchez qu'il se contente de la confession, et nous
365 tienne quittes du reste. »

Le jeune homme ramena un vieil ecclésiastique complaisant
qui se prêtait à la situation. Dès qu'il fut entré chez l'agonisant,
Mme Forestier sortit, et s'assit, avec Duroy, dans la pièce voisine.

« Ça l'a bouleversé, dit-elle. Quand j'ai parlé d'un prêtre, sa
370 figure a pris une expression épouvantable comme... comme s'il
avait senti... senti... un souffle..., vous savez... Il a compris que
c'était fini, enfin, et qu'il fallait compter les heures... »

Elle était fort pâle. Elle reprit : « Je n'oublierai jamais l'expression de son visage. Certes, il a vu la mort à ce moment-là. Il
375 l'a vue... »

Ils entendaient le prêtre, qui parlait un peu haut, étant un peu
sourd, et qui disait :

« Mais non, mais non, vous n'êtes pas si bas que ça. Vous êtes
malade, mais nullement en danger. Et la preuve c'est que je viens
380 en ami, en voisin. »

Ils ne distinguèrent pas ce que répondit Forestier. Le vieillard
reprit : « Non, je ne vous ferai pas communier. Nous causerons
de ça quand vous irez bien. Si vous voulez profiter de ma visite
pour vous confesser par exemple, je ne demande pas mieux. Je
385 suis un pasteur[2], moi, je saisis toutes les occasions pour ramener
mes brebis. »

Un long silence suivit. Forestier devait parler de sa voix haletante et sans timbre.

Puis tout d'un coup le prêtre prononça, d'un ton différent,
390 d'un ton d'officiant à l'autel[3] :

« La miséricorde de Dieu est infinie, récitez le *Confiteor*[4], mon
enfant. Vous l'avez peut-être oublié, je vais vous aider. Répétez

---

1. *Simagrées* : attitudes ou paroles exagérées et fausses.
2. *Pasteur* : ecclésiastique qui a soin de s'occuper des fidèles et de les guider
dans la vie, selon les préceptes du christianisme.
3. *Autel* : table sur laquelle on célèbre la messe.
4. *Confiteor* : prière catholique récitée notamment au début de la
confession.

avec moi : *Confiteor Deo omnipotenti... Beatae Mariae semper virgini...*[1]. »

395 Il s'arrêtait de temps en temps pour permettre au moribond de le rattraper. Puis il dit :

« Maintenant, confessez-vous[2]... »

La jeune femme et Duroy ne remuaient plus, saisis par un trouble singulier, émus d'une attente anxieuse.

400 Le malade avait murmuré quelque chose. Le prêtre répéta : « Vous avez eu des complaisances coupables... de quelle nature, mon enfant ? »

La jeune femme se leva, et dit simplement :

« Descendons un peu au jardin. Il ne faut pas écouter ses 405 secrets. »

Et ils allèrent s'asseoir sur un banc, devant la porte, au-dessous d'un rosier fleuri, et derrière une corbeille d'œillets qui répandait dans l'air pur son parfum puissant et doux.

Duroy, après quelques minutes de silence, demanda :

410 « Est-ce que vous tarderez beaucoup à rentrer à Paris ? »

Elle répondit : « Oh ! non. Dès que tout sera fini je reviendrai.

– Dans une dizaine de jours ?

– Oui, au plus. »

Il reprit : « Il n'a donc aucun parent ?

415 – Aucun, sauf des cousins. Son père et sa mère sont morts comme il était tout jeune. »

Ils regardaient tous deux un papillon cueillant sa vie sur les œillets, allant de l'un à l'autre avec une rapide palpitation des ailes qui continuaient à battre lentement quand il s'était posé sur 420 la fleur. Et ils restèrent longtemps silencieux.

---

1. *Confiteor Deo* [...] *virgini* : « Je confesse à Dieu Tout-Puissant, à la Bienheureuse Marie toujours vierge... » (en latin). Il s'agit des deux premiers vers de la prière.
2. Moment où le mourant livre au prêtre les péchés qu'il a commis.

Le domestique vint les prévenir que « monsieur le Curé avait fini ». Et ils remontèrent ensemble.

Forestier semblait avoir encore maigri depuis la veille.

Le prêtre lui tenait la main. « Au revoir, mon enfant, je reviendrai demain matin. »

Et il s'en alla.

Dès qu'il fut sorti, le moribond[1], qui haletait, essaya de soulever ses deux mains vers sa femme et il bégaya :

« Sauve-moi… sauve-moi… ma chérie… je ne veux pas mourir…, je ne veux pas mourir… Oh ! sauvez-moi… Dites ce qu'il faut faire, allez chercher le médecin… Je prendrai ce qu'on voudra… Je ne veux pas… Je ne veux pas… »

Il pleurait. De grosses larmes coulaient de ses yeux sur ses joues décharnées ; et les coins maigres de sa bouche se plissaient comme ceux des petits enfants qui ont du chagrin.

Alors ses mains retombées sur le lit commencèrent un mouvement continu, lent et régulier, comme pour recueillir quelque chose sur les draps.

Sa femme qui se mettait à pleurer aussi balbutiait :

« Mais non, ce n'est rien. C'est une crise, demain tu iras mieux, tu t'es fatigué hier avec cette promenade. »

L'haleine de Forestier était plus rapide que celle d'un chien qui vient de courir, si pressée qu'on ne la pouvait point compter, et si faible qu'on l'entendait à peine.

Il répétait toujours : « Je ne veux pas mourir !… Oh ! mon Dieu… mon Dieu… mon Dieu… qu'est-ce qui va m'arriver ? Je ne verrai plus rien… plus rien… jamais… Oh ! mon Dieu ! »

Il regardait devant lui quelque chose d'invisible pour les autres et de hideux, dont ses yeux fixes reflétaient l'épouvante. Ses deux mains continuaient ensemble leur geste horrible et fatigant.

---

1. Moribond : mourant.

Soudain il tressaillit d'un frisson brusque qu'on vit courir d'un bout à l'autre de son corps et il balbutia : « Le cimetière… moi… mon Dieu !… »

455 Et il ne parla plus. Il restait immobile, hagard et haletant.

Le temps passait ; midi sonna à l'horloge d'un couvent voisin. Duroy sortit de la chambre pour aller manger un peu. Il revint une heure plus tard. Mme Forestier refusa de rien prendre. Le malade n'avait point bougé. Il traînait toujours ses doigts 460 maigres sur le drap comme pour le ramener vers sa face.

La jeune femme était assise dans un fauteuil, au pied du lit. Duroy en prit un autre à côté d'elle ; et ils attendirent en silence.

Une garde était venue, envoyée par le médecin ; elle sommeillait près de la fenêtre.

465 Duroy lui-même commençait à s'assoupir quand il eut la sensation que quelque chose survenait. Il ouvrit les yeux juste à temps pour voir Forestier fermer les siens comme deux lumières qui s'éteignent. Un petit hoquet agita la gorge du mourant, et deux filets de sang apparurent aux coins de sa bouche, puis cou- 470 lèrent sur sa chemise. Ses mains cessèrent leur hideuse promenade. Il avait fini de respirer.

Sa femme comprit, et poussant une sorte de cri, elle s'abattit sur les genoux en sanglotant dans le drap. Georges, surpris et effaré, fit machinalement le signe de la croix. La garde, s'étant 475 réveillée, s'approcha du lit : « Ça y est », dit-elle. Et Duroy qui reprenait son sang-froid murmura, avec un soupir de délivrance : « Ça a été moins long que je n'aurais cru. »

Lorsque fut dissipé le premier étonnement, après les premières larmes versées, on s'occupa de tous les soins et de toutes 480 les démarches que réclame un mort. Duroy courut jusqu'à la nuit.

Il avait grand-faim en rentrant. Mme Forestier mangea quelque peu ; puis ils s'installèrent tous deux dans la chambre funèbre pour veiller le corps.

485   Deux bougies brûlaient sur la table de nuit à côté d'une
assiette où trempait une branche de mimosa dans un peu d'eau,
car on n'avait point trouvé le rameau de buis[1] nécessaire.

    Ils étaient seuls, le jeune homme et la jeune femme, auprès
de lui, qui n'était plus. Ils demeuraient sans parler, pensant et
490 le regardant.

    Mais Georges, que l'ombre inquiétait auprès de ce cadavre,
le contemplait obstinément. Son œil et son esprit attirés, fasci-
nés, par ce visage décharné que la lumière vacillante faisait
paraître encore plus creux, restaient fixés sur lui. C'était là son
495 ami, Charles Forestier, qui lui parlait hier encore ! Quelle chose
étrange et épouvantable que cette fin complète d'un être ! Oh !
il se les rappelait maintenant les paroles de Norbert de Varenne
hanté par la peur de la mort. « Jamais un être ne revient. » Il en
naîtrait des millions et des milliards, à peu près pareils, avec des
500 yeux, un nez, une bouche, un crâne, et dedans une pensée, sans
que jamais celui-ci reparût qui était couché dans ce lit.

    Pendant quelques années il avait vécu, mangé, ri, aimé,
espéré, comme tout le monde. Et c'était fini, pour lui, fini pour
toujours. Une vie ! quelques jours, et puis plus rien ! On naît, on
505 grandit, on est heureux, on attend, puis on meurt. Adieu !
homme ou femme, tu ne reviendras point sur la terre ! Et pourtant chacun porte en soi le désir fiévreux et irréalisable de l'éter-
nité, chacun est une sorte d'univers dans l'univers, et chacun
s'anéantit bientôt complètement dans le fumier des germes nou-
510 veaux. Les plantes, les bêtes, les hommes, les étoiles, les mondes,
tout s'anime, puis meurt pour se transformer. Et jamais un être
ne revient, insecte, homme ou planète !

    Une terreur confuse, immense, écrasante, pesait sur l'âme de
Duroy, la terreur de ce néant illimité, inévitable, détruisant

---

1. **Rameau de buis** : symbole de résurrection, il rappelle le dimanche des
Rameaux qui commémore l'entrée de Jésus dans Jérusalem.

indéfiniment toutes les existences si rapides et si misérables. Il courbait déjà le front sous sa menace. Il pensait aux mouches qui vivent quelques heures, aux bêtes qui vivent quelques jours, aux hommes qui vivent quelques ans, aux terres qui vivent quelques siècles. Quelle différence donc entre les uns et les autres ? Quelques aurores de plus, voilà tout.

Il détourna les yeux pour ne plus regarder le cadavre.

Mme Forestier, la tête baissée, semblait songer aussi à des choses douloureuses. Ses cheveux blonds étaient si jolis sur sa figure triste, qu'une sensation douce comme le toucher d'une espérance passa dans le cœur du jeune homme. Pourquoi se désoler quand il avait encore tant d'années devant lui ?

Et il se mit à la contempler. Elle ne le voyait point, perdue dans sa méditation. Il se disait : « Voilà pourtant la seule chose de la vie : l'amour ! tenir dans ses bras une femme aimée ! Là est la limite du bonheur humain. »

Quelle chance il avait eue, ce mort, de rencontrer cette compagne intelligente et charmante. Comment s'étaient-ils connus ? Comment avait-elle consenti, elle, à épouser ce garçon médiocre et pauvre ? Comment avait-elle fini par en faire quelqu'un ?

Alors il songea à tous les mystères cachés dans les existences. Il se rappela ce qu'on chuchotait du comte de Vaudrec qui l'avait dotée et mariée, disait-on.

Qu'allait-elle faire maintenant ? Qui épouserait-elle ? Un député, comme le pensait Mme de Marelle, ou quelque gaillard d'avenir, un Forestier supérieur ? Avait-elle des projets, des plans, des idées arrêtées ? Comme il eût désiré savoir cela ! Mais pourquoi ce souci de ce qu'elle ferait ? Il se le demanda, et s'aperçut que son inquiétude venait d'une de ces arrière-pensées confuses, secrètes, qu'on se cache à soi-même et qu'on ne découvre qu'en allant fouiller au fond de soi.

Oui, pourquoi n'essaierait-il pas lui-même cette conquête ? Comme il serait fort, avec elle, et redoutable ! Comme il pourrait aller vite et loin, et sûrement.

Et pourquoi ne réussirait-il pas ? Il sentait bien qu'il lui plai-
550 sait, qu'elle avait pour lui plus que de la sympathie, une de ces
affections qui naissent entre deux natures semblables et qui
tiennent autant d'une séduction réciproque que d'une sorte de
complicité muette. Elle le savait intelligent, résolu, tenace ; elle
pouvait avoir confiance en lui.

555 Ne l'avait-elle pas fait venir en cette circonstance si grave ? Et
pourquoi l'avait-elle appelé ? Ne devait-il pas voir là une sorte de
choix, une sorte d'aveu, une sorte de désignation ? Si elle avait
pensé à lui, juste à ce moment où elle allait devenir veuve, c'est
que, peut-être, elle avait songé à celui qui deviendrait de nouveau
560 son compagnon, son allié ?

Et une envie impatiente le saisit de savoir, de l'interroger, de
connaître ses intentions. Il devait repartir le surlendemain, ne
pouvant demeurer seul avec cette jeune femme, dans cette
maison. Donc il fallait se hâter, il fallait, avant de retourner à
565 Paris, surprendre avec adresse, avec délicatesse, ses projets, et ne
pas la laisser revenir, céder aux sollicitations d'un autre peut-être,
et s'engager sans retour.

Le silence de la chambre était profond ; on n'entendait que
le balancier de la pendule qui battait sur la cheminée son tic-tac
570 métallique et régulier.

Il murmura : « Vous devez être bien fatiguée ? »

Elle répondit : « Oui, mais je suis surtout accablée. »

Le bruit de leur voix les étonna, sonnant étrangement dans
cet appartement sinistre. Et ils regardèrent soudain le visage du
575 mort, comme s'ils se fussent attendus à le voir remuer, à
l'entendre leur parler, ainsi qu'il faisait, quelques heures plus tôt.

Duroy reprit : « Oh ! c'est un gros coup pour vous, et un
changement si complet dans votre vie, un vrai bouleversement
du cœur et de l'existence entière. »

580 Elle soupira longuement sans répondre.

Il continua : « C'est si triste pour une jeune femme de se trouver seule comme vous allez l'être. »

Puis il se tut. Elle ne dit rien. Il balbutia : « Dans tous les cas, vous savez le pacte conclu entre nous. Vous pouvez disposer de moi comme vous voudrez. Je vous appartiens. »

Elle lui tendit la main en jetant sur lui un de ces regards mélancoliques et doux qui remuent en nous jusqu'aux moelles des os : « Merci, vous êtes bon, excellent. Si j'osais et si je pouvais quelque chose pour vous, je dirais aussi : "Comptez sur moi." »

Il avait pris la main offerte et il la gardait, la serrant, avec une envie ardente de la baiser. Il s'y décida enfin, et l'approchant lentement de sa bouche, il tint longtemps la peau fine, un peu chaude, fiévreuse et parfumée contre ses lèvres.

Puis quand il sentit que cette caresse d'ami allait devenir trop prolongée, il sut laisser retomber la petite main. Elle s'en revint mollement sur le genou de la jeune femme qui prononça gravement : « Oui, je vais être bien seule, mais je m'efforcerai d'être courageuse. »

Il ne savait comment lui laisser comprendre qu'il serait heureux, bien heureux, de l'avoir pour femme à son tour. Certes il ne pouvait pas le lui dire, à cette heure, en ce lieu, devant ce corps ; cependant il pouvait, lui semblait-il, trouver une de ces phrases ambiguës, convenables et compliquées, qui ont des sens cachés sous les mots, et qui expriment tout ce qu'on veut par leurs réticences calculées.

Mais le cadavre le gênait, le cadavre rigide, étendu devant eux, et qu'il sentait entre eux. Depuis quelque temps d'ailleurs, il croyait saisir dans l'air enfermé de la pièce une odeur suspecte, une haleine pourrie, venue de cette poitrine décomposée, le premier souffle de charogne[1] que les pauvres morts couchés en leur lit jettent aux parents qui les veillent, souffle horrible dont ils emplissent bientôt la boîte creuse de leur cercueil.

---

1. Charogne : cadavre en décomposition.

Duroy demanda : « Ne pourrait-on ouvrir un peu la fenêtre ?
Il me semble que l'air est corrompu[1]. »

615   Elle répondit : « Mais oui. Je venais aussi de m'en
apercevoir. »

Il alla vers la fenêtre et l'ouvrit. Toute la fraîcheur parfumée
de la nuit entra, troublant la flamme des deux bougies allumées
auprès du lit. La lune répandait, comme l'autre soir, sa lumière
620 abondante et calme sur les murs blancs des villas et sur la grande
nappe luisante de la mer. Duroy, respirant à pleins poumons, se
sentit brusquement assailli d'espérances, comme soulevé par
l'approche frémissante du bonheur.

Il se retourna : « Venez donc prendre un peu le frais, dit-il, il
625 fait un temps admirable. »

Elle s'en vint tranquillement et s'accouda près de lui.

Alors il murmura, à voix basse : « Écoutez-moi, et comprenez
bien ce que je veux dire. Ne vous indignez pas, surtout, de ce que
je vous parle d'une pareille chose en un semblable moment, mais
630 je vous quitterai après-demain, et quand vous reviendrez à Paris
il sera peut-être trop tard. Voilà… Je ne suis qu'un pauvre diable
sans fortune et dont la position est à faire, vous le savez. Mais
j'ai de la volonté, quelque intelligence à ce que je crois, et je suis
en route, en bonne route. Avec un homme arrivé on sait ce qu'on
635 prend ; avec un homme qui commence on ne sait pas où il ira.
Tant pis, ou tant mieux. Enfin je vous ai dit un jour, chez vous,
que mon rêve le plus cher aurait été d'épouser une femme
comme vous. Je vous répète aujourd'hui ce désir. Ne me répondez pas. Laissez-moi continuer. Ce n'est point une demande que
640 je vous adresse. Le lieu et l'instant la rendraient odieuse. Je tiens
seulement à ne point vous laisser ignorer que vous pouvez me
rendre heureux d'un mot, que vous pouvez faire de moi soit un
ami fraternel, soit même un mari, à votre gré, que mon cœur et

----

1. *Corrompu* : malsain.

ma personne sont à vous. Je ne veux pas que vous me répondiez
645 maintenant ; je ne veux plus que nous parlions de cela, ici.
Quand nous nous reverrons, à Paris, vous me ferez comprendre
ce que vous aurez résolu. Jusque-là plus un mot, n'est-ce pas ? »

Il avait débité cela sans la regarder, comme s'il eût semé ses
paroles dans la nuit devant lui. Et elle semblait n'avoir point
650 entendu, tant elle était demeurée immobile, regardant aussi
devant elle, d'un œil fixe et vague, le grand paysage pâle éclairé
par la lune.

Ils demeurèrent longtemps côte à côte, coude à coude, silencieux et méditant.

655 Puis elle murmura : « Il fait un peu froid. » Et, s'étant retour-
née, elle revint vers le lit. Il la suivit.

Lorsqu'il s'approcha, il reconnut que vraiment Forestier commençait à sentir ; et il éloigna son fauteuil, car il n'aurait pu supporter longtemps cette odeur de pourriture. Il dit : « Il faudra le
660 mettre en bière[1] dès le matin. »

Elle répondit : « Oui, oui, c'est entendu ; le menuisier viendra
vers huit heures. »

Et Duroy ayant soupiré : « Pauvre garçon ! » elle poussa à son
tour un long soupir de résignation navrée.

665 Ils le regardaient moins souvent, accoutumés déjà à l'idée de
cette mort, commençant à consentir mentalement à cette disparition qui, tout à l'heure encore, les révoltait et les indignait, eux
qui étaient mortels aussi.

Ils ne parlaient plus, continuant à veiller d'une façon conve-
670 nable, sans dormir. Mais, vers minuit, Duroy s'assoupit le premier. Quand il se réveilla, il vit que Mme Forestier sommeillait
également, et ayant pris une posture plus commode, il ferma de
nouveau les yeux en grommelant : « Sacristi ! on est mieux dans
ses draps, tout de même. »

---

1. *Le mettre en bière* : placer son corps dans un cercueil.

675 Un bruit soudain le fit tressauter. La garde entrait. Il faisait grand jour. La jeune femme, sur le fauteuil en face, semblait aussi surprise que lui. Elle était un peu pâle, mais toujours jolie, fraîche, gentille, malgré cette nuit passée sur un siège.

Alors, ayant regardé le cadavre, Duroy tressaillit et s'écria :
680 « Oh ! sa barbe ! » Elle avait poussé, cette barbe, en quelques heures, sur cette chair qui se décomposait, comme elle poussait en quelques jours sur la face d'un vivant. Et ils demeuraient effarés par cette vie qui continuait sur ce mort, comme devant un prodige affreux, devant une menace surnaturelle de résurrection,
685 devant une de ces choses anormales, effrayantes, qui bouleversent et confondent l'intelligence.

Ils allèrent ensuite tous les deux se reposer jusqu'à onze heures. Puis ils mirent Charles au cercueil, et ils se sentirent aussitôt allégés, rassérénés. Ils s'assirent en face l'un de l'autre pour
690 déjeuner avec une envie éveillée de parler de choses consolantes, plus gaies, de rentrer dans la vie, puisqu'ils en avaient fini avec la mort.

Par la fenêtre, grande ouverte, la douce chaleur du printemps entrait, apportant le souffle parfumé de la corbeille d'œillets
695 fleurie devant la porte.

Mme Forestier proposa à Duroy de faire un tour dans le jardin, et ils se mirent à marcher doucement autour du petit gazon en respirant avec délices l'air tiède plein de l'odeur des sapins et des eucalyptus.
700 Et, tout à coup, elle lui parla, sans tourner la tête vers lui, comme il avait fait pendant la nuit, là-haut. Elle prononçait les mots lentement, d'une voix basse et sérieuse :

« Écoutez, mon cher ami, j'ai bien réfléchi… déjà… à ce que vous m'avez proposé, et je ne veux pas vous laisser partir sans
705 vous répondre un mot. Je ne vous dirai, d'ailleurs, ni oui ni non. Nous attendrons, nous verrons, nous nous connaîtrons mieux. Réfléchissez beaucoup de votre côté. N'obéissez pas à un

entraînement trop facile. Mais, si je vous parle de cela, avant
même que ce pauvre Charles soit descendu dans sa tombe, c'est
710 qu'il importe, après ce que vous m'avez dit, que vous sachiez
bien qui je suis, afin de ne pas nourrir plus longtemps la pensée
que vous m'avez exprimée, si vous n'êtes pas d'un... d'un...
caractère à me comprendre et à me supporter.

« Comprenez-moi bien. Le mariage pour moi n'est pas une
715 chaîne, mais une association. J'entends être libre, tout à fait libre
de mes actes, de mes démarches, de mes sorties, toujours. Je ne
pourrais tolérer ni contrôle, ni jalousie, ni discussion sur ma
conduite. Je m'engagerais, bien entendu, à ne jamais compromettre le nom de l'homme que j'aurais épousé, à ne jamais le
720 rendre odieux ou ridicule. Mais il faudrait aussi que cet homme
s'engageât à voir en moi une égale, une alliée, et non pas une
inférieure ni une épouse obéissante et soumise. Mes idées, je le
sais, ne sont pas celles de tout le monde, mais je n'en changerai
point. Voilà.

725 « J'ajoute aussi : Ne me répondez pas, ce serait inutile et
inconvenant. Nous nous reverrons et nous reparlerons peut-être
de tout cela, plus tard.

« Maintenant, allez faire un tour. Moi je retourne près de lui.
À ce soir. »

730 Il lui baisa longuement la main et s'en alla sans prononcer
un mot.

Le soir, ils ne se virent qu'à l'heure du dîner. Puis ils montèrent à leurs chambres, étant tous deux brisés de fatigue.

Charles Forestier fut enterré le lendemain, sans aucune
735 pompe[1], dans le cimetière de Cannes. Et Georges Duroy voulut
prendre le rapide de Paris qui passe à une heure et demie.

Mme Forestier l'avait conduit à la gare. Ils se promenaient
tranquillement sur le quai, en attendant l'heure du départ, et parlaient de choses indifférentes.

---

1. Pompe : cérémonial pesant.

740   Le train arriva, très court, un vrai rapide, n'ayant que cinq wagons.

    Le journaliste choisit sa place, puis redescendit pour causer encore quelques instants avec elle, saisi soudain d'une tristesse, d'un chagrin, d'un regret violent de la quitter, comme s'il allait 745 la perdre pour toujours.

    Un employé criait : « Marseille, Lyon, Paris, en voiture ! » Duroy monta, puis s'accouda à la portière pour lui dire encore quelques mots. La locomotive siffla et le convoi doucement se mit en marche.

750   Le jeune homme, penché hors du wagon, regardait la jeune femme immobile sur le quai et dont le regard le suivait. Et soudain, comme il allait la perdre de vue, il prit avec ses deux mains un baiser sur sa bouche pour le jeter vers elle.

    Elle le lui renvoya d'un geste plus discret, hésitant, ébauché 755 seulement.

DEUXIÈME PARTIE

I

Georges Duroy avait retrouvé toutes ses habitudes anciennes. Installé maintenant dans le petit rez-de-chaussée de la rue de Constantinople, il vivait sagement, en homme qui prépare une existence nouvelle. Ses relations avec Mme de Marelle avaient
5 même pris une allure conjugale, comme s'il se fût exercé d'avance à l'événement prochain ; et sa maîtresse, s'étonnant souvent de la tranquillité réglée de leur union, répétait en riant : « Tu es encore plus popote[1] que mon mari ; ça n'était pas la peine de changer. »

10 Mme Forestier n'était pas revenue. Elle s'attardait à Cannes. Il reçut une lettre d'elle, annonçant son retour seulement pour le milieu d'avril, sans un mot d'allusion à leurs adieux. Il attendit. Il était bien résolu maintenant à prendre tous les moyens pour l'épouser, si elle semblait hésiter. Mais il avait confiance en sa
15 fortune, confiance en cette force de séduction qu'il sentait en lui, force vague et irrésistible que subissaient toutes les femmes.

Un court billet le prévint que l'heure décisive allait sonner.

« Je suis à Paris. Venez me voir.
« Madeleine Forestier. »

20 Rien de plus. Il l'avait reçu par le courrier de neuf heures. Il entrait chez elle à trois heures, le même jour.

---

1. *Popote* : calme, aimant le confort de son foyer.

Elle lui tendit les deux mains, en souriant de son joli sourire aimable ; et ils se regardèrent pendant quelques secondes, au fond des yeux.

25 Puis elle murmura : « Comme vous avez été bon de venir là-bas dans ces circonstances terribles ! »

Il répondit : « J'aurais fait tout ce que vous m'auriez ordonné. »

Et ils s'assirent. Elle s'informa des nouvelles, des Walter, de 30 tous les confrères et du journal. Elle y pensait souvent, au journal.

« Ça me manque beaucoup, disait-elle, mais beaucoup. J'étais devenue journaliste dans l'âme. Que voulez-vous, j'aime ce métier-là. »

35 Puis elle se tut. Il crut comprendre, il crut trouver dans son sourire, dans le ton de sa voix, dans ses paroles elles-mêmes, une sorte d'invitation ; et bien qu'il se fût promis de ne pas brusquer les choses, il balbutia :

« Eh bien... pourquoi... pourquoi ne le reprendriez-vous 40 pas... ce métier... sous... sous le nom de Duroy ? »

Elle redevint brusquement sérieuse et, posant la main sur son bras, elle murmura : « Ne parlons pas encore de ça. »

Mais il devina qu'elle acceptait, et tombant à ses genoux il se mit à lui baiser passionnément les mains en répétant, en 45 bégayant : « Merci, merci, comme je vous aime ! »

Elle se leva. Il fit comme elle et il s'aperçut qu'elle était fort pâle. Alors il comprit qu'il lui avait plu, depuis longtemps peut-être ; et comme ils se trouvaient face à face, il l'étreignit, puis il l'embrassa sur le front, d'un long baiser tendre et sérieux.

50 Quand elle se fut dégagée, en glissant sur sa poitrine, elle reprit d'un ton grave :

« Écoutez, mon ami, je ne suis encore décidée à rien. Cependant il se pourrait que ce fût *oui*. Mais vous allez me promettre le secret absolu jusqu'à ce que je vous en délie. »

55 Il jura et partit, le cœur débordant de joie.

Il mit désormais beaucoup de discrétion dans les visites qu'il lui fit et il ne sollicita pas de consentement plus précis, car elle avait une manière de parler de l'avenir, de dire « plus tard », de faire des projets où leurs deux existences se trouvaient mêlées,
60 qui répondait sans cesse, mieux et plus délicatement, qu'une formelle acceptation.

Duroy travaillait dur, dépensait peu, tâchait d'économiser quelque argent pour n'être point sans le sou au moment de son mariage, et il devenait aussi avare qu'il avait été prodigue[1].

65 L'été se passa, puis l'automne, sans qu'aucun soupçon vînt à personne, car ils se voyaient peu, et le plus naturellement du monde.

Un soir, Madeleine lui dit, en le regardant au fond des yeux : « Vous n'avez pas encore annoncé notre projet à
70 Mme de Marelle ?

– Non, mon amie. Vous ayant promis le secret je n'en ai ouvert la bouche à âme qui vive.

– Eh bien, il serait temps de la prévenir. Moi, je me charge des Walter. Ce sera fait cette semaine, n'est-ce pas ? »

75 Il avait rougi. « Oui, dès demain. »

Elle détourna doucement les yeux, comme pour ne point remarquer son trouble, et reprit : « Si vous le voulez, nous pourrons nous marier au commencement de mai. Ce serait très convenable.

80 – J'obéis en tout, avec joie.

– Le dix mai, qui est un samedi, me plairait beaucoup, parce que c'est mon jour de naissance.

– Soit, le dix mai.

– Vos parents habitent près de Rouen, n'est-ce pas ? Vous me
85 l'avez dit du moins.

---

1. *Prodigue* : dépensier.

– Oui, près de Rouen, à Canteleu.

– Qu'est-ce qu'ils font ?

– Ils sont… ils sont petits rentiers[1].

– Ah ! J'ai un grand désir de les connaître. »

90 Il hésita, fort perplexe : « Mais… c'est que, ils sont… »

Puis il prit son parti en homme vraiment fort :

« Ma chère amie, ce sont des paysans, des cabaretiers qui se sont saignés aux quatre membres pour me faire faire des études. Moi, je ne rougis pas d'eux, mais leur… simplicité… leur rusti-
95 cité pourrait peut-être vous gêner. »

Elle souriait délicieusement, le visage illuminé d'une bonté douce.

« Non. Je les aimerai beaucoup. Nous irons les voir. Je le veux. Je vous reparlerai de ça. Moi aussi je suis fille de petite
100 gens… mais je les ai perdus, moi, mes parents. Je n'ai plus personne au monde… – elle lui tendit la main et ajouta – … que vous. »

Et il se sentit attendri, remué, conquis comme il ne l'avait pas encore été par aucune femme.

105 « J'ai pensé à quelque chose, dit-elle, mais c'est assez difficile à expliquer. »

Il demanda : « Quoi donc ?

– Eh bien voilà, mon cher, je suis comme toutes les femmes, j'ai mes… mes faiblesses, mes petitesses, j'aime ce qui brille, ce
110 qui sonne. J'aurais adoré porter un nom noble. Est-ce que vous ne pourriez pas, à l'occasion de notre mariage, vous… vous anoblir un peu ? »

Elle avait rougi, à son tour, comme si elle lui eût proposé une indélicatesse.

115 Il répondit simplement : « J'y ai bien souvent songé, mais cela ne me paraît pas facile.

---

1. Rentiers : qui ne travaillent pas et vivent de rentes, c'est-à-dire de revenus non professionnels.

– Pourquoi donc ? »

Il se mit à rire : « Parce que j'ai peur de me rendre ridicule. »

Elle haussa les épaules : « Mais pas du tout, pas du tout. Tout
120 le monde le fait et personne n'en rit. Séparez votre nom en deux :
"Du Roy". Ça va très bien. »

Il répondit aussitôt, en homme qui connaît la question :

« Non, ça ne va pas. C'est un procédé trop simple, trop
commun, trop connu. Moi j'avais pensé à prendre le nom de
125 mon pays, comme pseudonyme littéraire d'abord, puis à l'ajouter peu à peu au mien, puis même, plus tard, à couper en deux
mon nom comme vous me le proposiez. »

Elle demanda : « Votre pays, c'est Canteleu ?

– Oui. »

130 Mais elle hésitait : « Non. Je n'en aime pas la terminaison.
Voyons, est-ce que nous ne pourrions pas modifier un peu ce
mot... Canteleu ? »

Elle avait pris une plume sur la table et elle griffonnait des
noms en étudiant leur physionomie[1]. Soudain elle s'écria :
135 « Tenez, tenez, voici. »

Et elle lui tendit un papier où il lut : « Madame Duroy
de Cantel. »

Il réfléchit quelques secondes, puis il déclara avec gravité :
« Oui, c'est très bon. »

140 Elle était enchantée et répétait :
« Duroy de Cantel, Duroy de Cantel, Mme Duroy de Cantel.
C'est excellent, excellent ! »

Elle ajouta, d'un air convaincu : « Et vous verrez comme c'est
facile à faire accepter par tout le monde. Mais il faut saisir l'occa-
145 sion. Car il serait trop tard ensuite. Vous allez, dès demain, signer
vos chroniques D. de Cantel, et vos échos tout simplement Duroy.

---

1. *Physionomie* : au sens propre, aspect morphologique ; au sens figuré,
comme ici, allure.

Ça se fait tous les jours dans la presse et personne ne s'étonnera de vous voir prendre un nom de guerre. Au moment de notre mariage, nous pourrons encore modifier un peu cela en disant
150 aux amis que vous aviez renoncé à votre dû par modestie, étant donné votre position, ou même sans rien dire du tout. Quel est le petit nom de votre père ?

– Alexandre. »

Elle murmura deux ou trois fois de suite : « Alexandre,
155 Alexandre », en écoutant la sonorité des syllabes, puis elle écrivit sur une feuille toute blanche :

« Monsieur et Madame Alexandre du Roy de Cantel ont l'honneur de vous faire part du mariage de Monsieur Georges du Roy de Cantel, leur fils, avec Madame Madeleine Forestier. »

160 Elle regardait son écriture d'un peu loin, ravie de l'effet, et elle déclara : « Avec un rien de méthode, on arrive à réussir tout ce qu'on veut. »

Quand il se retrouva dans la rue, bien déterminé à s'appeler désormais du Roy, et même du Roy de Cantel, il lui sembla qu'il
165 venait de prendre une importance nouvelle. Il marchait plus crânement, le front plus haut, la moustache plus fière, comme doit marcher un gentilhomme. Il sentait en lui une sorte d'envie joyeuse de raconter aux passants :

« Je m'appelle du Roy de Cantel. »

170 Mais à peine rentré chez lui, la pensée de Mme de Marelle l'inquiéta et il lui écrivit aussitôt, afin de lui demander un rendez-vous pour le lendemain.

« Ça sera dur, pensait-il. Je vais recevoir une bourrasque de premier ordre. »

175 Puis il en prit son parti avec l'insouciance naturelle qui lui faisait négliger les choses désagréables de la vie, et il se mit à faire un article fantaisiste sur les impôts nouveaux à établir afin de rassurer l'équilibre du budget.

Il y fit figurer la particule nobiliaire pour cent francs par an,
180 et les titres, depuis baron jusqu'à prince, pour cinq cents jusqu'à
mille francs.

Et il signa : D. de Cantel.

Il reçut le lendemain un petit bleu de sa maîtresse annonçant
qu'elle arriverait à une heure.

185 Il l'attendit avec un peu de fièvre, résolu d'ailleurs à brusquer
les choses, à tout dire dès le début, puis, après la première émotion, à argumenter avec sagesse pour lui démontrer qu'il ne pouvait pas rester garçon[1] indéfiniment, et que M. de Marelle
s'obstinant à vivre, il avait dû songer à une autre qu'elle pour en
190 faire sa compagne légitime.

Il se sentait ému cependant. Quand il entendit le coup de sonnette, son cœur se mit à battre.

Elle se jeta dans ses bras. « Bonjour, Bel-Ami. » Puis, trouvant
froide son étreinte, elle le considéra et demanda :

195 « Qu'est-ce que tu as ?

— Assieds-toi, dit-il. Nous allons causer sérieusement. »

Elle s'assit sans ôter son chapeau, relevant seulement sa voilette jusqu'au-dessus du front, et elle attendit.

Il avait baissé les yeux ; il préparait son début. Il commença
200 d'une voix lente :

« Ma chère amie, tu me vois fort troublé, fort triste et fort
embarrassé de ce que j'ai à t'avouer. Je t'aime beaucoup, je
t'aime vraiment du fond du cœur, aussi la crainte de te faire de
la peine m'afflige-t-elle plus encore que la nouvelle même que je
205 vais t'apprendre. »

Elle pâlissait, se sentant trembler, et elle balbutia :

« Qu'est-ce qu'il y a ? Dis vite ! »

Il prononça d'un ton triste, mais résolu, avec cet accablement
feint dont on use pour annoncer les malheurs heureux : « Il y a
210 que je me marie. »

---

1. *Garçon* : célibataire.

Elle poussa un soupir de femme qui va perdre connaissance, un soupir douloureux venu du fond de la poitrine, et elle se mit à suffoquer, sans pouvoir parler, tant elle haletait.

Voyant qu'elle ne disait rien, il reprit : « Tu ne te figures pas
215 combien j'ai souffert avant d'arriver à cette résolution. Mais je n'ai ni situation ni argent. Je suis seul, perdu dans Paris. Il me fallait auprès de moi quelqu'un qui fût surtout un conseil, une consolation et un soutien. C'est une associée, une alliée que j'ai cherchée et que j'ai trouvée ! »

220 Il se tut, espérant qu'elle répondrait, s'attendant à une colère furieuse, à des violences, à des injures.

Elle avait appuyé une main sur son cœur comme pour le contenir et elle respirait toujours par secousses pénibles qui lui soulevaient les seins et lui remuaient la tête.

225 Il prit la main restée sur le bras du fauteuil ; mais elle la retira brusquement. Puis elle murmura comme tombée dans une sorte d'hébétude : « Oh !... mon Dieu... »

Il s'agenouilla devant elle, sans oser la toucher cependant, et il balbutia, plus ému par ce silence qu'il ne l'eût été par des
230 emportements :

« Clo, ma petite Clo, comprends bien ma situation, comprends bien ce que je suis. Oh ! si j'avais pu t'épouser, toi, quel bonheur ! Mais tu es mariée. Que pouvais-je faire ? Réfléchis, voyons, réfléchis ! Il faut que je me pose dans le monde, et je ne
235 le puis pas faire tant que je n'aurai pas d'intérieur. Si tu savais !... Il y a des jours où j'avais envie de tuer ton mari... »

Il parlait de sa voix douce, voilée, séduisante, une voix qui entrait comme une musique dans l'oreille.

Il vit deux larmes grossir lentement dans les yeux fixes de sa
240 maîtresse, puis couler sur ses joues, tandis que deux autres se formaient déjà au bord des paupières.

Il murmura : « Oh ! ne pleure pas, Clo, ne pleure pas, je t'en supplie. Tu me fends le cœur. »

Alors, elle fit un effort, un grand effort pour être digne et
245 fière ; et elle demanda avec ce ton chevrotant des femmes qui
vont sangloter :

« Qui est-ce ? »

Il hésita une seconde, puis, comprenant qu'il le fallait :

« Madeleine Forestier. »

250 Mme de Marelle tressaillit de tout son corps, puis elle
demeura muette, songeant avec une telle attention qu'elle paraissait avoir oublié qu'il était à ses pieds.

Et deux gouttes transparentes se formaient sans cesse dans
ses yeux, tombaient, se reformaient encore.

255 Elle se leva. Duroy devina qu'elle allait partir sans lui dire un
mot, sans reproches et sans pardon ; et il en fut blessé, humilié
au fond de l'âme. Voulant la retenir, il saisit à plein bras sa robe,
enlaçant à travers l'étoffe ses jambes rondes qu'il sentit se roidir
pour résister.

260 Il suppliait : « Je t'en conjure, ne t'en va pas comme ça. »

Alors elle le regarda, de haut en bas, elle le regarda avec cet
œil mouillé, désespéré, si charmant et si triste qui montre toute
la douleur d'un cœur de femme, et elle balbutia : « Je n'ai… je
n'ai rien à dire… je n'ai… rien à faire… Tu… tu as raison… tu…
265 tu… as bien choisi ce qu'il te fallait… »

Et s'étant dégagée d'un mouvement en arrière, elle s'en alla,
sans qu'il tentât de la retenir plus longtemps.

Demeuré seul, il se releva, étourdi comme s'il avait reçu un
horion[1] sur la tête ; puis prenant son parti, il murmura : « Ma foi,
270 tant pis ou tant mieux. Ça y est… sans scène. J'aime autant ça. »

Et, soulagé d'un poids énorme, se sentant tout à coup libre, délivré, à l'aise pour sa vie nouvelle, il se mit à boxer contre le mur
en lançant de grands coups de poing, dans une sorte d'ivresse de
succès et de force, comme s'il se fût battu contre la Destinée[2].

---

1. *Horion* : coup violent.
2. La majuscule transforme la notion en allégorie. Autrement dit, la destinée
est personnifiée.

275   Quand Mme Forestier lui demanda : « Vous avez prévenu Mme de Marelle ? »

Il répondit avec tranquillité : « Mais oui... »

Elle le fouillait de son œil clair.

« Et ça ne l'a pas émue ?

280   – Mais non ; pas du tout. Elle a trouvé ça très bien, au contraire. »

La nouvelle fut bientôt connue. Les uns s'étonnèrent, d'autres prétendirent l'avoir prévu, d'autres encore sourirent en laissant entendre que ça ne les surprenait point.

285   Le jeune homme qui signait maintenant D. de Cantel ses chroniques, Duroy ses échos, et du Roy les articles politiques qu'il commençait à donner de temps en temps, passait la moitié des jours chez sa fiancée qui le traitait avec une familiarité fraternelle où entrait cependant une tendresse vraie, mais

290   cachée, une sorte de désir dissimulé comme une faiblesse. Elle avait décidé que le mariage se ferait en grand secret, en présence des seuls témoins, et qu'on partirait le soir même pour Rouen. On irait le lendemain embrasser les vieux parents du journaliste, et on demeurerait quelques jours

295   auprès d'eux.

Duroy s'était efforcé de la faire renoncer à ce projet, mais n'ayant pu y parvenir, il s'était soumis à la fin.

Donc, le 10 mai étant venu, les nouveaux époux, ayant jugé inutiles les cérémonies religieuses, puisqu'ils n'avaient

300   invité personne, rentrèrent pour fermer leurs malles après un court passage à la mairie, et ils prirent à la gare Saint-Lazare le train de six heures du soir qui les emporta vers la Normandie.

Ils n'avaient guère échangé vingt paroles jusqu'au moment

305   où ils se trouvèrent seuls dans le wagon. Dès qu'ils se sentirent en route, ils se regardèrent et se mirent à rire, pour cacher une certaine gêne, qu'ils ne voulaient point laisser voir.

Le train traversait doucement la longue gare des Batignolles, puis il franchit la plaine galeuse qui va des fortifications[1] à la
310 Seine.

Duroy et sa femme, de temps en temps, prononçaient quelques mots inutiles, puis se tournaient de nouveau vers la portière.

Quand ils passèrent le pont d'Asnières, une gaieté les saisit à
315 la vue de la rivière couverte de bateaux, de pêcheurs et de canotiers. Le soleil, un puissant soleil de mai, répandait sa lumière oblique sur les embarcations et sur le fleuve calme qui semblait immobile, sans courant et sans remous, figé sous la chaleur et la clarté du jour finissant. Une barque à voile, au milieu de la
320 rivière, ayant tendu sur ses deux bords deux grands triangles de toile blanche pour cueillir les moindres souffles de brise, avait l'air d'un énorme oiseau prêt à s'envoler.

Duroy murmura : « J'adore les environs de Paris, j'ai des souvenirs de fritures[2] qui sont les meilleurs de mon existence. »
325 Elle répondit : « Et les canots ! Comme c'est gentil de glisser sur l'eau au coucher du soleil ! »

Puis ils se turent comme s'ils n'avaient point osé continuer ces épanchements sur leur vie passée, et ils demeurèrent muets, savourant peut-être déjà la poésie des regrets.
330 Duroy, assis en face de sa femme, prit sa main et la baisa lentement.

« Quand nous serons revenus, dit-il, nous irons quelquefois dîner à Chatou[3]. »

Elle murmura : « Nous aurons tant de choses à faire ! » sur un
335 ton qui semblait signifier : « Il faudra sacrifier l'agréable à l'utile. »

---

1. *Fortifications* : mur d'enceinte construit autour de Paris de 1841 à 1844 et détruit entre 1919 et 1929.
2. *Fritures* : poissons frits servis dans les guinguettes et modestes restaurants des petites villes de la banlieue parisienne au bord de l'eau.
3. *Chatou* : commune à l'ouest de Paris, en bordure de Seine.

Il tenait toujours sa main, se demandant avec inquiétude par quelle transition il arriverait aux caresses. Il n'eût point été troublé de même devant l'ignorance d'une jeune fille ; mais l'intelli-340 gence alerte et rusée qu'il sentait en Madeleine rendait embarrassée son attitude. Il avait peur de lui sembler niais, trop timide ou trop brutal, trop lent ou trop prompt.

Il serrait cette main par petites pressions, sans qu'elle répondît à son appel. Il dit :

345 « Ça me semble très drôle que vous soyez ma femme. »

Elle parut surprise : « Pourquoi ça ?

– Je ne sais pas. Ça me semble drôle. J'ai envie de vous embrasser, et je m'étonne d'en avoir le droit. »

Elle lui tendit tranquillement sa joue, qu'il baisa comme il eût 350 baisé celle d'une sœur.

Il reprit : « La première fois que je vous ai vue (vous savez bien, à ce dîner où m'avait invité Forestier), j'ai pensé : "Sacristi, si je pouvais découvrir une femme comme ça." Eh bien ! c'est fait. Je l'ai. »

355 Elle murmura : « C'est gentil. » Et elle le regardait tout droit, finement, de son œil toujours souriant.

Il songeait : « Je suis trop froid. Je suis stupide. Je devrais aller plus vite que ça. » Et il demanda :

« Comment aviez-vous donc fait la connaissance de 360 Forestier ? »

Elle répondit, avec une malice provocante :

« Est-ce que nous allons à Rouen pour parler de lui ? »

Il rougit : « Je suis bête. Vous m'intimidez beaucoup. »

Elle fut ravie : « Moi ! Pas possible ? D'où vient ça ? »

365 Il s'était assis à côté d'elle, tout près. Elle cria : « Oh ! un cerf ! »

Le train traversait la forêt de Saint-Germain et elle avait vu un chevreuil effrayé franchir d'un bond une allée.

Duroy s'étant penché pendant qu'elle regardait par la por-370 tière ouverte posa un long baiser, un baiser d'amant dans les cheveux de son cou.

Elle demeura quelques moments immobile ; puis, relevant la tête : « Vous me chatouillez, finissez. »

Mais il ne s'en allait point, promenant doucement, en une caresse énervante et prolongée, sa moustache frisée sur la chair blanche.

Elle se secoua : « Finissez donc. »

Il avait saisi la tête de sa main droite glissée derrière elle, et il la tournait vers lui. Puis il se jeta sur sa bouche comme un épervier sur une proie.

Elle se débattait, le repoussait, tâchait de se dégager. Elle y parvint enfin, et répéta :

« Mais finissez donc. »

Il ne l'écoutait plus, l'étreignant, la baisant d'une lèvre avide et frémissante, essayant de la renverser sur les coussins du wagon.

Elle se dégagea d'un grand effort, et, se levant avec vivacité :

« Oh ! voyons, Georges, finissez. Nous ne sommes pourtant plus des enfants, nous pouvons bien attendre Rouen. »

Il demeurait assis, très rouge, et glacé par ces mots raisonnables ; puis, ayant repris quelque sang-froid :

« Soit j'attendrai, dit-il avec gaieté, mais je ne suis plus fichu de prononcer vingt paroles jusqu'à l'arrivée. Et songez que nous traversons Poissy[1].

— C'est moi qui parlerai », dit-elle.

Elle se rassit doucement auprès de lui.

Et elle parla, avec précision, de ce qu'ils feraient à leur retour. Ils devaient conserver l'appartement qu'elle habitait avec son premier mari, et Duroy héritait aussi des fonctions et du traitement de Forestier à *La Vie française*.

Avant leur union, du reste, elle avait réglé, avec une sûreté d'homme d'affaires, tous les détails financiers du ménage.

---

1. Poissy n'est qu'à une quinzaine de kilomètres de Paris, Rouen est à 110 kilomètres.

Ils s'étaient associés sous le régime de la séparation de biens[1], et tous les cas étaient prévus qui pouvaient survenir : 405 mort, divorce, naissance d'un ou de plusieurs enfants. Le jeune homme apportait quatre mille francs, disait-il, mais, sur cette somme, il en avait emprunté quinze cents. Le reste provenait d'économies faites dans l'année, en prévision de l'événement. La jeune femme apportait quarante mille francs que lui avait laissés 410 Forestier, disait-elle.

Elle revint à lui, citant son exemple : « C'était un garçon très économe, très rangé, très travailleur. Il aurait fait fortune en peu de temps. »

Duroy n'écoutait plus, tout occupé d'autres pensées.

415 Elle s'arrêtait parfois pour suivre une idée intime, puis reprenait :

« D'ici à trois ou quatre ans, vous pouvez fort bien gagner de trente à quarante mille francs par an. C'est ce qu'aurait eu Charles, s'il avait vécu. »

420 Georges, qui commençait à trouver longue la leçon, répondit : « Il me semblait que nous n'allions pas à Rouen pour parler de lui. »

Elle lui donna une petite tape sur la joue : « C'est vrai, j'ai tort. » Elle riait.

425 Il affectait de tenir ses mains sur ses genoux, comme les petits garçons bien sages.

« Vous avez l'air niais, comme ça », dit-elle.

Il répliqua : « C'est mon rôle, auquel vous m'avez d'ailleurs rappelé tout à l'heure, et je n'en sortirai plus. »

430 Elle demanda : « Pourquoi ? »

– Parce que c'est vous qui prenez la direction de la maison, et même celle de ma personne. Cela vous regarde, en effet, comme veuve ! »

---

1. *Régime de la séparation de biens* : contrat de mariage dans lequel les patrimoines des deux époux restent indépendants.

Elle fut étonnée : « Que voulez-vous dire au juste ?

435   – Que vous avez une expérience qui doit dissiper mon ignorance, et une pratique du mariage qui doit dégourdir mon innocence de célibataire, voilà, na ! »

Elle s'écria : « C'est trop fort ! »

Il répondit : « C'est comme ça. Je ne connais pas les femmes,
440 moi, – na, – et vous connaissez les hommes, vous, puisque vous
êtes veuve, – na, – c'est vous qui allez faire mon éducation... ce
soir – na – et vous pouvez même commencer tout de suite, si
vous voulez, – na. »

Elle s'écria, très égayée :

445   « Oh ! par exemple, si vous comptez sur moi pour ça !... »

Il prononça, avec une voix de collégien qui bredouille sa
leçon : « Mais oui, – na, – j'y compte. Je compte même que vous
me donnerez une instruction solide... en vingt leçons... dix pour
les éléments... la lecture et la grammaire... dix pour les perfec-
450 tionnements et la rhétorique... Je ne sais rien, moi – na. »

Elle s'écria, s'amusant beaucoup : « T'es bête. »

Il reprit : « Puisque tu commences par me tutoyer, j'imiterai
aussitôt cet exemple, et je te dirai, mon amour, que je t'adore de
plus en plus, de seconde en seconde, et que je trouve Rouen
455 bien loin ! »

Il parlait maintenant avec des intonations d'acteur, avec un
jeu plaisant de figures[1] qui divertissaient la jeune femme habituée aux manières et aux joyeusetés de la grande bohème des
hommes de lettres.

460   Elle le regardait de côté, le trouvant vraiment charmant,
éprouvant l'envie qu'on a de croquer un fruit sur l'arbre, et l'hésitation du raisonnement qui conseille d'attendre le dîner pour le
manger à son heure.

Alors elle dit, devenant un peu rouge aux pensées qui
465 l'assaillaient :

---

1. Figures : ici, mines, mimiques.

« Mon petit élève, croyez mon expérience, ma grande expérience. Les baisers en wagon ne valent rien. Ils tournent sur l'estomac. »

Puis elle rougit davantage encore, en murmurant :

470 « Il ne faut jamais couper son blé en herbe[1]. »

Il ricanait, excité par les sous-entendus qu'il sentait glisser dans cette jolie bouche ; et il fit le signe de la croix avec un marmottement des lèvres, comme s'il eût murmuré une prière, puis il déclara : « Je viens de me mettre sous la protection de saint

475 Antoine, patron des Tentations. Maintenant, je suis de bronze. »

La nuit venait doucement, enveloppant d'ombre transparente, comme d'un crêpe[2] léger, la grande campagne qui s'étendait à droite. Le train longeait la Seine ; et les jeunes gens se mirent à regarder dans le fleuve, déroulé comme un large ruban

480 de métal poli à côté de la voie, des reflets rouges, des taches tombées du ciel que le soleil en s'en allant avait frotté de pourpre et de feu. Ces lueurs s'éteignaient peu à peu, devenaient foncées, s'assombrissant tristement. Et la campagne se noyait dans le noir, avec ce frisson sinistre, ce frisson de mort que chaque cré-

485 puscule fait passer sur la terre.

Cette mélancolie du soir, entrant par la portière ouverte, pénétrait les âmes, si gaies tout à l'heure, des deux époux devenus silencieux.

Ils s'étaient rapprochés l'un de l'autre pour regarder cette

490 agonie du jour, de ce beau jour clair de mai.

À Mantes, on avait allumé le petit quinquet[3] à l'huile qui répandait sur le drap gris des capitons sa clarté jaune et tremblotante.

---

1. *Il ne faut jamais couper son blé en herbe* : il ne faut pas couper le blé prématurément, c'est-à-dire, au sens figuré, dépenser son revenu d'avance et, ici, devancer le moment de se retrouver dans une chambre.
2. *Crêpe* : tissu léger et ondulé.
3. *Quinquet* : lampe à huile ou à pétrole.

Duroy enlaça la taille de sa femme et la serra contre lui. Son
495 désir aigu de tout à l'heure devenait de la tendresse, une tendresse alanguie, une envie molle de menues caresses consolantes, de ces caresses dont on berce les enfants.

Il murmura, tout bas : « Je t'aimerai bien, ma petite Made. »

La douceur de cette voix émut la jeune femme, lui fit passer
500 sur la chair un frémissement rapide, et elle offrit sa bouche, en
se penchant sur lui, car il avait posé sa joue sur le tiède appui
des seins.

Ce fut un très long baiser, muet et profond, puis un sursaut,
une brusque et folle étreinte, une courte lutte essoufflée, un
505 accouplement violent et maladroit. Puis ils restèrent aux bras
l'un de l'autre, un peu déçus tous deux, las et tendres encore, jusqu'à ce que le sifflet du train annonçât une gare prochaine.

Elle déclara, en tapotant du bout des doigts les cheveux ébouriffés de ses tempes :
510 « C'est très bête. Nous sommes des gamins. »

Mais il lui baisait les mains, allant de l'une à l'autre avec une
rapidité fiévreuse et il répondit : « Je t'adore, ma petite Made. »

Jusqu'à Rouen, ils demeurèrent presque immobiles, la joue
contre la joue, les yeux dans la nuit de la portière où l'on voyait
515 passer parfois les lumières des maisons ; et ils rêvassaient,
contents de se sentir si proches et dans l'attente grandissante
d'une étreinte plus intime et plus libre.

Ils descendirent dans un hôtel dont les fenêtres donnaient sur
le quai, et ils se mirent au lit après avoir un peu soupé, très peu.
520 La femme de chambre les réveilla, le lendemain, lorsque huit
heures venaient de sonner.

Quand ils eurent bu la tasse de thé posée sur la table de nuit,
Duroy regarda sa femme, puis brusquement, avec l'élan joyeux
d'un homme heureux qui vient de trouver un trésor, il la saisit
525 dans ses bras, en balbutiant :

« Ma petite Made, je sens que je t'aime beaucoup...
beaucoup... beaucoup... »

Elle souriait de son sourire confiant et satisfait et elle murmura, en lui rendant ses baisers : « Et moi aussi... peut-être. »
530   Mais il demeurait inquiet de cette visite à ses parents. Il avait
déjà souvent prévenu sa femme ; il l'avait préparée, sermonnée.
Il crut bon de recommencer.

    « Tu sais, ce sont des paysans, des paysans de campagne, et
non pas d'opéra-comique. »

535   Elle riait : « Mais je le sais, tu me l'as assez dit. Voyons, lève-
toi et laisse-moi me lever aussi. »

    Il sauta du lit, et mettant ses chaussettes :

    « Nous serons très mal à la maison, très mal. Il n'y a qu'un
vieux lit à paillasse[1] dans ma chambre. On ne connaît pas les
540 sommiers à Canteleu. »

    Elle semblait enchantée : « Tant mieux. Ce sera charmant de
mal dormir... auprès de... auprès de toi... et d'être réveillée par
le chant des coqs. »

    Elle avait passé son peignoir, un grand peignoir de flanelle
545 blanche, que Duroy reconnut aussitôt. Cette vue lui fut désagréable. Pourquoi ? Sa femme possédait, il le savait bien, une dou-
zaine entière de ces vêtements de matinée. Elle ne pouvait
pourtant point détruire son trousseau pour en acheter un neuf ?
N'importe, il eût voulu que son linge de chambre, son linge de
550 nuit, son linge d'amour ne fût plus le même qu'avec l'autre. Il lui
semblait que l'étoffe moelleuse et tiède devait avoir gardé
quelque chose du contact de Forestier.

    Et il alla vers la fenêtre en allumant une cigarette.

    La vue du port, du large fleuve plein de navires, aux mâts
555 légers, de vapeurs trapus, que des machines tournantes vidaient
à grand bruit sur les quais, le remua, bien qu'il connût cela
depuis longtemps. Et il s'écria :

    « Bigre, que c'est beau ! »

———————————————

1. *Paillasse* : sac rempli de paille servant de matelas.

Madeleine accourut et posant ses deux mains sur une épaule
560 de son mari, penchée vers lui dans un geste abandonné, elle
demeura ravie, émue. Elle répétait :

« Oh ! que c'est joli ! que c'est joli ! Je ne savais pas qu'il y
eût tant de bateaux que ça ! »

Ils partirent une heure plus tard, car ils devaient déjeuner
565 chez les vieux, prévenus depuis quelques jours. Un fiacre découvert et rouillé les emporta avec un bruit de chaudronnerie
secouée. Ils suivirent un long boulevard assez laid, puis traversèrent des prairies où coulait une rivière, puis ils commencèrent
à gravir la côte.

570 Madeleine, fatiguée, s'était assoupie sous la caresse péné-
trante du soleil qui la chauffait délicieusement au fond de la
vieille voiture, comme si elle eût été couchée dans un bain tiède
de lumière et d'air champêtre.

Son mari la réveilla : « Regarde », dit-il.

575 Ils venaient de s'arrêter aux deux tiers de la montée, à un
endroit renommé pour la vue, où l'on conduit tous les
voyageurs.

On dominait l'immense vallée, longue et large, que le fleuve
clair parcourait d'un bout à l'autre, avec de grandes ondulations.
580 On le voyait venir de là-bas, taché par des îles nombreuses et
décrivant une courbe avant de traverser Rouen. Puis la ville apparaissait sur la rive droite, un peu noyée dans la brume matinale,
avec des éclats de soleil sur ses toits, et ses mille clochers légers,
pointus ou trapus, frêles et travaillés comme des bijoux géants,
585 ses tours carrées ou rondes coiffées de couronnes héraldiques[1],
ses beffrois, ses clochetons, tout le peuple gothique des sommets
d'églises que dominait la flèche aiguë de la cathédrale, surpre-
nante aiguille de bronze, laide, étrange et démesurée, la plus
haute qui soit au monde.

---

1. *Héraldiques* : représentant une famille noble.

590   Mais en face, de l'autre côté du fleuve, s'élevaient, rondes et renflées à leur faîte[1], les minces cheminées d'usines du vaste faubourg de Saint-Sever.

Plus nombreuses que leurs frères les clochers, elles dressaient jusque dans la campagne lointaine leurs longues colonnes de 595 briques et soufflaient dans le ciel bleu leur haleine noire de charbon.

Et la plus élevée de toutes, aussi haute que la pyramide de Chéops[2], le second des sommets dus au travail humain, presque l'égale de sa fière commère la flèche de la cathédrale, la grande 600 pompe à feu[3] de La Foudre[4] semblait la reine du peuple travailleur et fumant des usines, comme sa voisine était la reine de la foule pointue des monuments sacrés.

Là-bas, derrière la ville ouvrière, s'étendait une forêt de sapins ; et la Seine, ayant passé entre les deux cités, continuait 605 sa route, longeait une grande côte onduleuse boisée en haut et montrant par place ses os de pierre blanche, puis elle disparaissait à l'horizon après avoir encore décrit une longue courbe arrondie. On voyait des navires montant et descendant le fleuve, traînés par des barques à vapeur grosses comme des mouches et 610 qui crachaient une fumée épaisse. Des îles, étalées sur l'eau, s'alignaient toujours l'une au bout de l'autre, ou bien laissant entre elles de grands intervalles, comme les grains inégaux d'un chapelet verdoyant.

Le cocher du fiacre attendait que les voyageurs eussent fini de 615 s'extasier. Il connaissait par expérience la durée de l'admiration de toutes les races de promeneurs.

---

1. *Faîte* : sommet.
2. *Pyramide de Chéops* **(ou Khéops)** : pyramide égyptienne de 137 mètres de haut.
3. *Pompe à feu* : pompe marchant à la vapeur et qui permet l'alimentation en eau.
4. *La Foudre* est une importante filature de coton. Son nom provient de l'origine de sa source d'énergie : une chaudière récupérée sur le remorqueur *La Foudre*, coulé en 1848 au fond de la Seine.

Mais quand il se remit en marche, Duroy aperçut soudain, à quelques centaines de mètres, deux vieilles gens qui s'en venaient, et il sauta de la voiture, en criant : « Les voilà. Je les
620 reconnais. »

C'étaient deux paysans, l'homme et la femme, qui marchaient d'un pas régulier, en se balançant et se heurtant parfois de l'épaule. L'homme était petit, trapu, rouge et un peu ventru, vigoureux malgré son âge ; la femme, grande, sèche, voûtée,
625 triste, la vraie femme de peine des champs qui a travaillé dès l'enfance et qui n'a jamais ri, tandis que le mari blaguait en buvant avec les pratiques[1].

Madeleine aussi était descendue de voiture et elle regardait venir ces deux pauvres êtres avec un serrement de cœur, une tris-
630 tesse qu'elle n'avait point prévue. Ils ne reconnaissaient point leur fils, ce beau monsieur, et ils n'auraient jamais deviné leur bru dans cette belle dame en robe claire.

Ils allaient, sans parler, et vite, au-devant de l'enfant attendu, sans regarder ces personnes de la ville que suivait une voiture.

635 Ils passaient. Georges, qui riait, cria : « Bonjou, pé Duroy. »

Ils s'arrêtèrent net, tous les deux, stupéfaits d'abord, puis abrutis de surprise. La vieille se remit la première et balbutia, sans faire un pas : « C'est-ti té, not'fieu ? »

Le jeune homme répondit : « Mais oui, c'est moi, la mé
640 Duroy ! »

Et marchant à elle il l'embrassa sur les deux joues, d'un gros baiser de fils. Puis il frotta ses tempes contre les tempes du père, qui avait ôté sa casquette, une casquette à la mode de Rouen, en soie noire, très haute, pareille à celle des marchands de bœufs.

645 Puis Georges annonça : « Voilà ma femme. » Et les deux campagnards regardèrent Madeleine. Ils la regardèrent comme on regarde un phénomène, avec une crainte inquiète, jointe à une

---

1. Pratiques : clients.

sorte d'approbation satisfaite chez le père, à une inimitié jalouse chez la mère.

650 L'homme, qui était d'un naturel joyeux, tout imbibé par une gaieté de cidre doux et d'alcool, s'enhardit et demanda, avec une malice au coin de l'œil :

« J'pouvons-t-il l'embrasser tout d'même ? »

Le fils répondit : « Parbleu. » Et Madeleine, mal à l'aise, tendit
655 ses deux joues aux bécots sonores du paysan qui s'essuya ensuite les lèvres d'un revers de main.

La vieille, à son tour, baisa sa belle-fille avec une réserve hostile. Non, ce n'était point la bru de ses rêves, la grosse et fraîche fermière, rouge comme une pomme et ronde comme une jument
660 poulinière[1]. Elle avait l'air d'une traînée[2], cette dame-là, avec ses falbalas[3] et son musc[4]. Car tous les parfums, pour la vieille, étaient du musc.

Et on se remit en marche à la suite du fiacre qui portait la malle des nouveaux époux.

665 Le vieux prit son fils par le bras, et le retenant en arrière, il demanda avec intérêt :

« Eh ben, ça va-t-il, les affaires ?

– Mais oui, très bien.

– Allons, suffit, tant mieux ! Dis mé, ta femme, est-i aisée ? »
670 Georges répondit : « Quarante mille francs. »

Le père poussa un léger sifflement d'admiration et ne put que murmurer : « Bougre ! » tant il fut ému par la somme. Puis il ajouta avec une conviction sérieuse : « Nom de nom, c'est une belle femme. » Car il la trouvait de son goût, lui. Et il avait passé
675 pour connaisseur, dans le temps.

---

1. *Poulinière* : destinée à la reproduction.
2. *Traînée* : fille de mauvaise vie.
3. *Falbalas* : vêtements à froufrous.
4. *Musc* : substance odorante très forte entrant dans la composition de nombreux parfums.

Madeleine et la mère marchaient côte à côte, sans dire un mot. Les deux hommes les rejoignirent.

On arrivait au village, un petit village en bordure sur la route, formé de dix maisons de chaque côté, maisons de bourg et
680 masures de fermes, les unes en briques, les autres en argile, celles-ci coiffées de chaume et celles-là d'ardoise. Le café du père Duroy : *À la Belle Vue*, une bicoque composée d'un rez-de-chaussée et d'un grenier, se trouvait à l'entrée du pays, à gauche. Une branche de pin, accrochée sur la porte, indiquait, à la mode
685 ancienne, que les gens altérés pouvaient entrer.

Le couvert était mis dans la salle du cabaret, sur deux tables rapprochées et cachées par deux serviettes. Une voisine, venue pour aider au service, salua d'une grande révérence en voyant apparaître une aussi belle dame, puis reconnaissant Georges, elle
690 s'écria : « Seigneur Jésus, c'est-i té, petiot ? »

Il répondit gaiement : « Oui, c'est moi, la mé Brulin ! »

Et il l'embrassa aussitôt comme il avait embrassé père et mère.

Puis il se tourna vers sa femme : « Viens dans notre chambre,
695 dit-il, tu te débarrasseras de ton chapeau. »

Il la fit entrer par la porte de droite dans une pièce froide, carrelée, toute blanche, avec ses murs peints à la chaux et son lit aux rideaux de coton. Un crucifix au-dessus d'un bénitier, et deux images coloriées représentant Paul et Virginie[1] sous un palmier
700 bleu et Napoléon Ier sur un cheval jaune, ornaient seuls cet appartement propre et désolant.

Dès qu'ils furent seuls, il embrassa Madeleine :

« Bonjour, Made. Je suis content de revoir les vieux. Quand on est à Paris, on n'y pense pas, et puis quand on se retrouve,
705 ça fait plaisir tout de même. »

---

1. *Paul et Virginie* : héros du très populaire roman pastoral de Bernardin de Saint-Pierre, *Paul et Virginie* (1787).

Mais le père criait en tapant du poing la cloison :

« Allons, allons, la soupe est cuite. »

Et il fallut se mettre à table.

Ce fut un long déjeuner de paysans avec une suite de plats
710 mal assortis, une andouille après un gigot, une omelette après
l'andouille. Le père Duroy, mis en joie par le cidre et quelques
verres de vin, lâchait le robinet de ses plaisanteries de choix,
celles qu'il réservait pour les grandes fêtes, histoires grivoises et
malpropres arrivées à ses amis, affirmait-il. Georges, qui les
715 connaissait toutes, riait cependant, grisé par l'air natal, ressaisi
par l'amour inné du pays, des lieux familiers dans l'enfance, par
toutes les sensations, tous les souvenirs retrouvés, toutes les
choses d'autrefois revues, des riens, une marque de couteau dans
une porte, une chaise boiteuse rappelant un petit fait, des odeurs
720 de sol, le grand souffle de résine et d'arbres venu de la forêt voisine, les senteurs du logis, du ruisseau, du fumier.

La mère Duroy ne parlait point, toujours triste et sévère,
épiant de l'œil sa bru avec une haine éveillée dans le cœur, une
haine de vieille travailleuse, de vieille rustique aux doigts usés,
725 aux membres déformés par les dures besognes, contre cette
femme de ville qui lui inspirait une répulsion de maudite, de
réprouvée[1], d'être impur fait pour la fainéantise et le péché. Elle
se levait à tout moment pour aller chercher les plats, pour verser
dans les verres la boisson jaune et aigre de la carafe ou le cidre
730 roux mousseux et sucré des bouteilles dont le bouchon sautait
comme celui de la limonade gazeuse.

Madeleine ne mangeait guère, ne parlait guère, demeurait
triste avec son sourire ordinaire figé sur les lèvres, mais un sourire morne, résigné. Elle était déçue, navrée. Pourquoi ? Elle avait
735 voulu venir. Elle n'ignorait point qu'elle allait chez des paysans,
chez des petits paysans. Comment les avait-elle donc rêvés, elle
qui ne rêvait pas d'ordinaire ?

---

1. *Réprouvée* : rejetée, condamnée par la société.

Lorsque Maupassant publie *Bel-Ami* en 1885, il n'en est plus à ses débuts d'écrivain. C'es
cependant dans ce roman que s'affirme pleinement son style propre (voir présentatior
p. 5-7). Il s'affranchit ainsi en partie de la tutelle de ses pairs en littérature – Balzac, « ur
innovateur étrangement puissant et fertile et un des maîtres de l'avenir », et surtout
Flaubert, l'auteur d'une œuvre « absolue » selon lui (« Gustave Flaubert », *La Républiqué
des lettres*, 22 octobre 1876).

DE
GUY DE MAUPASSANT
Bel-Ami

▶ Frontispice
d'une édition de *Bel-Ami*
illustrée par Ferdinand Bac
(Ollendorff, 1901).

*Illustrations
DE*
FERDINAND BAC

*Gravées sur bois
PAR*
LEMOINE

PARIS
SOCIÉTÉ D'ÉDITIONS LITTÉRAIRES ET ARTISTIQUES
Librairie Paul Ollendorff
50, CHAUSSÉE D'ANTIN, 50

5ᵉ volume. Nᵒ 246. — 10 c. Un an : 6 fr.
LES HOMMES D'AUJOURD'HUI
DESSIN DE COLL-TOC

Bureaux : Librairie Vanier, 19, quai Saint-Michel, à Paris.

GUY DE MAUPASSANT

*Les Vers
Mᵐᵉ TELLIER
orelle Fifi
la Bécasse
Au Soleil
BOULE de SUIF
Sœurs Rondoli
Une Vie
FLAUBERT BALZAC*

◀ *Guy de Maupassant (1850-1893),
écrivain français, à cheval sur les œuvres
de ses maîtres Flaubert et Balzac,
caricature anonyme, 1884.*

Comme de nombreuses œuvres réalistes du XIXe siècle, *Bel-Ami* a pour cadre Paris, et notamment ses lieux de divertissement : les cafés et gargotes des Grands Boulevards, les Folies-Bergère, le bois de Boulogne sont autant d'endroits – raffinés ou populaires – où le héros s'adonne aux plaisirs.

◀ Auguste Renoir, *Les Grands Boulevards*, 1875. Centre de la vie mondaine, artistique et économique du XIXe siècle, les Grands Boulevards s'étendent sur la rive droite de la capitale, englobant notamment le boulevard des Italiens, où Duroy rencontre son ancien camarade Forestier au début du roman.

Archives Flammarion

▶ Édouard Manet, *Un bar aux Folies-Bergère*, vers 1880. Introduit par Forestier dans cet établissement prisé du 9e arrondissement, Duroy découvre une société parisienne contrastée et fraye avec la prostituée Rachel.

Archives Flammarion

◀ Église Notre-Dame-de-Lorette, vue depuis la rue Laffitte dans le 9ᵉ arrondissement, vers 1885. C'est dans ce quartier bien connu de Bel-Ami que les hommes en quête d'aventures amoureuses rencontrent les « lorettes » (voir p. 36).

▼ Avenue du bois de Boulogne, vers 1890. Actuelle avenue Foch, l'avenue du bois de Boulogne est au XIXᵉ siècle un lieu de promenade très mondain et propice au badinage (dans le roman, Bel-Ami s'y rend en compagnie de Madeleine, voir p. 272-275).

De Georges Duroy à du Roy de Cantel :
les différents visages de Bel-Ami

L'élégant homme du monde

▲ Toulouse-Lautrec,
Monsieur Louis Pascal, 1891.

▲ Georges Duroy devant les glaces de l'immeuble
des Forestier, illustration de Ferdinand Bac
pour une édition de *Bel-Ami* (1899).

Jeune provincial arrogant, Georges Duroy saisit progressivement les codes sociaux de son temps, qui lui permettent de se hisser au rang de rédacteur en chef d'un grand journal parisien, et finalement de se rêver député… Au faîte de la réussite, il demeure cependant un éternel insatisfait. Narcissique, le personnage est obsédé par le jeu des apparences, ce que souligne le thème du miroir dans le roman.

L'insatiable séducteur

▲ Henri Gervex, *Rolla*, 1878. La progression sociale de Georges Duroy s'accompagne d'une chute sur l'échelle des valeurs : dominateur, roué, adultère, il use notamment des femmes pour assurer son profit au détriment de toute morale.

L'« Homme-Dieu » d'une société corrompue

▲ Mihály Munkácsy, *Le Christ devant Pilate* (1881). Cette toile aurait servi d'inspiration à Maupassant pour la description de *Jésus marchant sur les flots* qui orne la serre des Walter. L'auteur suggère dans le roman une forte ressemblance entre le Sauveur et Bel-Ami. Ce procédé ironique souligne la décadence d'une société capable d'inverser les valeurs au point de sanctifier un individu moralement condamnable.

Le XIXᵉ siècle, âge d'or du journalisme ?

Au XIXᵉ siècle, l'essor de la presse à grand tirage favorise l'émergence d'une nouvelle bourgeoisie avec laquelle le pouvoir politique doit désormais savoir composer : lentille sur l'actualité et témoin du quotidien, le journal est en effet, avant tout, un moyen de faire et défaire les réputations. Pour avoir dépeint des journalistes manipulateurs et opportunistes, Maupassant fut ainsi violemment critiqué à la parution de *Bel-Ami*.

▲ Jean Béraud, *La Salle de rédaction du Journal des débats*, 1889, musée d'Orsay, Paris.

◀ Arthur Meyer (1844-1924), photographié par Charles Reutlinger. Ce journaliste, qui prend en juillet 1879 la direction du quotidien *Le Gaulois*, aurait inspiré Maupassant pour la création de M. Walter.

◀ Siège du journal *L'Illustration*, rue Saint-Georges, vers 1900. Cette imposante façade rappelle le bâtiment de *La Vie française*, éclairé par des flammes de gaz (p. 44-45) et orné d'un « escalier-réclame » (p. 88) impressionnant.

▼ À l'instar de Maupassant, les romanciers du XIXᵉ siècle sont fréquemment écrivains et journalistes. Sur cette page du *Gaulois* du 27 septembre 1881, on distingue une chronique de l'auteur relatant un voyage en Algérie (« Les Oasis et le Mzab », voir également p. 64).

Bel-Ami au cinéma

◀ ***Bel-Ami***, de Willi
Forst (1939), avec
Olga Tschechowa
(Madeleine
Forestier)
et Willi Forst
(Georges Duroy),
Allemagne.

▶ ***The Private Affairs
of Bel-Ami***, d'Albert Lewin
(1947), avec Angela
Lansbury (Clotilde
de Marelle) et George
Sanders (Georges Duroy),
États-Unis.

◀ ***Bel-Ami***, de Declan
Donnellan et Nick
Ormerod (2012),
avec Holliday
Grainger
(Suzanne Walter)
et Robert Pattinson
(Georges Duroy),
Royaume-Uni / Italie.

Le savait-elle ? Est-ce que les femmes n'espèrent point toujours autre chose que ce qui est ! Les avait-elle vus de loin plus
740 poétiques ? Non, mais plus littéraires peut-être, plus nobles, plus affectueux, plus décoratifs. Pourtant elle ne les désirait point distingués comme ceux des romans. D'où venait donc qu'ils la choquaient par mille choses menues, invisibles, par mille grossièretés insaisissables, par leur nature même de rustres, par
745 ce qu'ils disaient, par leurs gestes et leur gaieté ?

Elle se rappelait sa mère à elle, dont elle ne parlait jamais à personne, une institutrice séduite, élevée à Saint-Denis[1] et morte de misère et de chagrin quand Madeleine avait douze ans. Un inconnu avait fait élever la petite fille. Son père, sans doute ? Qui
750 était-il ? Elle ne le sut point au juste, bien qu'elle eût de vagues soupçons.

Le déjeuner ne finissait pas. Des consommateurs entraient maintenant, serraient les mains du père Duroy, s'exclamaient en voyant le fils, et, regardant de côté la jeune femme, clignaient de
755 l'œil avec malice ; ce qui signifiait : « Sacré mâtin[2] ! elle n'est pas piquée des vers[3], l'épouse à Georges Duroy. »

D'autres, moins intimes, s'asseyaient devant les tables de bois, et criaient : « Un litre ! – Une chope ! – Deux fines[4] ! – Un raspail[5] ! » Et ils se mettaient à jouer aux dominos en tapant à
760 grand bruit les petits carrés d'os blancs et noirs.

La mère Duroy ne cessait plus d'aller et de venir, servant les pratiques avec son air lamentable, recevant l'argent, essuyant les tables du coin de son tablier bleu.

---

1. La mère de Madeleine a été élevée dans la Maison d'éducation de la Légion d'honneur, créée à Saint-Denis par Napoléon Ier pour prendre en charge l'éducation des orphelines de guerre et des jeunes filles pauvres.
2. *Mâtin* : finaud, rusé.
3. *Pas piquée des vers* : pas trop vermoulue, donc pas encore trop vieille.
4. *Fines* : eaux-de-vie de bonne qualité.
5. *Raspail* : liqueur à base de plantes mise au point par le chimiste Raspail et censée avoir des vertus fortifiantes.

La fumée des pipes de terre et des cigares d'un sou emplissait
la salle. Madeleine se mit à tousser et demanda : « Si nous sor-
tions ? je n'en puis plus. »

On n'avait point encore fini. Le vieux Duroy fut mécontent.
Alors elle se leva et alla s'asseoir sur une chaise, devant la porte,
sur la route, en attendant que son beau-père et son mari eussent
achevé leur café et leurs petits verres.

Georges la rejoignit bientôt.

« Veux-tu dégringoler jusqu'à la Seine ? » dit-il.

Elle accepta avec joie : « Oh ! oui. Allons. »

Ils descendirent la montagne, louèrent un bateau à Croisset[1],
et ils passèrent le reste de l'après-midi le long d'une île, sous les
saules, somnolents tous deux, dans la chaleur douce du printemps, et bercés par les petites vagues du fleuve.

Puis ils remontèrent à la nuit tombante.

Le repas du soir, à la lueur d'une chandelle, fut plus pénible
encore pour Madeleine que celui du matin. Le père Duroy, qui
avait une demi-soûlerie, ne parlait plus. La mère gardait sa
mine revêche.

La pauvre lumière jetait sur les murs gris les ombres des têtes
avec des nez énormes et des gestes démesurés. On voyait parfois
une main géante lever une fourchette pareille à une fourche vers
une bouche qui s'ouvrait comme une gueule de monstre, quand
quelqu'un, se tournant un peu, présentait son profil à la flamme
jaune et tremblotante.

Dès que le dîner fut achevé, Madeleine entraîna son mari
dehors pour ne point demeurer dans cette salle sombre où flottait toujours une odeur âcre de vieilles pipes et de boissons
répandues.

Quand ils furent sortis :

---

1. Croisset : hameau sur la rive droite de la Seine, non loin de Canteleu.
L'écrivain Gustave Flaubert y vécut pendant près de quarante ans.

« Tu t'ennuies déjà », dit-il.

795 Elle voulut protester. Il l'arrêta : « Non. Je l'ai bien vu. Si tu le désires, nous partirons demain. »

Elle murmura :

« Oui. Je veux bien. »

Ils allaient devant eux doucement. C'était une nuit tiède dont
800 l'ombre caressante et profonde semblait pleine de bruits légers, de frôlements, de souffles. Ils étaient entrés dans une allée étroite, sous des arbres très hauts, entre deux taillis d'un noir impénétrable.

Elle demanda : « Où sommes-nous ? »

805 Il répondit : « Dans la forêt.

– Elle est grande ?

– Très grande, une des plus grandes de la France[1]. »

Une senteur de terre, d'arbres, de mousse, ce parfum frais et vieux des bois touffus, fait de la sève des bourgeons et de l'herbe
810 morte et moisie des fourrés, semblait dormir dans cette allée. En levant la tête, Madeleine apercevait des étoiles entre les sommets des arbres, et bien qu'aucune brise ne remuât les branches, elle sentait autour d'elle la vague palpitation de cet océan de feuilles.

Un frisson singulier lui passa dans l'âme et lui courut sur la
815 peau ; une angoisse confuse lui serra le cœur. Pourquoi ? Elle ne comprenait pas. Mais il lui semblait qu'elle était perdue, noyée, entourée de périls, abandonnée de tous, seule, seule au monde, sous cette voûte vivante qui frémissait là-haut.

Elle murmura : « J'ai un peu peur. Je voudrais retourner.

820 – Eh bien, revenons.

– Et… nous repartirons pour Paris demain ?

– Oui, demain.

– Demain matin.

---

1. C'est la forêt de Roumare. Maupassant l'évoque également dans *Le Horla* (1887).

– Demain matin, si tu veux. »

825 Ils rentrèrent. Les vieux étaient couchés. Elle dormit mal, réveillée sans cesse par tous les bruits nouveaux pour elle de la campagne, les cris des chouettes, le grognement d'un porc enfermé dans une hutte contre le mur et le chant d'un coq qui claironna dès minuit.

830 Elle fut levée et prête à partir aux premières lueurs de l'aurore.

Quand Georges annonça aux parents qu'il allait s'en retourner, ils demeurèrent saisis tous deux, puis ils comprirent d'où venait cette volonté.

835 Le père demanda simplement : « J'te r'verrons-ti bientôt ? »

– Mais oui. Dans le courant de l'été.

– Allons, tant mieux. »

La vieille grogna : « J'te souhaite de n'point r'gretter c'que t'as fait. »

840 Il leur laissa deux cents francs en cadeau, pour calmer leur mécontentement ; et le fiacre, qu'un gamin était allé chercher, ayant paru vers dix heures, les nouveaux époux embrassèrent les vieux paysans et repartirent.

Comme ils descendaient la côte, Duroy se mit à rire :

845 « Voilà, dit-il, je t'avais prévenue. Je n'aurais pas dû te faire connaître Monsieur et Madame du Roy de Cantel, père et mère. »

Elle se mit à rire aussi, et répliqua : « Je suis enchantée maintenant. Ce sont de braves gens que je commence à aimer beaucoup. Je leur enverrai des gâteries de Paris. »

850 Puis elle murmura : « "Du Roy de Cantel…" Tu verras que personne ne s'étonnera de nos lettres de faire-part. Nous raconterons que nous avons passé huit jours dans la propriété de tes parents. »

Et, se rapprochant de lui, elle effleura d'un baiser le bout de 855 sa moustache : « Bonjour, Geo ! »

Il répondit : « Bonjour, Made » en passant une main derrière sa taille.

On apercevait au loin, dans le fond de la vallée, le grand fleuve déroulé comme un ruban d'argent sous le soleil du matin, 860 et toutes les cheminées des usines qui soufflaient dans le ciel leurs nuages de charbon, et tous les clochers pointus dressés sur la vieille cité.

II

Les Du Roy[1] étaient rentrés à Paris depuis deux jours et le journaliste avait repris son ancienne besogne, en attendant qu'il quittât le service des Échos pour s'emparer définitivement des fonctions de Forestier et se consacrer tout à fait à la politique.

5 Il remontait chez lui, ce soir-là, au logis de son prédécesseur, le cœur joyeux, pour dîner, avec le désir éveillé d'embrasser tout à l'heure sa femme dont il subissait vivement le charme physique et l'insensible domination. En passant devant une fleuriste, au bas de la rue Notre-Dame-de-Lorette, il eut l'idée d'acheter un 10 bouquet pour Madeleine et il prit une grosse botte de roses à peine ouvertes, un paquet de boutons parfumés.

À chaque étage de son nouvel escalier il se regardait complaisamment dans cette glace dont la vue lui rappelait sans cesse sa première entrée dans la maison.

15 Il sonna, ayant oublié sa clef, et le même domestique, qu'il avait gardé aussi sur le conseil de sa femme, vint ouvrir.

Georges demanda : « Madame est rentrée ?

– Oui, monsieur. »

---

1. On notera que le narrateur modifie le nom de Duroy comme Duroy modifie le sien dans son journal, façon sans doute d'ironiser sur la démarche du journaliste et de placer le lecteur du roman dans la position d'un lecteur de *La Vie française* : entérinera-t-il, à son tour, cette falsification d'identité ?

Mais en traversant la salle à manger il demeura fort surpris
20 d'apercevoir trois couverts ; et, la portière du salon étant soulevée, il vit Madeleine qui disposait dans un vase de la cheminée
une botte de roses toute pareille à la sienne. Il fut contrarié,
mécontent, comme si on lui eût volé son idée, son attention et
tout le plaisir qu'il en attendait.

25 Il demanda en entrant : « Tu as donc invité quelqu'un ? »

Elle répondit sans se retourner, en continuant à arranger ses
fleurs : « Oui et non. C'est mon vieil ami le comte de Vaudrec qui
a l'habitude de dîner ici tous les lundis, et qui vient comme
autrefois. »

30 Georges murmura : « Ah ! très bien. »

Il restait debout derrière elle, son bouquet à la main, avec une
envie de le cacher, de le jeter. Il dit cependant :

« Tiens, je t'ai apporté des roses ! »

Elle se retourna brusquement, toute souriante, criant :

35 « Ah ! que tu es gentil d'avoir pensé à ça. »

Et elle lui tendit ses bras et ses lèvres avec un élan de plaisir
si vrai qu'il se sentit consolé.

Elle prit les fleurs, les respira, et, avec une vivacité d'enfant
ravie, les plaça dans le vase resté vide en face du premier. Puis
40 elle murmura en regardant l'effet :

« Que je suis contente ! Voilà ma cheminée garnie
maintenant. »

Elle ajouta presque aussitôt, d'un air convaincu :

« Tu sais, il est charmant, Vaudrec, tu seras tout de suite
45 intime avec lui. »

Un coup de timbre annonça le comte. Il entra, tranquille, très
à l'aise, comme chez lui. Après avoir baisé galamment les doigts
de la jeune femme, il se tourna vers le mari et lui tendit la main
avec cordialité en demandant : « Ça va bien, mon cher Du Roy ? »
50 Il n'avait plus son air roide, son air gourmé[1] de jadis, mais
un air affable, révélant bien que la situation n'était plus la même.

---

1. Gourmé : qui paraît raide et affecté en prenant un air grave et important.

Le journaliste, surpris, tâcha de se montrer gentil pour répondre à ces avances. On eût cru, après cinq minutes, qu'ils se connaissaient et s'adoraient depuis dix ans.

55 Alors Madeleine, dont le visage était radieux, leur dit :

« Je vous laisse ensemble. J'ai besoin de jeter un coup d'œil à ma cuisine. » Et elle se sauva, suivie par le regard des deux hommes.

Quand elle revint, elle les trouva causant théâtre, à propos 60 d'une pièce nouvelle, et si complètement du même avis qu'une sorte d'amitié rapide s'éveillait dans leurs yeux à la découverte de cette absolue parité d'idées.

Le dîner fut charmant, tout intime et cordial ; et le comte demeura fort tard dans la soirée, tant il se sentait bien dans cette 65 maison, dans ce joli nouveau ménage.

Dès qu'il fut parti, Madeleine dit à son mari :

« N'est-ce pas qu'il est parfait ? Il gagne du tout au tout à être connu. En voilà un bon ami, sûr, dévoué, fidèle. Ah ! sans lui… »

Elle n'acheva point sa pensée, et Georges répondit :

70 « Oui, je le trouve fort agréable. Je crois que nous nous entendrons très bien. »

Mais elle reprit aussitôt : « Tu ne sais pas, nous avons à travailler, ce soir, avant de nous coucher. Je n'ai pas eu le temps de te parler de ça avant dîner, parce que Vaudrec est arrivé tout de 75 suite. On m'a apporté des nouvelles graves, tantôt, des nouvelles du Maroc[1]. C'est Laroche-Mathieu, le député, le futur ministre, qui me les a données. Il faut que nous fassions un grand article, un article à sensation. J'ai des faits et des chiffres. Nous allons nous mettre à la besogne immédiatement. Tiens, prends la 80 lampe. »

Il la prit et ils passèrent dans le cabinet de travail.

Les mêmes livres s'alignaient dans la bibliothèque qui portait maintenant sur son faîte les trois vases achetés au golfe Juan, par

---

1. Voir note 3, p. 159.

Forestier, la veille de son dernier jour. Sous la table, la chance-
85 lière[1] du mort attendait les pieds de Du Roy qui s'empara, après
s'être assis, du porte-plume d'ivoire, un peu mâché au bout, par
la dent de l'autre.

Madeleine s'appuya à la cheminée, et ayant allumé une cigarette, elle raconta ses nouvelles, puis exposa ses idées, et le plan
90 de l'article qu'elle rêvait.

Il l'écoutait avec attention, tout en griffonnant des notes ; et
quand il eut fini il souleva des objections, reprit la question,
l'agrandit, développa à son tour non plus un plan d'article, mais
un plan de campagne[2] contre le ministère actuel. Cette attaque
95 serait le début. Sa femme avait cessé de fumer, tant son intérêt
s'éveillait, tant elle voyait large et loin en suivant la pensée de
Georges.

Elle murmurait de temps en temps : « Oui... oui... C'est très
bon... C'est excellent... C'est très fort... »
100 Et quand il eut achevé, à son tour, de parler :

« Maintenant écrivons », dit-elle.

Mais il avait toujours le début difficile et il cherchait ses mots
avec peine. Alors elle vint doucement se pencher sur son épaule
et elle se mit à lui souffler ses phrases tout bas, dans l'oreille.
105 De temps en temps elle hésitait et demandait :

« Est-ce bien ça que tu veux dire ? »

Il répondait :

« Oui, parfaitement. »

Elle avait des traits piquants, des traits venimeux de femme
110 pour blesser le chef du Conseil[3] ; et elle mêlait des railleries sur

---

1. Chancelière : boîte ou sac fourré à l'intérieur, et servant à tenir les pieds
au chaud.
2. Plan de campagne : plan de combat, l'expression appartient au vocabulaire militaire.
3. Chef du Conseil : chef du gouvernement, qui dirige le Conseil des
ministres.

son visage à celles sur sa politique, d'une façon drôle qui faisait rire et saisissait en même temps par la justesse de l'observation.

Du Roy, parfois, ajoutait quelques lignes qui rendaient plus profonde et plus puissante la portée d'une attaque. Il savait en
115 outre l'art des sous-entendus perfides, qu'il avait appris en aiguisant des échos ; et quand un fait donné pour certain par Madeleine lui paraissait douteux ou compromettant, il excellait à le faire deviner et à l'imposer à l'esprit avec plus de force que s'il l'eût affirmé.

120 Quand leur article fut terminé, Georges le relut tout haut, en le déclamant. Ils le jugèrent admirable d'un commun accord et ils se souriaient, enchantés et surpris, comme s'ils venaient de se révéler l'un à l'autre. Ils se regardaient au fond des yeux, émus d'admiration et d'attendrissement ; et ils s'embrassèrent avec
125 élan, avec une ardeur d'amour communiquée de leurs esprits à leurs corps.

Du Roy reprit la lampe : « Et maintenant, dodo », dit-il avec un regard allumé.

Elle répondit :

130 « Passez, mon maître, puisque vous éclairez la route. »

Il passa, et elle le suivit dans leur chambre en lui chatouillant le cou du bout du doigt, entre le col et les cheveux, pour le faire aller plus vite, car il redoutait cette caresse.

L'article parut sous la signature de Georges Du Roy
135 de Cantel, et fit grand bruit. On s'en émut à la Chambre. Le père Walter en félicita l'auteur et le chargea de la rédaction politique de *La Vie française*. Les Échos revinrent à Boisrenard.

Alors commença, dans le journal, une campagne habile et violente contre le ministère qui dirigeait les affaires. L'attaque,
140 toujours adroite et nourrie de faits, tantôt ironique, tantôt sérieuse, parfois plaisante, parfois virulente, frappait avec une sûreté et une continuité dont tout le monde s'étonnait. Les autres feuilles citaient sans cesse *La Vie française*, y coupaient[1] des

---

1. *Coupaient* : copiaient.

passages entiers, et les hommes du pouvoir s'informèrent si on
145 ne pouvait pas bâillonner avec une préfecture[1] cet ennemi
inconnu et acharné.

Du Roy devenait célèbre dans les groupes politiques. Il sentait grandir son influence à la pression des poignées de main et
à l'allure des coups de chapeau. Sa femme d'ailleurs l'emplissait
150 de stupeur et d'admiration par l'ingéniosité de son esprit, l'habileté de ses informations et le nombre de ses connaissances[2].

À tout moment, il trouvait dans son salon, en rentrant chez
lui, un sénateur, un député, un magistrat, un général, qui traitaient Madeleine en vieille amie, avec une familiarité sérieuse.
155 Où avait-elle connu tous ces gens ? Dans le monde, disait-elle.
Mais comment avait-elle su capter leur confiance et leur affection ? Il ne le comprenait pas.

« Ça ferait une rude diplomate », pensait-il.

Elle rentrait souvent en retard aux heures des repas, essouf-
160 flée, rouge, frémissante, et, avant même d'avoir ôté son voile, elle
disait : « J'en ai du nanan[3], aujourd'hui. Figure-toi que le
ministre de la Justice vient de nommer deux magistrats qui ont
fait partie des commissions mixtes[4]. Nous allons lui flanquer un
abattage[5] dont il se souviendra. »

---

1. Préfecture : institution représentant l'État dans chaque département et
chargée d'assurer l'ordre du pays.
2. Pour Maupassant, les femmes sont prédisposées à la politique. Dans
« Politiciennes » (Gil Blas, novembre 1881), on lit sous sa plume : « La politique, science de second ordre, où le flair instinctif, la rouerie naturelle, la
séduction, l'habileté, les finesses et les subtilités triomphent sans cesse des
raisonnements les plus sains, se prête infiniment bien au développement
complet de toutes les qualités natives de la femme. »
3. Du nanan : du très bon.
4. Commissions mixtes : sorte de tribunaux composés d'un représentant
de l'État, de l'armée et de la justice, devant lesquels passent les individus
censés mettre en péril la sécurité du pays. Les membres de ces commissions,
qui prononcèrent plusieurs milliers de condamnations, furent tous destitués
par le gouvernement républicain en 1883.
5. Abattage : raclée, critique violente (argot).

165   Et on flanquait un abattage au ministre, et on lui en reflanquait un autre le lendemain et un troisième le jour suivant. Le député Laroche-Mathieu qui dînait rue Fontaine tous les mardis, après le comte de Vaudrec qui commençait la semaine, serrait vigoureusement les mains de la femme et du mari avec des
170 démonstrations de joie excessives. Il ne cessait de répéter : « Cristi, quelle campagne. Si nous ne réussissons pas après ça ? »

    Il espérait bien réussir en effet à décrocher le portefeuille[1] des Affaires étrangères qu'il visait depuis longtemps.

    C'était un de ces hommes politiques à plusieurs faces, sans
175 conviction, sans grands moyens, sans audace et sans connaissances sérieuses, avocat de province, joli homme de chef-lieu[2], gardant un équilibre de finaud entre tous les partis extrêmes, sorte de jésuite[3] républicain et de champignon libéral[4] de nature douteuse, comme il en pousse par centaines sur le fumier popu-
180 laire du suffrage universel[5].

    Son machiavélisme[6] de village le faisait passer pour fort parmi ses collègues, parmi tous les déclassés et les avortés dont on fait des députés. Il était assez soigné, assez correct, assez familier, assez aimable pour réussir. Il avait des succès dans le
185 monde, dans la société mêlée, trouble et peu fine des hauts fonctionnaires du moment.

---

1. *Portefeuille* : ministère.
2. *Chef-lieu* : centre administratif d'une circonscription territoriale.
3. *Jésuite* : ici, hypocrite (par allusion ironique à la casuistique, art de résoudre les cas de conscience, que pratiquent les membres de la Société de Jésus, dits « jésuites »).
4. *Libéral* : partisan de la liberté politique, attaché à la sauvegarde des libertés individuelles.
5. *Suffrage universel* : sous la IIIe République, les députés et, pour l'essentiel, les sénateurs, sont élus au suffrage universel masculin.
6. *Machiavélisme* : qui rappelle la doctrine de l'homme d'État et philosophe florentin Nicolas Machiavel (1469-1527), selon laquelle il faut gouverner efficacement sans se préoccuper de la moralité des moyens employés.

On disait partout de lui : « Laroche sera ministre », et il pensait aussi plus fermement que tous les autres que Laroche serait ministre.

190 Il était un des principaux actionnaires du journal du père Walter, son collègue et son associé en beaucoup d'affaires de finances.

Du Roy le soutenait avec confiance et avec des espérances confuses pour plus tard. Il ne faisait que continuer d'ailleurs
195 l'œuvre commencée par Forestier, à qui Laroche-Mathieu avait promis la croix[1], quand serait venu le jour du triomphe. La décoration irait sur la poitrine du nouveau mari de Madeleine, voilà tout. Rien n'était changé, en somme.

On sentait si bien que rien n'était changé que les confrères de
200 Du Roy lui montaient une scie[2] dont il commençait à se fâcher.

On ne l'appelait plus que Forestier.

Aussitôt qu'il arrivait au journal, quelqu'un criait : « Dis donc, Forestier. »

Il feignait de ne pas entendre et cherchait les lettres dans son
205 casier. La voix reprenait, avec plus de force :

« Hé ! Forestier. » Quelques rires étouffés couraient.

Comme Du Roy gagnait le bureau du directeur, celui qui l'avait appelé l'arrêtait : « Oh ! pardon ; c'est à toi que je veux parler. C'est stupide, je te confonds toujours avec ce pauvre
210 Charles. Cela tient à ce que tes articles ressemblent bigrement aux siens. Tout le monde s'y trompe. »

Du Roy ne répondait rien, mais il rageait ; et une colère sourde naissait en lui contre le mort.

Le père Walter lui-même avait déclaré, alors qu'on s'étonnait
215 de similitudes flagrantes de tournure et d'inspiration entre les chroniques du nouveau rédacteur politique et celles de l'ancien :

---

1. Croix : Légion d'honneur.
2. Scie : formule ou plaisanterie que l'on répète constamment.

« Oui, c'est du Forestier, mais du Forestier plus nourri, plus nerveux, plus viril. »

Une autre fois, Du Roy en ouvrant par hasard l'armoire aux
220 bilboquets avait trouvé ceux de son prédécesseur avec un crêpe[1]
autour du manche, et le sien, celui dont il se servait quand il
s'exerçait sous la direction de Saint-Potin, était orné d'une
faveur[2] rose. Tous avaient été rangés sur la même planche, par
rang de taille ; et une pancarte, pareille à celle des musées, por-
225 tait écrit : « Ancienne collection Forestier et Cie, Forestier-
Du Roy, successeur, breveté S.G.D.G.[3]. Articles inusables pouvant servir en toutes circonstances, même en voyage. »

Il referma l'armoire avec calme, en prononçant assez haut
pour être entendu :

230 « Il y a des imbéciles et des envieux partout. »

Mais il était blessé dans son orgueil, blessé dans sa vanité,
cette vanité et cet orgueil ombrageux d'écrivain, qui produisent
cette susceptibilité nerveuse toujours en éveil, égale chez le reporter et chez le poète génial.

235 Ce mot : « *Forestier* » déchirait son oreille ; il avait peur de
l'entendre, et se sentait rougir en l'entendant.

Il était pour lui, ce nom, une raillerie mordante, plus qu'une
raillerie, presque une insulte. Il lui criait : « C'est ta femme qui
fait ta besogne comme elle faisait celle de l'autre. Tu ne serais
240 rien sans elle. »

Il admettait parfaitement que Forestier n'eût rien été sans
Madeleine ; mais quant à lui, allons donc !

Puis, rentré chez lui, l'obsession continuait. C'était la maison
tout entière maintenant qui lui rappelait le mort, tout le mobilier,
245 tous les bibelots, tout ce qu'il touchait. Il ne pensait guère à cela

---

1. Crêpe : voir note 2, p. 248. Le crêpe était utilisé en signe de deuil (il était alors de couleur noire).
2. Faveur : ruban.
3. S.G.D.G. : sans garantie du gouvernement.

dans les premiers temps ; mais la scie montée par ses confrères avait fait en son esprit une sorte de plaie qu'un tas de riens inaperçus jusqu'ici envenimaient à présent.

250 Il ne pouvait plus prendre un objet sans qu'il crût voir aussitôt la main de Charles posée dessus. Il ne regardait et ne maniait que des choses lui ayant servi autrefois, des choses qu'il avait achetées, aimées et possédées. Et Georges commençait à s'irriter même à la pensée des relations anciennes de son ami et de sa femme.

255 Il s'étonnait parfois de cette révolte de son cœur, qu'il ne comprenait point, et se demandait : « Comment diable cela se fait-il ? Je ne suis pas jaloux des amis de Madeleine. Je ne m'inquiète jamais de ce qu'elle fait. Elle rentre et sort à son gré, et le souvenir de cette brute de Charles me met en rage ! »

260 Il ajoutait, mentalement : « Au fond, ce n'était qu'un crétin ; c'est sans doute ça qui me blesse. Je me fâche que Madeleine ait pu épouser un pareil sot. »

Et sans cesse il se répétait : « Comment se fait-il que cette femme-là ait gobé[1] un seul instant un semblable animal ? »

265 Et sa rancune s'augmentait chaque jour par mille détails insignifiants qui le piquaient comme des coups d'aiguille, par le rappel incessant de l'autre, venu d'un mot de Madeleine, d'un mot du domestique ou d'un mot de la femme de chambre.

Un soir, Du Roy, qui aimait les plats sucrés, demanda :

270 « Pourquoi n'avons-nous pas d'entremets ? Tu n'en fais jamais servir. »

La jeune femme répondit gaiement : « C'est vrai, je n'y pense pas. Cela tient à ce que Charles les avait en horreur... »

Il lui coupa la parole dans un mouvement d'impatience dont
275 il ne fut pas maître.

---

1. *Ait gobé* : ait été amoureuse de (argot).

« Ah ! tu sais, Charles commence à m'embêter. C'est toujours Charles par-ci, Charles par-là, Charles aimait ci, Charles aimait ça. Puisque Charles est crevé, qu'on le laisse tranquille. »

Madeleine regardait son mari avec stupeur, sans rien com-280 prendre à cette colère subite. Puis, comme elle était fine, elle devina un peu ce qui se passait en lui, ce travail lent de jalousie posthume grandissant à chaque seconde par tout ce qui rappelait l'autre.

Elle jugea cela puéril, peut-être, mais elle fut flattée et ne 285 répondit rien.

Il s'en voulut, lui, de cette irritation, qu'il n'avait pu cacher. Or, comme ils faisaient, ce soir-là, après dîner, un article pour le lendemain, il s'embarrassa dans la chancelière. Ne parvenant point à la retourner, il la rejeta d'un coup de pied, et demanda 290 en riant :

« Charles avait donc toujours froid aux pattes ? »

Elle répondit, riant aussi : « Oh ! il vivait dans la terreur des rhumes ; il n'avait pas la poitrine solide. »

Du Roy reprit, avec férocité : « Il l'a bien prouvé, d'ailleurs. » 295 Puis il ajouta, avec galanterie : « Heureusement pour moi. » Et il baisa la main de sa femme.

Mais en se couchant, toujours hanté par la même pensée, il demanda encore : « Est-ce que Charles portait des bonnets de coton pour éviter les courants d'air dans les oreilles ? »

300 Elle se prêta à la plaisanterie et répondit : « Non, un madras[1] noué sur le front. »

Georges haussa les épaules et prononça avec un mépris supérieur :

« Quel serin ! »

305 Dès lors, Charles devint pour lui un sujet d'entretien continuel. Il parlait de lui à tout propos, ne l'appelant plus que : « ce pauvre Charles », d'un air de pitié infinie.

---

1. *Madras* : fichu en soie et coton très coloré.

Et quand il revenait du journal, où il s'était entendu deux ou trois fois interpeller sous le nom de Forestier, il se vengeait en
310 poursuivant le mort de railleries haineuses au fond de son tombeau. Il rappelait ses défauts, ses ridicules, ses petitesses, les énumérait avec complaisance, les développant et les grossissant comme s'il eût voulu combattre, dans le cœur de sa femme, l'influence d'un rival redouté.

315 Il répétait : « Dis donc, Made, te rappelles-tu le jour où ce cornichon de Forestier a prétendu nous prouver que les gros hommes étaient plus vigoureux que les maigres ? »

Puis il voulut savoir sur le défunt un tas de détails intimes et secrets que la jeune femme, mal à l'aise, refusait de dire. Mais il
320 insistait, s'obstinait.

« Allons, voyons, raconte-moi ça. Il devait être bien drôle dans ce moment-là ? »

Elle murmurait du bout des lèvres :

« Voyons, laisse-le tranquille, à la fin. »

325 Il reprenait : « Non, dis-moi ! c'est vrai qu'il devait être godiche[1] au lit, cet animal ! »

Et il finissait toujours par conclure : « Quelle brute c'était ! »

Un soir, vers la fin de juin, comme il fumait une cigarette à sa fenêtre, la grande chaleur de la soirée lui donna l'envie de faire
330 une promenade.

Il demanda : « Ma petite Made, veux-tu venir jusqu'au Bois ?

– Mais oui, certainement. »

Ils prirent un fiacre découvert, gagnèrent les Champs-Élysées, puis l'avenue du bois de Boulogne. C'était une nuit sans vent,
335 une de ces nuits d'étuve où l'air de Paris surchauffé entre dans la poitrine comme une vapeur de four. Une armée de fiacres menait sous les arbres tout un peuple d'amoureux. Ils allaient, ces fiacres, l'un derrière l'autre, sans cesse.

---

1. *Godiche* : timide et maladroit (argot).

Georges et Madeleine s'amusaient à regarder tous ces
340 couples enlacés, passant dans ces voitures, la femme en robe
claire et l'homme sombre. C'était un immense fleuve d'amants
qui coulait vers le Bois sous le ciel étoilé et brûlant. On n'entendait aucun bruit que le sourd roulement des roues sur la terre. Ils
passaient, passaient, les deux êtres de chaque fiacre, allongés sur
345 les coussins, muets, serrés l'un contre l'autre, perdus dans l'hallucination du désir, frémissant dans l'attente de l'étreinte prochaine. L'ombre chaude semblait pleine de baisers. Une
sensation de tendresse flottante, d'amour bestial épandu, alour-
dissait l'air, le rendait plus étouffant. Tous ces gens accouplés,
350 grisés de la même pensée, de la même ardeur, faisaient courir
une fièvre autour d'eux. Toutes ces voitures chargées d'amour,
sur qui semblaient voltiger des caresses, jetaient sur leur passage
une sorte de souffle sensuel, subtil et troublant.

Georges et Madeleine se sentirent eux-mêmes gagnés par la
355 contagion de la tendresse. Ils se prirent doucement la main, sans
dire un mot, un peu oppressés par la pesanteur de l'atmosphère
et par l'émotion qui les envahissait.

Comme ils arrivaient au tournant qui suit les fortifications, ils
s'embrassèrent, et elle balbutia un peu confuse :
360 « Nous sommes aussi gamins qu'en allant à Rouen. »

Le grand courant des voitures s'était séparé à l'entrée des
taillis. Dans le chemin des Lacs que suivaient les jeunes gens, les
fiacres s'espaçaient un peu, mais la nuit épaisse des arbres, l'air
vivifié par les feuilles et par l'humidité des ruisselets qu'on enten-
365 dait couler sous les branches, une sorte de fraîcheur du large
espace nocturne tout paré d'astres, donnaient aux baisers des
couples roulants un charme plus pénétrant et une ombre plus
mystérieuse.

Georges murmura : « Oh ! ma petite Made », en la serrant
370 contre lui.

Elle lui dit : « Te rappelles-tu la forêt de chez toi, comme
c'était sinistre. Il me semblait qu'elle était pleine de bêtes

affreuses et qu'elle n'avait pas de bout. Tandis qu'ici, c'est charmant. On sent des caresses dans le vent, et je sais bien que
375 Sèvres[1] est de l'autre côté du Bois. »

Il répondit : « Oh ! dans la forêt de chez moi, il n'y avait pas autre chose que des cerfs, des renards, des chevreuils et des sangliers, et par-ci, par-là, une maison de forestier. »

Ce mot, ce nom du mort sorti de sa bouche, le surprit comme
380 si quelqu'un le lui eût crié du fond d'un fourré, et il se tut brusquement, ressaisi par ce malaise étrange et persistant, par cette irritation jalouse, rongeuse, invincible qui lui gâtait la vie depuis quelque temps.

Au bout d'une minute, il demanda : « Es-tu venue quelquefois
385 ici comme ça, le soir, avec Charles ? »

Elle répondit : « Mais oui, souvent. »

Et, tout à coup, il eut envie de retourner chez eux, une envie nerveuse qui lui serrait le cœur. Mais l'image de Forestier était rentrée en son esprit, le possédait, l'étreignait. Il ne pouvait plus
390 penser qu'à lui, parler que de lui.

Il demanda avec un accent méchant :

« Dis donc, Made ?

– Quoi, mon ami ?

– L'as-tu fait cocu, ce pauvre Charles ? »
395 Elle murmura, dédaigneuse :

« Que tu deviens bête avec ta rengaine. »

Mais il ne lâchait pas son idée.

« Voyons, ma petite Made, sois bien franche, avoue-le ? Tu l'as fait cocu, dis ? Avoue que tu l'as fait cocu ? »
400 Elle se taisait, choquée comme toutes les femmes le sont par ce mot.

Il reprit, obstiné : « Sacristi, si quelqu'un en avait la tête, c'est bien lui, par exemple. Oh ! oui, oh ! oui. C'est ça qui

---

1. Sèvres : commune limitrophe de Paris.

m'amuserait de savoir que Forestier était cocu. Hein ! quelle
bonne binette de jobard[1] ? »

Il sentit qu'elle souriait à quelque souvenir peut-être et il
insista : « Voyons, dis-le. Qu'est-ce que ça fait ? Ce serait bien
drôle, au contraire, de m'avouer que tu l'as trompé, de m'avouer
ça, à moi. »

Il frémissait, en effet, de l'espoir et de l'envie que Charles,
l'odieux Charles, le mort détesté, le mort exécré, eût porté ce
ridicule honteux. Et pourtant... pourtant une autre émotion,
plus confuse, aiguillonnait son désir de savoir.

Il répétait : « Made, ma petite Made, je t'en prie, dis-le. En
voilà un qui ne l'aurait pas volé. Tu aurais eu joliment tort de ne
pas lui faire porter ça. Voyons, Made, avoue. »

Elle trouvait plaisante, maintenant, sans doute, cette insis-
tance, car elle riait, par petits rires brefs, saccadés.

Il avait mis ses lèvres tout près de l'oreille de sa femme :
« Voyons... voyons... avoue-le... ? »

Elle s'éloigna d'un mouvement sec et déclara brusquement :
« Mais tu es stupide. Est-ce qu'on répond à des questions
pareilles ? »

Elle avait dit cela d'un ton si singulier qu'un frisson de froid
courut dans les veines de son mari et il demeura interdit, effaré,
un peu essoufflé comme s'il avait reçu une commotion morale.

Le fiacre maintenant longeait le lac, où le ciel semblait avoir
égrené ses étoiles. Deux cygnes vagues nageaient très lentement,
à peine visibles dans l'ombre.

Georges cria au cocher :

« Retournons. » Et la voiture s'en revint, croisant les autres,
qui allaient au pas, et dont les grosses lanternes brillaient comme
des yeux dans la nuit du Bois.

Comme elle avait dit cela d'une étrange façon ! Du Roy se
demandait : « Est-ce un aveu ? » Et cette presque certitude qu'elle

---

1. *Jobard* : naïf (argot).

avait trompé son premier mari l'affolait de colère, à présent. Il avait envie de la battre, de l'étrangler, de lui arracher les cheveux !

Oh ! si elle lui eût répondu : « Mais, mon chéri, si j'avais dû le tromper, c'est avec toi que je l'aurais fait. » Comme il l'aurait embrassée, étreinte, adorée !

Il demeurait immobile, les bras croisés, les yeux au ciel, l'esprit trop agité pour réfléchir encore. Il sentait seulement en lui fermenter cette rancune et grossir cette colère qui couvent au cœur de tous les mâles devant les caprices du désir féminin. Il sentait pour la première fois cette angoisse confuse de l'époux qui soupçonne ! Il était jaloux enfin, jaloux pour le mort, jaloux pour le compte de Forestier ! jaloux d'une étrange et poignante façon, où entrait subitement de la haine contre Madeleine. Puisqu'elle avait trompé l'autre, comment pourrait-il avoir confiance en elle, lui ?

Puis, peu à peu, une espèce de calme se fit en son esprit, et se raidissant contre sa souffrance, il pensa : « Toutes les femmes sont des filles, il faut s'en servir et ne rien leur donner de soi. »

L'amertume de son cœur lui montait aux lèvres en paroles de mépris et de dégoût. Il ne les laissa point s'épandre cependant. Il se répétait : « Le monde est aux forts. Il faut être fort. Il faut être au-dessus de tout. »

La voiture allait plus vite. Elle repassa les fortifications. Du Roy regardait devant lui une clarté rougeâtre dans le ciel, pareille à une lueur de forge démesurée ; et il entendait une rumeur confuse, immense, continue, faite de bruits innombrables et différents, une rumeur sourde, proche, lointaine, une vague et énorme palpitation de vie, le souffle de Paris respirant, dans cette nuit d'été, comme un colosse épuisé de fatigue.

Georges songeait : « Je serais bien bête de me faire de la bile. Chacun pour soi. La victoire est aux audacieux. Tout n'est que de l'égoïsme. L'égoïsme pour l'ambition et la fortune vaut mieux que l'égoïsme pour la femme et pour l'amour. »

470   L'arc de triomphe de l'Étoile apparaissait debout à l'entrée de la ville sur ses deux jambes monstrueuses, sorte de géant informe qui semblait prêt à se mettre en marche pour descendre la large avenue ouverte devant lui.

Georges et Madeleine se retrouvaient là dans le défilé des voi-
475   tures ramenant au logis, au lit désiré, l'éternel couple, silencieux et enlacé. Il semblait que l'humanité tout entière glissait à côté d'eux, grise de joie, de plaisir, de bonheur.

La jeune femme, qui avait bien pressenti quelque chose de ce qui se passait en son mari, demanda de sa voix douce :
480   « À quoi songes-tu, mon ami ? Depuis une demi-heure tu n'as point prononcé une parole. »

Il répondit en ricanant : « Je songe à tous ces imbéciles qui s'embrassent, et je me dis que, vraiment, on a autre chose à faire dans l'existence. »
485   Elle murmura : « Oui... mais c'est bon quelquefois.

– C'est bon... c'est bon... quand on n'a rien de mieux ! »

La pensée de Georges allait toujours, dévêtant la vie de sa robe de poésie, dans une sorte de rage méchante : « Je serais bien bête de me gêner, de me priver de quoi que ce soit, de me trou-
490   bler, de me tracasser, de me ronger l'âme comme je le fais depuis quelque temps. » L'image de Forestier lui traversa l'esprit sans y faire naître aucune irritation. Il lui sembla qu'ils venaient de se réconcilier, qu'ils redevenaient amis. Il avait envie de lui crier : « Bonsoir, vieux. »
495   Madeleine, que ce silence gênait, demanda : « Si nous allions prendre une glace chez Tortoni[1], avant de rentrer ? »

Il la regarda de coin. Son fin profil blond lui apparut sous l'éclat vif d'une guirlande de gaz qui annonçait un café-chantant.

Il pensa : « Elle est jolie ! Eh ! tant mieux. À bon chat bon
500   rat[2], ma camarade. Mais si on me reprend à me tourmenter pour

---

1. *Tortoni* : café célèbre, boulevard des Italiens.
2. *À bon chat bon rat* : expression qui remonte au XVIᵉ siècle. Pour échapper aux griffes du chat, le rat doit faire preuve d'une grande habileté. Autrement dit, Duroy se montrera aussi rusé que Madeleine ; ce seront des adversaires

toi, il fera chaud au pôle Nord. » Puis il répondit : « Mais certainement, ma chérie. »

Et, pour qu'elle ne devinât rien, il l'embrassa.

Il sembla à la jeune femme que les lèvres de son mari
505 étaient glacées.

Il souriait cependant de son sourire ordinaire en lui donnant la main pour descendre devant les marches du café.

III

En entrant au journal, le lendemain, Du Roy alla trouver Boisrenard.

« Mon cher ami, dit-il, j'ai un service à te demander. On trouve drôle depuis quelque temps de m'appeler Forestier. Moi,
5 je commence à trouver ça bête. Veux-tu avoir la complaisance de prévenir doucement les camarades que je giflerai le premier qui se permettra de nouveau cette plaisanterie. Ce sera à eux de réfléchir si cette blague-là vaut un coup d'épée. Je m'adresse à toi parce que tu es un homme calme qui peut empêcher des extrémi-
10 tés fâcheuses, et aussi parce que tu m'as servi de témoin dans mon affaire. »

Boisrenard se chargea de la commission.

Du Roy sortit pour faire des courses, puis revint une heure plus tard. Personne ne l'appela Forestier.
15 Comme il rentrait chez lui, il entendit des voix de femmes dans le salon. Il demanda : « Qui est là ? »

Le domestique répondit : « Mme Walter et Mme de Marelle. »

---

de forces égales. Désormais, le héros s'est dégagé de la « domination » douce de sa femme.

Un petit battement lui secoua le cœur, puis il se dit : « Tiens, voyons », et il ouvrit la porte.

20 Clotilde était au coin de la cheminée, dans un rayon de jour venu de la fenêtre. Il sembla à Georges qu'elle pâlissait un peu en l'apercevant. Ayant d'abord salué Mme Walter et ses deux filles, assises comme deux sentinelles aux côtés de leur mère, il se tourna vers son ancienne maîtresse. Elle lui tendait la main ; il la 25 prit et la serra avec intention comme pour dire : « Je vous aime toujours. » Elle répondit à cette pression.

Il demanda : « Vous vous êtes bien portée pendant le siècle écoulé depuis notre dernière rencontre ? »

Elle répondit avec aisance :

30 « Mais oui, et vous, Bel-Ami ? »

Puis, se tournant vers Madeleine, elle ajouta :

« Tu permets que je l'appelle toujours Bel-Ami ?

– Certainement, ma chère, je permets tout ce que tu voudras. »

35 Une nuance d'ironie semblait cachée dans cette parole.

Mme Walter parlait d'une fête qu'allait donner Jacques Rival dans son logis de garçon, un grand assaut d'armes[1] où assisteraient des femmes du monde ; elle disait :

« Ce sera très intéressant. Mais je suis désolée, nous n'avons 40 personne pour nous y conduire, mon mari devant s'absenter à ce moment-là. »

Du Roy s'offrit aussitôt. Elle accepta. « Nous vous en serons très reconnaissantes, mes filles et moi. »

Il regardait la plus jeune des demoiselles Walter, et pensait : 45 « Elle n'est pas mal du tout, cette petite Suzanne, mais pas du tout. » Elle avait l'air d'une frêle poupée blonde, trop petite, mais fine, avec la taille mince, des hanches et de la poitrine, une figure de miniature[2], des yeux d'émail d'un bleu gris dessinés au pin-

---

1. *Assaut d'armes* : combat d'escrime (au fleuret, au sabre ou à l'épée).
2. *Miniature* : peinture de petite dimension.

ceau, qui semblaient nuancés par un peintre minutieux et fanta-
siste, de la chair trop blanche, trop lisse, polie, unie, sans grain,
sans teinte, et des cheveux ébouriffés, frisés, une broussaille
savante, légère, un nuage charmant, tout pareil en effet à la chevelure des jolies poupées de luxe qu'on voit passer dans les bras
de gamines beaucoup moins hautes que leur joujou.

La sœur aînée, Rose, était laide, plate, insignifiante, une de
ces filles qu'on ne voit pas, à qui on ne parle pas, et dont on ne
dit rien.

La mère se leva, et se tournant vers Georges :

« Ainsi je compte sur vous jeudi prochain, à deux heures. »

Il répondit :

« Comptez sur moi, madame. »

Dès qu'elle fut partie, Mme de Marelle se leva à son tour.

« Au revoir, Bel-Ami. »

Ce fut elle alors qui lui serra la main, très fort, très longtemps ; et il se sentit remué par cet aveu silencieux, repris d'un
brusque béguin pour cette petite bourgeoise bohème et bon
enfant, qui l'aimait vraiment, peut-être.

« J'irai la voir demain », pensa-t-il.

Dès qu'il fut seul en face de sa femme, Madeleine se mit à
rire, d'un rire franc et gai, et le regardant bien en face : « Tu sais
que tu as inspiré une passion à Mme Walter. »

Il répondit incrédule : « Allons donc ! »

– Mais oui, je te l'affirme, elle m'a parlé de toi avec un
enthousiasme fou. C'est si singulier de sa part ! Elle voudrait
trouver deux maris comme toi pour ses filles !… Heureusement
qu'avec elle ces choses-là sont sans importance. »

Il ne comprenait pas ce qu'elle voulait dire :

« Comment, sans importance ? »

Elle répondit, avec une conviction de femme sûre de son jugement : « Oh ! Mme Walter est une de celles dont on n'a jamais
rien murmuré, mais tu sais, là, jamais, jamais. Elle est inatta-

quable sous tous les rapports. Son mari, tu le connais comme moi. Mais elle, c'est autre chose. Elle a d'ailleurs assez souffert d'avoir épousé un juif, mais elle lui est restée fidèle. C'est une
85 honnête femme. »

Du Roy fut surpris : « Je la croyais juive aussi.

– Elle ? pas du tout. Elle est dame patronnesse [1] de toutes les bonnes œuvres de la Madeleine. Elle est même mariée religieusement. Je ne sais plus s'il y a eu un simulacre de baptême du
90 patron, ou bien si l'Église a fermé les yeux. »

Georges murmura : « Ah !... alors... elle... me gobe [2] ?...

– Positivement, et complètement. Si tu n'étais pas engagé, je te conseillerais de demander la main de... de Suzanne, n'est-ce pas, plutôt que celle de Rose ? »

95 Il répondit, en frisant sa moustache : « Eh ! la mère n'est pas encore piquée des vers. »

Mais Madeleine s'impatienta :

« Tu sais, mon petit, la mère, je te la souhaite. Mais je n'ai pas peur. Ce n'est point à son âge qu'on commet sa première faute.
100 Il faut s'y prendre plus tôt. »

Georges songeait : « Si c'était vrai, pourtant, que j'eusse pu épouser Suzanne ?... »

Puis il haussa les épaules : « Bah !... c'est fou !... Est-ce que le père m'aurait jamais accepté. »

105 Il se promit toutefois d'observer désormais avec plus de soin les manières de Mme Walter à son égard, sans se demander d'ailleurs s'il en pourrait jamais tirer quelque avantage.

Tout le soir, il fut hanté par des souvenirs de son amour avec Clotilde, des souvenirs tendres et sensuels en même temps. Il se
110 rappelait ses drôleries, ses gentillesses, leurs escapades. Il se

---

1. *Dame patronnesse* : femme qui se consacre à des œuvres de bienfaisance. L'expression a souvent valeur d'ironie à l'égard d'une femme confite en religion.
2. *Me gobe* : m'apprécie beaucoup.

répétait à lui-même : « Elle est vraiment bien gentille. Oui, j'irai la voir demain. »

Dès qu'il eut déjeuné, le lendemain, il se rendit en effet rue de Verneuil. La même bonne lui ouvrit la porte, et, familière à la 115 façon des domestiques de petits bourgeois, elle demanda : « Ça va bien, monsieur ? »

Il répondit : « Mais oui, mon enfant. »

Et il entra dans le salon, où une main maladroite faisait des gammes sur le piano. C'était Laurine. Il crut qu'elle allait lui 120 sauter au cou. Elle se leva gravement, salua avec cérémonie, ainsi qu'aurait fait une grande personne, et se retira d'une façon digne.

Elle avait une telle allure de femme outragée, qu'il demeura surpris. Sa mère entra. Il lui prit et lui baisa les mains.

125 « Combien j'ai pensé à vous ! dit-il.

— Et moi, dit-elle. »

Ils s'assirent. Ils se souriaient, les yeux dans les yeux, avec une envie de s'embrasser sur les lèvres.

« Ma chère petite Clo, je vous aime.

130 — Et moi aussi.

— Alors… alors… tu ne m'en as pas trop voulu ?

— Oui et non… Ça m'a fait de la peine, et puis j'ai compris ta raison, et je me suis dit : "Bah ! il me reviendra un jour ou l'autre."

135 — Je n'osais pas revenir ; je me demandais comment je serais reçu. Je n'osais pas, mais j'en avais rudement envie. À propos, dis-moi donc ce qu'a Laurine. Elle m'a à peine dit bonjour et elle est partie d'un air furieux.

— Je ne sais pas. Mais on ne peut plus lui parler de toi depuis 140 ton mariage. Je crois vraiment qu'elle est jalouse.

— Allons donc.

— Mais oui, mon cher. Elle ne t'appelle plus Bel-Ami, elle te nomme M. Forestier. »

Du Roy rougit, puis, s'approchant de la jeune femme :

145 « Donne ta bouche. »

Elle la donna.

« Où pourrons-nous nous revoir ? dit-il.

– Mais… rue de Constantinople.

– Ah !… L'appartement n'est donc pas loué ?

150 – Non… je l'ai gardé !

– Tu l'as gardé ?

– Oui, j'ai pensé que tu y reviendrais. »

Une bouffée de joie orgueilleuse lui gonfla la poitrine. Elle l'aimait donc, celle-là, d'un amour vrai, constant, profond.

155 Il murmura : « Je t'adore. » Puis il demanda : « Ton mari va bien ?

– Oui, très bien. Il vient de passer un mois ici ; il est parti d'avant-hier. »

Du Roy ne put s'empêcher de rire :

160 « Comme ça tombe ! »

Elle répondit naïvement : « Oh ! oui, ça tombe bien. Mais il n'est pas gênant quand il est ici, tout de même. Tu le sais ?

– Ça c'est vrai. C'est d'ailleurs un charmant homme.

– Et toi, dit-elle, comment prends-tu ta nouvelle vie ?

165 – Ni bien ni mal. Ma femme est une camarade, une associée.

– Rien de plus ?

– Rien de plus… Quant au cœur…

– Je comprends bien. Elle est gentille, pourtant.

– Oui, mais elle ne me trouble pas. »

170 Il se rapprocha de Clotilde, et murmura : « Quand nous reverrons-nous ?

– Mais… demain… si tu veux ?

– Oui. Demain, deux heures ?

– Deux heures. »

175 Il se leva pour partir, puis il balbutia, un peu gêné : « Tu sais, j'entends reprendre, seul, l'appartement de la rue de Constantinople. Je le veux. Il ne manquerait plus qu'il fût payé par toi. »

Ce fut elle qui baisa ses mains avec un mouvement d'adoration, en murmurant : « Tu feras comme tu voudras. Il me suffit de l'avoir gardé pour nous y revoir. »

Et Du Roy s'en alla, l'âme pleine de satisfaction.

Comme il passait devant la vitrine d'un photographe, le portrait d'une grande femme aux larges yeux lui rappela Mme Walter : « C'est égal, se dit-il, elle ne doit pas être mal encore. Comment se fait-il que je ne l'aie jamais remarquée. J'ai envie de voir quelle tête elle me fera jeudi. »

Il se frottait les mains, tout en marchant avec une joie intime, la joie du succès sous toutes ses formes, la joie égoïste de l'homme adroit qui réussit, la joie subtile, faite de vanité flattée et de sensualité contente, que donne la tendresse des femmes.

Le jeudi venu, il dit à Madeleine : « Tu ne viens pas à cet assaut chez Rival ?

– Oh ! non. Cela ne m'amuse guère, moi ; j'irai à la Chambre des députés. »

Et il alla chercher Mme Walter, en landau découvert, car il faisait un admirable temps.

Il eut une surprise en la voyant, tant il la trouva belle et jeune. Elle était en toilette claire dont le corsage un peu fendu laissait deviner, sous une dentelle blonde, le soulèvement gras des seins. Jamais elle ne lui avait paru si fraîche. Il la jugea vraiment désirable. Elle avait son air calme et comme il faut, une certaine allure de maman tranquille qui la faisait passer presque inaperçue aux yeux galants des hommes. Elle ne parlait guère d'ailleurs que pour dire des choses connues, convenues et modérées, ses idées étant sages, méthodiques, bien ordonnées, à l'abri de tous les excès.

Sa fille Suzanne, tout en rose, semblait un Watteau frais verni[1] ; et sa sœur aînée paraissait être l'institutrice chargée de tenir compagnie à ce joli bibelot de fillette.

---

1. Sur les toiles du peintre français Antoine Watteau (1684-1721), les jeunes filles sont fréquemment représentées dans des toilettes vaporeuses aux teintes pastel.

Devant la porte de Rival, une file de voitures était rangée.
210 Du Roy offrit son bras à Mme Walter, et ils entrèrent. L'assaut
était donné au profit des orphelins du sixième arrondissement de
Paris, sous le patronage de toutes les femmes des sénateurs et
députés qui avaient des relations avec *La Vie française*.

Mme Walter avait promis de venir avec ses filles, en refusant
215 le titre de dame patronnesse, parce qu'elle n'aidait de son nom
que les œuvres entreprises par le clergé, non pas qu'elle fût très
dévote[1], mais son mariage avec un israélite la forçait, croyait-elle,
à une certaine tenue religieuse ; et la fête organisée par le journaliste prenait une sorte de signification républicaine qui pouvait
220 sembler anticléricale.

On avait lu dans les journaux de toutes les nuances, depuis
trois semaines :

« Notre éminent confrère Jacques Rival vient d'avoir l'idée
aussi ingénieuse que généreuse d'organiser, au profit des orphe-
225 lins du sixième arrondissement de Paris, un grand assaut dans sa
jolie salle d'armes attenant à son appartement de garçon.

« Les invitations sont faites par Mmes Laloigne, Remontel,
Rissolin, femmes des sénateurs de ce nom, et par Mmes Laroche-
Mathieu, Percerol, Firmin, femmes des députés bien connus.
230 Une simple quête aura lieu pendant l'entracte de l'assaut, et le
montant sera versé immédiatement entre les mains du maire du
sixième arrondissement ou de son représentant. »

C'était une réclame monstre que le journaliste adroit avait
imaginée à son profit.

235 Jacques Rival recevait les arrivants à l'entrée de son logis où
un buffet avait été installé, les frais devant être prélevés sur la
recette.

Puis il indiquait, d'un geste aimable, le petit escalier par où
on descendait dans la cave, où il avait installé la salle d'armes et

---

1. *Dévote* : très croyante.

240 le tir ; et il disait : « Au-dessous, mesdames, au-dessous. L'assaut a lieu en des appartements souterrains. »

Il se précipita au-devant de la femme de son directeur ; puis, serrant la main de Du Roy : « Bonjour, Bel-Ami. »

L'autre fut surpris : « Qui vous a dit que... »

245 Rival lui coupa la parole : « Mme Walter, ici présente, qui trouve ce surnom très gentil. »

Mme Walter rougit : « Oui, j'avoue que si je vous connaissais davantage, je ferais comme la petite Laurine, je vous appellerais aussi Bel-Ami. Ça vous va très bien. »

250 Du Roy riait : « Mais, je vous en prie, madame, faites-le. »

Elle avait baissé les yeux : « Non, nous ne sommes pas assez liés. »

Il murmura : « Voulez-vous me laisser espérer que nous le deviendrons davantage ?

255 — Eh bien, nous verrons alors », dit-elle.

Il s'effaça à l'entrée de la descente étroite qu'éclairait un bec de gaz ; et la brusque transition de la lumière du jour à cette clarté jaune avait quelque chose de lugubre. Une odeur de souterrain montait par cette échelle tournante, une senteur d'humi-
260 dité chauffée, de murs moisis essuyés pour la circonstance, et aussi des souffles de benjoin[1] qui rappelaient les offices sacrés, et des émanations féminines de Lubin[2], de verveine, d'iris, de violette.

On entendait dans ce trou un grand bruit de voix, un frémis-
265 sement de foule agitée.

Toute la cave était illuminée avec des guirlandes de gaz et des lanternes vénitiennes[3] cachées en des feuillages qui voilaient les

---

1. *Benjoin* : résine parfumée que l'on fait brûler comme l'encens, notamment lors d'offices religieux.
2. *Lubin* : eau de Lubin, voir note 1, p. 133.
3. *Lanternes vénitiennes* : lampions en verre.

murs de pierre salpêtrés[1]. On ne voyait rien que des branchages. Le plafond était garni de fougères, le sol couvert de feuilles et de fleurs.

On trouvait cela charmant, d'une imagination délicieuse. Dans le petit caveau du fond s'élevait une estrade pour les tireurs, entre deux rangs de chaises pour les juges.

Et dans toute la cave, les banquettes, alignées par dix, autant à droite qu'à gauche, pouvaient porter près de deux cents personnes. On en avait invité quatre cents.

Devant l'estrade, des jeunes gens en costumes d'assaut, minces, avec des membres longs, la taille cambrée, la moustache en croc[2], posaient déjà devant les spectateurs. On se les nommait, on désignait les maîtres[3] et les amateurs, toutes les notabilités de l'escrime. Autour d'eux causaient des messieurs en redingote, jeunes et vieux, qui avaient un air de famille avec les tireurs en tenue de combat. Ils cherchaient aussi à être vus, reconnus et nommés, c'étaient les princes de l'épée en civil, les experts en coups de bouton[4].

Presque toutes les banquettes étaient couvertes de femmes, qui faisaient un grand froissement d'étoffes remuées et un grand murmure de voix. Elles s'éventaient comme au théâtre, car il faisait déjà une chaleur d'étuve dans cette grotte feuillue. Un farceur criait de temps en temps : « Orgeat[5] ! limonade ! bière ! »

Mme Walter et ses filles gagnèrent leurs places réservées au premier rang. Du Roy les ayant installées allait partir, il murmura :

« Je suis obligé de vous quitter, les hommes ne peuvent accaparer les banquettes. »

---

1. *Salpêtrés* : recouverts de salpêtre, petits cristaux de potassium dus à l'humidité.

2. *En croc* : dont les pointes sont recourbées vers le haut.

3. *Maîtres* : maîtres d'armes, ceux qui enseignent l'escrime.

4. *Bouton* : extémité de la lame d'un sabre, d'une épée ou d'un fleuret.

5. *Orgeat* : sirop obtenu par décoction d'orge.

Mais Mme Walter répondit en hésitant :

« J'ai bien envie de vous garder tout de même. Vous me nommerez les tireurs. Tenez, si vous restiez debout au coin de ce banc, vous ne gêneriez personne. »

300 Elle le regardait de ses grands yeux doux. Elle insista : « Voyons, restez avec nous… monsieur… monsieur Bel-Ami. Nous avons besoin de vous. »

Il répondit : « J'obéirai… avec plaisir, madame. »

On entendait répéter de tous les côtés : « C'est très drôle, 305 cette cave, c'est très gentil. »

Georges la connaissait bien, cette salle voûtée ! Il se rappelait le matin qu'il y avait passé, la veille de son duel, tout seul, en face d'un petit carton blanc qui le regardait du fond du second caveau comme un œil énorme et redoutable.

310 La voix de Jacques Rival résonna, venue de l'escalier :

« On va commencer, mesdames. »

Et six messieurs, très serrés en leurs vêtements, pour faire saillir davantage le thorax, montèrent sur l'estrade et s'assirent sur les chaises destinées au jury.

315 Leurs noms coururent : le général de Raynaldi, président, un petit homme à grandes moustaches ; le peintre Joséphin Rouget, un grand homme chauve à longue barbe ; Matthéo de Ujar, Simon Ramoncel, Pierre de Carvin, trois jeunes hommes élégants, et Gaspard Merleron, un maître.

320 Deux pancartes furent accrochées aux deux côtés du caveau. Celle de droite portait : M. Crèvecœur, et celle de gauche : M. Plumeau.

C'étaient deux maîtres, deux bons maîtres de second ordre. Ils apparurent, secs tous deux, avec un air militaire, des gestes 325 un peu raides. Ayant fait le salut d'armes avec des mouvements d'automates, ils commencèrent à s'attaquer, pareils, dans leur costume de toile et de peau blanches, à deux pierrots-soldats qui se seraient battus pour rire.

De temps en temps, on entendait ce mot : « Touché ! » Et les
330 six messieurs du jury inclinaient la tête en avant d'un air connaisseur. Le public ne voyait rien que deux marionnettes vivantes qui
s'agitaient en tendant le bras ; il ne comprenait rien, mais il était
content. Ces deux bonshommes lui semblaient cependant peu
gracieux et vaguement ridicules. On songeait aux lutteurs de bois
335 qu'on vend, au jour de l'an, sur les boulevards.

Les deux premiers tireurs furent remplacés par MM. Planton
et Carapin, un maître civil et un maître militaire. M. Planton était
tout petit et M. Carapin très gros. On eût dit que le premier coup
de fleuret dégonflerait ce ballon comme un éléphant de bau-
340 druche. On riait. M. Planton sautait comme un singe. M. Carapin ne remuait que son bras, le reste de son corps se trouvant
immobilisé par l'embonpoint[1], et il se fendait[2] toutes les cinq
minutes avec une telle pesanteur et un tel effort en avant qu'il
semblait prendre la résolution la plus énergique de sa vie. Il avait
345 ensuite beaucoup de mal à se relever.

Les connaisseurs déclarèrent son jeu très ferme et très serré.
Et le public, confiant, l'apprécia.

Puis vinrent MM. Porion et Lapalme, un maître et un amateur
qui se livrèrent à une gymnastique effrénée, courant l'un sur
350 l'autre avec furie, forçant les juges à fuir en emportant leurs
chaises, traversant et retraversant l'estrade d'un bout à l'autre,
l'un avançant et l'autre reculant par bonds vigoureux et
comiques. Ils avaient de petits sauts en arrière qui faisaient rire
les dames, et de grands élans en avant qui émotionnaient un peu
355 cependant. Cet assaut au pas gymnastique fut caractérisé par un
titi[3] inconnu qui cria : « Vous éreintez pas, c'est à l'heure ! »
L'assistance, froissée par ce manque de goût, fit : « Chut ! » Le

---

1. *Embonpoint* : surcharge pondérale.
2. *Fendait* : portait vivement l'une de ses jambes en avant et tendait le bras
pour toucher son adversaire (mouvement d'escrime).
3. *Titi* : jeune Parisien à l'accent des faubourgs, volontiers railleur.

jugement des experts circula. Les tireurs avaient montré beaucoup de vigueur et manqué parfois d'à-propos.

360   La première partie fut clôturée par une fort belle passe d'armes entre Jacques Rival et le fameux professeur belge Lebègue. Rival fut fort goûté des femmes. Il était vraiment beau garçon, bien fait, souple, agile, et plus gracieux que tous ceux qui l'avaient précédé. Il apportait dans sa façon de se tenir en garde
365 et de se fendre une certaine élégance mondaine qui plaisait et faisait contraste avec la manière énergique, mais commune de son adversaire. « On sent l'homme bien élevé », disait-on.

Il eut la belle. On l'applaudit.

Mais depuis quelques minutes, un bruit singulier, à l'étage
370 au-dessus, inquiétait les spectateurs. C'était un grand piétinement accompagné de rires bruyants. Les deux cents invités qui n'avaient pu descendre dans la cave s'amusaient, sans doute, à leur façon. Dans le petit escalier tournant une cinquantaine d'hommes étaient tassés. La chaleur devenait terrible en bas. On
375 criait : « De l'air ! – À boire ! » Le même farceur glapissait sur un ton aigu qui dominait le murmure des conversations : « Orgeat ! limonade ! bière ! »

Rival apparut très rouge, ayant gardé son costume d'assaut. « Je vais faire apporter des rafraîchissements », dit-il. Et il courut
380 dans l'escalier. Mais toute communication était coupée avec le rez-de-chaussée. Il eût été aussi facile de percer le plafond que de traverser la muraille humaine entassée sur les marches.

Rival criait : « Faites passer des glaces pour les dames ! »

Cinquante voix répétaient : « Des glaces ! » Un plateau appa
385 rut enfin. Mais il ne portait que des verres vides, les rafraîchissements ayant été cueillis en route.

Une forte voix hurla : « On étouffe là-dedans, finissons vite et allons-nous-en. »

Une autre voix lança : « La quête ! » Et tout le public, hale
390 tant, mais gai tout de même, répéta : « La quête… la quête… la quête… »

Alors six dames se mirent à circuler entre les banquettes et on entendit un petit bruit d'argent tombant dans les bourses.

Du Roy nommait les hommes célèbres à Mme Walter. 395 C'étaient des mondains, des journalistes, ceux des grands journaux, des vieux journaux, qui regardaient de haut *La Vie française*, avec une certaine réserve née de leur expérience. Ils en avaient tant vu mourir de ces feuilles politico-financières, filles d'une combinaison louche, et écrasées par la chute d'un minis- 400 tère. On apercevait aussi là des peintres et des sculpteurs, qui sont en général hommes de sport, un poète académicien qu'on montrait, deux musiciens et beaucoup de nobles étrangers dont Du Roy faisait suivre le nom de la syllabe Rast. (ce qui signifiait Rastaquouère), pour imiter, disait-il, les Anglais qui mettent 405 Esq.[1] sur leurs cartes.

Quelqu'un lui cria : « Bonjour, cher ami. » C'était le comte de Vaudrec. S'étant excusé auprès des dames, Du Roy alla lui serrer la main.

Il déclara, en revenant : « Il est charmant, Vaudrec. Comme 410 on sent la race[2], chez lui. »

Mme Walter ne répondit rien. Elle était un peu fatiguée et sa poitrine se soulevait avec effort à chaque souffle de ses poumons, ce qui attirait l'œil de Du Roy. Et de temps en temps, il rencontrait le regard de « la Patronne », un regard trouble, hésitant, qui 415 se posait sur lui et fuyait tout de suite. Et il se disait : « Tiens... tiens... tiens... Est-ce que je l'aurais levée[3] aussi celle-là ? »

Les quêteuses passèrent. Leurs bourses étaient pleines d'argent et d'or. Et une nouvelle pancarte fut accrochée sur l'estrade annonçant : « Grrrrande surprise. » Les membres du 420 jury remontèrent à leurs places. On attendit.

---

1. *Esq.* : abréviation du terme britannique « Esquire » (ou « écuyer », en français), marque de respect placée derrière le nom d'un gentleman.
2. *Race* : appartenance à une famille aristocratique.
3. *Levée* : séduite (argot).

Deux femmes parurent, un fleuret à la main, en costume de salle, vêtues d'un maillot sombre, d'un très court jupon tombant à la moitié des cuisses, et d'un plastron si gonflé sur la poitrine qu'il les forçait à porter haut la tête. Elles étaient jolies et jeunes.
425 Elles souriaient en saluant l'assistance. On les acclama longtemps.

Et elles se mirent en garde au milieu d'une rumeur galante et de plaisanteries chuchotées.

Un sourire aimable s'était fixé sur les lèvres des juges, qui
430 approuvaient les coups par un petit bravo.

Le public appréciait beaucoup cet assaut et le témoignait aux deux combattantes qui allumaient des désirs chez les hommes et réveillaient chez les femmes le goût naturel du public parisien pour les gentillesses un peu polissonnes, pour les élégances du
435 genre canaille, pour le faux-joli et le faux-gracieux, les chanteuses de café-concert et les couplets d'opérette.

Chaque fois qu'une des tireuses se fendait, un frisson de joie courait dans le public. Celle qui tournait le dos à la salle, un dos bien replet, faisait s'ouvrir les bouches et s'arrondir les yeux ; et
440 ce n'était pas le jeu de son poignet qu'on regardait le plus.

On les applaudit avec frénésie.

Un assaut de sabre suivit, mais personne ne le regarda, car toute l'attention fut captivée par ce qui se passait au-dessus. Pendant quelques minutes on avait écouté un grand bruit de
445 meubles remués, traînés sur le parquet comme si on déménageait l'appartement. Puis, tout à coup, le son du piano traversa le plafond ; et on entendit distinctement un bruit rythmé de pieds sautant en cadence. Les gens d'en haut s'offraient un bal, pour se dédommager de ne rien voir.

450 Un grand rire s'éleva d'abord dans le public de la salle d'armes, puis le désir de danser s'éveillant chez les femmes, elles cessèrent de s'occuper de ce qui se passait sur l'estrade et se mirent à parler tout haut.

On trouvait drôle cette idée de bal organisé par les retarda
455 taires. Ils ne devaient pas s'embêter, ceux-là. On aurait bien
voulu être au-dessus.

Mais deux nouveaux combattants s'étaient salués, et ils tombèrent en garde avec tant d'autorité que tous les regards suivaient
leurs mouvements.

460 Ils se fendaient et se relevaient avec une grâce élastique, avec
une vigueur mesurée, avec une telle sûreté de force, une telle
sobriété de gestes, une telle correction d'allure, une telle mesure
dans le jeu que la foule ignorante fut surprise et charmée.

Leur promptitude calme, leur sage souplesse, leurs mouve
465 ments rapides, si calculés qu'ils semblaient lents, attiraient et
captivaient l'œil par la seule puissance de la perfection. Le public
sentit qu'il voyait là une chose belle et rare, que deux grands
artistes dans leur métier lui montraient ce qu'on pouvait voir de
mieux, tout ce qu'il était possible à deux maîtres de déployer
470 d'habileté, de ruse, de science raisonnée et d'adresse physique.

Personne ne parlait plus, tant on les regardait. Puis, quand ils
se furent serré la main, après le dernier coup de bouton, des cris
éclatèrent, des hurrahs. On trépignait, on hurlait. Tout le monde
connaissait leurs noms : c'étaient Sergent et Ravignac.

475 Les esprits exaltés[1] devenaient querelleurs. Les hommes
regardaient leurs voisins avec des envies de dispute. On se serait
provoqué pour un sourire. Ceux qui n'avaient jamais tenu un
fleuret en leur main esquissaient avec leur canne des attaques et
des parades.

480 Mais peu à peu la foule remontait par le petit escalier. On
allait boire, enfin. Ce fut une indignation quand on constata que
les gens du bal avaient dévalisé le buffet, puis s'en étaient allés
en déclarant qu'il était malhonnête de déranger deux cents personnes pour ne leur rien montrer.

---

1. *Exaltés* : passionnés.

485 Il ne restait pas un gâteau, pas une goutte de champagne, de sirop ou de bière, pas un bonbon, pas un fruit, rien, rien de rien. Ils avaient saccagé, ravagé, nettoyé tout.

On se faisait raconter les détails par les servants qui prenaient des visages tristes en cachant leur envie de rire. « Les dames
490 étaient plus enragées que les hommes, affirmaient-ils, et avaient mangé et bu à s'en rendre malades. » On aurait cru entendre le récit des survivants après le pillage et le sac[1] d'une ville pendant l'Invasion.

Il fallut donc s'en aller. Des messieurs regrettaient les vingt
495 francs donnés à la quête ; ils s'indignaient que ceux d'en haut eussent ripaillé[2] sans rien payer.

Les dames patronnesses avaient recueilli plus de trois mille francs. Il resta, tous frais payés, deux cent vingt francs pour les orphelins du sixième arrondissement.
500 Du Roy, escortant la famille Walter, attendait son landau.

En reconduisant la Patronne, comme il se trouvait assis en face d'elle, il rencontra encore une fois son œil caressant et fuyant, qui semblait troublé. Il pensait : « Bigre, je crois qu'elle mord » ; et il souriait en reconnaissant qu'il avait vraiment de la
505 chance auprès des femmes, car Mme de Marelle, depuis le recommencement de leur tendresse, paraissait l'aimer avec frénésie.

Il rentra chez lui d'un pied joyeux.

Madeleine l'attendait dans le salon.

---

1. *Sac* : pillage, dévastation. On croit lire le chapitre VI de *La Curée* (1872) d'Émile Zola : « Quand on ouvrit la porte de la salle à manger, transformée en buffet, avec des dressoirs contre les murs et une longue table au milieu, chargée de viandes froides, ce fut une poussée, un écrasement. [...] On se ruait sur les pâtisseries et les volailles truffées, en s'enfonçant les coudes dans les côtes, brutalement. C'était un pillage, les mains se rencontraient au milieu des viandes, et les laquais ne savaient à qui répondre au milieu de cette bande d'hommes comme il faut, dont les bras tendus exprimaient la seule crainte d'arriver trop tard et de trouver les plats vides. »
2. *Ripaillé* : fait un plantureux repas.

« J'ai des nouvelles, dit-elle. L'affaire du Maroc se complique.
510 La France pourrait bien y envoyer une expédition d'ici quelques mois. Dans tous les cas on va se servir de ça pour renverser le ministère, et Laroche profitera de l'occasion pour attraper les Affaires étrangères. »

Du Roy, pour taquiner sa femme, feignit de n'en rien croire.
515 On ne serait pas assez fou pour recommencer la bêtise de Tunis.

Mais elle haussait les épaules avec impatience. « Je te dis que si ! Je te dis que si ! Tu ne comprends donc pas que c'est une grosse question d'argent pour eux. Aujourd'hui, mon cher, dans les combinaisons politiques il ne faut pas dire : "Cherchez la
520 femme", mais : "Cherchez l'affaire." »

Il murmura : « Bah ! » avec un air de mépris, pour l'exciter.
Elle s'irritait :
« Tiens, tu es aussi naïf que Forestier. »

Elle voulait le blesser et s'attendait à une colère. Mais il
525 sourit, et répondit : « Que ce cocu de Forestier ? »

Elle demeura saisie, et murmura :
« Oh ! Georges ! »

Il avait l'air insolent et railleur, et il reprit : « Eh bien, quoi ?
Me l'as-tu pas avoué, l'autre soir, que Forestier était cocu ? »
530 Et il ajouta : « Pauvre diable ! » sur un ton de pitié profonde.

Madeleine lui tourna le dos, dédaignant de répondre ; puis après une minute de silence, elle reprit : « Nous aurons du monde mardi : Mme Laroche-Mathieu viendra dîner avec la comtesse de Percemur. Veux-tu inviter Rival et Norbert de Varenne ? J'irai
535 demain chez Mmes Walter et de Marelle. Peut-être aussi aurons-nous Mme Rissolin. »

Depuis quelque temps, elle se faisait des relations, usant de l'influence politique de son mari, pour attirer chez elle, de gré ou de force, les femmes des sénateurs et des députés qui avaient
540 besoin de l'appui de *La Vie française*.

Du Roy répondit : « Très bien. Je me charge de Rival et de Norbert. »

Il était content, et il se frottait les mains, car il avait trouvé une bonne scie pour embêter sa femme et satisfaire l'obscure rancune, la confuse et mordante jalousie née en lui depuis leur promenade au Bois. Il ne parlerait plus de Forestier sans le qualifier de cocu. Il sentait bien que cela finirait par rendre Madeleine enragée. Et dix fois pendant la soirée il trouva moyen de prononcer avec une bonhomie ironique, le nom de ce « cocu de Forestier ».

Il n'en voulait plus au mort ; il le vengeait.

Sa femme feignait de ne pas entendre et demeurait, en face de lui, souriante et indifférente.

Le lendemain, comme elle devait aller adresser son invitation à Mme Walter, il voulut la devancer, pour trouver seule la Patronne et voir si vraiment elle en tenait pour lui. Cela l'amusait et le flattait. Et puis… pourquoi pas… si c'était possible.

Il se présenta boulevard Malesherbes dès deux heures. On le fit entrer dans le salon. Il attendit.

Mme Walter parut, la main tendue avec un empressement heureux.

« Quel bon vent vous amène ?

– Aucun bon vent, mais un désir de vous voir. Une force m'a poussé chez vous, je ne sais pourquoi, je n'ai rien à vous dire. Je suis venu, me voilà ! me pardonnez-vous cette visite matinale et la franchise de l'explication ? »

Il disait cela d'un ton galant et badin[1], avec un sourire sur les lèvres et un accent sérieux dans la voix.

Elle restait étonnée, un peu rouge, balbutiant :

« Mais… vraiment… je ne comprends pas… vous me surprenez… »

Il ajouta : « C'est une déclaration sur un air gai, pour ne pas vous effrayer. »

---

1. Badin : enjoué, enclin à la plaisanterie.

Ils s'étaient assis l'un près de l'autre. Elle prit la chose de façon plaisante.

« Alors c'est une déclaration… sérieuse ?

– Mais oui ! Voici longtemps que je voulais vous la faire, très longtemps, même. Et puis, je n'osais pas. On vous dit si sévère, si rigide… »

Elle avait retrouvé son assurance. Elle répondit :

« Pourquoi avez-vous choisi aujourd'hui ?

– Je ne sais pas. » Puis il baissa la voix : « Ou plutôt, c'est parce que je ne pense qu'à vous depuis hier. »

Elle balbutia, pâlie tout à coup : « Voyons, assez d'enfantillages, et parlons d'autre chose. »

Mais il était tombé à ses genoux si brusquement qu'elle eut peur. Elle voulut se lever ; il la tenait assise de force et ses deux bras enlacés à la taille, et il répétait d'une voix passionnée : « Oui, c'est vrai que je vous aime, follement, depuis longtemps. Ne me répondez pas. Que voulez-vous, je suis fou ! Je vous aime… Oh ! si vous saviez, comme je vous aime ! »

Elle suffoquait, haletait, essayait de parler et ne pouvait prononcer un mot. Elle le repoussait de ses deux mains, l'ayant saisi aux cheveux pour empêcher l'approche de cette bouche qu'elle sentait venir vers la sienne. Et elle tournait la tête de droite à gauche et de gauche à droite, d'un mouvement rapide, en fermant les yeux pour ne plus le voir.

Il la touchait à travers sa robe, la maniait, la palpait ; et elle défaillait sous cette caresse brutale et forte. Il se releva brusquement et voulut l'étreindre, mais, libre une seconde, elle s'était échappée en se rejetant en arrière, et elle fuyait maintenant de fauteuil en fauteuil.

Il jugea ridicule cette poursuite, et il se laissa tomber sur une chaise, la figure dans ses mains, en feignant des sanglots convulsifs.

Puis il se redressa, cria : « Adieu, adieu ! » et il s'enfuit.

Il reprit tranquillement sa canne dans le vestibule et gagna la rue en se disant : « Cristi, je crois que ça y est. » Et il passa au télégraphe pour envoyer un petit bleu à Clotilde, lui donnant
610 rendez-vous le lendemain.

En rentrant chez lui, à l'heure ordinaire, il dit à sa femme : « Eh bien, as-tu tout ton monde pour ton dîner ? »

Elle répondit : « Oui ; il n'y a que Mme Walter qui n'est pas sûre d'être libre. Elle hésite ; elle m'a parlé de je ne sais quoi,
615 d'engagement, de conscience. Enfin elle m'a eu l'air très drôle. N'importe, j'espère qu'elle viendra tout de même. »

Il haussa les épaules : « Eh, parbleu oui, elle viendra. »

Il n'en était pas certain, cependant, et il demeura inquiet jusqu'au jour du dîner.

620 Le matin même, Madeleine reçut un petit mot de la Patronne : « Je me suis rendue libre à grand-peine et je serai des vôtres. Mais mon mari ne pourra pas m'accompagner. »

Du Roy pensa : « J'ai rudement bien fait de n'y pas retourner. La voilà calmée. Attention. »

625 Il attendit cependant son entrée avec un peu d'inquiétude. Elle parut, très calme, un peu froide, un peu hautaine. Il se fit très humble, très discret et soumis.

Mmes Laroche-Mathieu et Rissolin accompagnaient leurs maris. La vicomtesse de Percemur parla du grand monde.
630 Mme de Marelle était ravissante dans une toilette d'une fantaisie singulière jaune et noire, un costume espagnol qui moulait bien sa jolie taille, sa poitrine et ses bras potelés, et rendait énergique sa petite tête d'oiseau.

Du Roy avait pris à sa droite Mme Walter, et il ne lui parla,
635 durant le dîner, que de choses sérieuses, avec un respect exagéré. De temps en temps il regardait Clotilde. « Elle est vraiment plus jolie et plus fraîche », pensait-il. Puis ses yeux revenaient vers sa femme qu'il ne trouvait pas mal non plus, bien qu'il eût gardé contre elle une colère rentrée, tenace et méchante.

640 Mais la Patronne l'excitait par la difficulté de la conquête, et par cette nouveauté toujours désirée des hommes.

Elle voulut rentrer de bonne heure. « Je vous accompagnerai », dit-il.

Elle refusa. Il insistait : « Pourquoi ne voulez-vous pas ? Vous 645 allez me blesser vivement. Ne me laissez pas croire que vous ne m'avez point pardonné. Vous voyez comme je suis calme. »

Elle répondit : « Vous ne pouvez pas abandonner ainsi vos invités. »

Il sourit : « Bah ! je serai vingt minutes absent. On ne s'en 650 apercevra même pas. Si vous me refusez, vous me froisserez jusqu'au cœur. »

Elle murmura : « Eh bien, j'accepte. »

Mais dès qu'ils furent dans la voiture, il lui saisit la main, et la baisant avec passion : « Je vous aime, je vous aime. Laissez-moi 655 vous le dire. Je ne vous toucherai pas. Je veux seulement vous répéter que je vous aime. »

Elle balbutiait : « Oh… après ce que vous m'avez promis… C'est mal… c'est mal. »

Il parut faire un grand effort, puis il reprit, d'une voix conte- 660 nue : « Tenez, vous voyez comme je me maîtrise. Et pourtant… Mais laissez-moi vous dire seulement ceci : Je vous aime… et vous le répéter tous les jours… oui, laissez-moi aller chez vous m'agenouiller cinq minutes à vos pieds pour prononcer ces trois mots, en regardant votre visage adoré. »

665 Elle lui avait abandonné sa main, et elle répondit en haletant : « Non, je ne peux pas, je ne veux pas. Songez à ce qu'on dirait, à mes domestiques, à mes filles. Non, non, c'est impossible… »

Il reprit : « Je ne peux plus vivre sans vous voir. Que ce soit chez vous ou ailleurs il faut que je vous voie, ne fût-ce qu'une 670 minute tous les jours, que je touche votre main, que je respire l'air soulevé par votre robe, que je contemple la ligne de votre corps, et vos beaux grands yeux qui m'affolent. »

Elle écoutait, frémissante, cette banale musique d'amour et elle bégayait : « Non… non… c'est impossible. Taisez-vous ! »

675 Il lui parlait tout bas, dans l'oreille, comprenant qu'il fallait la prendre peu à peu, celle-là, cette femme simple, qu'il fallait la décider à lui donner des rendez-vous, où elle voudrait d'abord, où il voudrait ensuite : « Écoutez… Il le faut… je vous verrai… je vous attendrai devant votre porte… comme un pauvre… Si vous 680 ne descendez pas, je monterai chez vous… mais je vous verrai… je vous verrai… demain. »

Elle répétait : « Non, non, ne venez pas. Je ne vous recevrai point. Songez à mes filles. »

– Alors dites-moi où je vous rencontrerai… dans la rue… 685 n'importe où… à l'heure que vous voudrez… pourvu que je vous voie… Je vous saluerai… Je vous dirai : "Je vous aime", et je m'en irai. »

Elle hésitait, éperdue. Et comme le coupé passait la porte de son hôtel, elle murmura très vite : « Eh bien, j'entrerai à la Tri-690 nité[1], demain, à trois heures et demie. » Puis, étant descendue, elle cria à son cocher :

« Reconduisez M. Du Roy chez lui. »

Comme il rentrait, sa femme lui demanda : « Où étais-tu donc passé ? »

695 Il répondit, à voix basse : « J'ai été jusqu'au télégraphe pour une dépêche pressée. »

Mme de Marelle s'approchait : « Vous me reconduisez, Bel-Ami, vous savez que je ne viens dîner si loin qu'à cette condition ? »

700 Puis se tournant vers Madeleine : « Tu n'es pas jalouse ? »

Mme Du Roy répondit lentement :

---

1. Trinité : église de la Trinité, rue Saint-Lazare, dans le 9e arrondissement de Paris. Ce rendez-vous rappelle celui que Léon donne à Mme Bovary, l'héroïne éponyme du roman de Gustave Flaubert (1821-1880), dans la cathédrale de Rouen.

« Non, pas trop. »

Les convives s'en allaient. Mme Laroche-Mathieu avait l'air d'une petite bonne de province. C'était la fille d'un notaire,
705 épousée par Laroche qui n'était alors que médiocre avocat. Mme Rissolin, vieille et prétentieuse, donnait l'idée d'une ancienne sage-femme dont l'éducation se serait faite dans les cabinets de lecture[1]. La vicomtesse de Percemur les regardait de haut. Sa « patte blanche » touchait avec répugnance ces mains
710 communes.

Clotilde, enveloppée de dentelles, dit à Madeleine en franchissant la porte de l'escalier : « C'était parfait, ton dîner. Tu auras dans quelque temps le premier salon politique[2] de Paris. »

Dès qu'elle fut seule avec Georges, elle le serra dans ses bras :
715 « Oh ! mon chéri Bel-Ami, je t'aime tous les jours davantage. »

Le fiacre qui les portait roulait comme un navire.

« Ça ne vaut point notre chambre, dit-elle. »

Il répondit : « Oh ! non. » Mais il pensait à Mme Walter.

IV

La place de la Trinité était presque déserte, sous un éclatant soleil de juillet. Une chaleur pesante écrasait Paris, comme si l'air de là-haut, alourdi, brûlé, était retombé sur la ville, de l'air épais et cuisant qui faisait mal dans la poitrine.
5 Les chutes d'eau, devant l'église, tombaient mollement. Elles semblaient fatiguées de couler, lasses et molles aussi, et le liquide

---

1. *Cabinets de lecture* : établissements où l'on pouvait lire ou emprunter des livres et des journaux en échange de quelques pièces.
2. Certaines femmes de la haute bourgeoisie tenaient salon : à date fixe, elles réunissaient des célébrités, politiques, littéraires, artistiques, etc.

du bassin où flottaient des feuilles et des bouts de papier avait l'air un peu verdâtre, épais et glauque[1].

Un chien, ayant sauté par-dessus le rebord de pierre, se bai-
10 gnait dans cette onde[2] douteuse. Quelques personnes, assises sur les bancs du petit jardin rond qui contourne le portail, regar-daient cette bête avec envie.

Du Roy tira sa montre. Il n'était encore que trois heures. Il avait trente minutes d'avance.

15 Il riait en pensant à ce rendez-vous. « Les églises lui sont bonnes à tous les usages, se disait-il. Elles la consolent d'avoir épousé un juif, lui donnent une attitude de protestation dans le monde politique, une allure comme il faut dans le monde distingué, et un abri pour ses rencontres galantes. Ce que
20 c'est que l'habitude de se servir de la religion comme on se sert d'un en-tout-cas[3]. S'il fait beau, c'est une canne, s'il fait du soleil, c'est une ombrelle, s'il pleut, c'est un parapluie, et, si on ne sort pas, on le laisse dans l'antichambre. Et elles sont des centaines comme ça, qui se fichent du bon Dieu
25 comme d'une guigne[4], mais qui ne veulent pas qu'on en dise du mal et qui le prennent à l'occasion pour entremetteur[5]. Si on leur proposait d'entrer dans un hôtel meublé, elles trouve-raient ça une infamie, et il leur semble tout simple de filer l'amour au pied des autels. »

30 Il marchait lentement le long du bassin ; puis il regarda l'heure de nouveau à l'horloge du clocher, qui avançait de deux minutes sur sa montre. Elle indiquait trois heures cinq.

Il jugea qu'il serait encore mieux dedans ; et il entra.

---

1. *Glauque* : sans netteté, comme l'eau de la mer.
2. *Onde* : eau.
3. *En-tout-cas* : canne pouvant faire office de parapluie ou d'ombrelle.
4. *Guigne* : chose insignifiante.
5. *Entremetteur* : personne qui sert d'intermédiaire dans une histoire galante.

Une fraîcheur de cave le saisit ; il l'aspira avec bonheur, puis
35 il fit le tour de la nef[1] pour bien connaître l'endroit.

Une autre marche régulière, interrompue parfois, puis recommençant, répondait, au fond du vaste monument, au bruit de ses pieds qui montait sonore sous la haute voûte. La curiosité lui vint de connaître ce promeneur. Il le chercha. C'était un gros homme
40 chauve, qui allait le nez en l'air, le chapeau derrière le dos.

De place en place, une vieille femme agenouillée priait, la figure dans ses mains.

Une sensation de solitude, de désert, de repos, saisissait l'esprit. La lumière, nuancée par les vitraux, était douce aux
45 yeux.

Du Roy trouva qu'il faisait « rudement bon » là-dedans.

Il revint près de la porte, et regarda de nouveau sa montre. Il n'était encore que trois heures quinze. Il s'assit à l'entrée de l'allée principale, en regrettant qu'on ne pût pas fumer une ciga-
50 rette. On entendait toujours, au bout de l'église, près du chœur[2], la promenade lente du gros monsieur.

Quelqu'un entra. Georges se retourna brusquement. C'était une femme du peuple, en jupe de laine, une pauvre femme, qui tomba à genoux près de la première chaise, et resta immobile,
55 les doigts croisés, le regard au ciel, l'âme envolée dans la prière.

Du Roy la regardait avec intérêt, se demandant quel chagrin, quelle douleur, quel désespoir pouvaient broyer ce cœur infime. Elle crevait de misère ; c'était visible. Elle avait peut-être encore un mari qui la tuait de coups, ou bien un enfant mourant.

60 Il murmurait, mentalement : « Les pauvres êtres. Y en a-t-il qui souffrent pourtant. » Et une colère lui vint contre l'impitoyable

---

1. Nef : partie d'une église comprise entre le portail et le transept (allée mineure qui coupe l'allée centrale de l'église, lui donnant la forme d'une croix), souvent bordée par les piliers soutenant la voûte et qui rappelle la forme d'une coque de navire renversé.
2. Chœur : partie d'une église située en tête de la nef et où se tient le clergé.

nature. Puis il réfléchit que ces gueux croyaient au moins qu'on s'occupait d'eux là-haut et que leur état civil se trouvait inscrit sur les registres du ciel avec la balance de la dette et de l'avoir.

65 « Là-haut. » Où donc ?

Et Du Roy, que le silence de l'église poussait aux vastes rêves, jugeant d'une pensée la création, prononça, du bout des lèvres : « Comme c'est bête tout ça. »

Un bruit de robe le fit tressaillir. C'était elle.

70 Il se leva, s'avança vivement. Elle ne lui tendit pas la main, et murmura, à voix basse :

« Je n'ai que peu d'instants. Il faut que je rentre, mettez-vous à genoux, près de moi, pour qu'on ne nous remarque pas. »

Et elle s'avança dans la grande nef, cherchant un endroit 75 convenable et sûr, en femme qui connaît bien la maison. Sa figure était cachée par un voile épais, et elle marchait à pas sourds qu'on entendait à peine.

Quand elle fut arrivée près du chœur, elle se retourna et marmotta, de ce ton toujours mystérieux qu'on garde dans les 80 églises : « Les bas-côtés[1] vaudront mieux. On est trop en vue par ici. »

Elle salua le tabernacle[2] du maître-autel d'une grande inclinaison de tête, renforcée d'une légère révérence, et elle tourna à droite, revint un peu vers l'entrée, puis, prenant une résolution, 85 elle s'empara d'un prie-Dieu[3] et s'agenouilla.

Georges prit possession du prie-Dieu voisin, et, dès qu'ils furent immobiles, dans l'attitude de l'oraison :

---

1. Bas-côtés : nefs latérales d'une église, en général moins hautes et plus étroites que la nef principale.

2. Tabernacle : petite armoire généralement placée au centre de l'autel d'une église ou d'un lieu de culte catholique, et dans laquelle sont conservées les hosties consacrées.

3. Prie-Dieu : chaise très basse sur laquelle le fidèle s'agenouille pour prier (le dossier sert d'accoudoir).

« Merci, merci, dit-il. Je vous adore. Je voudrais vous le dire toujours, vous raconter comment j'ai commencé à vous aimer,
90 comment j'ai été séduit la première fois que je vous ai vue… Me permettrez-vous, un jour, de vider mon cœur, de vous exprimer tout cela ? »

Elle l'écoutait dans une attitude de méditation profonde, comme si elle n'eût rien entendu. Elle répondit entre ses doigts :
95 « Je suis folle de vous laisser me parler ainsi, folle d'être venue, folle de faire ce que je fais, de vous laisser croire que cette… cette… cette aventure peut avoir une suite. Oubliez cela, il le faut, et ne m'en reparlez jamais. »

Elle attendit. Il cherchait une réponse, des mots décisifs, pas-
100 sionnés, mais ne pouvant joindre les gestes aux paroles, son action se trouvait paralysée.

Il reprit :

« Je n'attends rien… je n'espère rien. Je vous aime. Quoi que vous fassiez, je vous le répéterai si souvent, avec tant de force et
105 d'ardeur, que vous finirez bien par le comprendre. Je veux faire pénétrer en vous ma tendresse, vous la verser dans l'âme, mot par mot, heure par heure, jour par jour, de sorte qu'enfin elle vous imprègne comme une liqueur tombée goutte à goutte, qu'elle vous adoucisse, vous amollisse et vous force, plus tard, à
110 me répondre : "Moi aussi, je vous aime." »

Il sentait trembler son épaule contre lui et sa gorge palpiter ; et elle balbutia, très vite : « Moi aussi, je vous aime. »

Il eut un sursaut, comme si un grand coup lui fût tombé sur la tête, et il soupira : « Oh ! mon Dieu !… »
115 Elle reprit, d'une voix haletante : « Est-ce que je devrais vous dire cela ? Je me sens coupable et méprisable… moi… qui ai deux filles… mais je ne peux pas… je ne peux pas… Je n'aurais pas cru… je n'aurais jamais pensé… c'est plus fort… plus fort que moi. Écoutez… écoutez… je n'ai jamais aimé… que vous…
120 je vous le jure. Et je vous aime depuis un an, en secret, dans le

secret de mon cœur ! Oh ! j'ai souffert, allez, et lutté, je ne peux plus, je vous aime... »

Elle pleurait dans ses doigts croisés sur son visage, et tout son corps frémissait, secoué par la violence de son émotion.

125 George murmura : « Donnez-moi votre main, que je la touche, que je la presse... »

Elle ôta lentement sa main de sa figure. Il vit sa joue toute mouillée, et une goutte d'eau prête à tomber encore au bord des cils.

130 Il avait pris cette main, il la serrait : « Oh ! comme je voudrais boire vos larmes. »

Elle dit d'une voix basse et brisée, qui ressemblait à un gémissement : « N'abusez pas de moi... je me suis perdue ! »

Il eut envie de sourire. Comment aurait-il abusé d'elle en ce lieu ! Il posa sur son cœur la main qu'il tenait, en demandant : « Le sentez-vous battre ? » Car il était à bout de phrases passionnées.

Mais, depuis quelques instants, le pas régulier du promeneur se rapprochait. Il avait fait le tour des autels, et il redescendait, pour la seconde fois au moins, par la petite nef de droite. Quand Mme Walter l'entendit tout près du pilier qui la cachait, elle arracha ses doigts de l'étreinte de Georges, et, de nouveau, se couvrit la figure.

Et ils restèrent tous deux immobiles, agenouillés comme s'ils eussent adressé ensemble au ciel des supplications ardentes. Le gros monsieur passa près d'eux, leur jeta un regard indifférent, et s'éloigna vers le bas de l'église en tenant toujours son chapeau dans son dos.

Mais Du Roy, qui songeait à obtenir un rendez-vous ailleurs qu'à la Trinité, murmura : « Où vous verrai-je demain ? »

Elle ne répondit pas. Elle semblait inanimée, changée en statue de la Prière.

Il reprit : « Demain, voulez-vous que je vous retrouve au parc Monceau ? »

155 Elle tourna vers lui sa face redécouverte, une face livide, cris-
pée par une souffrance affreuse, et, d'une voix saccadée : « Laissez-moi... laissez-moi, maintenant... allez-vous-en... allez-vous-
en... seulement cinq minutes... je souffre trop, près de vous... je
veux prier... je ne peux pas... allez-vous-en... laissez-moi prier...
160 seule... cinq minutes... je ne peux pas... laissez-moi implorer
Dieu... qu'il me pardonne... qu'il me sauve... laissez-moi...
cinq minutes... »

Elle avait un visage tellement bouleversé, une figure si douloureuse, qu'il se leva sans dire un mot, puis, après un peu
165 d'hésitation, il demanda : « Je reviendrai tout à l'heure ? »

Elle fit un signe de tête, qui voulait dire : « Oui, tout à
l'heure. » Et il remonta vers le chœur.

Alors, elle tenta de prier. Elle fit un effort d'invocation[1] surhumaine pour appeler Dieu, et, le corps vibrant, l'âme éperdue,
170 elle cria : « Pitié ! » vers le ciel.

Elle fermait ses yeux avec rage pour ne plus voir celui qui
venait de s'en aller ! Elle le chassait de sa pensée, elle se débattait
contre lui, mais au lieu de l'apparition céleste attendue dans la
détresse de son cœur, elle apercevait toujours la moustache frisée
175 du jeune homme.

Depuis un an, elle luttait ainsi tous les jours, tous les soirs,
contre cette obsession grandissante, contre cette image qui hantait ses rêves, qui hantait sa chair et troublait ses nuits. Elle se
sentait prise comme une bête dans un filet, liée, jetée entre les
180 bras de ce mâle qui l'avait vaincue, conquise, rien que par le poil
de sa lèvre et par la couleur de ses yeux.

Et maintenant, dans cette église, tout près de Dieu, elle se
sentait plus faible, plus abandonnée, plus perdue encore que
chez elle. Elle ne pouvait plus prier, elle ne pouvait penser qu'à
185 lui. Elle souffrait déjà qu'il se fût éloigné. Elle luttait cependant

---

1. *Invocation* : demande de recours, courte prière.

en désespérée, elle se défendait, appelait du secours de toute la force de son âme. Elle eût voulu mourir plutôt que de tomber ainsi, elle qui n'avait point failli. Elle murmurait des paroles éperdues de supplication ; mais elle écoutait le pas de Georges s'affai-
190 blir dans le lointain des voûtes.

Elle comprit que c'était fini, que la lutte était inutile ! Elle ne voulait pas céder pourtant ; et elle fut saisie par une de ces crises d'énervement qui jettent les femmes, palpitantes, hurlantes et tordues sur le sol. Elle tremblait de tous ses membres, sentant
195 bien qu'elle allait tomber, se rouler entre les chaises en poussant des cris aigus.

Quelqu'un s'approchait d'une marche rapide. Elle tourna la tête. C'était un prêtre. Alors elle se leva, courut à lui en tendant ses mains jointes, et elle balbutia : « Oh ! sauvez-moi ! sauvez-
200 moi ! »

Il s'arrêta surpris : « Qu'est-ce que vous désirez, madame ?

– Je veux que vous me sauviez. Ayez pitié de moi. Si vous ne venez pas à mon aide, je suis perdue. »

Il la regardait, se demandant si elle n'était pas folle. Il reprit :
205 « Que puis-je faire pour vous ? »

C'était un jeune homme, grand, un peu gras, aux joues pleines et tombantes, teintées de noir par la barbe rasée avec soin, un beau vicaire[1] de ville, de quartier opulent, habitué aux riches pénitentes.

210 « Recevez ma confession, dit-elle, et conseillez-moi, soutenez-moi, dites-moi ce qu'il faut faire ! »

Il répondit : « Je confesse tous les samedis, de trois heures à six heures. »

Ayant saisi son bras, elle le serrait en répétant : « Non ! non !
215 non ! tout de suite ! tout de suite ! Il le faut ! Il est là ! dans cette église ! Il m'attend. »

---

1. *Vicaire* : prêtre qui aide ou remplace le curé d'une paroisse.

Le prêtre demanda : « Qui est-ce qui vous attend ?

– Un homme... qui va me perdre... qui va me prendre, si vous ne me sauvez pas... Je ne peux plus le fuir... Je suis trop 220 faible... trop faible... si faible... si faible... ! »

Elle s'abattit à ses genoux, et sanglotant :

« Oh ! ayez pitié de moi, mon père ! Sauvez-moi, au nom de Dieu, sauvez-moi ! »

Elle le tenait par sa robe noire pour qu'il ne pût s'échapper ; 225 et lui, inquiet, regardait de tous les côtés si quelque œil malveillant ou dévot ne voyait point cette femme tombée à ses pieds.

Comprenant, enfin, qu'il ne lui échapperait pas :

« Relevez-vous, dit-il, j'ai justement sur moi la clef du confessionnal. » Et, fouillant dans sa poche, il en tira un anneau garni 230 de clefs, puis il en choisit une, et il se dirigea, d'un pas rapide, vers les petites cabanes de bois, sorte de boîtes aux ordures de l'âme, où les croyants vident leurs péchés.

Il entra par la porte du milieu qu'il referma sur lui, et Mme Walter, s'étant jetée dans l'étroite case d'à côté, balbutia 235 avec ferveur, avec un élan passionné d'espérance :

« Bénissez-moi, mon père, parce que j'ai péché... »

Du Roy, ayant fait le tour du chœur, descendit la nef de gauche. Il arrivait au milieu quand il rencontra le gros monsieur chauve, allant toujours de son pas tranquille, et il se demanda : 240 « Qu'est-ce que ce particulier-là peut bien faire ici ? »

Le promeneur aussi avait ralenti sa marche et regardait Georges avec un désir visible de lui parler. Quand il fut tout près, il salua, et très poliment : « Je vous demande pardon, monsieur, de vous déranger, mais pourriez-vous me dire à quelle époque a 245 été construit ce monument ? »

Du Roy répondit : « Ma foi, je n'en sais trop rien, je pense qu'il y a vingt ans, ou vingt-cinq ans. C'est, d'ailleurs, la première fois que j'y entre.

– Moi aussi. Je ne l'avais jamais vu. »

250 Alors, le journaliste, qu'un intérêt gagnait, reprit : « Il me semble que vous le visitez avec grand soin. Vous l'étudiez dans ses détails. »

L'autre, avec résignation : « Je ne le visite pas, monsieur, j'attends ma femme qui m'a donné rendez-vous ici, et qui est fort 255 en retard. »

Puis il se tut, et après quelques secondes : « Il fait rudement chaud, dehors. »

Du Roy le considérait, lui trouvant une bonne tête, et, tout à coup, il s'imagina qu'il ressemblait à Forestier.

260 « Vous êtes de la province ? dit-il.

– Oui. Je suis de Rennes. Et vous, monsieur, c'est par curiosité que vous êtes entré dans cette église ?

– Non. J'attends une femme, moi. » Et l'ayant salué, le journaliste s'éloigna, le sourire aux lèvres.

265 En approchant de la grande porte, il revit la pauvresse, toujours à genoux et priant toujours. Il pensa : « Cristi ! elle a l'invocation tenace. » Il n'était plus ému, il ne la plaignait plus.

Il passa, et, doucement, se mit à remonter la nef de droite pour retrouver Mme Walter.

270 Il guettait de loin la place où il l'avait laissée, s'étonnant de ne pas l'apercevoir. Il crut s'être trompé de pilier, alla jusqu'au dernier, et revint ensuite. Elle était donc partie ! Il demeurait surpris et furieux. Puis il s'imagina qu'elle le cherchait, et il refit le tour de l'église. Ne l'ayant point trouvée, il retourna s'asseoir sur 275 la chaise qu'elle avait occupée, espérant qu'elle l'y rejoindrait. Et il attendit.

Bientôt un léger murmure de voix éveilla son attention. Il n'avait vu personne dans ce coin de l'église. D'où venait donc ce chuchotement ? Il se leva pour chercher, et il aperçut, dans la 280 chapelle voisine, les portes du confessionnal. Un bout de robe sortait de l'une et traînait sur le pavé. Il s'approcha pour examiner la femme. Il la reconnut. Elle se confessait !…

Il sentit un désir violent de la prendre par les épaules et de l'arracher de cette boîte. Puis il pensa : « Bah ! c'est le tour du curé, ce sera le mien demain. » Et il s'assit tranquillement en face des guichets de la pénitence, attendant son heure, et ricanant, à présent, de l'aventure.

Il attendit longtemps. Enfin, Mme Walter se releva, se retourna, le vit et vint à lui. Elle avait un visage froid et sévère. « Monsieur, dit-elle, je vous prie de ne pas m'accompagner, de ne pas me suivre, et de ne plus venir, seul, chez moi. Vous ne seriez point reçu. Adieu ! »

Et elle s'en alla, d'une démarche digne.

Il la laissa s'éloigner, car il avait pour principe de ne jamais forcer les événements. Puis comme le prêtre, un peu troublé, sortait à son tour de son réduit, il marcha droit à lui, et le regardant au fond des yeux, il lui grogna dans le nez : « Si vous ne portiez point une jupe, vous, quelle paire de soufflets sur votre vilain museau ! »

Puis il pivota sur ses talons et sortit de l'église en sifflotant.

Debout sous le portail, le gros monsieur, le chapeau sur la tête et les mains derrière le dos, las d'attendre, parcourait du regard la vaste place et toutes les rues qui s'y rejoignent.

Quand Du Roy passa près de lui, ils se saluèrent.

Le journaliste, se trouvant libre, descendit à *La Vie française*. Dès l'entrée, il vit, à la mine affairée des garçons, qu'il se passait des choses anormales, et il entra brusquement dans le cabinet du directeur.

Le père Walter, debout, nerveux, dictait un article par phrases hachées, donnait, entre deux alinéas, des missions à ses reporters qui l'entouraient, faisait des recommandations à Boisrenard et décachetait[1] des lettres.

Quand Du Roy entra, le patron poussa un cri de joie :

---

1. *Décachetait* : ouvrait les enveloppes.

« Ah ! quelle chance, voilà Bel-Ami ! »

315   Il s'arrêta net, un peu confus, et s'excusa : « Je vous demande pardon de vous avoir appelé ainsi, je suis très troublé par les circonstances. Et puis, j'entends ma femme et mes filles vous nommer "Bel-Ami" du matin au soir, et je finis par en prendre moi-même l'habitude. Vous ne m'en voulez pas ? »

320   Georges riait : « Pas du tout. Ce surnom n'a rien qui me déplaise. »

    Le père Walter reprit : « Très bien, alors je vous baptise Bel-Ami comme tout le monde. Eh bien ! voilà, nous avons de gros événements. Le ministère est tombé sur un vote de trois cent dix 325 voix contre cent deux. Nos vacances sont encore remises, remises aux calendes grecques[1], et nous voici au vingt-huit juillet. L'Espagne se fâche pour le Maroc, c'est ce qui a jeté bas Durand de l'Aine et ses acolytes. Nous sommes dans le pétrin jusqu'au cou. Marrot est chargé de former un nouveau cabinet[2]. Il prend 330 le général Boutin d'Acre à la Guerre et notre ami Laroche-Mathieu aux Affaires étrangères. Il garde lui-même le portefeuille de l'Intérieur, avec la présidence du Conseil. Nous allons devenir une feuille officieuse. Je fais l'article de tête, une simple déclaration de principes, en traçant leur voie aux ministres. »

335   Le bonhomme sourit et reprit : « La voie qu'ils comptent suivre, bien entendu. Mais il me faudrait quelque chose d'intéressant sur la question du Maroc, une actualité, une chronique à effet, à sensation, je ne sais quoi ? Trouvez-moi ça, vous. »

    Du Roy réfléchit une seconde, puis répondit : « J'ai votre 340 affaire. Je vous donne une étude sur la situation politique de toute notre colonie africaine, avec la Tunisie à gauche, l'Algérie

---

1. Remises aux calendes grecques : repoussées à une époque lointaine et incertaine. En effet, les Grecs n'ayant jamais eu de calendes (premier jour de chaque mois dans le calendrier romain), l'expression désigne une date inconnue.

2. Cabinet : ici, gouvernement.

au milieu et le Maroc à droite, l'histoire des races qui peuplent ce grand territoire et le récit d'une excursion sur la frontière marocaine jusqu'à la grande oasis de Figuig[1] où aucun Européen n'a pénétré et qui est la cause du conflit actuel. Ça vous va-t-il ? »

Le père Walter s'écria :

« Admirable ! Et quel titre ?

– De Tunis à Tanger !

– Superbe. »

Et Du Roy s'en alla fouiller dans la collection de *La Vie française* pour retrouver son premier article : Les « Mémoires d'un chasseur d'Afrique[2] », qui, débaptisé, retapé et modifié, ferait admirablement l'affaire, d'un bout à l'autre, puisqu'il y était question de politique coloniale, de la population algérienne et d'une excursion dans la province d'Oran.

En trois quarts d'heure, la chose fut refaite, rafistolée, mise au point, avec une saveur d'actualité et des louanges pour le nouveau cabinet.

Le directeur, ayant lu l'article, déclara : « C'est parfait... parfait... parfait. Vous êtes un homme précieux. Tous mes compliments. »

Et Du Roy rentra dîner, enchanté de sa journée, malgré l'échec de la Trinité, car il sentait bien la partie gagnée.

Sa femme, fiévreuse, l'attendait. Elle s'écria en le voyant : « Tu sais que Laroche est ministre des Affaires étrangères ?

– Oui, je viens même de faire un article sur l'Algérie à ce sujet.

– Quoi donc ?

– Tu le connais, le premier que nous ayons écrit ensemble : les "Mémoires d'un chasseur d'Afrique", revu et corrigé pour la circonstance. »

---

1. *Oasis de Figuig* : oasis marocaine réputée être un repaire de rebelles.
2. Il s'agit des *Souvenirs d'un chasseur d'Afrique* (voir p. 66).

Elle sourit.

« Ah ! Oui, mais ça va très bien. »

Puis après avoir songé quelques instants : « J'y pense, cette suite que tu devais faire alors, et que tu as... laissée en route. Nous pouvons nous y mettre à présent. Ça nous donnera une jolie série bien en situation. »

Il répondit en s'asseyant devant son potage :

« Parfaitement. Rien ne s'y oppose plus, maintenant que ce cocu de Forestier est trépassé. »

Elle répliqua vivement d'un ton sec, blessé : « Cette plaisanterie est plus que déplacée, et je te prie d'y mettre un terme. Voilà trop longtemps qu'elle dure. »

Il allait riposter avec ironie ; on lui apporta une dépêche contenant cette seule phrase, sans signature :

« J'avais perdu la tête. Pardonnez-moi et venez demain, quatre heures, au parc Monceau. »

Il comprit, et, le cœur tout à coup plein de joie, il dit à sa femme, en glissant le papier bleu dans sa poche : « Je ne le ferai plus, ma chérie. C'est bête. Je le reconnais. »

Et il recommença à dîner.

Tout en mangeant, il se répétait ces quelques mots : « J'avais perdu la tête, pardonnez-moi, et venez demain, quatre heures, au parc Monceau. » Donc elle cédait. Cela voulait dire : « Je me rends, je suis à vous, où vous voudrez, quand vous voudrez. »

Il se mit à rire. Madeleine demanda :

« Qu'est-ce que tu as ?

– Pas grand-chose. Je pense à un curé que j'ai rencontré tantôt, et qui avait une bonne binette. »

Du Roy arriva juste à l'heure au rendez-vous du lendemain. Sur tous les bancs du parc étaient assis des bourgeois accablés par la chaleur et des bonnes nonchalantes qui semblaient rêver pendant que les enfants se roulaient dans le sable des chemins.

405 Il trouva Mme Walter dans la petite ruine antique où coule une source[1]. Elle faisait le tour du cirque étroit de colonnettes, d'un air inquiet et malheureux.

Aussitôt qu'il l'eut saluée : « Comme il y a du monde dans ce jardin ! » dit-elle.

410 Il saisit l'occasion : « Oui, c'est vrai ; voulez-vous venir autre part ?

– Mais où ?

– N'importe où, dans une voiture, par exemple. Vous baisserez le store de votre côté, et vous serez bien à l'abri.

415 – Oui, j'aime mieux ça ; ici je meurs de peur.

– Eh bien, vous allez me retrouver dans cinq minutes à la porte qui donne sur le boulevard extérieur. J'y arriverai avec un fiacre. »

Et il partit en courant.

420 Dès qu'elle l'eut rejoint et qu'elle eut bien voilé la vitre de son côté, elle demanda : « Où avez-vous dit au cocher de nous conduire ? »

Georges répondit : « Ne vous occupez de rien, il est au courant. »

425 Il avait donné à l'homme l'adresse de son appartement de la rue de Constantinople.

Elle reprit : « Vous ne vous figurez pas comme je souffre à cause de vous, comme je suis tourmentée et torturée. Hier, j'ai été dure, dans l'église, mais je voulais vous fuir à tout prix. J'ai
430 tellement peur de me trouver seule avec vous. M'avez-vous pardonné ? »

Il lui serrait les mains : « Oui, oui. Qu'est-ce que je ne vous pardonnerais pas, vous aimant comme je vous aime ? »

---

1. Aménagé en 1860, le parc Monceau est l'ancienne propriété du duc d'Orléans (1747-1793), qui y avait fait réaliser plusieurs constructions ornementales, dont de fausses ruines antiques.

Elle le regardait d'un air suppliant : « Écoutez, il faut me pro-
435 mettre de me respecter... de ne pas... de ne pas... autrement je
ne pourrais plus vous revoir. »

Il ne répondit point d'abord ; il avait sous la moustache ce
sourire fin qui troublait les femmes. Il finit par murmurer : « Je
suis votre esclave. »

440 Alors elle se mit à lui raconter comment elle s'était aperçue
qu'elle l'aimait en apprenant qu'il allait épouser Madeleine
Forestier. Elle donnait des détails, de petits détails de dates et de
choses intimes.

Soudain elle se tut. La voiture venait de s'arrêter. Du Roy
445 ouvrit la portière.

« Où sommes-nous ? » dit-elle.

Il répondit : « Descendez et entrez dans cette maison. Nous
y serons plus tranquilles.

– Mais où sommes-nous ?

450 – Chez moi. C'est mon appartement de garçon que j'ai
repris... pour quelques jours... pour avoir un coin où nous puis-
sions nous voir. »

Elle s'était cramponnée au capiton du fiacre, épouvantée à
l'idée de ce tête-à-tête, et elle balbutiait :

455 « Non, non, je ne veux pas ! Je ne veux pas ! »

Il prononça d'une voix énergique : « Je vous jure de vous respecter. Venez. Vous voyez bien qu'on nous regarde, qu'on va se
rassembler autour de nous. Dépêchez-vous... dépêchez-vous...
descendez. »

460 Et il répéta : « Je vous jure de vous respecter. »

Un marchand de vin sur sa porte les regardait d'un air
curieux. Elle fut saisie de terreur et s'élança dans la maison.

Elle allait monter l'escalier. Il la retint par le bras :

« C'est ici, au rez-de-chaussée. »

465 Et il la poussa dans son logis.

Dès qu'il eut refermé la porte, il la saisit comme une proie.
Elle se débattait, luttait, bégayait :

« Oh ! mon Dieu !… oh ! mon Dieu !… »

Il lui baisait le cou, les yeux, les lèvres avec emportement,
470 sans qu'elle pût éviter ses caresses furieuses ; et tout en le repoussant, tout en fuyant sa bouche, elle lui rendait, malgré elle, ses
baisers.

Tout d'un coup, elle cessa de se débattre, et vaincue, résignée,
se laissa dévêtir par lui. Il enlevait une à une, adroitement et vite,
475 toutes les parties de son costume, avec des doigts légers de
femme de chambre.

Elle lui avait arraché des mains son corsage pour se cacher la
figure dedans, et elle demeurait debout, toute blanche, au milieu
de ses robes abattues à ses pieds.

480 Il lui laissa ses bottines et l'emporta dans ses bras vers le lit.
Alors, elle lui murmura à l'oreille, d'une voix brisée : « Je vous
jure… je vous jure… que je n'ai jamais eu d'amant » comme une
jeune fille aurait dit : « Je vous jure que je suis vierge. »

Et il pensait : « Voilà ce qui m'est bien égal, par exemple. »

V

L'automne était venu. Les Du Roy avaient passé à Paris tout
l'été, menant une campagne énergique dans *La Vie française* en
faveur du nouveau cabinet pendant les courtes vacances des
députés.

5 Quoiqu'on fût seulement dans les premiers jours d'octobre,
les Chambres[1] allaient reprendre leurs séances, car les affaires du
Maroc devenaient menaçantes.

---

1. *Chambres* : la Chambre des députés et le Sénat.

Personne, au fond, ne croyait à une expédition vers Tanger, bien que, le jour de la séparation du parlement, un député de la droite, le comte de Lambert-Sarrazin, dans un discours plein d'esprit, applaudi même par les centres, eût offert de parier et de donner en gage sa moustache, comme avait fait jadis un célèbre vice-roi des Indes, contre les favoris du chef du Conseil[1] que le nouveau cabinet ne se pourrait tenir d'imiter l'ancien et d'envoyer une armée à Tanger, en pendant à celle de Tunis, par amour de la symétrie, comme on met deux vases sur une cheminée.

Il avait ajouté : « La terre d'Afrique est en effet une cheminée pour la France, messieurs, une cheminée qui brûle notre meilleur bois, une cheminée à grand tirage qu'on allume avec le papier de la Banque.

« Vous vous êtes offert la fantaisie artiste d'orner l'angle de gauche d'un bibelot tunisien qui vous coûte cher, vous verrez que M. Marrot va vouloir imiter son prédécesseur et orner l'angle de droite avec un bibelot marocain. »

Ce discours, demeuré célèbre[2], avait servi de thème à Du Roy pour dix articles sur la colonie algérienne, pour toute sa série interrompue lors de ses débuts au journal, et il avait soutenu énergiquement l'idée d'une expédition militaire, bien qu'il fût convaincu qu'elle n'aurait pas lieu. Il avait fait vibrer la corde patriotique et bombardé l'Espagne avec tout l'arsenal d'arguments méprisants qu'on emploie contre les peuples dont les intérêts sont contraires aux vôtres.

La Vie française avait gagné une importance considérable à ses attaches connues avec le pouvoir. Elle donnait, avant les feuilles les plus sérieuses, les nouvelles politiques, indiquait par

---

1. Allusion à Jules Ferry, inspirateur d'une politique coloniale à laquelle s'oppose Maupassant.
2. Allusion probable au discours du duc de Broglie en juillet 1882 contestant l'attitude du gouvernement français à propos de l'Égypte.

des nuances les intentions des ministres ses amis ; et tous les journaux de Paris et de la province cherchaient chez elle leurs informations. On la citait, on la redoutait, on commençait à la
40 respecter. Ce n'était plus l'organe suspect d'un groupe de tripoteurs[1] politiques, mais l'organe avoué du cabinet. Laroche-Mathieu était l'âme du journal et Du Roy son porte-voix. Le père Walter, député muet et directeur cauteleux, sachant s'effacer, s'occupait dans l'ombre, disait-on, d'une grosse affaire de mines
45 de cuivre, au Maroc.

Le salon de Madeleine était devenu un centre influent, où se réunissaient chaque semaine plusieurs membres du cabinet. Le président du Conseil avait même dîné deux fois chez elle ; et les femmes des hommes d'État, qui hésitaient autrefois à franchir sa
50 porte, se vantaient à présent d'être ses amies, lui faisant plus de visites qu'elles n'en recevaient d'elle.

Le ministre des Affaires étrangères régnait presque en maître dans la maison. Il y venait à toute heure, apportant des dépêches, des renseignements, des informations qu'il dictait soit au
55 mari, soit à la femme, comme s'ils eussent été ses secrétaires.

Quand Du Roy, après le départ du ministre, demeurait seul en face de Madeleine, il s'emportait, avec des menaces dans la voix, et des insinuations perfides dans les paroles, contre les allures de ce médiocre parvenu.

60 Mais elle haussait les épaules avec mépris, répétant :

« Fais-en autant que lui, toi. Deviens ministre ; et tu pourras faire ta tête. Jusque-là, tais-toi. »

Il frisait sa moustache en la regardant de côté.

« On ne sait pas de quoi je suis capable, disait-il, on l'appren-
65 dra peut-être, un jour. »

Elle répondait avec philosophie : « Qui vivra, verra. »

Le matin de la rentrée des Chambres, la jeune femme, encore au lit, faisait mille recommandations à son mari qui s'habillait

---

1. **Tripoteurs** : magouilleurs (argot).

afin d'aller déjeuner chez M. Laroche-Mathieu et de recevoir ses
70 instructions avant la séance, pour l'article politique du lendemain dans *La Vie française*, cet article devant être une sorte de
déclaration officieuse des projets réels du cabinet.

Madeleine disait : « Surtout n'oublie pas de lui demander si
le général Belloncle[1] est envoyé à Oran, comme il en était ques-
75 tion. Cela aurait une grande signification. »

Georges, nerveux, répondit : « Mais je sais aussi bien que toi
ce que j'ai à faire. Fiche-moi la paix avec tes rabâchages. »

Elle reprit tranquillement : « Mon cher, tu oublies toujours la
moitié des commissions dont je te charge pour le ministre. »

80 Il grogna : « Il m'embête, ton ministre, à la fin ! C'est un
serin. »

Elle dit avec calme : « Ce n'est pas plus mon ministre que le
tien. Il t'est plus utile qu'à moi. »

Il s'était tourné un peu vers elle en ricanant :

85 « Pardon, il ne me fait pas la cour, à moi. »

Elle déclara, lentement : « À moi non plus, d'ailleurs ; mais il
fait notre fortune. »

Il se tut, puis, après quelques instants : « Si j'avais à choisir
parmi tes adorateurs, j'aimerais encore mieux cette vieille
90 ganache[2] de Vaudrec. Qu'est-ce qu'il devient, celui-là ? je ne l'ai
pas vu depuis huit jours. »

Elle répliqua, sans s'émouvoir : « Il est souffrant, il m'a écrit
qu'il gardait même le lit avec une attaque de goutte. Tu devrais
passer prendre de ses nouvelles. Tu sais qu'il t'aime beaucoup,
95 et cela lui ferait plaisir. »

Georges répondit : « Oui, certainement, j'irai tantôt. »

Il avait achevé sa toilette, et, son chapeau sur la tête, il cherchait s'il n'avait rien négligé. N'ayant rien trouvé, il s'approcha
du lit, embrassa sa femme sur le front :

---

1. *Le général Belloncle* : ce général imaginaire rappelle la figure du général
Félix Saussier (1828-1905), envoyé en Tunisie le 10 octobre 1881.
2. *Ganache* : imbécile, mais aussi vieillard décrépi et radoteur.

100 « À tantôt, ma chérie, je ne serai pas rentré avant sept heures au plus tôt. »

Et il sortit.

M. Laroche-Mathieu l'attendait, car il déjeunait à dix heures ce jour-là, le conseil devant se réunir à midi, avant la réouverture 105 du parlement.

Dès qu'ils furent à table, seuls avec le secrétaire particulier du ministre, Mme Laroche-Mathieu n'ayant pas voulu changer l'heure de son repas, Du Roy parla de son article, il en indiqua la ligne, consultant ses notes griffonnées sur des cartes de visite ; 110 puis quand il eut fini : « Voyez-vous quelque chose à modifier, mon cher ministre ?

– Fort peu, mon cher ami. Vous êtes peut-être un peu trop affirmatif dans l'affaire du Maroc. Parlez de l'expédition comme si elle devait avoir lieu, mais en laissant bien entendre qu'elle 115 n'aura pas lieu et que vous n'y croyez pas le moins du monde. Faites que le public lise bien entre les lignes que nous n'irons pas nous fourrer dans cette aventure.

– Parfaitement. J'ai compris, et je me ferai bien comprendre. Ma femme m'a chargé de vous demander à ce sujet si le général 120 Belloncle serait envoyé à Oran. Après ce que vous venez de dire, je conclus que non. »

L'homme d'État répondit : « Non. »

Puis on causa de la session qui s'ouvrait. Laroche-Mathieu se mit à pérorer [1], préparant l'effet des phrases qu'il allait répandre 125 sur ses collègues quelques heures plus tard. Il agitait sa main droite, levant en l'air tantôt sa fourchette, tantôt son couteau, tantôt une bouchée de pain, et sans regarder personne, s'adressant à l'Assemblée invisible, il expectorait son éloquence liquoreuse de beau garçon bien coiffé. Une très petite moustache 130 roulée redressait sur sa lèvre deux pointes pareilles à des queues

----

1. Pérorer : discourir longuement de façon prétentieuse.

de scorpion, et ses cheveux huilés de brillantine, séparés au milieu du front, arrondissaient sur ses tempes deux bandeaux de bellâtre[1] provincial. Il était un peu trop gras, un peu bouffi, bien que jeune ; le ventre tendait son gilet. Le secrétaire particulier
135 mangeait et buvait tranquillement, accoutumé sans doute à ses douches de faconde[2] ; mais Du Roy, que la jalousie du succès obtenu mordait au cœur, songeait : « Va donc, ganache ! Quels crétins que ces hommes politiques ! »

Et, comparant sa valeur à lui à l'importance bavarde de ce
140 ministre, il se disait : « Cristi, si j'avais seulement cent mille francs nets pour me présenter à la députation dans mon beau pays de Rouen, pour rouler dans la pâte de leur grosse malice mes braves Normands finauds et lourdauds, quel homme d'État je ferais, à côté de ces polissons imprévoyants. »

145 Jusqu'au café, M. Laroche-Mathieu parla, puis, ayant vu qu'il était tard, il sonna pour qu'on fît avancer son coupé, et, tendant la main au journaliste :

« C'est bien compris, mon cher ami ?

– Parfaitement, mon cher ministre, comptez sur moi. » Et
150 Du Roy s'en alla tout doucement vers le journal, pour commencer son article, car il n'avait rien à faire jusqu'à quatre heures. À quatre heures, il devait retrouver, rue de Constantinople, Mme de Marelle qu'il y voyait toujours régulièrement deux fois par semaine, le lundi et le vendredi.

155 Mais en rentrant de la rédaction, on lui remit une dépêche fermée ; elle était de Mme Walter, et disait :

« Il faut absolument que je te parle aujourd'hui. C'est très grave, très grave. Attends-moi à deux heures, rue de Constantinople. Je peux te rendre un grand service.

160 « Ton amie jusqu'à la mort,

« Virginie. »

---

1. Bellâtre : homme qui fait le beau, qui se croit séducteur.
2. Faconde : parole abondante.

Il jura : « Nom de Dieu ! quel crampon ! » Et, saisi par un excès de mauvaise humeur, il ressortit aussitôt, trop irrité pour travailler.

165 Depuis six semaines il essayait de rompre avec elle sans parvenir à lasser son attachement acharné.

Elle avait eu, après sa chute, un accès de remords épouvantable, et, dans trois rendez-vous successifs, avait accablé son amant de reproches et de malédictions. Ennuyé de ces scènes, et 170 déjà rassasié de cette femme mûre et dramatique, il s'était simplement éloigné, espérant que l'aventure serait finie de cette façon. Mais alors elle s'était accrochée à lui éperdument, se jetant dans cet amour comme on se jette dans une rivière avec une pierre au cou. Il s'était laissé reprendre, par faiblesse, par complaisance, 175 par égards ; et elle l'avait emprisonné dans une passion effrénée et fatigante, elle l'avait persécuté de sa tendresse.

Elle voulait le voir tous les jours, l'appelait à tout moment par des télégrammes, pour des rencontres rapides au coin des rues, dans un magasin, dans un jardin public.

180 Elle lui répétait alors, en quelques phrases, toujours les mêmes, qu'elle l'adorait et l'idolâtrait, puis elle le quittait en lui jurant « qu'elle était bien heureuse de l'avoir vu ».

Elle se montrait tout autre qu'il ne l'avait rêvée, essayant de le séduire avec des grâces puériles, des enfantillages d'amour 185 ridicules à son âge. Étant demeurée jusque-là strictement honnête, vierge de cœur, fermée à tout sentiment, ignorante de toute sensualité, ça avait été tout d'un coup chez cette femme sage dont la quarantaine tranquille semblait un automne pâle après un été froid, ça avait été une sorte de printemps fané, plein de 190 petites fleurs mal sorties et de bourgeons avortés, une étrange éclosion d'amour de fillette, d'amour tardif ardent et naïf, fait d'élans imprévus, de petits cris de seize ans, de cajoleries embarrassantes, de grâces vieillies sans avoir été jeunes. Elle lui écrivait dix lettres en un jour, des lettres niaisement folles, d'un style

195 bizarre, poétique et risible, orné comme celui des Indiens, plein de noms de bêtes et d'oiseaux.

Dès qu'ils étaient seuls, elle l'embrassait avec des gentillesses lourdes de grosse gamine, des moues de lèvres un peu grotesques, des sauteries qui secouaient sa poitrine trop pesante
200 sous l'étoffe du corsage.

Il était surtout écœuré de l'entendre dire « mon rat », « mon chien », « mon chat », « mon bijou », « mon oiseau bleu », « mon trésor », et de la voir s'offrir à lui chaque fois avec une petite comédie de pudeur enfantine, de petits mouvements de crainte
205 qu'elle jugeait gentils, et de petits jeux de pensionnaire dépravée.

Elle demandait : « À qui cette bouche-là ? » Et quand il ne répondait pas tout de suite : « C'est à moi », elle insistait jusqu'à le faire pâlir d'énervement.

Elle aurait dû sentir, lui semblait-il, qu'il faut en amour, un
210 tact, une adresse, une prudence et une justesse extrêmes, que, s'étant donnée à lui, elle, mûre, mère de famille, femme du monde, elle devait se livrer gravement, avec une sorte d'emportement contenu, sévère, avec des larmes peut-être, mais avec les larmes de Didon[1], non plus avec celles de Juliette[2].

215 Elle lui répétait sans cesse : « Comme je t'aime, mon petit ! M'aimes-tu autant, dis, mon bébé ? »

Il ne pouvait plus l'entendre prononcer « mon petit » ni « mon bébé » sans avoir envie de l'appeler « ma vieille ».

Elle lui disait : « Quelle folie j'ai faite de te céder. Mais je ne
220 le regrette pas. C'est si bon d'aimer ! »

Tout cela semblait à Georges irritant dans cette bouche. Elle murmurait : « C'est si bon d'aimer » comme l'aurait fait une ingénue[3], au théâtre.

---

1. Didon : reine mythique de Carthage dont le héros troyen Énée tombe amoureux. Contraint par Jupiter de poursuivre sa quête, Énée part en mer et abandonne Didon. La reine fait taire sa douleur en se suicidant.
2. Juliette : jeune fille dont Roméo tombe amoureux dans *Roméo et Juliette* (1592-1595) de Shakespeare.
3. Ingénue : jeune fille naïve.

Et puis elle l'exaspérait par la maladresse de sa caresse. Deve-
225 nue soudain sensuelle sous le baiser de ce beau garçon qui avait
si fort allumé son sang, elle apportait dans son étreinte une
ardeur inhabile et une application sérieuse qui donnaient à rire
à Du Roy et le faisaient songer aux vieillards qui essaient
d'apprendre à lire.

230 Et quand elle aurait dû le meurtrir dans ses bras, en le regardant ardemment de cet œil profond et terrible qu'ont certaines
femmes défraîchies, superbes en leur dernier amour, quand elle
aurait dû le mordre de sa bouche muette et frissonnante en l'écra-
sant sous sa chair épaisse et chaude, fatiguée mais insatiable, elle
235 se trémoussait comme une gamine et zézayait pour être gracieuse : « T'aime tant, mon petit. T'aime tant. Fais un beau
m'amour à ta petite femme ! »

Il avait alors une envie folle de jurer, de prendre son chapeau
et de partir en tapant la porte.

240 Ils s'étaient vus souvent, dans les premiers temps, rue de
Constantinople, mais Du Roy, qui redoutait une rencontre avec
Mme de Marelle, trouvait mille prétextes maintenant pour se
refuser à ces rendez-vous.

Il avait dû alors venir presque tous les jours chez elle, tantôt
245 déjeuner, tantôt dîner. Elle lui serrait la main sous la table, lui
tendait sa bouche derrière les portes. Mais lui s'amusait surtout
à jouer avec Suzanne qui l'égayait par ses drôleries. Dans son
corps de poupée s'agitait un esprit agile et malin, imprévu et
sournois, qui faisait toujours la parade comme une marionnette
250 de foire. Elle se moquait de tout et de tout le monde, avec un à-
propos mordant. Georges excitait sa verve, la poussait à l'ironie,
et ils s'entendaient à merveille.

Elle l'appelait à tout instant : « Écoutez, Bel-Ami. Venez ici,
Bel-Ami. »

255 Il quittait aussitôt la maman pour courir à la fillette qui lui
murmurait quelque méchanceté dans l'oreille, et ils riaient de
tout leur cœur.

Cependant, dégoûté de l'amour de la mère, il en arrivait à une insurmontable répugnance ; il ne pouvait plus la voir, ni l'entendre, ni penser à elle sans colère. Il cessa donc d'aller chez elle, de répondre à ses lettres et de céder à ses appels.

Elle comprit enfin qu'il ne l'aimait plus, et souffrit horriblement. Mais elle s'acharna, elle l'épia, le suivit, l'attendit dans un fiacre aux stores baissés, à la porte du journal, à la porte de sa maison, dans les rues où elle espérait qu'il passerait.

Il avait envie de la maltraiter, de l'injurier, de la frapper, de lui dire nettement : « Zut, j'en ai assez, vous m'embêtez. » Mais il gardait toujours quelques ménagements, à cause de *La Vie française* ; et il tâchait, à force de froideur, de duretés enveloppées d'égards et même de paroles rudes par moments, de lui faire comprendre qu'il fallait bien que cela finît.

Elle s'entêtait surtout à chercher des ruses pour l'attirer rue de Constantinople, et il tremblait sans cesse que les deux femmes ne se trouvassent, un jour, nez à nez à la porte.

Son affection pour Mme de Marelle, au contraire, avait grandi pendant l'été. Il l'appelait son « gamin », et décidément elle lui plaisait. Leurs deux natures avaient des crochets pareils ; ils étaient bien, l'un et l'autre, de la race aventureuse des vagabonds de la vie, de ces vagabonds mondains qui ressemblent fort, sans s'en douter, aux bohèmes des grandes routes.

Ils avaient eu un été d'amour charmant, un été d'étudiants qui font la noce, s'échappant pour aller déjeuner ou dîner à Argenteuil, à Bougival, à Maisons, à Poissy[1], passant des heures dans un bateau à cueillir des fleurs le long des berges. Elle adorait les fritures de Seine, les gibelottes[2] et les matelotes[3], les tonnelles des cabarets et les cris des canotiers. Il aimait partir avec

---

1. *Argenteuil, Bougival, Maisons, Poissy* : villes de la banlieue parisienne où les Parisiens aiment se divertir.
2. *Gibelottes* : fricassées de lapin.
3. *Matelotes* : plats à base de poisson.

elle, par un jour clair, sur l'impériale d'un train de banlieue et traverser en disant des bêtises gaies, la vilaine campagne de Paris où bourgeonnent d'affreux chalets bourgeois.

290 Et quand il lui fallait rentrer pour dîner chez Mme Walter, il haïssait la vieille maîtresse acharnée, en souvenir de la jeune qu'il venait de quitter, et qui avait défloré ses désirs et moissonné son ardeur dans les herbes du bord de l'eau.

Il se croyait enfin à peu près délivré de la Patronne, à qui il
295 avait exprimé d'une façon claire, presque brutale, sa résolution de rompre, quand il reçut au journal le télégramme l'appelant, à deux heures, rue de Constantinople.

Il le relisait en marchant : « Il faut absolument que je te parle aujourd'hui. C'est très grave, très grave. Attends-moi à deux
300 heures rue de Constantinople. Je peux te rendre un grand service. Ton amie jusqu'à la mort. – Virginie. »

Il pensait : « Qu'est-ce qu'elle me veut encore, cette vieille chouette ? Je parie qu'elle n'a rien à me dire. Elle va me répéter qu'elle m'adore. Pourtant il faut voir. Elle parle d'une chose très
305 grave et d'un grand service, c'est peut-être vrai. Et Clotilde qui vient à quatre heures. Il faut que j'expédie la première à trois heures au plus tard. Sacristi ! pourvu qu'elles ne se rencontrent pas. Quelles rosses que les femmes[1] ! »

Et il songea qu'en effet la sienne était la seule qui ne le tour-
310 mentait jamais. Elle vivait de son côté, et elle avait l'air de l'aimer beaucoup, aux heures destinées à l'amour, car elle n'admettait pas qu'on dérangeât l'ordre immuable des occupations ordi-naires de la vie.

Il allait, à pas lents, vers son logis de rendez-vous, s'excitant
315 mentalement contre la Patronne :

« Ah ! je vais la recevoir d'une jolie façon si elle n'a rien à me dire. Le français de Cambronne sera académique auprès du

---

1. Quelles rosses que les femmes ! : que les femmes sont mauvaises !

mien[1]. Je lui déclare que je ne fiche plus les pieds chez elle, d'abord. »

320   Et il entra pour attendre Mme Walter.

Elle arriva presque aussitôt, et dès qu'elle l'eut aperçu :

« Ah ! tu as reçu ma dépêche ! Quelle chance ! »

Il avait pris un visage méchant :

« Parbleu, je l'ai trouvée au journal, au moment où je partais
325 pour la Chambre. Qu'est-ce que tu me veux encore ? »

Elle avait relevé sa voilette pour l'embrasser, et elle s'appro-chait avec un air craintif et soumis de chienne souvent battue.

« Comme tu es cruel pour moi… Comme tu me parles durement… Qu'est-ce que je t'ai fait ? Tu ne te figures pas
330 comme je souffre par toi ! »

Il grogna : « Tu ne vas pas recommencer ? »

Elle était debout tout près de lui, attendant un sourire, un geste pour se jeter dans ses bras.

Elle murmura : « Il ne fallait pas me prendre pour me traiter
335 ainsi, il fallait me laisser sage et heureuse, comme j'étais. Te rap-pelles-tu ce que tu me disais dans l'église, et comme tu m'as fait entrer de force dans cette maison. Et voilà maintenant comment tu me parles ! comment tu me reçois ! Mon Dieu ! Mon Dieu ! que tu me fais mal ! »

340   Il frappa du pied, et, violemment :

« Ah ! mais, zut ! En voilà assez. Je ne peux pas te voir une minute sans entendre cette chanson-là. On dirait vraiment que je t'ai prise à douze ans et que tu étais ignorante comme un ange. Non, ma chère, rétablissons les faits, il n'y a pas eu détourne-
345 ment de mineure. Tu t'es donnée à moi, en plein âge de raison.

---

1. Allusion humoristique au vicomte de Cambronne (1770-1842), un géné-ral au service de Napoléon Ier. À la fin de la bataille de Waterloo, qui signe la défaite de l'Empereur face aux Anglais et aux Prussiens, Cambronne aurait répondu aux ennemis qui le sommaient de se soumettre : « Merde ! La garde meurt mais ne se rend pas. »

Je t'en remercie, je t'en suis intimement reconnaissant, mais je ne suis pas tenu d'être attaché à ta jupe jusqu'à la mort. Tu as un mari et j'ai une femme. Nous ne sommes libres ni l'un ni l'autre. Nous nous sommes offerts un caprice, ni vu ni connu, c'est fini. »

350 Elle dit : « Oh ! que tu es brutal ! que tu es grossier ! que tu es infâme ! Non, je n'étais plus une jeune fille, mais je n'avais jamais aimé, jamais failli… »

Il lui coupa la parole : « Tu me l'as déjà répété vingt fois, je le sais. Mais tu avais eu deux enfants… je ne t'ai donc pas 355 déflorée… »

Elle recula : « Oh ! Georges, c'est indigne !… »

Et portant ses deux mains à sa poitrine, elle commença à suffoquer, avec des sanglots qui lui montaient à la gorge.

Quand il vit les larmes arriver, il prit son chapeau sur le coin 360 de la cheminée : « Ah ! tu vas pleurer ! Alors, bonsoir. C'est pour cette représentation-là que tu m'avais fait venir ? »

Elle fit un pas afin de lui barrer la route et, tirant vivement un mouchoir de sa poche, s'essuya les yeux d'un geste brusque. Sa voix s'affermit sous l'effort de sa volonté, et elle dit, interrompue 365 par un chevrotement de douleur :

« Non… je suis venue pour… pour te donner une nouvelle… une nouvelle politique… pour te donner le moyen de gagner cinquante mille francs… ou même plus… si tu veux. »

Il demanda, adouci tout à coup : « Comment ça ! Qu'est-ce 370 que tu veux dire ?

— J'ai surpris par hasard, hier soir, quelques mots de mon mari et de Laroche. Ils ne se cachaient pas beaucoup devant moi, d'ailleurs. Mais Walter recommandait au ministre de ne pas te mettre dans le secret parce que tu dévoilerais tout. »

375 Du Roy avait reposé son chapeau sur une chaise. Il attendait, très attentif.

« Alors, qu'est-ce qu'il y a ?

— Ils vont s'emparer du Maroc ! »

– Allons donc. J'ai déjeuné avec Laroche qui m'a presque
380 dicté les intentions du cabinet.

– Non, mon chéri, ils t'ont joué[1] parce qu'ils ont peur qu'on
connaisse leur combinaison.

– Assieds-toi », dit Georges.

Et il s'assit lui-même sur un fauteuil. Alors elle attira par terre
385 un petit tabouret, et s'accroupit dessus, entre les jambes du jeune
homme. Elle reprit, d'une voix câline :

« Comme je pense toujours à toi, je fais attention maintenant
à tout ce qu'on chuchote autour de moi. »

Et elle se mit, doucement, à lui expliquer comment elle avait
390 deviné depuis quelque temps qu'on préparait quelque chose à
son insu, qu'on se servait de lui en redoutant son concours[2].

Elle disait : « Tu sais, quand on aime, on devient rusée. »

Enfin, la veille, elle avait compris. C'était une grosse affaire,
une très grosse affaire préparée dans l'ombre. Elle souriait main-
395 tenant, heureuse de son adresse ; elle s'exaltait, parlant en
femme de financier, habituée à voir machiner[3] les coups de
Bourse, les évolutions des valeurs[4], les accès de hausse et de
baisse ruinant en deux heures de spéculation des milliers de
petits bourgeois, de petits rentiers, qui ont placé leurs économies
400 sur des fonds garantis par des noms d'hommes honorés, respectés, hommes politiques ou hommes de banque.

Elle répétait : « Oh ! c'est très fort ce qu'ils ont fait. Très fort.
C'est Walter qui a tout mené d'ailleurs, et il s'y entend. Vraiment, c'est de premier ordre. »
405 Il s'impatientait de ces préparations.

« Voyons, dis vite.

---

1. *Joué* : trompé.
2. *Son concours* : sa participation.
3. *Machiner* : mettre au point en secret un stratagème (souvent malhonnête)
pour obtenir un résultat.
4. *Valeurs* : titres boursiers.

– Eh bien ! voilà. L'expédition de Tanger était décidée entre eux dès le jour où Laroche a pris les Affaires étrangères ; et, peu à peu, ils ont racheté tout l'emprunt du Maroc qui était tombé à soixante-quatre ou cinq francs[1]. Ils l'ont racheté très habilement, par le moyen d'agents suspects, véreux, qui n'éveillaient aucune méfiance. Ils ont roulé même les Rothschild[2], qui s'étonnaient de voir toujours demander du marocain. On leur a répondu en nommant les intermédiaires, tous tarés, tous à la côte[3]. Ça a tranquillisé la grande banque. Et puis maintenant on va faire l'expédition, et dès que nous serons là-bas, l'État français garantira la dette. Nos amis auront gagné cinquante ou soixante millions. Tu comprends l'affaire, tu comprends aussi comme on a peur de tout le monde, peur de la moindre indiscrétion. »

Elle avait appuyé sa tête sur le gilet du jeune homme, et les bras posés sur ses jambes, elle se serrait, se collait contre lui, sentant bien qu'elle l'intéressait à présent, prête à tout faire, à tout commettre, pour une caresse, pour un sourire.

Il demanda : « Tu es bien sûre ? »

Elle répondit avec confiance : « Oh ! je crois bien ! »

Il déclara : « C'est très fort, en effet. Quant à ce salop de Laroche, en voilà un que je repincerai. Oh ! le gredin ! qu'il prenne garde à lui !… qu'il prenne garde à lui… Sa carcasse de ministre me restera entre les doigts ! »

Puis il se mit à réfléchir, et il murmura : « Il faudrait pourtant profiter de ça.

– Tu peux encore acheter de l'emprunt, dit-elle. Il n'est qu'à soixante-douze francs. »

Il reprit : « Oui, mais je n'ai pas d'argent disponible. »

---

1. L'État français garantissant le remboursement de la dette du pays qu'il annexe, il est financièrement intéressant de détenir des parts du pays endetté avant son annexion. Ce type de délit n'est pas rare à l'époque.
2. *Rothschild* : célèbre famille de banquiers fortunés, de confession juive.
3. *À la côte* : aux abois, sans argent.

435 Elle leva les yeux vers lui, des yeux pleins de supplication. « J'y ai pensé, mon chat, et si tu étais bien gentil, bien gentil, si tu m'aimais un peu, tu me laisserais t'en prêter. »

Il répondit brusquement, presque durement : « Quant à ça, non, par exemple. »

440 Elle murmura, d'une voix implorante : « Écoute, il y a une chose que tu peux faire sans emprunter de l'argent. Je voulais en acheter pour dix mille francs de cet emprunt, moi, pour me créer une petite cassette. Eh bien, j'en prendrai pour vingt mille ! Tu te mets de moitié. Tu comprends bien que je ne vais pas rem-
445 bourser ça à Walter. Il n'y a donc rien à payer pour le moment. Si ça réussit, tu gagnes soixante-dix mille francs. Si ça ne réussit pas, tu me devras dix mille francs que tu me paieras à ton gré. »

Il dit encore : « Non, je n'aime guère ces combinaisons-là. »

Alors elle raisonna pour le décider, elle lui prouva qu'il enga-
450 geait en réalité dix mille francs sur parole, qu'il courait des risques, par conséquent, qu'elle ne lui avançait rien puisque les déboursés étaient faits par la Banque Walter.

Elle lui démontra, en outre, que c'était lui qui avait mené, dans *La Vie française*, toute la campagne politique qui rendait
455 possible cette affaire, qu'il serait bien naïf en n'en profitant pas.

Il hésitait encore. Elle ajouta : « Mais songe donc qu'en vérité c'est Walter qui te les avance, ces dix mille francs, et que tu lui as rendu des services qui valent plus que ça.

– Eh bien ! soit, dit-il. Je me mets de moitié avec toi. Si nous
460 perdons, je te rembourserai dix mille francs. »

Elle fut si contente qu'elle se releva, saisit à deux mains sa tête et se mit à l'embrasser avidement.

Il ne se défendit point d'abord, puis comme elle s'enhardis-sait, l'étreignant et le dévorant de caresses, il songea que l'autre
465 allait venir tout à l'heure et que s'il faiblissait il perdrait du temps, et laisserait aux bras de la vieille une ardeur qu'il valait mieux garder pour la jeune.

Alors il la repoussa doucement : « Voyons, sois sage », dit-il.

Elle le regarda avec des yeux désolés : « Oh ! Georges. Je ne
peux même plus t'embrasser. »

Il répondit : « Non, pas aujourd'hui. J'ai un peu de migraine
et cela me fait mal. »

Alors elle se rassit, docile, entre ses jambes. Elle demanda :
« Veux-tu venir dîner demain à la maison ? Quel plaisir tu me
ferais ! »

Il hésita, puis n'osa point refuser.

« Mais oui, certainement.

– Merci, mon chéri. »

Elle frottait lentement sa joue sur la poitrine du jeune
homme, d'un mouvement câlin et régulier, et un de ses longs
cheveux noirs se prit dans le gilet.

Elle s'en aperçut, et une idée folle lui traversa l'esprit, une de
ces idées superstitieuses qui sont souvent toute la raison des
femmes. Elle se mit à enrouler tout doucement ce cheveu autour
d'un bouton. Puis elle en attacha un autre au bouton suivant, un
autre encore à celui du dessus. À chaque bouton elle en nouait
un.

Il allait les arracher tout à l'heure, en se levant. Il lui ferait
mal, quel bonheur ! Et il emporterait quelque chose d'elle, sans
le savoir, il emporterait une petite mèche de sa chevelure, dont il
n'avait jamais demandé. C'était un lien par lequel elle l'attachait,
un lien secret, invisible ! un talisman qu'elle laissait sur lui. Sans
le vouloir, il penserait à elle, il rêverait d'elle, il l'aimerait un peu
plus le lendemain.

Il dit tout à coup :

« Il va falloir que je te quitte parce qu'on m'attend à la
Chambre pour la fin de la séance. Je ne puis manquer
aujourd'hui. »

Elle soupira : « Oh ! déjà. » Puis, résignée : « Va, mon chéri,
mais tu viendras dîner demain. »

Et, brusquement, elle s'écarta. Ce fut sur sa tête une douleur courte et vive comme si on lui eût piqué la peau avec des aiguilles. Son cœur battait ; elle était contente d'avoir souffert un peu par lui.

505 « Adieu ! » dit-elle.

Il la prit dans ses bras avec un sourire compatissant et lui baisa les yeux froidement.

Mais elle, affolée par ce contact, murmura encore une fois : « Déjà ! » Et son regard suppliant montrait la chambre dont la
510 porte était ouverte.

Il l'éloigna de lui, et d'un ton pressé : « Il faut que je me sauve, je vais arriver en retard. »

Alors elle lui tendit ses lèvres qu'il effleura à peine, et, lui ayant donné son ombrelle qu'elle oubliait, il reprit : « Allons,
515 allons, dépêchons-nous, il est plus de trois heures. »

Elle sortit devant lui ; elle répétait : « Demain, sept heures. »

Il répondit : « Demain, sept heures. »

Ils se séparèrent. Elle tourna à droite, et lui à gauche.

Du Roy remonta jusqu'au boulevard extérieur. Puis, il redes-
520 cendit le boulevard Malesherbes, qu'il se mit à suivre, à pas lents.
En passant devant un pâtissier, il aperçut des marrons glacés dans une coupe de cristal, et il pensa : « Je vais en rapporter une livre pour Clotilde. » Il acheta un sac de ces fruits sucrés qu'elle aimait à la folie.

525 À quatre heures, il était rentré pour attendre sa jeune maîtresse.

Elle vint un peu en retard parce que son mari était arrivé pour huit jours. Elle demanda : « Peux-tu venir dîner demain ? Il serait enchanté de te voir.

530 — Non, je dîne chez le Patron. Nous avons un tas de combi-naisons politiques et financières qui nous occupent. »

Elle avait enlevé son chapeau. Elle ôtait maintenant son cor-sage qui la serrait trop.

Il lui montra le sac sur la cheminée : « Je t'ai apporté des marrons glacés. »

Elle battit des mains : « Quelle chance ! comme tu es mignon. »

Elle le prit, en goûta un, et déclara : « Ils sont délicieux. Je sens que je n'en laisserai pas un seul. »

Puis elle ajouta en regardant Georges avec une gaieté sensuelle : « Tu caresses donc tous mes vices ? »

Elle mangeait lentement les marrons et jetait sans cesse un coup d'œil au fond du sac pour voir s'il en restait toujours.

Elle dit : « Tiens, assieds-toi dans le fauteuil, je vais m'accroupir entre tes jambes pour grignoter mes bonbons. Je serai très bien. »

Il sourit, s'assit, et la prit entre ses cuisses ouvertes comme il tenait tout à l'heure Mme Walter.

Elle levait la tête vers lui pour lui parler, et disait, la bouche pleine :

« Tu ne sais pas, mon chéri, j'ai rêvé de toi, j'ai rêvé que nous faisions un grand voyage, tous les deux, sur un chameau. Il avait deux bosses, nous étions à cheval chacun sur une bosse, et nous traversions le désert. Nous avions emporté des *sandwiches* dans un papier et du vin dans une bouteille et nous faisions la dînette sur nos bosses. Mais ça m'ennuyait parce que nous ne pouvions pas faire autre chose ; nous étions trop loin l'un de l'autre, et moi je voulais descendre. »

Il répondit :

« Moi aussi je veux descendre. »

Il riait, s'amusant de l'histoire, il la poussait à dire des bêtises, à bavarder, à raconter tous ces enfantillages, toutes ces niaiseries tendres que débitent les amoureux. Ces gamineries, qu'il trouvait gentilles dans la bouche de Mme de Marelle, l'auraient exaspéré dans celle de Mme Walter.

Clotilde l'appelait aussi : « Mon chéri, mon petit, mon chat. » Ces mots lui semblaient doux et caressants. Dits par l'autre tout

à l'heure, ils l'irritaient et l'écœuraient. Car les paroles d'amour, qui sont toujours les mêmes, prennent le goût des lèvres dont
570 elles sortent.

Mais il pensait, tout en s'égayant de ces folies, aux soixante-dix mille francs qu'il allait gagner, et, brusquement, il arrêta, avec deux petits coups de doigt sur la tête, le verbiage de son amie : « Écoute, ma chatte. Je vais te charger d'une commission
575 pour ton mari. Dis-lui de ma part d'acheter, demain, pour dix mille francs d'emprunt du Maroc qui est à soixante-douze ; et je lui promets qu'il aura gagné de soixante à quatre-vingt mille francs avant trois mois. Recommande-lui le silence absolu. Dis-lui, de ma part, que l'expédition de Tanger est décidée et que
580 l'État français va garantir la dette marocaine. Mais ne te coupe pas avec d'autres. C'est un secret d'État que je confie là. »

Elle l'écoutait, sérieuse. Elle murmura : « Je te remercie. Je préviendrai mon mari dès ce soir. Tu peux compter sur lui ; il ne parlera pas. C'est un homme très sûr. Il n'y a aucun danger. »

585 Mais elle avait mangé tous les marrons. Elle écrasa le sac entre ses mains et le jeta dans la cheminée. Puis elle dit : « Allons nous coucher. » Et sans se lever elle commença à déboutonner le gilet de Georges.

Tout à coup elle s'arrêta, et tirant entre deux doigts un long
590 cheveu pris dans une boutonnière, elle se mit à rire : « Tiens. Tu as emporté un cheveu de Madeleine. En voilà un mari fidèle ! »

Puis redevenue sérieuse, elle examina longuement sur sa main l'imperceptible fil qu'elle avait trouvé et elle murmura : « Ce n'est pas de Madeleine, il est brun. »

595 Il sourit : « Il vient probablement de la femme de chambre. »

Mais elle inspectait le gilet avec une attention de policier, et elle cueillit un second cheveu enroulé autour d'un bouton ; puis elle en aperçut un troisième ; et, pâlie, tremblante un peu, elle s'écria : « Oh ! tu as couché avec une femme qui t'a mis des che-
600 veux à tous tes boutons. »

Il s'étonnait, il balbutiait : « Mais non. Tu es folle… »

Soudain il se rappela, comprit, se troubla d'abord, puis nia en ricanant, pas fâché au fond qu'elle le soupçonnât d'avoir des bonnes fortunes.

605 Elle cherchait toujours et toujours trouvait des cheveux qu'elle déroulait d'un mouvement rapide et jetait ensuite sur le tapis.

Elle avait deviné, avec son instinct rusé de femme, et elle balbutiait, furieuse, rageant et prête à pleurer : « Elle t'aime, celle-là… et elle a voulu te faire emporter quelque chose d'elle… Oh !
610 que tu es traître… »

Mais elle poussa un cri, un cri strident de joie nerveuse : « Oh !… oh !… c'est une vieille… voilà un cheveu blanc… Ah ! oui tu prends des vieilles femmes maintenant… Est-ce qu'elles te paient dis… est-ce qu'elles te paient ?… Ah ! tu en es aux vieilles
615 femmes… Alors tu n'as plus besoin de moi… garde l'autre… »

Elle se leva, courut à son corsage jeté sur une chaise et elle le remit rapidement.

Il voulait la retenir, honteux et balbutiant :

« Mais non… Clo… tu es stupide… je ne sais pas ce que
620 c'est… écoute… reste… voyons… reste… »

Elle répétait : « Garde ta vieille femme… garde-la… fais-toi faire une bague avec ses cheveux… avec ses cheveux blancs… Tu en as assez pour ça… »

Avec des gestes brusques et prompts elle s'était habillée,
625 recoiffée et voilée ; et comme il voulait la saisir, elle lui lança, à toute volée, un soufflet par la figure. Pendant qu'il demeurait étourdi, elle ouvrit la porte et s'enfuit.

Dès qu'il fut seul, une rage furieuse le saisit contre cette vieille rosse de mère Walter. Ah ! il allait l'envoyer coucher, celle-là,
630 et durement.

Il bassina[1] avec de l'eau sa joue rouge. Puis il sortit à son tour, en méditant sa vengeance. Cette fois, il ne pardonnerait point. Ah ! mais non !

---

1. *Bassina* : humecta (un endroit douloureux, une plaie).

Il descendit jusqu'au boulevard, et, flânant, s'arrêta devant la
635 boutique d'un bijoutier pour regarder un chronomètre dont il
avait envie depuis longtemps, et qui valait dix-huit cents francs.

Il pensa, tout à coup, avec une secousse de joie au cœur : « Si
je gagne mes soixante-dix mille francs, je pourrai me le payer. »
Et il se mit à rêver à toutes les choses qu'il ferait avec ces soi-
640 xante-dix mille francs.

D'abord il serait nommé député. Et puis il achèterait son
chronomètre, et puis il jouerait à la Bourse, et puis encore... et
puis encore...

Il ne voulait pas entrer au journal, préférant causer avec
645 Madeleine avant de revoir Walter et d'écrire son article ; et il se
mit en route pour revenir chez lui.

Il atteignait la rue Drouot quand il s'arrêta net ; il avait oublié
de prendre des nouvelles du comte de Vaudrec, qui demeurait
Chaussée-d'Antin. Il revint donc flânant toujours, pensant à
650 mille choses, dans une songerie heureuse, à des choses douces,
à des choses bonnes, à la fortune prochaine et aussi à cette crapule de Laroche et à cette vieille teigne de Patronne. Il ne
s'inquiétait point, d'ailleurs, de la colère de Clotilde, sachant
bien qu'elle pardonnait vite.

655 Quand il demanda au concierge de la maison où demeurait
le comte de Vaudrec :

« Comment va M. de Vaudrec ? on m'a appris qu'il était souffrant, ces jours derniers. »

L'homme répondit : « M. le comte est très mal, monsieur. On
660 croit qu'il ne passera pas la nuit, la goutte est remontée au
cœur. »

Du Roy demeura tellement effaré qu'il ne savait plus ce qu'il
devait faire ! Vaudrec mourant ! Des idées confuses passaient en
lui, nombreuses, troublantes, qu'il n'osait point s'avouer à lui-
665 même.

Il balbutia : « Merci... je reviendrai... » sans comprendre ce
qu'il disait.

Puis il sauta dans un fiacre et se fit conduire chez lui.

Sa femme était rentrée. Il pénétra dans sa chambre essoufflé
670 et lui annonça tout de suite :

« Tu ne sais pas ? Vaudrec est mourant ! »

Elle était assise et lisait une lettre. Elle leva les yeux et trois
fois de suite répéta : « Hein ? Tu dis ?... tu dis ?... tu dis ?...

– Je te dis que Vaudrec est mourant d'une attaque de goutte
675 remontée au cœur. » Puis il ajouta : « Qu'est-ce que tu comptes
faire ? »

Elle s'était dressée, livide, les joues secouées d'un tremblement nerveux, puis elle se mit à pleurer affreusement, en cachant
sa figure dans ses mains. Elle demeurait debout, secouée par des
680 sanglots, déchirée par le chagrin.

Mais soudain elle dompta sa douleur, et, s'essuyant les yeux :
« J'y... j'y vais... ne t'occupe pas de moi... je ne sais pas à quelle
heure je reviendrai... ne m'attends point... »

Il répondit : « Très bien. Va. »

685 Ils se serrèrent la main, et elle partit si vite qu'elle oublia de
prendre ses gants.

Georges, ayant dîné seul, se mit à écrire son article. Il le fit
exactement selon les intentions du ministre, laissant entendre
aux lecteurs que l'expédition du Maroc n'aurait pas lieu. Puis il
690 le porta au journal, causa quelques instants avec le Patron et
repartit en fumant, le cœur léger sans qu'il comprît pourquoi.

Sa femme n'était pas rentrée. Il se coucha et s'endormit.

Madeleine revint vers minuit. Georges, réveillé brusquement,
s'était assis dans son lit.

695 Il demanda : « Eh bien ? »

Il ne l'avait jamais vue si pâle et si émue. Elle murmura :
« Il est mort.

– Ah ! Et... il ne t'a rien dit ?

– Rien. Il avait perdu connaissance quand je suis arrivée. »
700 Georges songeait. Des questions lui venaient aux lèvres qu'il
n'osait point faire.

« Couche-toi », dit-il.

Elle se déshabilla rapidement, puis se glissa auprès de lui.

Il reprit : « Avait-il des parents à son lit de mort ?

705 — Rien qu'un neveu.

— Ah ! Le voyait-il souvent, ce neveu ?

— Jamais. Ils ne s'étaient point rencontrés depuis dix ans.

— Avait-il d'autres parents ?

— Non... Je ne crois pas.

710 — Alors... c'est ce neveu qui doit hériter ?

— Je ne sais pas.

— Il était très riche, Vaudrec ?

— Oui, très riche.

— Sais-tu ce qu'il avait à peu près ?

715 — Non, pas au juste. Un ou deux millions, peut-être ? »

Il ne dit plus rien. Elle souffla la bougie. Et ils demeurèrent étendus côte à côte dans la nuit, silencieux, éveillés et songeant.

Il n'avait plus envie de dormir. Il trouvait maigres maintenant les soixante-dix mille francs promis par Mme Walter. Soudain il 720 crut que Madeleine pleurait. Il demanda pour s'en assurer :

« Dors-tu ?

— Non. »

Elle avait la voix mouillée et tremblante. Il reprit :

« J'ai oublié de te dire tantôt que ton ministre nous a fichus 725 dedans.

— Comment ça ? »

Et il lui conta, tout au long, avec tous les détails, la combinaison préparée entre Laroche et Walter.

Quand il eut fini, elle demanda : « Comment sais-tu ça ? »

730 Il répondit : « Tu me permettras de ne point te le dire. Tu as tes procédés d'information que je ne pénètre point. J'ai les miens que je désire garder. Je réponds en tout cas de l'exactitude de mes renseignements. »

Alors elle murmura : « Oui, c'est possible... Je me doutais 735 qu'ils faisaient quelque chose sans nous. »

Mais Georges, que le sommeil ne gagnait pas, s'était rapproché de sa femme, et, doucement, il lui baisa l'oreille. Elle le repoussa avec vivacité : « Je t'en prie, laisse-moi tranquille, n'est-ce pas ? Je ne suis point d'humeur à batifoler. »

740 Il se retourna, résigné, vers le mur, et ayant fermé les yeux, il finit par s'endormir.

VI

L'église était tendue de noir, et, sur le portail, un grand écusson[1] coiffé d'une couronne annonçait aux passants qu'on enterrait un gentilhomme.

La cérémonie venait de finir, les assistants s'en allaient lente
5 ment, défilant devant le cercueil et devant le neveu du comte de Vaudrec, qui serrait les mains et rendait les saluts.

Quand Georges Du Roy et sa femme furent sortis, ils se mirent à marcher côte à côte, pour rentrer chez eux. Ils se taisaient, préoccupés.

10 Enfin, Georges prononça, comme parlant à lui-même :
« Vraiment, c'est bien étonnant ! »

Madeleine demanda : « Quoi donc, mon ami ?

– Que Vaudrec ne nous ait rien laissé ! »

Elle rougit brusquement, comme si un voile rose se fût étendu
15 tout à coup sur sa peau blanche, en montant de la gorge au visage, et elle dit : « Pourquoi nous aurait-il laissé quelque chose ? Il n'y avait aucune raison pour ça. »

Puis, après quelques instants de silence, elle reprit :

---

1. *Écusson* : plaque ornée des emblèmes d'une famille.

« Il existe peut-être un testament chez un notaire. Nous ne
20 saurions rien encore. »

Il réfléchit, puis murmura :

« Oui, c'est probable, car, enfin, c'était notre meilleur ami, à
tous les deux. Il dînait deux fois par semaine à la maison, il
venait à tout moment. Il était chez lui, chez nous, tout à fait chez
25 lui. Il t'aimait comme un père, et il n'avait pas de famille, pas
d'enfants, pas de frères ni de sœurs, rien qu'un neveu, un neveu
éloigné. Oui, il doit y avoir un testament. Je ne tiendrais pas à
grand-chose, un souvenir, pour prouver qu'il a pensé à nous,
qu'il nous aimait, qu'il reconnaissait l'affection que nous avions
30 pour lui. Il nous devait bien une marque d'amitié. »

Elle dit, d'un air pensif et indifférent :

« C'est possible, en effet, qu'il y ait un testament. »

Comme ils rentraient chez eux, le domestique présenta une
lettre à Madeleine. Elle l'ouvrit, puis la tendit à son mari.

35 Étude de Mᵉ Lamaneur

Notaire

17, rue des Vosges

Madame,

J'ai l'honneur de vous prier de vouloir bien passer à mon étude,
40 de deux heures à quatre heures, mardi, mercredi ou jeudi, pour
affaire qui vous concerne.

Recevez, etc.

Lamaneur.

Georges avait rougi, à son tour : « Ça doit être ça. C'est drôle
45 que ce soit toi qu'il appelle, et non moi qui suis légalement le
chef de famille[1]. »

---

1. Le code civil ou *Code Napoléon* (1804) n'accordait aucune capacité juri-
dique à la femme mariée. Celle-ci était une « mineure civile », totalement
dépendante de son mari. Ainsi ne disposait-elle pas du droit de vote, et
n'avait le droit d'hériter qu'avec le consentement de son époux.

Elle ne répondit point d'abord, puis après une courte réflexion : « Veux-tu que nous y allions tout à l'heure ?

– Oui, je veux bien. »

50 Ils se mirent en route dès qu'ils eurent déjeuné.

Lorsqu'ils entrèrent dans l'étude de Me Lamaneur, le premier clerc[1] se leva avec un empressement marqué et les fit pénétrer chez son patron.

Le notaire était un petit homme tout rond, rond de partout.
55 Sa tête avait l'air d'une boule clouée sur une autre boule que portaient deux jambes si petites, si courtes qu'elles ressemblaient aussi presque à des boules.

Il salua, indiqua des sièges, et dit en se tournant vers Madeleine : « Madame, je vous ai appelée afin de vous donner connais-
60 sance du testament du comte de Vaudrec qui vous concerne. »

Georges ne put se tenir de murmurer : « Je m'en étais douté. »

Le notaire ajouta : « Je vais vous communiquer cette pièce, très courte d'ailleurs. »

Il atteignit un papier dans un carton devant lui, et lut :

65 « Je soussigné, Paul-Émile-Cyprien-Gontran, comte de Vaudrec, sain de corps et d'esprit, exprime ici mes dernières volontés.

« La mort pouvant nous emporter à tout moment, je veux prendre, en prévision de son atteinte, la précaution d'écrire mon
70 testament qui sera déposé chez Me Lamaneur.

« N'ayant pas d'héritiers directs, je lègue toute ma fortune, composée de valeurs de Bourse pour six cent mille francs et de biens-fonds[2] pour cinq cent mille francs environ, à Mme Claire-Madeleine Du Roy, sans aucune charge ou condition. Je la prie
75 d'accepter ce don d'un ami mort, comme preuve d'une affection dévouée, profonde et respectueuse. »

---

1. *Premier clerc* : premier collaborateur du notaire.
2. *Biens-fonds* : biens qui prennent la forme d'immeubles, de terres ou de maisons.

Le notaire ajouta : « C'est tout. Cette pièce est datée du mois d'août dernier et a remplacé un document de même nature, fait il y a deux ans, au nom de Mme Claire-Madeleine Forestier. J'ai
80 ce premier testament qui pourrait prouver, en cas de contestation de la part de la famille, que la volonté de M. le comte de Vaudrec n'a pas varié. »

Madeleine, très pâle, regardait ses pieds. Georges, nerveux, roulait entre ses doigts le bout de sa moustache. Le notaire reprit,
85 après un moment de silence :

« Il est bien entendu, monsieur, que madame ne peut accepter ce legs sans votre consentement. »

Du Roy se leva, et, d'un ton sec : « Je demande le temps de réfléchir. »

90 Le notaire, qui souriait, s'inclina, et d'une voix aimable : « Je comprends le scrupule qui vous fait hésiter, monsieur. Je dois ajouter que le neveu de M. de Vaudrec, qui a pris connaissance, ce matin même, des dernières intentions de son oncle, se déclare prêt à les respecter si on lui abandonne une somme de cent mille
95 francs. À mon avis, le testament est inattaquable, mais un procès ferait du bruit qu'il vous conviendra peut-être d'éviter. Le monde a souvent des jugements malveillants. Dans tous les cas, pourrez-vous me faire connaître votre réponse sur tous les points avant samedi ? »

100 Georges s'inclina : « Oui, monsieur. » Puis il salua avec cérémonie, fit passer sa femme demeurée muette, et il sortit d'un air tellement roide que le notaire ne souriait plus.

Dès qu'ils furent rentrés chez eux, Du Roy ferma brusquement la porte, et, jetant son chapeau sur le lit :

105 « Tu as été la maîtresse de Vaudrec ? »

Madeleine, qui enlevait son voile, se retourna d'une secousse :

« Moi ? Oh !

– Oui, toi. On ne laisse pas toute sa fortune à une femme,
110 sans que... »

Elle était devenue tremblante et ne parvenait point à ôter les épingles qui retenaient le tissu transparent.

Après un moment de réflexion, elle balbutia, d'une voix agitée :

115 « Voyons… voyons… tu es fou… tu es… tu es… Est-ce que toi-même… tout à l'heure… tu n'espérais pas… qu'il te laisserait quelque chose ? »

Georges restait debout, près d'elle, suivant toutes ses émotions, comme un magistrat qui cherche à surprendre les 120 moindres défaillances d'un prévenu. Il prononça, en insistant sur chaque mot :

« Oui… il pouvait me laisser quelque chose, à moi… à moi, ton mari… à moi, son ami… entends-tu… mais pas à toi… à toi, son amie… à toi, ma femme… La distinction est capitale, essen-125 tielle, au point de vue des convenances[1]… et de l'opinion publique. »

Madeleine, à son tour, le regardait fixement, dans la transparence des yeux, d'une façon profonde et singulière, comme pour y lire quelque chose, comme pour y découvrir cet inconnu de 130 l'être qu'on ne pénètre jamais et qu'on peut à peine entrevoir en des secondes rapides, en ces moments de non-garde, ou d'abandon, ou d'inattention, qui sont comme des portes laissées entrouvertes sur les mystérieux dedans de l'esprit. Et elle articula lentement :

135 « Il me semble pourtant que si… qu'on eût trouvé au moins aussi étrange un legs de cette importance, de lui… à toi. »

Il demanda brusquement :

« Pourquoi ça ? »

Elle dit :

140 « Parce que… »

Elle hésita, puis reprit :

---

1. Convenances : ce qui est conforme aux usages.

« Parce que tu es mon mari… que tu ne le connais en somme que depuis peu… parce que je suis son amie depuis très longtemps… moi… parce que son premier testament, fait du vivant de Forestier, était déjà en ma faveur. »

Georges s'était mis à marcher à grands pas. Il déclara :

« Tu ne peux pas accepter ça. »

Elle répondit avec indifférence :

« Parfaitement : alors, ce n'est pas la peine d'attendre à samedi ; nous pouvons faire prévenir tout de suite M. Lamaneur. »

Il s'arrêta en face d'elle ; et ils demeurèrent de nouveau quelques instants les yeux dans les yeux, s'efforçant d'aller jusqu'à l'impénétrable secret de leurs cœurs, de se sonder jusqu'au vif de la pensée. Ils tâchaient de se voir à nu la conscience en une interrogation, ardente et muette : lutte intime de deux êtres qui, vivant côte à côte, s'ignorent toujours, se soupçonnent, se flairent, se guettent, mais ne se connaissent pas jusqu'au fond vaseux de l'âme.

Et, brusquement, il lui murmura dans le visage, à voix basse :

« Allons, avoue que tu étais la maîtresse de Vaudrec. »

Elle haussa les épaules : « Tu es stupide… Vaudrec avait beaucoup d'affection pour moi, beaucoup… mais rien de plus… jamais. »

Il frappait du pied : « Tu mens. Ce n'est pas possible. »

Elle répondit tranquillement : « C'est comme ça, pourtant. »

Il se remit à marcher, puis, s'arrêtant encore :

« Explique-moi, alors, pourquoi il te laisse toute sa fortune, à toi… »

Elle le fit avec un air nonchalant et désintéressé :

« C'est tout simple. Comme tu le disais tantôt, il n'avait que nous d'amis, ou plutôt que moi ; car il m'a connue enfant. Ma mère était dame de compagnie chez des parents à lui. Il venait sans cesse ici, et, comme il n'avait pas d'héritiers naturels, il a

175 pensé à moi. Qu'il ait eu un peu d'amour pour moi, c'est possible. Mais quelle est la femme qui n'a jamais été aimée ainsi ?
Que cette tendresse cachée, secrète, ait mis mon nom sous sa
plume quand il a pensé à prendre des dispositions dernières,
pourquoi pas ? Il m'apportait des fleurs, chaque lundi. Tu ne
180 t'en étonnais nullement et il ne t'en donnait point, à toi, n'est-ce
pas ? Aujourd'hui il me donne sa fortune par la même raison et
parce qu'il n'a personne à qui l'offrir. Il serait, au contraire,
extrêmement surprenant qu'il te l'eût laissée. Pourquoi ? Que lui
es-tu ? »

185 Elle parlait avec tant de naturel et de tranquillité que
Georges hésitait.

Il reprit : « C'est égal, nous ne pouvons accepter cet héritage
dans ces conditions. Ce serait d'un effet déplorable. Tout le
monde croirait la chose, tout le monde en jaserait et rirait de
190 moi. Les confrères sont déjà trop disposés à me jalouser et à
m'attaquer. Je dois avoir plus que personne le souci de mon honneur et le soin de ma réputation. Il m'est impossible d'admettre
et de permettre que ma femme accepte un legs de cette nature
d'un homme que la rumeur publique lui a déjà prêté pour amant.
195 Forestier aurait peut-être toléré cela, lui, mais moi, non. »

Elle murmura avec douceur : « Eh bien ! mon ami, n'accep-
tons pas, ce sera un million de moins dans notre poche, voilà
tout. »

Il marchait toujours, et il se mit à penser tout haut, parlant
200 pour sa femme sans s'adresser à elle :

« Eh bien ! oui… un million… tant pis… Il n'a pas compris
en testant[1] quelle faute de tact, quel oubli des convenances il
commettait. Il n'a pas vu dans quelle position fausse, ridicule, il
allait me mettre… Tout est affaire de nuances dans la vie… Il fal-
205 lait qu'il m'en laissât la moitié, ça arrangeait tout. »

---

1. *En testant* : en faisant son testament.

Il s'assit, croisa ses jambes et se mit à rouler le bout de ses moustaches, comme il faisait aux heures d'ennui, d'inquiétude et de réflexion difficile.

Madeleine prit une tapisserie à laquelle elle travaillait de
210 temps en temps, et elle dit en choisissant ses laines :

« Moi, je n'ai qu'à me taire. C'est à toi de réfléchir. »

Il fut longtemps sans répondre, puis il prononça, en hésitant :
« Le monde ne comprendra jamais et que Vaudrec ait fait de toi son unique héritière et que j'aie admis cela, moi. Recevoir cette
215 fortune de cette façon, ce serait avouer… avouer de ta part une liaison coupable, et de la mienne une complaisance infâme… Comprends-tu comment on interpréterait notre acceptation ? Il faudrait trouver un biais, un moyen adroit de pallier la chose. Il faudrait laisser entendre, par exemple, qu'il a partagé entre nous
220 cette fortune, en donnant la moitié au mari, la moitié à la femme. »

Elle demanda : « Je ne vois pas comment cela pourrait se faire, puisque le testament est formel. »

Il répondit : « Oh ! c'est bien simple. Tu pourrais me laisser la
225 moitié de l'héritage par donation entre vifs[1]. Nous n'avons pas d'enfants, c'est donc possible. De cette façon, on fermerait la bouche à la malignité[2] publique. »

Elle répliqua, un peu impatiente : « Je ne vois pas non plus comment on fermerait la bouche à la malignité publique,
230 puisque l'acte est là, signé par Vaudrec. »

Il reprit avec colère : « Avons-nous besoin de le montrer et de l'afficher sur les murs ? Tu es stupide, à la fin. Nous dirons que le comte de Vaudrec nous a laissé sa fortune par moitié… Voilà… Or tu ne peux accepter ce legs sans mon autorisation. Je te la

---

1. Donation entre vifs : don qu'une personne fait de son vivant d'un bien qu'elle possède à une autre personne qui l'accepte.
2. Maliginité : méchanceté.

235 donne, à la seule condition d'un partage qui m'empêchera de devenir la risée du monde. »

Elle le regarda encore d'un regard perçant.

« Comme tu voudras. Je suis prête. »

Alors il se leva et se remit à marcher. Il paraissait hésiter de 240 nouveau et il évitait maintenant l'œil pénétrant de sa femme. Il disait : « Non… décidément non… peut-être vaut-il mieux y renoncer tout à fait… c'est plus digne… plus correct… plus honorable… Pourtant, de cette façon on n'aurait rien à supposer, absolument rien. Les gens les plus scrupuleux ne pourraient 245 que s'incliner. »

Il s'arrêta devant Madeleine : « Eh bien, si tu veux, ma chérie, je vais retourner tout seul chez maître Lamaneur pour le consulter et lui expliquer la chose. Je lui dirai mon scrupule, et j'ajouterai que nous nous sommes arrêtés à l'idée d'un partage, par 250 convenance, pour qu'on ne puisse pas jaboter[1]. Du moment que j'accepte la moitié de cet héritage, il est bien évident que personne n'a plus le droit de sourire. C'est dire hautement : "Ma femme accepte parce que j'accepte, moi, son mari, qui suis juge de ce qu'elle peut faire sans se compromettre." Autrement, ça 255 aurait fait scandale. »

Madeleine murmura simplement : « Comme tu voudras. »

Il commença à parler avec abondance :

« Oui, c'est clair comme le jour avec cet arrangement de la séparation par moitié. Nous héritons d'un ami qui n'a pas voulu 260 établir de différence entre nous, qui n'a pas voulu faire de distinction, qui n'a pas voulu avoir l'air de dire : "Je préfère l'un ou l'autre après ma mort comme je l'ai préféré pendant ma vie." Il aimait mieux la femme, bien entendu, mais en laissant sa fortune à l'un comme à l'autre il a voulu exprimer nettement que sa pré- 265 férence était toute platonique. Et sois certaine que, s'il y avait

---

1. *Jaboter* : tenir des propos malveillants.

songé, c'est ce qu'il aurait fait. Il n'a pas réfléchi, il n'a pas prévu les conséquences. Comme tu le disais fort bien tout à l'heure, c'est à toi qu'il offrait des fleurs chaque semaine, c'est à toi qu'il a voulu laisser son dernier souvenir sans se rendre compte… »

270   Elle l'arrêta avec une nuance d'irritation : « C'est entendu. J'ai compris. Tu n'as pas besoin de tant d'explications. Va tout de suite chez le notaire. »

Il balbutia, rougissant : « Tu as raison, j'y vais. »

Il prit son chapeau, puis, au moment de sortir :

275   « Je vais tâcher d'arranger la difficulté du neveu pour cinquante mille francs, n'est-ce pas ? »

Elle répondit avec hauteur : « Non. Donne-lui les cent mille francs qu'il demande. Et prends-les sur ma part, si tu veux. »

Il murmura, honteux soudain : « Ah ! mais non, nous parta-
280 gerons. En laissant cinquante mille francs chacun il nous reste encore un million net. »

Puis il ajouta : « À tout à l'heure, ma petite Made. »

Et il alla expliquer au notaire la combinaison qu'il prétendit imaginée par sa femme.

285   Ils signèrent le lendemain une donation entre vifs de cinq cent mille francs que Madeleine Du Roy abandonnait à son mari.

Puis, en sortant de l'étude, comme il faisait beau, Georges proposa de descendre à pied jusqu'aux boulevards. Il se montrait
290 gentil, plein de soins, d'égards, de tendresse. Il riait, heureux de tout, tandis qu'elle demeurait songeuse et un peu sévère.

C'était un jour d'automne assez froid. La foule semblait pressée et marchait à pas rapides. Du Roy conduisit sa femme devant la boutique où il avait regardé si souvent le chronomètre désiré.

295   « Veux-tu que je t'offre un bijou ? » dit-il.

Elle murmura, avec indifférence : « Comme il te plaira. »

Ils entrèrent. Il demanda : « Que préfères-tu, un collier, un bracelet ou des boucles d'oreilles ? »

La vue des bibelots d'or et des pierres fines emportait sa froideur voulue, et elle parcourait d'un œil allumé et curieux les vitrines pleines de joyaux.

Et soudain, émue par un désir : « Voilà un bien joli bracelet. »

C'était une chaîne d'une forme bizarre, dont chaque anneau portait une pierre différente.

Georges demanda : « Combien ce bracelet ? »

Le joaillier répondit : « Trois mille francs, monsieur.

– Si vous me le laissez à deux mille cinq, c'est une affaire entendue. »

L'homme hésita, puis répondit : « Non, monsieur, c'est impossible. »

Du Roy reprit : « Tenez, vous ajouterez ce chronomètre pour quinze cents francs, cela fait quatre mille, que je paierai comptant. Est-ce dit ? Si vous ne voulez pas, je vais ailleurs. »

Le bijoutier, perplexe, finit par accepter.

« Eh bien, soit, monsieur. »

Et le journaliste, après avoir donné son adresse, ajouta :

« Vous ferez graver sur le chronomètre mes initiales G.R.C, en lettres enlacées au-dessous d'une couronne de baron. »

Madeleine, surprise, se mit à sourire. Et quand ils sortirent, elle prit son bras avec une certaine tendresse. Elle le trouvait vraiment adroit et fort. Maintenant qu'il avait des rentes, il lui fallait un titre, c'était juste.

Le marchand les saluait : « Vous pouvez compter sur moi, ce sera prêt pour jeudi, monsieur le baron. »

Ils passèrent devant le Vaudeville. On y jouait une pièce nouvelle.

« Si tu veux, dit-il, nous irons ce soir au théâtre, tâchons de trouver une loge. »

Ils trouvèrent une loge et la prirent. Il ajouta : « Si nous dînions au cabaret ?

– Oh ! oui, je veux bien. »

Il était heureux comme un souverain et cherchait ce qu'ils pourraient bien faire encore.

« Si nous allions chercher Mme de Marelle pour passer la
335 soirée avec nous ? Son mari est ici, m'a-t-on dit. Je serai enchanté de lui serrer la main. »

Ils y allèrent. Georges, qui redoutait un peu la première rencontre avec sa maîtresse, n'était point fâché que sa femme fût présente pour éviter toute explication.

340 Mais Clotilde parut ne se souvenir de rien et força même son mari à accepter l'invitation.

Le dîner fut gai et la soirée charmante.

Georges et Madeleine rentrèrent fort tard. Le gaz était éteint. Pour éclairer les marches, le journaliste enflammait de temps en
345 temps une allumette-bougie.

En arrivant sur le palier du premier étage, la flamme subite éclatant sous le frottement fit surgir dans la glace leurs deux figures illuminées au milieu des ténèbres de l'escalier.

Ils avaient l'air de fantômes apparus et prêts à s'évanouir
350 dans la nuit.

Du Roy leva la main pour bien éclairer leurs images, et il dit, avec un rire de triomphe :

« Voilà des millionnaires qui passent. »

VII

Depuis deux mois la conquête du Maroc était accomplie. La France, maîtresse de Tanger, possédait toute la côte africaine de la Méditerranée, jusqu'à la régence de Tripoli, et elle avait garanti la dette du nouveau pays annexé.

5　On disait que deux ministres gagnaient là une vingtaine de millions, et on citait, presque tout haut, Laroche-Mathieu.

Quand à Walter, personne dans Paris n'ignorait qu'il avait fait coup double et encaissé de trente à quarante millions sur l'emprunt, et de huit à dix millions sur des mines de cuivre et de
10　fer, ainsi que sur d'immenses terrains achetés pour rien avant la conquête et revendus le lendemain de l'occupation française à des compagnies de colonisation.

Il était devenu, en quelques jours, un des maîtres du monde, un de ces financiers omnipotents, plus forts que des rois, qui font
15　courber les têtes, balbutier les bouches et sortir tout ce qu'il y a de bassesse, de lâcheté et d'envie au fond du cœur humain[1].

Il n'était plus le juif Walter, patron d'une banque louche, directeur d'un journal suspect, député soupçonné de tripotages véreux. Il était Monsieur Walter, le riche israélite.
20　Il le voulut montrer.

Sachant la gêne du prince de Carlsbourg qui possédait un des plus beaux hôtels de la rue du Faubourg-Saint-Honoré[2], avec jardin sur les Champs-Élysées, il lui proposa d'acheter, en vingt-quatre heures, cet immeuble, avec ses meubles, sans changer de
25　place un fauteuil. Il en offrait trois millions. Le prince, tenté par la somme, accepta.

Le lendemain, Walter s'installait dans son nouveau domicile.

Alors il eut une autre idée, une véritable idée de conquérant qui veut prendre Paris, une idée à la Bonaparte.

---

1. Ce paragraphe confirme l'antisémitisme de Maupassant qui reprend à son compte un cliché qui a cours à l'époque : les juifs s'enrichissent de façon frauduleuse, dépossèdent les braves gens, assassinent la France et finissent par devenir les rois du monde. *Les Rois de la République* (1883), essai virulent du polémiste Auguste Chirac, développent une thématique analogue.

2. *Rue du Faubourg Saint-Honoré* : rue du 8e arrondissement, où évoluent la haute bourgeoisie, l'aristocratie, les gens très riches.

30 Toute la ville allait voir en ce moment un grand tableau du peintre hongrois Karl Marcowitch, exposé chez l'expert Jacques Lenoble, et représentant le Christ marchant sur les flots[1].

Les critiques d'art, enthousiasmés, déclaraient cette toile le plus magnifique chef-d'œuvre du siècle.

35 Walter l'acheta cinq cent mille francs et l'enleva, coupant ainsi du jour au lendemain le courant établi de la curiosité publique et forçant Paris entier à parler de lui pour l'envier, le blâmer ou l'approuver.

Puis, il fit annoncer par les journaux qu'il inviterait tous les
40 gens connus dans la société parisienne à contempler, chez lui, un soir, l'œuvre magistrale du maître étranger, afin qu'on ne pût pas dire qu'il avait séquestré une œuvre d'art.

Sa maison serait ouverte. Y viendrait qui voudrait. Il suffirait de montrer à la porte la lettre de convocation.

45 Elle était rédigée ainsi : « Monsieur et Madame Walter vous prient de leur faire l'honneur de venir voir chez eux, le trente décembre, de neuf heures à minuit, la toile de Karl Marcowitch : *Jésus marchant sur les flots*, éclairée à la lumière électrique[2]. »

Puis, en *post-scriptum*, en toutes petites lettres, on pouvait
50 lire : « On dansera après minuit. »

Donc, ceux qui voudraient rester resteraient, et parmi ceux-là les Walter recruteraient leurs connaissances du lendemain.

Les autres regarderaient la toile, l'hôtel et les propriétaires, avec une curiosité mondaine, insolente ou indifférente, puis s'en
55 iraient comme ils étaient venus. Et le père Walter savait bien qu'ils reviendraient, plus tard, comme ils étaient allés chez ses frères israélites devenus riches comme lui.

---

1. Cette référence imaginaire fait penser au *Christ devant Pilate* du peintre hongrois Michel (ou Mihály) Munkácsy (1844-1900). Ce tableau fut exposé, en juin 1881, dans la galerie du marchand Charles Sedelmeyer, au 4 *bis*, rue de La Rochefoucauld, dans le 9ᵉ arrondissement de Paris. Cette exposition constitua un événement mondain comparable à celui décrit par Maupassant. **2.** Cette indication est signe de luxe. Les premiers éclairages électriques chez les particuliers datent du début des années 1880.

Il fallait d'abord qu'ils entrassent dans sa maison, tous les pannés[1] titrés qu'on cite dans les feuilles ; et ils y entreraient
60 pour voir la figure d'un homme qui a gagné cinquante millions en six semaines ; ils y entreraient aussi pour voir et compter ceux qui viendraient là ; ils y entreraient encore parce qu'il avait eu le bon goût et l'adresse de les appeler à admirer un tableau chrétien chez lui, fils d'Israël.

65 Il semblait leur dire : « Voyez, j'ai payé cinq cent mille francs le chef-d'œuvre religieux de Marcowitch, *Jésus marchant sur les flots*. Et ce chef-d'œuvre demeurera chez moi, sous mes yeux, toujours, dans la maison du juif Walter[2]. »

Dans le monde, dans le monde des duchesses et du Jockey[3],
70 on avait beaucoup discuté cette invitation qui n'engageait à rien, en somme. On irait là comme on allait voir des aquarelles chez M. Petit[4]. Les Walter possédaient un chef-d'œuvre ; ils ouvraient leurs portes un soir pour que tout le monde pût l'admirer. Rien de mieux.

75 *La Vie française*, depuis quinze jours, faisait chaque matin un écho sur cette soirée du trente décembre et s'efforçait d'allumer la curiosité publique.

Du Roy rageait du triomphe du Patron.

Il s'était cru riche avec les cinq cent mille francs extorqués à
80 sa femme, et maintenant, il se jugeait pauvre, affreusement pauvre, en comparant sa piètre fortune à la pluie de millions tombée autour de lui, sans qu'il eût su en rien ramasser.

---

1. *Pannés* : misérables (argot). Le mot vient de « panne » : chiffon, tissu.
2. Voilà un autre trait antisémite. L'achat d'une œuvre chrétienne par l'israëlite Walter en signe de réussite et de domination sociale tient du sacrilège et réactive l'idée selon laquelle les juifs seraient un peuple déicide (ayant livré Jésus aux Romains pour qu'il soit crucifié).
3. *Jockey* : désigne le Jockey Club, cercle fermé réservé aux membres de l'aristocratie et de la très haute bourgeoisie.
4. *Georges Petit* (1856-1920), galeriste qui exposait rue de Sèze (9e arrondissement), et qui défendait l'art moderne.

Sa colère envieuse augmentait chaque jour. Il en voulait à tout le monde, aux Walter qu'il n'avait plus été voir chez eux, à sa femme qui, trompée par Laroche, lui avait déconseillé de prendre des fonds marocains, et il en voulait surtout au ministre qui l'avait joué, qui s'était servi de lui et qui dînait à sa table deux fois par semaine. Georges lui servait de secrétaire, d'agent, de porte-plume, et quand il écrivait sous sa dictée, il se sentait des envies folles d'étrangler ce bellâtre triomphant. Comme ministre, Laroche avait le succès modeste, et pour garder son portefeuille, il ne laissait point deviner qu'il était gonflé d'or. Mais Du Roy le sentait, cet or, dans la parole plus hautaine de l'avocat parvenu, dans son geste plus insolent, dans ses affirmations plus hardies, dans sa confiance en lui complète.

Laroche régnait, maintenant, dans la maison Du Roy, ayant pris la place et les jours du comte de Vaudrec, et parlant aux domestiques ainsi qu'aurait fait un second maître.

Georges le tolérait en frémissant, comme un chien qui veut mordre, et n'ose pas. Mais il était souvent dur et brutal pour Madeleine, qui haussait les épaules et le traitait en enfant maladroit. Elle s'étonnait d'ailleurs de sa constante mauvaise humeur, et répétait : « Je ne te comprends pas. Tu es toujours à te plaindre. Ta position est pourtant superbe. »

Il tournait le dos et ne répondait rien.

Il avait déclaré d'abord qu'il n'irait point à la fête du patron, et qu'il ne voulait plus mettre les pieds chez ce sale juif.

Depuis deux mois, Mme Walter lui écrivait chaque jour pour le supplier de venir, de lui donner un rendez-vous où il lui plairait, afin qu'elle lui remît, disait-elle, les soixante-dix mille francs qu'elle avait gagnés pour lui.

Il ne répondait pas et jetait au feu ces lettres désespérées. Non pas qu'il eût renoncé à recevoir sa part de leur bénéfice, mais il voulait l'affoler, la traiter par le mépris, la fouler aux pieds. Elle était trop riche ! Il voulait se montrer fier.

Le jour même de l'exposition du tableau, comme Madeleine lui représentait qu'il avait grand tort de n'y vouloir pas aller, il répondit :

« Fiche-moi la paix. Je reste chez moi. »

Puis, après le dîner, il déclara tout à coup :

« Il vaut tout de même mieux subir cette corvée. Prépare-toi vite. »

Elle s'y attendait.

« Je serai prête dans un quart d'heure », dit-elle.

Il s'habilla en grognant, et même dans le fiacre il continua à expectorer sa bile[1].

La cour d'honneur de l'hôtel de Carlsbourg était illuminée par quatre globes électriques qui avaient l'air de quatre petites lunes bleuâtres, aux quatre coins. Un magnifique tapis descendait les degrés du haut perron et, sur chacun, un homme en livrée[2] restait roide comme une statue.

Du Roy murmura : « En voilà de l'épate. » Il levait les épaules, le cœur crispé de jalousie.

Sa femme lui dit :

« Tais-toi donc et fais-en autant. »

Ils entrèrent et remirent leurs lourds vêtements de sortie aux valets de pied qui s'avancèrent.

Plusieurs femmes étaient là avec leurs maris, se débarrassaient aussi de leurs fourrures. On entendait murmurer :

« C'est fort beau ! fort beau ! »

Le vestibule énorme était tendu de tapisseries qui représentaient l'aventure de Mars et de Vénus[3]. À droite et à gauche

---

1. *Expectorer sa bile* : exprimer sa mauvaise humeur, sa hargne (produite par le foie, la bile étant un liquide amer).
2. *Livrée* : habit particulier que porte un domestique d'une grande maison.
3. *Mars* et *Vénus* : ces dieux grecs eurent une aventure amoureuse. Phébus, jaloux de cette relation, fit en sorte que Vulcain, époux de Vénus, surprenne le couple adultère. L'époux outragé jeta un filet invisible sur les deux amants et rendit tous les dieux de l'Olympe témoin de leur forfait. Ce motif décoratif préfigure-t-il la mésaventure de Madeleine et de Laroche-Mathieu ?

partaient les deux bras d'un escalier monumental, qui se rejoignaient au premier étage. La rampe était une merveille de fer
forgé, dont la vieille dorure éteinte faisait courir une lueur discrète le long des marches de marbre rouge.

À l'entrée des salons, deux petites filles, habillées l'une en
folie rose, et l'autre en folie bleue, offraient des bouquets aux
dames. On trouvait cela charmant.

Il y avait déjà foule dans les salons.

La plupart des femmes étaient en toilette de ville pour bien
indiquer qu'elles venaient là comme elles allaient à toutes les
expositions particulières. Celles qui comptaient rester au bal
avaient les bras et la gorge nus.

Mme Walter, entourée d'amies, se tenait dans la seconde
pièce, et répondait aux saluts des visiteurs. Beaucoup ne la
connaissaient point et se promenaient comme dans un musée,
sans s'occuper des maîtres du logis.

Quand elle aperçut Du Roy, elle devint livide et fit un mouvement pour aller à lui. Puis elle demeura immobile, l'attendant.
Il la salua avec cérémonie, tandis que Madeleine l'accablait de
tendresses et de compliments. Alors Georges laissa sa femme
auprès de la Patronne ; et il se perdit au milieu du public pour
écouter les choses malveillantes qu'on devait dire, assurément.

Cinq salons se suivaient, tendus d'étoffes précieuses, de broderies italiennes ou de tapis d'Orient de nuances et de styles différents, et portant sur leurs murailles des tableaux de maîtres
anciens. On s'arrêtait surtout pour admirer une petite pièce
Louis XVI, une sorte de boudoir tout capitonné en soie à bouquets roses sur un fond bleu pâle. Les meubles bas, en bois doré,
couverts d'étoffe pareille à celle des murs, étaient d'une admirable finesse.

Georges reconnaissait des gens célèbres, la duchesse de Ferracine, le comte et la comtesse de Ravenel, le général prince
d'Andremont, la toute belle marquise des Dunes, puis tous ceux
et toutes celles qu'on voit aux premières représentations.

On le saisit par le bras et une voix jeune, une voix heureuse lui murmura dans l'oreille : « Ah ! vous voilà enfin, méchant Bel-Ami. Pourquoi ne vous voit-on plus ? »

180 C'était Suzanne Walter le regardant avec ses yeux d'émail fin, sous le nuage frisé de ses cheveux blonds.

Il fut enchanté de la revoir et lui serra franchement la main. Puis s'excusant : « Je n'ai pas pu. J'ai eu tant à faire, depuis deux mois, que je ne suis pas sorti. »

185 Elle reprit d'un air sérieux : « C'est mal, très mal, très mal. Vous nous faites beaucoup de peine, car nous vous adorons, maman et moi. Quant à moi, je ne puis me passer de vous. Si vous n'êtes pas là, je m'ennuie à mourir. Vous voyez que je vous le dis carrément pour que vous n'ayez plus le droit de disparaître comme ça.

190 Donnez-moi le bras, je vais vous montrer moi-même *Jésus marchant sur les flots*, c'est au fond, derrière la serre. Papa l'a mis là-bas afin qu'on soit obligé de passer partout. C'est étonnant comme il fait le paon, papa, avec cet hôtel. »

Ils allaient doucement à travers la foule. On se retournait
195 pour regarder ce beau garçon et cette ravissante poupée.

Un peintre connu prononça : « Tiens ! Voilà un joli couple. Il est amusant comme tout. »

Georges pensait : « Si j'avais été vraiment fort, c'est celle-là que j'aurais épousée. C'était possible, pourtant. Comment n'y
200 ai-je pas songé ? Comment me suis-je laissé aller à prendre l'autre ? Quelle folie ! On agit toujours trop vite, on ne réfléchit jamais assez. »

Et l'envie, l'envie amère, lui tombait dans l'âme goutte à goutte, comme un fiel[1] qui corrompait[2] toutes ses joies, rendait
205 odieuse son existence.

---

1. *Fiel* : liquide amer produit par la vésicule biliaire ; ici, au sens figuré, sentiment d'amertume, de rancœur.
2. *Corrompait* : dégradait, abîmait.

Suzanne disait : « Oh ! venez souvent, Bel-Ami, nous ferons des folies maintenant que papa est si riche. Nous nous amuserons comme des toqués. »

Il répondit, suivant toujours son idée : « Oh ! vous allez vous marier maintenant. Vous épouserez quelque beau prince, un peu ruiné, et nous ne nous verrons plus guère. »

Elle s'écria avec franchise : « Oh ! non, pas encore, je veux quelqu'un qui me plaise, qui me plaise beaucoup, qui me plaise tout à fait. Je suis assez riche pour deux. »

Il souriait d'un sourire ironique et hautain et il se mit à lui nommer les gens qui passaient, des gens très nobles, qui avaient vendu leurs titres rouillés à des filles de financiers comme elle, et qui vivaient maintenant près ou loin de leurs femmes, mais libres, impudents[1], connus et respectés[2].

Il conclut : « Je ne vous donne pas six mois pour vous laisser prendre à cet appât-là. Vous serez madame la Marquise, madame la Duchesse, ou madame la Princesse, et vous me regarderez de très haut, mamz'elle. »

Elle s'indignait, lui tapait sur le bras avec son éventail, jurait qu'elle ne se marierait que selon son cœur.

Il ricanait : « Nous verrons bien, vous êtes trop riche. »

Elle lui dit : « Mais vous aussi, vous avez eu un héritage. »

Il fit un « Oh ! » de pitié : « Parlons-en. À peine vingt mille livres de rentes. Ce n'est pas lourd par le temps présent.

– Mais votre femme a hérité également.

– Oui. Un million à nous deux. Quarante mille de revenu. Nous ne pouvons même pas avoir une voiture à nous avec ça. »

---

1. *Impudents* : effrontés, qui agissent sans tenir compte de la morale ou de la bienséance.
2. Les cas de mésalliance arrangée entre roturiers en quête de prestige et aristocrates en quête d'argent sont monnaie courante dans la seconde moitié du XIXe siècle.

Ils arrivaient au dernier salon, et, en face d'eux s'ouvrait la
serre, un large jardin d'hiver plein de grands arbres des pays
235 chauds abritant des massifs de fleurs rares. En entrant sous cette
verdure sombre où la lumière glissait comme une ondée
d'argent, on respirait la fraîcheur tiède de la terre humide et un
souffle lourd de parfums. C'était une étrange sensation douce,
malsaine et charmante, de nature factice, énervante et molle. On
240 marchait sur des tapis tout pareils à de la mousse entre deux
épais massifs d'arbustes[1]. Soudain Du Roy aperçut à sa gauche,
sous un large dôme de palmiers, un vaste bassin de marbre blanc
où l'on aurait pu se baigner et sur les bords duquel quatre grands
cygnes en faïence de Delft[2] laissaient tomber l'eau de leurs
245 becs entrouverts.

Le fond du bassin était sablé de poudre d'or et l'on voyait
nager dedans quelques énormes poissons rouges, bizarres
monstres chinois aux yeux saillants, aux écailles bordées de bleu,
sortes de mandarins[3] des ondes qui rappelaient, errants et suspen-
250 dus ainsi sur ce fond d'or, les étranges broderies de là-bas.

Le journaliste s'arrêta le cœur battant. Il se disait :

« Voilà, voilà le luxe. Voilà les maisons où il faut vivre.
D'autres y sont parvenus. Pourquoi n'y arriverais-je point ? » Il

---

1. Depuis le début du XIXe siècle, la serre privée est un signe extérieur
d'extrême richesse en ville. Mais cet espace privilégié est aussi symbole de
décadence : en ce lieu, rien n'est vraiment conforme à l'ordre de la nature,
puisqu'on recrée les tropiques à Paris. Maupassant se plaît à souligner
l'atmosphère « malsaine » et le côté artificiel de la serre chaude. La serre de
l'hôtel particulier de Saccard, dans *La Curée* (1872), est elle-même associée
par Zola à des mœurs déliquescentes. La camaraderie entre Suzanne et
Georges n'est d'ailleurs pas sans rappeler la relation entre Maxime et Renée,
les deux héros de Zola.
2. *Delft* : ville des Pays-Bas qui abrita le siège d'une vaste compagnie commerciale (la Compagnie néerlandaise des Indes orientales). Cette entreprise
fut à l'origine de la fabrication de faïence dans la ville, dont la renommée
prospéra dans la seconde moitié du XVIIIe siècle.
3. *Mandarins* : hauts fonctionnaires de l'empire de Chine.

songeait aux moyens, n'en trouvait pas sur-le-champ, et s'irritait
255 de son impuissance.

Sa compagne ne parlait plus, un peu songeuse. Il la regarda
de côté et il pensa encore une fois : « Il suffisait pourtant d'épouser cette marionnette de chair. »

Mais Suzanne tout d'un coup parut se réveiller :

260 « Attention », dit-elle. Elle poussa Georges à travers un
groupe qui barrait leur chemin, et le fit brusquement tourner à
droite.

Au milieu d'un bosquet de plantes singulières qui tendaient
en l'air leurs feuilles tremblantes, ouvertes comme des mains aux
265 doigts minces, on apercevait un homme immobile, debout sur
la mer.

L'effet était surprenant. Le tableau, dont les côtés se trouvaient cachés dans les verdures mobiles, semblait un trou noir
sur un lointain fantastique et saisissant.

270 Il fallait bien regarder pour comprendre. Le cadre coupait le
milieu de la barque où se trouvaient les apôtres [1] à peine éclairés
par les rayons obliques d'une lanterne, dont l'un d'eux, assis sur
le bordage, projetait toute la lumière sur Jésus qui s'en venait.

Le Christ avançait le pied sur une vague qu'on voyait se creu-
275 ser, soumise, aplanie, caressante sous le pas divin qui la foulait.
Tout était sombre autour de l'Homme-Dieu. Seules les étoiles
brillaient au ciel.

Les figures des apôtres, dans la lueur vague du fanal [2] porté
par celui qui montrait le Seigneur, paraissaient convulsées par
280 la surprise.

C'était bien là l'œuvre puissante et inattendue d'un maître,
une de ces œuvres qui bouleversent la pensée et vous laissent du
rêve pour des années.

---

1. *Les apôtres* : les douze disciples de Jésus.
2. *Fanal* : lanterne.

Les gens qui regardaient cela demeuraient d'abord silencieux, puis s'en allaient, songeurs, et ne parlaient qu'ensuite de la valeur de la peinture.

Du Roy, l'ayant contemplée quelque temps, déclara :

« C'est chic de pouvoir se payer ces bibelots-là. »

Mais comme on le heurtait, en le poussant pour voir, il repartit, gardant toujours sous son bras la petite main de Suzanne qu'il serrait un peu.

Elle lui demanda : « Voulez-vous boire un verre de champagne ? Allons au buffet. Nous y trouverons papa. »

Et ils retraversèrent lentement tous les salons où la foule grossissait, houleuse, chez elle, une foule élégante de fête publique.

Georges soudain crut entendre une voix prononcer :

« C'est Laroche et Mme Du Roy. » Ces paroles lui effleurèrent l'oreille comme ces bruits lointains qui courent dans le vent. D'où venaient-elles ?

Il chercha de tous les côtés, et il aperçut en effet sa femme qui passait, au bras du ministre. Ils causaient tout bas d'une façon intime en souriant, et les yeux dans les yeux.

Il s'imagina remarquer qu'on chuchotait en les regardant, et il sentit en lui une envie brutale et stupide de sauter sur ces deux êtres et de les assommer à coups de poing.

Elle le rendait ridicule. Il pensa à Forestier. On disait peut-être : « Ce cocu de Du Roy. » Qui était-elle ? une petite parvenue assez adroite, mais sans grands moyens, en vérité. On venait chez lui parce qu'on le redoutait, parce qu'on le sentait fort, mais on devait parler sans gêne de ce petit ménage de journalistes. Jamais il n'irait loin avec cette femme qui faisait sa maison toujours suspecte, qui se compromettrait toujours, dont l'allure dénonçait l'intrigante. Elle serait maintenant un boulet à son pied. Ah ! s'il avait deviné, s'il avait su ! Comme il aurait joué un peu plus large, plus fort ! Quelle belle partie il aurait pu gagner avec la petite Suzanne pour enjeu ! Comment avait-il été assez aveugle pour ne pas comprendre ça ?

Ils arrivaient à la salle à manger, une immense pièce à colonnes de marbre, aux murs tendus de vieux Gobelins[1].

320 Walter aperçut son chroniqueur et s'élança pour lui prendre les mains. Il était ivre de joie : « Avez-vous tout vu ? Dis, Suzanne, lui as-tu tout montré ? Que de monde, n'est-ce pas, Bel-Ami ? Avez-vous vu le prince de Guerche ? Il est venu boire un verre de punch, tout à l'heure. »

325 Puis il s'élança vers le sénateur Rissolin qui traînait sa femme étourdie et ornée comme une boutique foraine.

Un monsieur saluait Suzanne, un grand garçon mince, à favoris blonds, un peu chauve, avec cet air mondain qu'on reconnaît partout. Georges l'entendit nommer : le marquis de Cazolles, et 330 il fut brusquement jaloux de cet homme. Depuis quand le connaissait-elle ? Depuis sa fortune sans doute ? Il devinait un prétendant.

On le prit par le bras. C'était Norbert de Varenne. Le vieux poète promenait ses cheveux gras et son habit fatigué d'un air 335 indifférent et las.

« Voilà ce qu'on appelle s'amuser, dit-il. Tout à l'heure on dansera ; et puis on se couchera ; et les petites filles seront contentes. Prenez du champagne, il est excellent. »

Il se fit emplir un verre et, saluant Du Roy qui en avait pris 340 un autre : « Je bois à la revanche de l'esprit sur les millions. »

Puis il ajouta, d'une voix douce : « Non pas qu'ils me gênent chez les autres ou que je leur en veuille. Mais je proteste par principe. »

Georges ne l'écoutait plus. Il cherchait Suzanne qui venait de 345 disparaître avec le marquis de Cazolles, et quittant brusquement Norbert de Varenne, il se mit à la poursuite de la jeune fille.

Une cohue épaisse qui voulait boire l'arrêta. Comme il l'avait enfin franchie, il se trouva nez à nez avec le ménage de Marelle.

---

1. Gobelins : tapisseries produites dans les ateliers de la manufacture des Gobelins, à Paris.

Il voyait toujours la femme ; mais il n'avait pas rencontré depuis longtemps le mari, qui lui saisit les deux mains : « Que je vous remercie, mon cher, du conseil que vous m'avez fait donner par Clotilde. J'ai gagné près de cent mille francs avec l'emprunt marocain. C'est à vous que je les dois. On peut dire que vous êtes un ami précieux. »

Des hommes se retournaient pour regarder cette brunette élégante et jolie. Du Roy répondit : « En échange de ce service, mon cher, je prends votre femme, ou plutôt je lui offre mon bras. Il faut toujours séparer les époux. »

M. de Marelle s'inclina : « C'est juste. Si je vous perds, nous nous retrouverons ici dans une heure.

– Parfaitement. »

Et les deux jeunes gens s'enfoncèrent dans la foule, suivis par le mari. Clotilde répétait : « Quels veinards que ces Walter. Ce que c'est tout de même que d'avoir l'intelligence des affaires. »

Georges répondit : « Bah ! les hommes forts arrivent toujours, soit par un moyen, soit par un autre. »

Elle reprit : « Voilà deux filles qui auront de vingt à trente millions chacune. Sans compter que Suzanne est jolie. »

Il ne dit rien. Sa propre pensée sortie d'une autre bouche l'irritait.

Elle n'avait pas encore vu *Jésus marchant sur les flots*. Il proposa de l'y conduire. Ils s'amusaient à dire du mal des gens, à se moquer des figures inconnues. Saint-Potin passa près d'eux, portant sur le revers de son habit des décorations nombreuses, ce qui les amusa beaucoup. Un ancien ambassadeur, venant derrière, montrait une brochette moins garnie.

Du Roy déclara : « Quelle salade de société ! »

Boisrenard, qui lui serra la main, avait aussi orné sa boutonnière du ruban vert et jaune sorti le jour du duel.

La vicomtesse de Percemur, énorme et parée, causait avec un duc dans le petit boudoir Louis XVI.

Georges murmura : « Un tête-à-tête galant. » Mais en traversant la serre, il revit sa femme assise près de Laroche-Mathieu, presque cachés tous deux derrière un bouquet de plantes. Ils semblaient dire : « Nous nous sommes donné un rendez-vous ici, un rendez-vous public. Car nous nous fichons de l'opinion. »

Mme de Marelle reconnut que ce Jésus de Karl Marcowitch était très étonnant ; et ils revinrent. Ils avaient perdu le mari.

Il demanda : « Et Laurine, est-ce qu'elle m'en veut toujours ?

— Oui, toujours autant. Elle refuse de te voir et s'en va quand on parle de toi. »

Il ne répondit rien. L'inimitié de cette fillette le chagrinait et lui pesait.

Suzanne les saisit au détour d'une porte, criant :

« Ah ! vous voilà ! Eh bien, Bel-Ami, vous allez rester seul. J'enlève la belle Clotilde pour lui montrer ma chambre. »

Et les deux femmes s'en allèrent, d'un pas pressé, glissant à travers le monde, de ce mouvement onduleux, de ce mouvement de couleuvre qu'elles savent prendre dans les foules.

Presque aussitôt une voix murmura : « Georges ! » C'était Mme Walter. Elle reprit très bas : « Oh ! que vous êtes férocement cruel ! Que vous me faites souffrir inutilement. J'ai chargé Suzette d'emmener celle qui vous accompagnait afin de pouvoir vous dire un mot. Écoutez, il faut… que je vous parle ce soir… ou bien… ou bien… vous ne savez pas ce que je ferai. Allez dans la serre. Vous y trouverez une porte à gauche et vous sortirez dans le jardin. Suivez l'allée qui est en face. Tout au bout vous verrez une tonnelle. Attendez-moi là dans dix minutes. Si vous ne voulez pas, je vous jure que je fais un scandale, ici, tout de suite ! »

Il répondit avec hauteur :

« Soit. J'y serai dans dix minutes à l'endroit que vous m'indiquez. »

Et ils se séparèrent. Mais Jacques Rival faillit le mettre en retard. Il l'avait pris par le bras et lui racontait un tas de choses

415 avec l'air très exalté. Il venait sans doute du buffet. Enfin Du Roy
le laissa aux mains de M. de Marelle retrouvé entre deux portes,
et il s'enfuit. Il lui fallut encore prendre garde de n'être pas vu
par sa femme et par Laroche. Il y parvint, car ils semblaient fort
animés, et il se trouva dans le jardin.

420 L'air froid le saisit comme un bain de glace. Il pensa : « Cristi,
je vais attraper un rhume », et il mit son mouchoir à son cou en
manière de cravate. Puis il suivit à pas lents l'allée, y voyant mal
au sortir de la grande lumière des salons.

Il distinguait à sa droite et à sa gauche des arbustes sans
425 feuilles dont les branches menues frémissaient. Des lueurs grises
passaient dans ces ramures, des lueurs venues des fenêtres de
l'hôtel. Il aperçut quelque chose de blanc, au milieu du chemin,
devant lui, et Mme Walter, les bras nus, la gorge nue, balbutia
d'une voix frémissante.

430 « Ah ! te voilà ? tu veux donc me tuer ? »

Il répondit tranquillement : « Je t'en prie, pas de drame, n'est-
ce pas, ou je fiche le camp tout de suite. »

Elle l'avait saisi par le cou, et, les lèvres tout près des lèvres,
elle disait : « Mais qu'est-ce que je t'ai fait ? Tu te conduis avec
435 moi comme un misérable ! Qu'est-ce que je t'ai fait ? »

Il essayait de la repousser : « Tu as entortillé tes cheveux à
tous mes boutons la dernière fois que je t'ai vue, et ça a failli
amener une rupture entre ma femme et moi. »

Elle demeura surprise, puis, faisant « non » de la tête :

440 « Oh ! ta femme s'en moque bien. C'est quelqu'une de tes
maîtresses qui t'aura fait une scène.

– Je n'ai pas de maîtresses.

– Tais-toi donc ! Mais pourquoi ne viens-tu plus même me
voir ? Pourquoi refuses-tu de dîner, rien qu'un jour par semaine,
445 avec moi ? C'est atroce ce que je souffre ; je t'aime à n'avoir plus
une pensée qui ne soit pour toi, à ne pouvoir rien regarder sans te
voir devant mes yeux, à ne plus oser prononcer un mot sans avoir

peur de dire ton nom ! Tu ne comprends pas ça, toi ! Il me semble
que je suis prise dans des griffes, nouée dans un sac, je ne sais pas.
450 Ton souvenir, toujours présent, me serre la gorge, me déchire
quelque chose là, dans la poitrine, sous le sein, me casse les jambes
à ne plus me laisser la force de marcher. Et je reste comme une
bête, toute la journée, sur une chaise, en pensant à toi. »

Il la regardait avec étonnement. Ce n'était plus la grosse
455 gamine folâtre qu'il avait connue, mais une femme éperdue, désespérée, capable de tout.

Un projet vague, cependant, naissait dans son esprit. Il
répondit :

« Ma chère, l'amour n'est pas éternel. On se prend et on se
460 quitte. Mais quand ça dure comme entre nous ça devient un
boulet horrible. Je n'en veux plus. Voilà la vérité. Cependant, si
tu sais devenir raisonnable, me recevoir et me traiter ainsi qu'un
ami, je reviendrai comme autrefois. Te sens-tu capable de ça ? »

Elle posa ses deux bras nus sur l'habit noir de Georges et
465 murmura : « Je suis capable de tout pour te voir.

– Alors, c'est convenu, dit-il, nous sommes amis, rien de
plus. »

Elle balbutia : « C'est convenu. » Puis tendant ses lèvres
vers lui :
470 « Encore un baiser… le dernier. »

Il refusa doucement : « Non. Il faut tenir nos conventions. »

Elle se détourna en essuyant deux larmes, puis, tirant de son
corsage un paquet de papiers noués avec un ruban de soie rose,
elle l'offrit à Du Roy : « Tiens. C'est ta part de bénéfice dans
475 l'affaire du Maroc. J'étais si contente d'avoir gagné cela pour toi.
Tiens, prends-le donc… »

Il voulait refuser : « Non, je ne recevrai point cet argent ! »

Alors elle se révolta : « Ah ! tu ne me feras pas ça, maintenant ! Il est à toi, rien qu'à toi. Si tu ne le prends point, je le jette-
480 rai dans un égout. Tu ne me feras pas cela, Georges ? »

Il reçut le petit paquet et le glissa dans sa poche.

« Il faut rentrer, dit-il, tu vas attraper une fluxion de poitrine[1]. »

Elle murmura : « Tant mieux ! si je pouvais mourir. »

485 Elle lui prit une main, la baisa avec passion, avec rage, avec désespoir, et elle se sauva vers l'hôtel.

Il revint doucement, en réfléchissant. Puis il rentra dans la serre, le front hautain, la lèvre souriante.

Sa femme et Laroche n'étaient plus là. La foule diminuait. Il
490 devenait évident qu'on ne resterait pas au bal. Il aperçut Suzanne qui tenait le bras de sa sœur. Elles vinrent vers lui toutes les deux pour lui demander de danser le premier quadrille avec le comte de Latour-Yvelin.

Il s'étonna.

495 « Qu'est-ce encore que celui-là ? »

Suzanne répondit avec malice :

« C'est un nouvel ami de ma sœur. »

Rose rougit et murmura :

« Tu es méchante, Suzette, ce monsieur n'est pas plus mon
500 ami que le tien. »

L'autre souriait : « Je m'entends. »

Rose, fâchée, leur tourna le dos et s'éloigna.

Du Roy prit familièrement le coude de la jeune fille restée près de lui, et de sa voix caressante : « Écoutez, ma chère petite,
505 me croyez-vous bien votre ami ?

— Mais oui, Bel-Ami.

— Vous avez confiance en moi ?

— Tout à fait.

— Vous vous rappelez ce que je vous disais tantôt ?
510 — À propos de quoi ? »

---

1. *Fluxion de poitrine* : inflammation des voies respiratoires et des poumons.

– À propos de votre mariage, ou plutôt de l'homme que vous épouserez.

– Oui.

– Eh bien ! voulez-vous me promettre une chose ?

515 – Oui, mais quoi ?

– C'est de me consulter toutes les fois qu'on demandera votre main, et de n'accepter personne sans avoir pris mon avis.

– Oui, je veux bien.

– Et c'est un secret entre nous deux. Pas un mot de ça à votre
520 père ni à votre mère.

– Pas un mot.

– C'est juré ?

– C'est juré. »

Rival arrivait, l'air affairé :

525 « Mademoiselle, votre papa vous demande pour le bal. »

Elle dit : « Allons, Bel-Ami. »

Mais il refusa, décidé à partir tout de suite, voulant être seul pour penser. Trop de choses nouvelles venaient de pénétrer dans son esprit et il se mit à chercher sa femme. Au bout de quelque
530 temps, il l'aperçut qui buvait du chocolat, au buffet, avec deux messieurs inconnus. Elle leur présenta son mari, sans les nommer à lui.

Après quelques instants, il demanda :

« Partons-nous ?

535 – Quand tu voudras. »

Elle prit son bras et ils retraversèrent les salons où le public devenait rare.

Elle demanda : « Où est la Patronne ? je voudrais lui dire adieu.

540 – C'est inutile. Elle essaierait de nous garder au bal et j'en ai assez.

– C'est vrai, tu as raison. »

Tout le long de la route ils furent silencieux. Mais aussitôt rentrés en leur chambre, Madeleine souriante lui dit, sans même
545 ôter son voile :

« Tu ne sais pas, j'ai une surprise pour toi. »

Il grogna avec mauvaise humeur :

« Quoi donc ?

– Devine.

550 – Je ne ferai pas cet effort.

– Eh bien, c'est après-demain le premier janvier.

– Oui.

– C'est le moment des étrennes.

– Oui.

555 – Voici les tiennes, que Laroche m'a remises tout à l'heure. »

Elle lui présenta une petite boîte noire qui semblait un écrin à bijoux.

Il l'ouvrit avec indifférence et aperçut la croix de la Légion d'honneur[1].

560 Il devint un peu pâle, puis il sourit et déclara :

« J'aurais préféré dix millions. Cela ne lui coûte pas cher. »

Elle s'attendait à un transport de joie, et elle fut irritée de cette froideur.

« Tu es vraiment incroyable. Rien ne te satisfait 565 maintenant. »

Il répondit tranquillement.

« Cet homme ne fait que payer sa dette. Et il me doit encore beaucoup. »

Elle fut étonnée de son accent, et reprit : « C'est pourtant 570 beau, à ton âge. »

Il déclara : « Tout est relatif. Je pourrais avoir davantage, aujourd'hui. »

Il avait pris l'écrin, il le posa tout ouvert sur la cheminée, considéra quelques instants l'étoile brillante couchée dedans. 575 Puis il le referma, et se mit au lit en haussant les épaules.

---

1. Le trafic de décorations aboutit à un scandale retentissant en 1887 : le président de la République, Jules Grévy, dut même démissionner.

L'Officiel du 1er janvier annonça, en effet, la nomination de M. Prosper-Georges Du Roy, publiciste[1], au grade de chevalier de la Légion d'honneur, pour services exceptionnels.

Le nom était écrit en deux mots, ce qui fit à Georges plus de plaisir que la décoration même.

Une heure après avoir lu cette nouvelle devenue publique, il reçut un mot de la Patronne qui le suppliait de venir dîner chez elle, le soir même, avec sa femme, pour fêter cette distinction. Il hésita quelques minutes, puis jetant au feu ce billet écrit en termes ambigus, il dit à Madeleine :

« Nous dînerons ce soir chez les Walter. »

Elle fut étonnée.

« Tiens ! mais je croyais que tu ne voulais plus y mettre les pieds ? »

Il murmura seulement : « J'ai changé d'avis. »

Quand ils arrivèrent, la Patronne était seule dans le petit boudoir Louis XVI adopté pour ses réceptions intimes. Vêtue de noir, elle avait poudré ses cheveux, ce qui la rendait charmante. Elle avait l'air, de loin, d'une vieille, de près d'une jeune, et, quand on la regardait bien, d'un joli piège pour les yeux.

« Vous êtes en deuil ? » demanda Madeleine.

Elle répondit tristement : « Oui et non. Je n'ai perdu personne des miens. Mais je suis arrivée à l'âge où on fait le deuil de sa vie. Je le porte aujourd'hui pour l'inaugurer. Désormais, je le porterai dans mon cœur. »

Du Roy pensa : « Ça tiendra-t-il, cette résolution-là ? »

Le dîner fut un peu morne. Seule Suzanne bavardait sans cesse. Rose semblait préoccupée. On félicita beaucoup le journaliste.

Le soir on s'en alla, errant et causant, par les salons et par la serre. Comme Du Roy marchait derrière, avec la Patronne, elle le retint par le bras.

---

1. *Publiciste* : journaliste.

« Écoutez, dit-elle à voix basse… Je ne vous parlerai plus de rien, jamais… Mais venez me voir, Georges. Vous voyez que je ne vous tutoie plus. Il m'est impossible de vivre sans vous, impossible. C'est une torture inimaginable. Je vous sens, je vous garde dans mes yeux, dans mon cœur et dans ma chair tout le jour et toute la nuit. C'est comme si vous m'aviez fait boire un poison qui me rongerait en dedans. Je ne puis pas. Non. Je ne puis pas. Je veux bien n'être pour vous qu'une vieille femme. Je me suis mise en cheveux blancs pour vous le montrer, mais venez ici, venez de temps en temps, en ami. »

Elle lui avait pris la main et elle la serrait, la broyait, enfonçant ses ongles dans sa chair.

Il répondit avec calme : « C'est entendu. Il est inutile de reparler de ça. Vous voyez bien que je suis venu aujourd'hui, tout de suite, sur votre lettre. »

Walter, qui allait devant avec ses deux filles et Madeleine, attendit Du Roy auprès du *Jésus marchant sur les flots*.

« Figurez-vous, dit-il en riant, que j'ai trouvé ma femme hier à genoux devant ce tableau comme dans une chapelle. Elle faisait là ses dévotions. Ce que j'ai ri ! »

Mme Walter répliqua d'une voix ferme, d'une voix où vibrait une exaltation secrète : « C'est ce Christ-là qui sauvera mon âme. Il me donne du courage et de la force toutes les fois que je le regarde. »

Et, s'arrêtant en face du Dieu debout sur la mer, elle murmura : « Comme il est beau ! Comme ils en ont peur et comme ils l'aiment, ces hommes ! Regardez donc sa tête, ses yeux, comme il est simple et surnaturel en même temps ! »

Suzanne s'écria : « Mais il vous ressemble, Bel-Ami. Je suis sûre qu'il vous ressemble. Si vous aviez des favoris, ou bien s'il était rasé, vous seriez tout pareils tous les deux. Oh ! mais c'est frappant ! »

Elle voulut qu'il se mît debout à côté du tableau ; et tout le monde reconnut en effet que les deux figures se ressemblaient !

Chacun s'étonna. Walter trouva la chose bien singulière. Madeleine, en souriant, déclara que Jésus avait l'air plus viril.

Mme Walter demeurait immobile, contemplant d'un œil fixe le visage de son amant à côté du visage du Christ, et elle était devenue aussi blanche que ses cheveux blancs.

VIII

Pendant le reste de l'hiver, les Du Roy allèrent souvent chez les Walter. Georges même y dînait seul à tout instant, Madeleine se disant fatiguée et préférant rester chez elle.

Il avait adopté le vendredi comme jour fixe, et la Patronne n'invitait jamais personne ce soir-là ; il appartenait à Bel-Ami, rien qu'à lui. Après dîner, on jouait aux cartes, on donnait à manger aux poissons chinois, on vivait et on s'amusait en famille. Plusieurs fois, derrière une porte, derrière un massif de la serre, dans un coin sombre, Mme Walter avait saisi brusquement dans ses bras le jeune homme, et, le serrant de toute sa force sur sa poitrine, lui avait jeté dans l'oreille : « Je t'aime !... je t'aime !... je t'aime à en mourir ! » Mais toujours il l'avait repoussée froidement, en répondant d'un ton sec : « Si vous recommencez, je ne viendrai plus ici. »

Vers la fin de mars, on parla tout à coup du mariage des deux sœurs. Rose devait épouser, disait-on, le comte de Latour-Yvelin, et Suzanne le marquis de Cazolles. Ces deux hommes étaient devenus des familiers de la maison, de ces familiers à qui on accorde des faveurs spéciales, des prérogatives[1] sensibles.

---

1. Prérogatives : avantages.

20 Georges et Suzanne vivaient dans une sorte d'intimité fraternelle et libre, bavardaient pendant des heures, se moquaient de tout le monde et semblaient se plaire beaucoup ensemble.

Jamais ils n'avaient reparlé du mariage possible de la jeune fille, ni des prétendants qui se présentaient.

25 Comme le Patron avait emmené Du Roy pour déjeuner, un matin, Mme Walter, après le repas, fut appelée pour répondre à un fournisseur. Et Georges dit à Suzanne :

« Allons donner du pain aux poissons rouges. »

Ils prirent chacun sur la table un gros morceau de mie et s'en 30 allèrent dans la serre.

Tout le long de la vasque de marbre, on laissait par terre des coussins afin qu'on pût se mettre à genoux autour du bassin, pour être plus près des bêtes nageantes. Les jeunes gens en prirent chacun un, côte à côte, et, penchés vers l'eau, commen 35 cèrent à jeter dedans des boulettes qu'ils roulaient entre leurs doigts. Les poissons, dès qu'ils les aperçurent, s'en vinrent, en remuant la queue, battant des nageoires, roulant leurs gros yeux saillants, tournant sur eux-mêmes, plongeant pour attraper la proie ronde qui s'enfonçait, et remontant aussitôt pour en 40 demander une autre.

Ils avaient des mouvements drôles de la bouche, des élans brusques et rapides, une allure étrange de petits monstres ; et sur le sable d'or du fond ils se détachaient en rouge ardent, passant comme des flammes dans l'onde transparente, ou montrant, aus 45 sitôt qu'ils s'arrêtaient, le filet bleu qui bordait leurs écailles.

Georges et Suzanne voyaient leurs propres figures renversées dans l'eau, et ils souriaient à leurs images.

Tout à coup, il dit à voix basse : « Ce n'est pas bien de me faire des cachotteries, Suzanne. »

50 Elle demanda : « Quoi donc, Bel-Ami ?

— Vous ne vous rappelez pas ce que vous m'avez promis, ici même, le soir de la fête ?

– Mais non.

– De me consulter toutes les fois qu'on demanderait votre main.

– Eh bien ?

– Eh bien, on l'a demandée.

– Qui ça ?

– Vous le savez bien.

– Non. Je vous jure.

– Si, vous le savez ! Ce grand fat[1] de marquis de Cazolles.

– Il n'est pas fat, d'abord.

– C'est possible ; mais il est stupide, ruiné par le jeu et usé par la noce. C'est vraiment un joli parti pour vous, si jolie, si fraîche et si intelligente. »

Elle demanda en souriant :

« Qu'est-ce que vous avez contre lui ?

– Moi ? Rien.

– Mais si. Il n'est pas tout ce que vous dites.

– Allons donc. C'est un sot et un intrigant. »

Elle se tourna un peu, cessant de regarder dans l'eau :

« Voyons, qu'est-ce que vous avez ? »

Il prononça, comme si on lui eût arraché un secret du fond du cœur :

« J'ai... j'ai... j'ai que je suis jaloux de lui. »

Elle s'étonna modérément : « Vous ? »

– Oui, moi !

– Tiens. Pourquoi ça ?

– Parce que je suis amoureux de vous, et vous le savez bien, méchante ! »

Alors elle dit d'un ton sévère : « Vous êtes fou, Bel-Ami ! »

Il reprit : « Je le sais bien que je suis fou. Est-ce que je devrais vous avouer cela, moi, un homme marié, à vous, une jeune fille ?

---

1. *Fat* : niais, mais satisfait de lui.

Je suis plus que fou, je suis coupable, presque misérable. Je n'ai pas d'espoir possible, et je perds la raison à cette pensée. Et quand j'entends dire que vous allez vous marier, j'ai des accès de fureur à tuer quelqu'un. Il faut me pardonner ça, Suzanne ! »

Il se tut. Tous les poissons à qui on ne jetait plus de pain demeuraient immobiles, rangés presque en ligne, pareils à des soldats anglais, et regardant les figures penchées de ces deux personnes qui ne s'occupaient plus d'eux.

La jeune fille murmura, moitié tristement, moitié gaiement : « C'est dommage que vous soyez marié. Que voulez-vous ? On n'y peut rien. C'est fini ! »

Il se retourna brusquement vers elle, et il lui dit, tout près, dans la figure :

« Si j'étais libre, moi, m'épouseriez-vous ? »

Elle répondit, avec un accent sincère :

« Oui, Bel-Ami, je vous épouserais, car vous me plaisez beaucoup plus que tous les autres. »

Il se leva, et balbutiant : « Merci…, merci…, je vous en supplie, ne dites "oui" à personne ! Attendez encore un peu. Je vous en supplie ! Me le promettez-vous ? »

Elle murmura, un peu troublée et sans comprendre ce qu'il voulait : « Je vous le promets. »

Du Roy jeta dans l'eau le gros morceau de pain qu'il tenait encore aux mains, et il s'enfuit, comme s'il eût perdu la tête, sans dire adieu.

Tous les poissons se jetèrent avidement sur ce paquet de mie qui flottait n'ayant point été pétri par les doigts, et ils le dépecèrent de leurs bouches voraces. Ils l'entraînaient à l'autre bout du bassin, s'agitaient au-dessous, formant maintenant une grappe mouvante, une espèce de fleur animée et tournoyante, une fleur vivante, tombée à l'eau la tête en bas.

Suzanne, surprise, inquiète, se redressa, et s'en revint tout doucement. Le journaliste était parti.

Il rentra chez lui, fort calme, et comme Madeleine écrivait des lettres, il lui demanda : « Dînes-tu vendredi chez les Walter ? Moi, j'irai. »

120 Elle hésita : « Non. Je suis un peu souffrante. J'aime mieux rester ici. »

Il répondit : « Comme il te plaira. Personne ne te force. »

Puis il reprit son chapeau et ressortit aussitôt.

Depuis longtemps il l'épiait, la surveillait et la suivait, 125 sachant toutes ses démarches. L'heure qu'il attendait était enfin venue. Il ne s'était point trompé au ton dont elle avait répondu : « J'aime mieux rester ici. »

Il fut aimable pour elle pendant les jours qui suivirent. Il parut même gai, ce qui ne lui était plus ordinaire. Elle disait : 130 « Voilà que tu redeviens gentil. »

Il s'habilla de bonne heure le vendredi pour faire quelques courses avant d'aller chez le Patron, affirmait-il.

Puis il partit vers six heures, après avoir embrassé sa femme, et il alla chercher un fiacre place Notre-Dame-de-Lorette.

135 Il dit au cocher :

« Vous vous arrêterez en face du numéro 17, rue Fontaine, et vous resterez là jusqu'à ce que je vous donne l'ordre de vous en aller. Vous me conduirez ensuite au restaurant du Coq-Faisan, rue Lafayette[1]. »

140 La voiture se mit en route au trot lent du cheval, et Du Roy baissa les stores. Dès qu'il fut en face de sa porte, il ne la quitta plus des yeux. Après dix minutes d'attente, il vit sortir Madeleine qui remonta vers les boulevards extérieurs.

Aussitôt qu'elle fut loin, il passa la tête à la portière, et il 145 cria : « Allez. »

Le fiacre se remit en marche, et le déposa devant le Coq-Faisan, restaurant bourgeois connu dans le quartier. Georges

---

[1]. La rue Lafayette, tout comme la rue La Rochefoucauld et la rue des Martyrs mentionnées plus loin, se situe dans le 9e arrondissement.

entra dans la salle commune, et mangea doucement, en regardant l'heure à sa montre de temps en temps. À sept heures et
150 demie, comme il avait bu son café, pris deux verres de fine champagne et fumé, avec lenteur, un bon cigare, il sortit, héla une autre voiture qui passait à vide, et se fit conduire rue La Rochefoucauld.

Il monta, sans rien demander au concierge, au troisième
155 étage de la maison qu'il avait indiquée, et quand une bonne lui eut ouvert : « M. Guibert de Lorme est chez lui, n'est-ce pas ?

– Oui, monsieur. »

On le fit pénétrer dans le salon, où il attendit quelques instants. Puis un homme entra, grand, décoré, avec l'air mili-
160 taire, et portant des cheveux gris, bien qu'il fût jeune encore.

Du Roy le salua, puis lui dit : « Comme je le prévoyais, monsieur le commissaire de police, ma femme dîne avec son amant dans le logement garni qu'ils ont loué rue des Martyrs. »

Le magistrat s'inclina : « Je suis à votre disposition,
165 monsieur. »

Georges reprit : « Vous avez jusqu'à neuf heures, n'est-ce pas ? Cette limite passée, vous ne pouvez plus pénétrer dans un domicile particulier pour y constater un adultère.

– Non, monsieur, sept heures en hiver, neuf heures à partir
170 du 31 mars. Nous sommes au 5 avril, nous avons donc jusqu'à neuf heures.

– Eh bien, monsieur le commissaire, j'ai une voiture en bas, nous pouvons prendre les agents qui vous accompagneront, puis nous attendrons un peu devant la porte. Plus nous arriverons
175 tard, plus nous avons de chance de bien les surprendre en flagrant délit.

– Comme il vous plaira, monsieur. »

Le commissaire sortit, puis revint, vêtu d'un pardessus qui cachait sa ceinture tricolore. Il s'effaça pour laisser passer
180 Du Roy. Mais le journaliste, dont l'esprit était préoccupé, refusait de sortir le premier, et répétait : « Après vous…, après vous. »

Le magistrat prononça : « Passez donc, monsieur, je suis chez moi. »

L'autre, aussitôt, franchit la porte en saluant.

185 Ils allèrent d'abord au commissariat chercher trois agents en bourgeois[1] qui attendaient, car Georges avait prévenu dans la journée que la surprise aurait lieu ce soir-là. Un des hommes monta sur le siège, à côté du cocher. Les deux autres entrèrent dans le fiacre, qui gagna la rue des Martyrs.

190 Du Roy disait : « J'ai le plan de l'appartement. C'est au second. Nous trouverons d'abord un petit vestibule, puis la chambre à coucher. Les trois pièces se commandent. Aucune sortie ne peut faciliter la fuite. Il y a un serrurier un peu plus loin. Il se tiendra prêt à être réquisitionné par vous. »

195 Quand ils furent devant la maison indiquée, il n'était encore que huit heures un quart, et ils attendirent en silence pendant plus de vingt minutes. Mais lorsqu'il vit que les trois quarts allaient sonner, Georges dit : « Allons maintenant. » Et ils montèrent l'escalier sans s'occuper du portier, qui ne les remarqua

200 point, d'ailleurs. Un des agents demeura dans la rue pour surveiller la sortie.

Les quatre hommes s'arrêtèrent au second étage, et Du Roy colla d'abord son oreille contre la porte, puis son œil au trou de la serrure. Il n'entendit rien et ne vit rien. Il sonna.

205 Le commissaire dit à ses agents : « Vous resterez ici, prêts à tout appel. »

Et ils attendirent. Au bout de deux ou trois minutes Georges tira de nouveau le bouton du timbre plusieurs fois de suite. Ils perçurent un bruit au fond de l'appartement ; puis un pas léger

210 s'approcha. Quelqu'un venait épier. Le journaliste alors frappa vivement avec son doigt plié contre le bois des panneaux.

Une voix, une voix de femme, qu'on cherchait à déguiser, demanda : « Qui est là ? »

---

1. *En bourgeois* : vêtus en civil.

L'officier municipal répondit : « Ouvrez, au nom de la loi. »

215 La voix répéta : « Qui êtes-vous ?

– Je suis le commissaire de police. Ouvrez, ou je fais forcer la porte. »

La voix reprit : « Que voulez-vous ? »

Et Du Roy dit : « C'est moi. Il est inutile de chercher à 220 nous échapper. »

Le pas léger, un pas de pieds nus, s'éloigna, puis revint au bout de quelques secondes.

Georges dit : « Si vous ne voulez pas ouvrir, nous enfonçons la porte. » Il serrait la poignée de cuivre, et d'une épaule il pous- 225 sait lentement. Comme on ne répondait plus, il donna tout à coup une secousse si violente et si vigoureuse que la vieille ser- rure de cette maison meublée céda. Les vis arrachées sortirent du bois, et le jeune homme faillit tomber sur Madeleine qui se tenait debout dans l'antichambre, vêtue d'une chemise et d'un jupon, 230 les cheveux défaits, les jambes dévêtues, une bougie à la main.

Il s'écria : « C'est elle, nous les tenons. » Et il se jeta dans l'appartement. Le commissaire, ayant ôté son chapeau, le suivit. Et la jeune femme effarée s'en vint derrière eux en les éclairant.

Ils traversèrent une salle à manger dont la table non desservie 235 montrait les restes du repas : des bouteilles à Champagne vides, une terrine de foie gras ouverte, une carcasse de poulet et des morceaux de pain à moitié mangés. Deux assiettes posées sur le dressoir portaient des piles d'écailles d'huîtres.

La chambre semblait ravagée par une lutte. Une robe coiffait 240 une chaise, une culotte d'homme restait à cheval sur le bras d'un fauteuil. Quatre bottines, deux grandes et deux petites, traînaient au pied du lit, tombées sur le flanc.

C'était une chambre de maison garnie, aux meubles com- muns, où flottait cette odeur odieuse et fade des appartements 245 d'hôtel, odeur émanée des rideaux, des matelas, des murs, des sièges, odeur de toutes les personnes qui avaient couché ou vécu,

un jour ou six mois, dans ce logis public, et laissé là un peu de leur senteur, de cette senteur humaine qui, s'ajoutant à celle des devanciers[1], formait à la longue une puanteur confuse, douce et
250 intolérable, la même dans tous ces lieux.

Une assiette à gâteaux, une bouteille de chartreuse[2] et deux petits verres encore à moitié pleins encombraient la cheminée. Le sujet de la pendule de bronze était caché par un grand chapeau d'homme.

255 Le commissaire se retourna vivement, et regardant Madeleine dans les yeux :

« Vous êtes bien Mme Claire-Madeleine Du Roy, épouse légitime de M. Prosper-Georges Du Roy, publiciste, ici présent ? »

Elle articula, d'une voix étranglée :
260 « Oui, monsieur.

– Que faites-vous ici ? »

Elle ne répondit pas.

Le magistrat reprit : « Que faites-vous ici ? Je vous trouve hors de chez vous, presque dévêtue, dans un appartement meublé.
265 Qu'êtes-vous venue y faire ? »

Il attendit quelques instants. Puis, comme elle gardait toujours le silence : « Du moment que vous ne voulez pas l'avouer, madame, je vais être contraint de le constater. »

On voyait dans le lit la forme d'un corps caché sous le drap.
270 Le commissaire s'approcha et appela :

« Monsieur ? »

L'homme caché ne remua pas. Il paraissait tourner le dos, la tête enfoncée sous un oreiller.

L'officier toucha ce qui semblait être l'épaule, et répéta :
275 « Monsieur, ne me forcez pas, je vous prie, à des actes. »

---

1. Devanciers : ceux qui ont précédé.
2. Chartreuse : liqueur fabriquée originellement par les moines de la Grande-Chartreuse à Voiron, en Isère.

Mais le corps voilé demeurait aussi immobile que s'il eût été mort.

Du Roy, qui s'était avancé vivement, saisit la couverture, la tira et, arrachant l'oreiller, découvrit la figure livide de
280 M. Laroche-Mathieu. Il se pencha vers lui et, frémissant de l'envie de le saisir au cou pour l'étrangler, il lui dit, les dents serrées :

« Ayez donc au moins le courage de votre infamie. »

Le magistrat demanda encore : « Qui êtes-vous ? »

285 L'amant, éperdu, ne répondant pas, il reprit : « Je suis commissaire de police et je vous somme de me dire votre nom ! »

Georges, qu'une colère bestiale faisait trembler, cria :

« Mais répondez donc, lâche, ou je vais vous nommer, moi. »

Alors l'homme couché balbutia :

290 « Monsieur le commissaire, vous ne devez pas me laisser insulter par cet individu. Est-ce à vous ou à lui que j'ai affaire ? Est-ce à vous ou à lui que je dois répondre ? »

Il paraissait n'avoir plus de salive dans la bouche.

L'officier répondit : « C'est à moi, monsieur, à moi seul. Je
295 vous demande qui vous êtes ? »

L'autre se tut. Il tenait le drap serré contre son cou et roulait des yeux effarés. Ses petites moustaches retroussées semblaient toutes noires sur sa figure blême.

Le commissaire reprit : « Vous ne voulez pas répondre ? Alors
300 je serai forcé de vous arrêter. Dans tous les cas, levez-vous. Je vous interrogerai lorsque vous serez vêtu. »

Le corps s'agita dans le lit, et la tête murmura : « Mais je ne peux pas devant vous. »

Le magistrat demanda : « Pourquoi ça ? »

305 L'autre balbutia : « C'est que je suis… je suis… je suis tout nu. »

Du Roy se mit à ricaner, et ramassant une chemise tombée à terre, il la jeta sur la couche en criant : « Allons donc… levez-

vous… Puisque vous vous êtes déshabillé devant ma femme,
310 vous pouvez bien vous habiller devant moi. »

Puis il tourna le dos et revint vers la cheminée.

Madeleine avait retrouvé son sang-froid, et voyant tout perdu,
elle était prête à tout oser. Une audace de bravade faisait briller
son œil ; et, roulant un morceau de papier, elle alluma, comme
315 pour une réception, les dix bougies des vilains candélabres posés
au coin de la cheminée. Puis elle s'adossa au marbre et tendant
au feu mourant un de ses pieds nus, qui soulevait par-derrière
son jupon à peine arrêté sur les hanches, elle prit une cigarette
dans son étui de papier rose, l'enflamma et se mit à fumer.

320 Le commissaire était revenu vers elle, attendant que son complice fût debout.

Elle demanda avec insolence : « Vous faites souvent ce métier-
là, monsieur ? »

Il répondit gravement : « Le moins possible, madame. »

325 Elle lui souriait sous le nez : « Je vous en félicite, ça n'est
pas propre. »

Elle affectait de ne pas regarder, de ne pas voir son mari.

Mais le monsieur du lit s'habillait. Il avait passé son pantalon, chaussé ses bottines et il se rapprocha, en endossant son
330 gilet.

L'officier de police se tourna vers lui : « Maintenant, monsieur, voulez-vous me dire qui vous êtes ? »

L'autre ne répondit pas.

Le commissaire prononça : « Je me vois forcé de vous
335 arrêter. »

Alors l'homme s'écria brusquement : « Ne me touchez pas. Je
suis inviolable ! »

Du Roy s'élança vers lui, comme pour le terrasser, et il lui
grogna dans la figure : « Il y a flagrant délit… flagrant délit. Je
340 peux vous faire arrêter, si je veux… oui, je le peux. » Puis, d'un
ton vibrant : « Cet homme s'appelle Laroche-Mathieu, ministre
des Affaires étrangères. »

Le commissaire de police recula stupéfait, et balbutiant : « En vérité, monsieur, voulez-vous me dire qui vous êtes, à la fin ? »

L'homme se décida, et avec force : « Pour une fois, ce misérable-là n'a point menti. Je me nomme, en effet, Laroche-Mathieu, ministre. »

Puis, tendant le bras vers la poitrine de Georges, où apparaissait comme une lueur, un petit point rouge, il ajouta : « Et le gredin que voici porte sur son habit la croix d'honneur que je lui ai donnée. »

Du Roy était devenu livide. D'un geste rapide, il arracha de sa boutonnière la courte flamme de ruban, et, la jetant dans la cheminée : « Voilà ce que vaut une décoration qui vient de salops de votre espèce. »

Ils étaient face à face, les dents près des dents, exaspérés, les poings serrés, l'un maigre et la moustache au vent, l'autre gras et la moustache en croc.

Le commissaire passa vivement entre les deux et, les écartant avec ses mains : « Messieurs, vous vous oubliez, vous manquez de dignité ! »

Ils se turent et se tournèrent les talons. Madeleine, immobile, fumait toujours, en souriant.

L'officier de police reprit :

« Monsieur le ministre, je vous ai surpris, seul avec Mme Du Roy, que voici, vous couché, elle presque nue. Vos vêtements étant jetés pêle-mêle à travers l'appartement, cela constitue un flagrant délit d'adultère. Vous ne pouvez nier l'évidence. Qu'avez-vous à répondre ? »

Laroche-Mathieu murmura : « Je n'ai rien à dire, faites votre devoir. »

Le commissaire s'adressa à Madeleine : « Avouez-vous, madame, que monsieur soit votre amant ? »

Elle prononça crânement : « Je ne le nie pas, il est mon amant !

« – Cela suffit. »

Puis le magistrat prit quelques notes sur l'état et la disposition du logis. Comme il finissait d'écrire, le ministre qui avait achevé de s'habiller, et qui attendait, le paletot[1] sur le bras, le
380 chapeau à la main, demanda :

« Avez-vous encore besoin de moi, monsieur ? Que dois-je faire ? Puis-je me retirer ? »

Du Roy se retourna vers lui et souriant avec insolence :

« Pourquoi donc ? Nous avons fini. Vous pouvez vous recou-
385 cher, monsieur ; nous allons vous laisser seuls. »

Et posant le doigt sur le bras de l'officier de police :

« Retirons-nous, monsieur le commissaire, nous n'avons plus rien à faire en ce lieu. »

Un peu surpris, le magistrat le suivit ; mais, sur le seuil de la
390 chambre, Georges s'arrêta pour le laisser passer. L'autre s'y refusait par cérémonie.

Du Roy insistait : « Passez donc, monsieur. » Le commissaire dit : « Après vous. » Alors le journaliste salua, et sur le ton d'une politesse ironique : « C'est votre tour, monsieur le commissaire
395 de police. Je suis presque chez moi, ici. »

Puis il referma la porte doucement, avec un air de discrétion.

Une heure plus tard, Georges Du Roy entrait dans les bureaux de *La Vie française*.

M. Walter était déjà là, car il continuait à diriger et à surveiller
400 avec sollicitude[2] son journal qui avait pris une extension énorme et qui favorisait beaucoup les opérations grandissantes de sa banque.

Le directeur leva la tête et demanda : « Tiens, vous voici ? Vous semblez tout drôle ! Pourquoi n'êtes-vous pas venu dîner à
405 la maison ? D'où sortez-vous donc ? »

---

1. *Paletot* : veste.
2. *Sollicitude* : soins attentifs et affectueux.

Le jeune homme, qui était sûr de son effet, déclara, en pesant sur chaque mot : « Je viens de jeter bas[1] le ministre des Affaires étrangères. »

L'autre crut qu'il plaisantait.

410 « De jeter bas… Comment ?

– Je vais changer le cabinet. Voilà tout ! il n'est pas trop tôt de chasser cette charogne[2]. »

Le vieux, stupéfait, crut que son chroniqueur était gris. Il murmura : « Voyons, vous déraisonnez.

415 – Pas du tout. Je viens de surprendre M. Laroche-Mathieu en flagrant délit d'adultère avec ma femme. Le commissaire de police a constaté la chose. Le ministre est foutu. »

Walter, interdit, releva tout à fait ses lunettes sur son front et demanda : « Vous ne vous moquez pas de moi ?

420 – Pas du tout. Je vais même faire un écho là-dessus.

– Mais alors que voulez-vous ?

– Jeter bas ce fripon, ce misérable, ce malfaiteur public ! »

Georges posa son chapeau sur un fauteuil, puis ajouta :

« Gare à ceux que je trouve sur mon chemin. Je ne par-
425 donne jamais. »

Le directeur hésitait encore à comprendre. Il murmura :

« Mais… votre femme ?

– Ma demande en divorce sera faite dès demain matin. Je la renvoie à feu Forestier.

430 – Vous voulez divorcer[3] ?

– Parbleu. J'étais ridicule. Mais il me fallait faire la bête pour les surprendre. Ça y est. Je suis maître de la situation. »

---

1. *Jeter bas* : abattre, démolir.
2. *Charogne* : ici, individu qui se rend odieux par son comportement scandaleux.
3. Supprimé en mai 1816, sous Louis XVIII, le divorce est rétabli en France sous la IIIe République par la loi Naquet du 27 juillet 1884 (année de la rédaction de *Bel-Ami*).

M. Walter n'en revenait pas ; et il regardait Du Roy avec des yeux effarés, pensant : « Bigre. C'est un gaillard bon à ménager. »

435 Georges reprit : « Me voici libre… J'ai une certaine fortune. Je me présenterai aux élections au renouvellement d'octobre, dans mon pays où je suis fort connu. Je ne pouvais pas me poser ni me faire respecter avec cette femme qui était suspecte à tout le monde. Elle m'avait pris comme un niais, elle m'avait enjôlé[1] et capturé.
440 Mais depuis que je savais son jeu, je la surveillais, la gredine. »

Il se mit à rire et ajouta : « C'est ce pauvre Forestier qui était cocu… cocu sans s'en douter, confiant et tranquille. Me voici débarrassé de la teigne qu'il m'avait laissée. J'ai les mains déliées. Maintenant, j'irai loin. »

445 Il s'était mis à califourchon sur une chaise. Il répéta, comme s'il eût songé : « J'irai loin. »

Et le père Walter le regardait toujours de ses yeux découverts, ses lunettes restant relevées sur le front, et il se disait : « Oui, il ira loin, le gredin. »

450 Georges se releva : « Je vais rédiger l'écho. Il faut le faire avec discrétion. Mais vous savez, il sera terrible pour le ministre. C'est un homme à la mer. On ne peut pas le repêcher. *La Vie française* n'a plus d'intérêt à le ménager. »

Le vieux hésita quelques instants, puis il en prit son parti :
455 « Faites, dit-il, tant pis pour ceux qui se fichent dans ces pétrins-là. »

IX

Trois mois s'étaient écoulés. Le divorce de Du Roy venait d'être prononcé. Sa femme avait repris son nom de Forestier, et

---

1. *Enjôlé* : séduit par des paroles flatteuses.

comme les Walter devaient partir, le 15 juillet, pour Trouville[1], on décida de passer une journée à la campagne, avant de se séparer.

On choisit un jeudi, et on se mit en route dès neuf heures du matin, dans un grand landau de voyage à six places, attelé en poste à quatre chevaux.

On allait déjeuner à Saint-Germain, au pavillon Henri IV[2]. Bel-Ami avait demandé à être le seul homme de la partie, car il ne pouvait supporter la présence et la figure du marquis de Cazolles. Mais, au dernier moment, il fut décidé que le comte de Latour-Yvelin serait enlevé, au saut du lit. On l'avait prévenu la veille.

La voiture remonta au grand trot l'avenue des Champs-Élysées, puis traversa le bois de Boulogne.

Il faisait un admirable temps d'été, pas trop chaud. Les hirondelles traçaient sur le bleu du ciel de grandes lignes courbes qu'on croyait voir encore quand elles étaient passées.

Les trois femmes se tenaient au fond du landau, la mère entre ses deux filles ; et les trois hommes, à reculons, Walter entre les deux invités.

On traversa la Seine, on contourna le Mont-Valérien, puis on gagna Bougival, pour longer ensuite la rivière jusqu'au Pecq.

Le comte de Latour-Yvelin, un homme un peu mûr à longs favoris légers, dont le moindre souffle d'air agitait les pointes, ce qui faisait dire à Du Roy : « Il obtient de jolis effets de vent dans sa barbe », contemplait Rose tendrement. Ils étaient fiancés depuis un mois.

Georges, fort pâle, regardait souvent Suzanne, qui était pâle aussi. Leurs yeux se rencontraient, semblaient se concerter, se

---

1. *Trouville* : station balnéaire en Normandie prisée des Parisiens.
2. *Pavillon Henri IV* : grand restaurant et hôtel situé à Saint-Germain-en-Laye, réputé pour sa vue panoramique.

comprendre, échanger secrètement une pensée, puis se fuyaient. Mme Walter était tranquille, heureuse.

Le déjeuner fut long. Avant de repartir pour Paris, Georges 35 proposa de faire un tour sur la terrasse.

On s'arrêta d'abord pour examiner la vue. Tout le monde se mit en ligne le long du mur et on s'extasia sur l'étendue de l'horizon. La Seine, au pied d'une longue colline, coulait vers Maisons-Laffitte, comme un immense serpent couché dans la ver-40 dure. À droite, sur le sommet de la côte, l'aqueduc de Marly projetait sur le ciel son profil énorme de chenille à grandes pattes, et Marly disparaissait, au-dessous, dans un épais bouquet d'arbres.

Par la plaine immense, qui s'étendait en face, on voyait des 45 villages, de place en place. Les pièces d'eau du Vésinet[1] faisaient des taches nettes et propres dans la maigre verdure de la petite forêt. À gauche, tout au loin, on apercevait en l'air le clocher pointu de Sartrouville.

Walter déclara : « On ne peut trouver nulle part au monde un 50 semblable panorama. Il n'y en a pas un pareil en Suisse. »

Puis on se remit en marche doucement pour faire une promenade et jouir un peu de cette perspective.

Georges et Suzanne restèrent en arrière. Dès qu'ils furent écartés de quelques pas, il lui dit d'une voix basse et contenue : 55 « Suzanne, je vous adore. Je vous aime à en perdre la tête. »

Elle murmura : « Moi aussi, Bel-Ami. »

Il reprit : « Si je ne vous ai pas pour femme, je quitterai Paris et ce pays. »

Elle répondit : « Essayez donc de me demander à papa. Peut-60 être qu'il voudra bien. »

Il eut un petit geste d'impatience : « Non, je vous le répète pour la dixième fois, c'est inutile. On me fermera la porte de

---

1. *Pièces d'eau du Vésinet* : lacs artificiels dans la commune du Vésinet.

votre maison ; on m'expulsera du journal ; et nous ne pourrons plus même nous voir. Voilà le joli résultat auquel je suis certain d'arriver par une demande en règle. On vous a promise au marquis de Cazolles. On espère que vous finirez par dire : "Oui". Et on attend. »

Elle demanda : « Qu'est-ce qu'il faut faire alors ? »

Il hésitait, la regardant de côté : « M'aimez-vous assez pour commettre une folie ? »

Elle répondit résolument :

« Oui.

– Une grande folie ?

– Oui.

– La plus grande des folies ?

– Oui.

– Aurez-vous aussi assez de courage pour braver votre père et votre mère ?

– Oui.

– Bien vrai ?

– Oui.

– Eh bien, il y a un moyen, un seul ! Il faut que la chose vienne de vous, et pas de moi. Vous êtes une enfant gâtée ; on vous laisse tout dire, on ne s'étonnera pas trop d'une audace de plus de votre part. Écoutez donc. Ce soir, en rentrant, vous irez trouver votre maman, d'abord, votre maman toute seule. Et vous lui avouerez que vous voulez m'épouser. Elle aura une grosse émotion et une grosse colère... »

Suzanne l'interrompit : « Oh ! maman voudra bien. »

Il reprit vivement : « Non. Vous ne la connaissez pas. Elle sera plus fâchée et plus furieuse que votre père. Vous verrez comme elle refusera. Mais vous tiendrez bon, vous ne céderez pas, vous répéterez que vous voulez m'épouser, moi seul, rien que moi. Le ferez-vous ?

– Je le ferai.

– Et en sortant de chez votre mère, vous direz la même chose à votre père, d'un air très sérieux et très décidé.

– Oui, oui. Et puis ?

– Et puis, c'est là que ça devient grave. Si vous êtes résolue, 100 bien résolue, bien, bien, bien résolue à être ma femme, ma chère, chère petite Suzanne… Je vous… je vous enlèverai. »

Elle eut une grande secousse de joie et faillit battre des mains. « Oh ! quel bonheur ! vous m'enlèverez ? Quand ça m'enlèverez-vous ? »

105 Toute la vieille poésie des enlèvements nocturnes, des chaises de poste[1], des auberges, toutes les charmantes aventures des livres lui passèrent d'un coup dans l'esprit comme un songe enchanteur prêt à se réaliser.

Elle répéta : « Quand ça m'enlèverez-vous ? »

110 Il répondit très bas : « Mais… ce soir… cette nuit. »

Elle demanda, frémissante : « Et où irons-nous ? »

– Ça, c'est mon secret. Réfléchissez à ce que vous faites. Songez bien qu'après cette fuite vous ne pourrez plus être que ma femme ! C'est le seul moyen, mais il est… il est très 115 dangereux… pour vous. »

Elle déclara : « Je suis décidée… où vous retrouverai-je ?

– Vous pourrez sortir de l'hôtel, toute seule ?

– Oui. Je sais ouvrir la petite porte.

– Eh bien ! quand le concierge sera couché, vers minuit, 120 venez me rejoindre place de la Concorde. Vous me trouverez dans un fiacre arrêté en face du ministère de la Marine[2].

– J'irai.

– Bien vrai ?

– Bien vrai. »

---

1. *Chaises de poste* : voitures à cheval.

2. Le ministère de la Marine se trouve place de la Concorde. Maupassant le connaît bien : il y a travaillé de 1872 à 1879.

125 Il lui prit la main et la serra : « Oh ! que je vous aime !
Comme vous êtes bonne et brave ! Alors, vous ne voulez pas
épouser M. de Cazolles ?

– Oh ! non.

– Votre père s'est beaucoup fâché quand vous avez dit non ?

130 – Je crois bien, il voulait me remettre au couvent.

– Vous voyez qu'il est nécessaire d'être énergique.

– Je le serai. »

Elle regardait le vaste horizon, la tête pleine de cette idée
d'enlèvement. Elle irait plus loin que là-bas… avec lui !… Elle
135 serait enlevée !… Elle était fière de ça ! Elle ne songeait guère à
sa réputation, à ce qui pouvait lui arriver d'infâme. Le savait-elle,
même ? Le soupçonnait-elle ?

Mme Walter, se retournant, cria : « Mais viens donc, petite.
Qu'est-ce que tu fais avec Bel-Ami ? »

140 Ils rejoignirent les autres. On parlait des bains de mer où on
serait bientôt.

Puis, on revint par Chatou pour ne pas refaire la même route.

Georges ne disait plus rien. Il songeait : Donc, si cette petite
avait un peu d'audace, il allait réussir, enfin ! Depuis trois mois,
145 il l'enveloppait dans l'irrésistible filet de sa tendresse. Il la séduisait, la captivait, la conquérait. Il s'était fait aimer par elle,
comme il savait se faire aimer. Il avait cueilli sans peine son âme
légère de poupée.

Il avait obtenu d'abord qu'elle refusât M. de Cazolles. Il
150 venait d'obtenir qu'elle s'enfuît avec lui. Car il n'y avait pas
d'autre moyen.

Mme Walter, il le comprenait bien, ne consentirait jamais à
lui donner sa fille. Elle l'aimait encore, elle l'aimerait toujours,
avec une violence intraitable. Il la contenait par sa froideur calcu-
155 lée, mais il la sentait rongée par une passion impuissante et
vorace. Jamais il ne pourrait la fléchir. Jamais elle n'admettrait
qu'il prît Suzanne.

Mais une fois qu'il tiendrait la petite au loin, il traiterait de puissance à puissance, avec le père.

160 Pensant à tout cela, il répondait par phrases hachées aux choses qu'on lui disait et qu'il n'écoutait guère. Il parut revenir à lui lorsqu'il rentra dans Paris.

Suzanne aussi songeait ; et le grelot des quatre chevaux sonnait dans sa tête, lui faisait voir des grandes routes infinies sous 165 des clairs de lune éternels, des forêts sombres traversées, des auberges au bord du chemin, et la hâte des hommes d'écurie à changer l'attelage, car tout le monde devine qu'ils sont poursuivis.

Quand le landau fut arrivé dans la cour de l'hôtel, on voulut 170 retenir Georges à dîner. Il refusa et revint chez lui.

Après avoir un peu mangé, il mit de l'ordre dans ses papiers comme s'il allait faire un grand voyage. Il brûla des lettres compromettantes, en cacha d'autres, écrivit à quelques amis.

De temps en temps, il regardait la pendule, en pensant : « Ça 175 doit chauffer là-bas. » Et une inquiétude le mordait au cœur. S'il allait échouer ? Mais que pouvait-il craindre ? Il se tirerait toujours d'affaire ! Pourtant c'était une grosse partie qu'il jouait, ce soir-là !

Il ressortit vers onze heures, erra quelque temps, prit un fiacre 180 et se fit arrêter place de la Concorde, le long des arcades du ministère de la Marine.

De temps en temps, il enflammait une allumette pour regarder l'heure à sa montre. Quand il vit approcher minuit, son impatience devint fiévreuse. À tout moment il passait la tête à la 185 portière pour regarder.

Une horloge lointaine sonna douze coups, puis une autre plus près, puis deux ensemble, puis une dernière très loin. Quand celle-là eut cessé de tinter, il pensa : « C'est fini. C'est raté. Elle ne viendra pas. »

190 Il était cependant résolu à demeurer jusqu'au jour. Dans ces cas-là, il faut être patient.

Il entendit encore sonner le quart, puis la demie, puis les trois quarts ; et toutes les horloges répétèrent une heure comme elles avaient annoncé minuit.

195 Il n'attendait plus, il restait, creusant sa pensée pour deviner ce qui avait pu arriver. Tout à coup une tête de femme passa par la portière et demanda : « Êtes-vous là, Bel-Ami ? »

Il eut un sursaut et une suffocation.

« C'est vous, Suzanne ?

200 — Oui, c'est moi. »

Il ne parvenait point à tourner la poignée assez vite, et répétait : « Ah !… c'est vous… c'est vous… entrez. »

Elle entra et se laissa tomber contre lui. Il cria au cocher : « Allez ! » Et le fiacre se mit en route.

205 Elle haletait, sans parler.

Il demanda : « Eh bien ! comment ça s'est-il passé ? »

Alors elle murmura, presque défaillante :

« Oh ! ça a été terrible, chez maman surtout. »

Il était inquiet et frémissant.

210 « Votre maman ? Qu'est-ce qu'elle a dit ? Contez-moi ça.

— Oh ! ça a été affreux. Je suis entrée chez elle et je lui ai récité ma petite affaire que j'avais bien préparée. Alors elle a pâli, puis elle a crié : "Jamais ! jamais !" Moi, j'ai pleuré, je me suis fâchée, j'ai juré que je n'épouserais que vous. J'ai cru qu'elle allait me 215 battre. Elle est devenue comme folle ; elle a déclaré qu'on me renverrait au couvent, dès le lendemain. Je ne l'avais jamais vue comme ça, jamais ! Alors papa est arrivé en l'entendant débiter toutes ses sottises. Il ne s'est pas fâché tant qu'elle, mais il a déclaré que vous n'étiez pas un assez beau parti.

220 « Comme ils m'avaient mise en colère aussi, j'ai crié plus fort qu'eux. Et papa m'a dit de sortir avec un air dramatique qui ne lui allait pas du tout. C'est ce qui m'a décidée à me sauver avec vous. Me voilà, où allons-nous ? »

Il avait enlacé sa taille doucement ; et il écoutait de toutes ses 225 oreilles, le cœur battant, une rancune haineuse s'éveillant en lui contre ces gens. Mais il la tenait, leur fille. Ils verraient, à présent.

Il répondit : « Il est trop tard pour prendre le train ; cette voi-
ture-là va donc nous conduire à Sèvres où nous passerons la nuit.
Et demain nous partirons pour La Roche-Guyon. C'est un joli
230 village, au bord de la Seine, entre Mantes et Bonnières. »

Elle murmura : « C'est que je n'ai pas d'effets[1]. Je n'ai rien. »

Il sourit, avec insouciance : « Bah ! nous nous arrangerons
là-bas. »

Le fiacre roulait le long des rues. Georges prit une main de
235 la jeune fille et se mit à la baiser, lentement, avec respect. Il ne
savait que lui raconter, n'étant guère accoutumé aux tendresses
platoniques. Mais soudain il crut s'apercevoir qu'elle pleurait.

Il demanda, avec terreur : « Qu'est-ce que vous avez, ma
chère petite ? »

240 Elle répondit, d'une voix toute mouillée : « C'est ma pauvre
maman qui ne doit pas dormir à cette heure, si elle s'est aperçue
de mon départ. »

Sa mère, en effet, ne dormait pas.

Aussitôt Suzanne sortie de sa chambre, Mme Walter était
245 restée en face de son mari.

Elle demanda, éperdue, atterrée :

« Mon Dieu ! Qu'est-ce que cela veut dire ? »

Walter cria, furieux : « Ça veut dire que cet intrigant l'a enjô-
lée. C'est lui qui a fait refuser Cazolles. Il trouve la dot bonne,
250 parbleu ! »

Il se mit à marcher avec rage à travers l'appartement et reprit :
« Tu l'attirais sans cesse, aussi, toi, tu le flattais, tu le cajolais, tu
n'avais pas assez de chatteries[2] pour lui. C'était Bel-Ami par-ci,
Bel-Ami par-là, du matin au soir. Te voilà payée. »

255 Elle murmura, livide : « Moi ?... je l'attirais ! »

Il lui vociféra dans le nez : « Oui, toi ! Vous êtes toutes folles
de lui, la Marelle, Suzanne, Suzanne et les autres. Crois-tu que

---

1. *Effets* : vêtements.
2. *Chatteries* : attitudes câlines comme celles d'un chat.

je ne voyais pas que tu ne pouvais point rester deux jours sans le faire venir ici ? »

260 Elle se dressa, tragique : « Je ne vous permettrai pas de me parler ainsi. Vous oubliez que je n'ai pas été élevée, comme vous, dans une boutique. »

Il demeura d'abord immobile et stupéfait, puis il lâcha un « Nom de Dieu » furibond, et il sortit en tapant la porte.

265 Dès qu'elle fut seule, elle alla, par instinct, vers la glace pour se regarder, comme pour voir si rien n'était changé en elle, tant ce qui arrivait lui paraissait impossible, monstrueux. Suzanne était amoureuse de Bel-Ami ! et Bel-Ami voulait épouser Suzanne ! Non ! elle s'était trompée, ce n'était pas vrai. La fillette 270 avait eu une toquade bien naturelle pour ce beau garçon, elle avait espéré qu'on le lui donnerait pour mari ; elle avait fait son petit coup de tête ! Mais lui ? lui ne pouvait pas être complice de ça ! Elle réfléchissait, troublée comme on l'est devant les grandes catastrophes. Non, Bel-Ami ne devait rien savoir de l'escapade 275 de Suzanne.

Et elle songea longtemps à la perfidie et à l'innocence possibles de cet homme. Quel misérable, s'il avait préparé le coup ! Et qu'arriverait-il ? Que de dangers et de tourments elle prévoyait !

280 S'il ne savait rien, tout pouvait s'arranger encore. On ferait un voyage avec Suzanne pendant six mois, et ce serait fini. Mais comment pourrait-elle le revoir, elle, ensuite ? Car elle l'aimait toujours. Cette passion était entrée en elle à la façon de ces pointes de flèche qu'on ne peut plus arracher.

285 Vivre sans lui était impossible. Autant mourir. Sa pensée s'égarait dans ces angoisses et dans ces incertitudes. Une douleur commençait à poindre dans sa tête ; ses idées devenaient pénibles, troubles, lui faisaient mal. Elle s'énervait à chercher, s'exaspérait de ne pas savoir. Elle regarda sa pendule, il était une 290 heure passée. Elle se dit : « Je ne veux pas rester ainsi, je deviens

folle. Il faut que je sache. Je vais réveiller Suzanne pour l'interroger. »

Et elle s'en alla, déchaussée, pour ne pas faire de bruit, une bougie à la main, vers la chambre de sa fille. Elle l'ouvrit bien
295 doucement, entra, regarda le lit. Il n'était pas défait. Elle ne comprit point d'abord, et pensa que la fillette discutait encore avec son père. Mais aussitôt un soupçon horrible l'effleura et elle courut chez son mari. Elle y arriva d'un élan, blême et haletante. Il était couché et lisait encore.

300 Il demanda effaré : « Eh bien ! quoi ? Qu'est-ce que tu as ? »

Elle balbutiait : « As-tu vu Suzanne ?

– Moi ? Non. Pourquoi ?

– Elle est… elle est… partie. Elle n'est pas dans… sa chambre. »

305 Il sauta d'un bond sur le tapis, chaussa ses pantoufles et, sans caleçon, la chemise au vent, il se précipita à son tour vers l'appartement de sa fille.

Dès qu'il l'eut vu, il ne conserva point de doute. Elle s'était enfuie.

310 Il tomba sur un fauteuil et posa sa lampe par terre devant lui.

Sa femme l'avait rejoint. Elle bégaya : « Eh bien ? »

Il n'avait plus la force de répondre ; il n'avait plus de colère, il gémit :

« C'est fait, il la tient. Nous sommes perdus. »

315 Elle ne comprenait pas : « Comment perdus ?

– Eh ! oui, parbleu. Il faut bien qu'il l'épouse maintenant. »

Elle poussa une sorte de cri de bête :

« Lui ! jamais ! Tu es donc fou ? »

Il répondit tristement : « Ça ne sert à rien de hurler. Il l'a enle-
320 vée, il l'a déshonorée. Le mieux est encore de la lui donner. En s'y prenant bien, personne ne saura cette aventure. »

Elle répéta, secouée d'une émotion terrible : « Jamais ! jamais il n'aura Suzanne ! Jamais je ne consentirai ! »

Walter murmura avec accablement :

325 « Mais il l'a. C'est fait. Et il la gardera et la cachera tant que nous n'aurons point cédé. Donc, pour éviter le scandale, il faut céder tout de suite. »

Sa femme, déchirée par une inavouable douleur, répéta :

« Non ! non ! Jamais je ne consentirai ! »

330 Il reprit, s'impatientant : « Mais il n'y a pas à discuter. Il le faut. Ah ! le gredin, comme il nous a joués... Il est fort tout de même. Nous aurions pu trouver beaucoup mieux comme position, mais pas comme intelligence et comme avenir. C'est un homme d'avenir. Il sera député et ministre. »

335 Mme Walter déclara, avec une énergie farouche :

« Jamais je ne lui laisserai épouser Suzanne... Tu entends... jamais ! »

Il finit par se fâcher et par prendre, en homme pratique, la défense de Bel-Ami.

340 « Mais, tais-toi donc... Je te répète qu'il le faut... qu'il le faut absolument. Et qui sait ? Peut-être ne le regretterons-nous pas. Avec les êtres de cette trempe-là, on ne sait jamais ce qui peut arriver. Tu as vu comme il a jeté bas, en trois articles, ce niais de Laroche-Mathieu, et comme il l'a fait avec dignité, ce qui était
345 rudement difficile dans sa situation de mari. Enfin nous verrons. Toujours est-il que nous sommes pris. Nous ne pouvons plus nous tirer de là. »

Elle avait envie de crier, de se rouler par terre, de s'arracher les cheveux. Elle prononça encore, d'une voix exaspérée :

350 « Il ne l'aura pas... Je... ne... veux... pas ! »

Walter se leva, ramassa sa lampe, reprit :

« Tiens, tu es stupide comme toutes les femmes. Vous n'agissez jamais que par passion. Vous ne savez pas vous plier aux circonstances... vous êtes stupides ! Moi, je te dis qu'il
355 l'épousera... Il le faut. »

Et il sortit, en traînant ses pantoufles. Il traversa, fantôme comique en chemise de nuit, le large corridor du vaste hôtel endormi, et rentra, sans bruit, dans sa chambre.

Mme Walter restait debout, déchirée par une intolérable dou-
360 leur. Elle ne comprenait pas encore bien, d'ailleurs. Elle souffrait
seulement. Puis il lui sembla qu'elle ne pourrait pas demeurer là,
immobile, jusqu'au jour. Elle sentait en elle un besoin violent de
se sauver, de courir devant elle, de s'en aller, de chercher de
l'aide, d'être secourue.

365   Elle cherchait qui elle pourrait bien appeler à elle. Quel
homme ! elle n'en trouvait pas ! Un prêtre ! oui, un prêtre ! Elle
se jetterait à ses pieds, lui avouerait tout, lui confesserait sa faute
et son désespoir. Il comprendrait, lui, que ce misérable ne pouvait pas épouser Suzanne et il empêcherait cela.

370   Il lui fallait un prêtre tout de suite ! Mais où le trouver ? Où
aller ? Pourtant elle ne pouvait rester ainsi.

Alors passa devant ses yeux, ainsi qu'une vision, l'image
sereine de Jésus marchant sur les flots. Elle le vit comme elle le
voyait en regardant le tableau. Donc il l'appelait. Il lui disait :
375 « Venez à moi. Venez vous agenouiller à mes pieds. Je vous
consolerai et je vous inspirerai ce qu'il faut faire. »

Elle prit sa bougie, sortit, et descendit pour gagner la serre.
Le Jésus était tout au bout, dans un petit salon qu'on fermait par
une porte vitrée afin que l'humidité des terres ne détériorât point
380 la toile.

Cela faisait une sorte de chapelle dans une forêt d'arbres
singuliers.

Quand Mme Walter entra dans le jardin d'hiver, ne l'ayant
jamais vu que plein de lumière, elle demeura saisie devant sa pro-
385 fondeur obscure. Les lourdes plantes des pays chauds épaissis-
saient l'atmosphère de leur haleine pesante. Et les portes n'étant
plus ouvertes, l'air de ce bois étrange, enfermé sous un dôme de
verre, entrait dans la poitrine avec peine, étourdissait, grisait, faisait plaisir et mal, donnait à la chair une sensation confuse de
390 volupté[1] énervante et de mort.

---

1. *Volupté* : plaisir des sens.

La pauvre femme marchait doucement, émue par les ténèbres où apparaissaient, à la lueur errante de sa bougie des plantes extravagantes, avec des aspects de monstres, des apparences d'êtres, des difformités bizarres.

395 Tout d'un coup, elle aperçut le Christ. Elle ouvrit la porte qui le séparait d'elle, et tomba à genoux.

Elle le pria d'abord éperdument, balbutiant des mots d'amour, des invocations passionnées et désespérées. Puis, l'ardeur de son appel se calmant, elle leva les yeux vers lui, et
400 demeura saisie d'angoisse. Il ressemblait tellement à Bel-Ami, à la clarté tremblante de cette seule lumière l'éclairant à peine et d'en bas, que ce n'était plus Dieu, c'était son amant qui la regardait. C'étaient ses yeux, son front, l'expression de son visage, son air froid et hautain !

405 Elle balbutiait : « Jésus ! – Jésus ! – Jésus ! » Et le mot « Georges » lui venait aux lèvres. Tout à coup, elle pensa qu'à cette heure même, Georges, peut-être, possédait sa fille. Il était seul avec elle, quelque part, dans une chambre. Lui ! lui ! avec Suzanne !

410 Elle répétait : « Jésus !... Jésus ! » Mais elle pensait à eux... à sa fille et à son amant ! Ils étaient seuls, dans une chambre... et c'était la nuit. Elle les voyait. Elle les voyait si nettement qu'ils se dressaient devant elle, à la place du tableau. Ils se souriaient. Ils s'embrassaient. La chambre était sombre, le lit entrouvert. Elle
415 se souleva pour aller vers eux, pour prendre sa fille par les cheveux et l'arracher à cette étreinte. Elle allait la saisir à la gorge, l'étrangler, sa fille qu'elle haïssait, sa fille qui se donnait à cet homme. Elle la touchait... ses mains rencontrèrent la toile. Elle heurtait les pieds du Christ.

420 Elle poussa un grand cri et tomba sur le dos. Sa bougie, renversée, s'éteignit.

Que se passa-t-il ensuite ? Elle rêva longtemps des choses étranges, effrayantes. Toujours Georges et Suzanne passaient

devant ses yeux enlacés avec Jésus-Christ qui bénissait leur hor-
425 rible amour.

Elle sentait vaguement qu'elle n'était point chez elle. Elle voulait se lever, fuir, elle ne le pouvait pas. Une torpeur[1] l'avait enva-
hie, qui liait ses membres et ne lui laissait que sa pensée en éveil,
trouble cependant, torturée par des images affreuses, irréelles,
430 fantastiques, perdue dans un songe malsain, le songe étrange et
parfois mortel que font entrer dans les cerveaux humains les
plantes endormeuses des pays chauds, aux formes bizarres et aux
parfums épais.

Le jour venu, on ramassa Mme Walter, étendue sans connais-
435 sance, presque asphyxiée, devant *Jésus marchant sur les flots*.
Elle fut si malade qu'on craignit pour sa vie. Elle ne reprit que le
lendemain l'usage complet de sa raison. Alors, elle se mit à
pleurer.

La disparition de Suzanne fut expliquée aux domestiques par
440 un envoi brusque au couvent. Et M. Walter répondit à une
longue lettre de Du Roy, en lui accordant la main de sa fille.

Bel-Ami avait jeté cette épître[2] à la poste au moment de quitter Paris, car il l'avait préparée d'avance le soir de son départ. Il
y disait, en termes respectueux, qu'il aimait depuis longtemps la
445 jeune fille, que jamais aucun accord n'avait eu lieu entre eux,
mais que la voyant venir à lui, en toute liberté, pour lui dire : « Je
serai votre femme », il se jugeait autorisé à la garder, à la cacher
même, jusqu'à ce qu'il eût obtenu une réponse des parents dont
la volonté légale avait pour lui une valeur moindre que la volonté
450 de sa fiancée.

Il demandait que M. Walter répondît poste restante[3], un ami
devant lui faire parvenir la lettre.

---

1. *Torpeur* : engourdissement généralisé.
2. *Épître* : lettre, missive.
3. *Poste restante* : se dit d'un courrier adressé à un bureau de poste, avec
le nom du destinataire, mais sans mention de son adresse.

Quand il eut obtenu ce qu'il voulait, il ramena Suzanne à Paris et la renvoya chez ses parents, s'abstenant lui-même de
455 paraître avant quelque temps.

Ils avaient passé six jours au bord de la Seine, à La Roche-Guyon.

Jamais la jeune fille ne s'était tant amusée. Elle avait joué à la bergère. Comme il la faisait passer pour sa sœur, ils vivaient dans
460 une intimité libre et chaste, une sorte de camaraderie amoureuse. Il jugeait habile de la respecter. Dès le lendemain de leur arrivée, elle acheta du linge et des vêtements de paysanne, et elle se mit à pêcher à la ligne, la tête couverte d'un immense chapeau de paille orné de fleurs des champs. Elle trouvait le pays délicieux.
465 Il y avait là une vieille tour et un vieux château où l'on montrait d'admirables tapisseries.

Georges, vêtu d'une vareuse[1] achetée toute faite chez un commerçant du pays, promenait Suzanne, soit à pied, le long des berges, soit en bateau. Ils s'embrassaient à tout moment, frémis-
470 sants, elle innocente et lui prêt à succomber. Mais il savait être fort ; et quand il lui dit : « Nous retournerons à Paris demain, votre père m'accorde votre main », elle murmura naïvement : « Déjà, ça m'amusait tant d'être votre femme ! »

X

Il faisait sombre dans le petit appartement de la rue de Constantinople, car Georges Du Roy et Clotilde de Marelle

---

1. *Vareuse* : courte blouse en toile épaisse, souvent portée par les marins pêcheurs.

s'étant rencontrés sous la porte étaient entrés brusquement, et elle lui avait dit, sans lui laisser le temps d'ouvrir les persiennes :

5 « Ainsi, tu épouses Suzanne Walter ? »

Il avoua avec douceur et ajouta :

« Tu ne le savais pas ? »

Elle reprit, debout devant lui, furieuse, indignée :

« Tu épouses Suzanne Walter ! C'est trop fort ! C'est trop
10 fort ! Voilà trois mois que tu me cajoles pour me cacher ça. Tout le monde le sait, excepté moi. C'est mon mari qui me l'a appris ! »

Du Roy se mit à ricaner, un peu confus tout de même et, ayant posé son chapeau sur un coin de la cheminée, il s'assit
15 dans un fauteuil.

Elle le regardait bien en face, et elle dit d'une voix irritée et basse : « Depuis que tu as quitté ta femme, tu préparais ce coup-là, et tu me gardais gentiment comme maîtresse, pour faire l'intérim ? Quel gredin tu es ! »

20 Il demanda : « Pourquoi ça ? J'avais une femme qui me trompait. Je l'ai surprise ; j'ai obtenu le divorce, et j'en épouse une autre. Quoi de plus simple ? »

Elle murmura, frémissante : « Oh ! comme tu es roué et dangereux, toi ! »

25 Il se remit à sourire : « Parbleu ! Les imbéciles et les niais sont toujours des dupes[1] ! »

Mais elle suivait son idée : « Comme j'aurais dû te deviner dès le commencement. Mais non, je ne pouvais pas croire que tu serais crapule comme ça. »

30 Il prit un air digne : « Je te prie de faire attention aux mots que tu emploies. »

Elle se révolta contre cette indignation : « Quoi ! tu veux que je prenne des gants pour te parler maintenant ! Tu te conduis

---

1. *Dupes* : personnes qui se laissent facilement tromper.

avec moi comme un gueux depuis que je te connais, et tu pré-
35 tends que je ne te le dise pas ? Tu trompes tout le monde, tu
exploites tout le monde, tu prends du plaisir et de l'argent partout, et tu veux que je te traite comme un honnête homme ? »

Il se leva, et la lèvre tremblante : « Tais-toi, ou je te fais
sortir d'ici. »

40 Elle balbutia : « Sortir d'ici... Sortir d'ici... Tu me ferais sortir
d'ici... toi... toi ?... »

Elle ne pouvait plus parler, tant elle suffoquait de colère, et
brusquement, comme si la porte de sa fureur se fût brisée, elle
éclata :

45 « Sortir d'ici ? Tu oublies donc que c'est moi qui l'ai payé,
depuis le premier jour, ce logement-là ! Ah ! oui, tu l'as bien pris
à ton compte de temps en temps. Mais qui est-ce qui l'a loué ?...
C'est moi... Qui est-ce qui l'a gardé ?... C'est moi... Et tu veux
me faire sortir d'ici. Tais-toi donc, vaurien ! Crois-tu que je ne
50 sais pas comment tu as volé à Madeleine la moitié de l'héritage
de Vaudrec ? Crois-tu que je ne sais pas comment tu as couché
avec Suzanne pour la forcer à t'épouser... »

Il la saisit par les épaules et la secouant entre ses mains :
« Ne parle pas de celle-là ! Je te le défends ! »

55 Elle cria : « Tu as couché avec, je le sais. »

Il eût accepté n'importe quoi, mais ce mensonge l'exaspérait.
Les vérités qu'elle lui avait criées par le visage lui faisaient passer
tout à l'heure des frissons de rage dans le cœur, mais cette faus-
seté sur cette petite fille qui allait devenir sa femme éveillait dans
60 le creux de sa main un besoin furieux de frapper.

Il répéta : « Tais-toi... prends garde... tais-toi... » Et il l'agitait
comme on agite une branche pour en faire tomber les fruits.

Elle hurla, décoiffée, la bouche grande ouverte, les yeux fous :
« Tu as couché avec ! »

65 Il la lâcha et lui lança par la figure un tel soufflet qu'elle alla
tomber contre le mur. Mais elle se retourna vers lui, et, soulevée
sur ses poignets, vociféra encore une fois : « Tu as couché avec ! »

Il se rua sur elle, et, la tenant sous lui, la frappa comme s'il tapait sur un homme.

70 Elle se tut soudain, et se mit à gémir sous les coups. Elle ne remuait plus. Elle avait caché sa figure dans l'angle du parquet de la muraille, et elle poussait des cris plaintifs.

Il cessa de la battre et se redressa. Puis il fit quelques pas par la pièce pour reprendre son sang-froid ; et, une idée lui étant 75 venue, il passa dans la chambre, emplit la cuvette d'eau froide et se trempa la tête dedans. Ensuite, il se lava les mains, et il revint voir ce qu'elle faisait en s'essuyant les doigts avec soin.

Elle n'avait point bougé. Elle restait étendue par terre, pleurant doucement.

80 Il demanda : « Auras-tu bientôt fini de larmoyer ? »

Elle ne répondit pas. Alors il demeura debout au milieu de l'appartement, un peu gêné, un peu honteux en face de ce corps allongé devant lui.

Puis, tout à coup, il prit une résolution, et saisit son chapeau 85 sur la cheminée : « Bonsoir. Tu remettras la clef au concierge quand tu seras prête. Je n'attendrai pas ton bon plaisir[1]. »

Il sortit, ferma la porte, pénétra chez le portier, et lui dit :

« Madame est restée. Elle s'en ira tout à l'heure. Vous direz au propriétaire que je donne congé pour le 1er octobre. Nous 90 sommes au 16 août, je me trouve donc dans les limites. »

Et il s'en alla à grands pas, car il avait des courses pressées à faire pour les derniers achats de la corbeille[2].

Le mariage était fixé au 20 octobre, après la rentrée des Chambres. Il aurait lieu à l'église de la Madeleine. On en avait 95 beaucoup jasé sans savoir au juste la vérité. Différentes histoires circulaient. On chuchotait qu'un enlèvement avait eu lieu, mais on n'était sûr de rien.

---

1. *Ton bon plaisir* : ta décision.
2. *Corbeille* : cadeaux du fiancé à sa future épouse (à l'origine, offerts dans une corbeille).

D'après les domestiques, Mme Walter, qui ne parlait plus à son futur gendre, s'était empoisonnée de colère le soir où cette union avait été décidée, après avoir fait conduire sa fille au couvent, à minuit.

On l'avait ramenée presque morte. Assurément, elle ne se remettrait jamais. Elle avait l'air maintenant d'une vieille femme ; ses cheveux devenaient tout gris : et elle tombait dans la dévotion, communiant tous les dimanches.

Dans les premiers jours de septembre *La Vie française* annonça que le baron Du Roy de Cantel devenait son rédacteur en chef, M. Walter conservant le titre de directeur.

Alors on s'adjoignit un bataillon de chroniqueurs connus, d'échotiers, de rédacteurs politiques, de critiques d'art et de théâtre, enlevés à force d'argent aux grands journaux, aux vieux journaux puissants et posés.

Les anciens journalistes, les journalistes graves et respectables ne haussaient plus les épaules en parlant de *La Vie française*. Le succès rapide et complet avait effacé la mésestime[1] des écrivains sérieux pour les débuts de cette feuille.

Le mariage de son rédacteur en chef fut ce qu'on appelle un fait parisien, Georges Du Roy et les Walter ayant soulevé beaucoup de curiosité depuis quelque temps. Tous les gens qu'on cite dans les échos se promirent d'y aller.

Cet événement eut lieu par un jour clair d'automne.

Dès huit heures du matin, tout le personnel de la Madeleine, étendant sur les marches du haut perron de cette église qui domine la rue Royale un large tapis rouge, faisait arrêter les passants, annonçait au peuple de Paris qu'une grande cérémonie allait avoir lieu.

Les employés se rendant à leur bureau, les petites ouvrières, les garçons de magasin, s'arrêtaient, regardaient et songeaient

---

1. *Mésestime* : manque d'estime, mépris.

vaguement aux gens riches qui dépensaient tant d'argent pour
130 s'accoupler.

Vers dix heures, les curieux commencèrent à stationner. Ils
demeuraient là quelques minutes, espérant que peut-être ça com-
mencerait tout de suite, puis ils s'en allaient.

À onze heures, des détachements de sergents de ville arri-
135 vèrent et se mirent presque aussitôt à faire circuler la foule, car
des attroupements se formaient à chaque instant.

Les premiers invités apparurent bientôt, ceux qui voulaient
être bien placés pour tout voir. Ils prirent les chaises en bordure,
le long de la nef centrale.

140 Peu à peu il en venait d'autres, des femmes qui faisaient un
bruit d'étoffes, un bruit de soie, des hommes sévères, presque
tous chauves, marchant avec une correction mondaine, plus
graves encore en ce lieu.

L'église s'emplissait lentement. Un flot de soleil entrait par
145 l'immense porte ouverte éclairant les premiers rangs d'amis.
Dans le chœur qui semblait un peu sombre, l'autel couvert de
cierges faisait une clarté jaune, humble et pâle en face du trou de
lumière de la grande porte.

On se reconnaissait, on s'appelait d'un signe, on se réunissait
150 par groupes. Les hommes de lettres, moins respectueux que les
hommes du monde, causaient à mi-voix. On regardait les femmes.

Norbert de Varenne, qui cherchait un ami, aperçut Jacques
Rival vers le milieu des lignes de chaises, et il le rejoignit.

« Eh bien, dit-il, l'avenir est aux malins ! »
155 L'autre, qui n'était point envieux, répondit : « Tant mieux
pour lui. Sa vie est faite. Et ils se mirent à nommer les figures
aperçues. »

Rival demanda : « Savez-vous ce qu'est devenue sa femme ? »
Le poète sourit : « Oui et non. Elle vit très retirée, m'a-t-on
160 dit, dans le quartier Montmartre. Mais… il y a un mais…, je lis
depuis quelque temps dans *La Plume* des articles politiques qui

ressemblent terriblement à ceux de Forestier et de Du Roy. Ils sont d'un nommé Jean Le Dol, un jeune homme, beau garçon, intelligent, de la même race que notre ami Georges, et qui a fait
165 la connaissance de son ancienne femme. D'où j'ai conclu qu'elle aimait les débutants et les aimerait éternellement. Elle est riche d'ailleurs. Vaudrec et Laroche-Mathieu n'ont pas été pour rien les assidus de la maison. »

Rival déclara : « Elle n'est pas mal, cette petite Madeleine.
170 Très fine et très rouée ! Elle doit être charmante au découvert. Mais, dites-moi, comment se fait-il que Du Roy se marie à l'église après un divorce prononcé ? »

Norbert de Varenne répondit : « Il se marie à l'église parce que, pour l'église, il n'était pas marié, la première fois.
175   – Comment ça ?

   – Notre Bel-Ami, par indifférence ou par économie, avait jugé la mairie suffisante en épousant Madeleine Forestier. Il s'était donc passé de bénédiction ecclésiastique, ce qui constituait, pour notre Sainte Mère l'Église, un simple état de concubi-
180 nage[1]. Par conséquent, il arrive devant elle aujourd'hui en garçon, et elle lui prête toutes ses pompes, qui coûteront cher au père Walter. »

La rumeur de la foule accrue grandissait sous la voûte. On entendait des voix qui parlaient presque haut. On se montrait
185 des hommes célèbres, qui posaient, contents d'être vus, et gardant avec soin leur maintien adopté devant le public, habitués à se montrer ainsi dans toutes les fêtes dont ils étaient, leur semblait-il, les indispensables ornements, les bibelots d'art.

Rival reprit : « Dites donc, mon cher, vous qui allez souvent
190 chez le Patron, est-ce vrai que Mme Walter et Du Roy ne se parlent jamais plus ?

---

1. Ne reconnaissant aucune valeur au mariage civil, l'Église ne considère pas Duroy comme divorcé. Si le mariage avec Madeleine avait été consacré religieusement, Duroy n'aurait pu célébrer ses noces avec Suzanne devant l'autel, car l'Église condamne le divorce.

– Jamais. Elle ne voulait pas lui donner la petite. Mais il tenait le père par des cadavres[1] découverts, paraît-il, des cadavres enterrés au Maroc. Il a donc menacé le vieux de révéla-
195 tions épouvantables. Walter s'est rappelé l'exemple de Laroche-Mathieu et il a cédé tout de suite. Mais la mère, entêtée comme toutes les femmes, a juré qu'elle n'adresserait plus la parole à son gendre. Ils sont rudement drôles, en face l'un de l'autre. Elle a l'air d'une statue, de la statue de la Vengeance, et il est fort gêné,
200 lui, bien qu'il fasse bonne contenance, car il sait se gouverner, celui-là ! »

Des confrères venaient leur serrer la main. On entendait des bouts de conversations politiques. Et vague comme le bruit d'une mer lointaine, le grouillement du peuple amassé devant
205 l'église entrait par la porte avec le soleil, montait sous la voûte, au-dessus de l'agitation plus discrète du public d'élite massé dans le temple.

Tout à coup le suisse frappa trois fois le pavé du bois de sa hallebarde. Toute l'assistance se retourna avec un long frou-frou
210 de jupes et un remuement de chaises. Et la jeune femme apparut, au bras de son père, dans la vive lumière du portail.

Elle avait toujours l'air d'un joujou, d'un délicieux joujou blanc coiffé de fleurs d'oranger[2].

Elle demeura quelques instants sur le seuil, puis, quand elle fit
215 son premier pas dans la nef, les orgues poussèrent un cri puissant, annoncèrent l'entrée de la mariée avec leur grande voix de métal.

Elle s'en venait, la tête baissée, mais point timide, vaguement émue, gentille, charmante, une miniature d'épousée. Les femmes souriaient et murmuraient en la regardant passer. Les hommes

---

1. *Cadavres* : secrets d'une affaire compromettante, qui risque de faire scandale. Le personnage joue sur le mot « cadavre », l'expédition militaire du Maroc ayant dû faire des morts.
2. *Fleurs d'oranger* : fleurs blanches, traditionnellement associées aux mariées à l'époque, comme symbole de virginité.

chuchotaient : « Exquise, adorable. » M. Walter marchait avec une dignité exagérée, un peu pâle, les lunettes d'aplomb sur le nez.

Derrière eux, quatre demoiselles d'honneur, toutes les quatre vêtues de rose et jolies toutes les quatre, formaient une cour à ce bijou de reine. Les garçons d'honneur, bien choisis conformes au type, allaient d'un pas qui semblait réglé par un maître de ballet.

Mme Walter les suivait, donnant le bras au père de son autre gendre, au marquis de Latour-Yvelin, âgé de soixante-douze ans. Elle ne marchait pas, elle se traînait, prête à s'évanouir à chacun de ses mouvements en avant. On sentait que ses pieds se collaient aux dalles, que ses jambes refusaient d'avancer, que son cœur battait dans sa poitrine comme une bête qui bondit pour s'échapper.

Elle était devenue maigre. Ses cheveux blancs faisaient paraître plus blême encore et plus creux son visage.

Elle regardait devant elle pour ne voir personne, pour ne songer, peut-être, qu'à ce qui la torturait.

Puis Georges Du Roy parut avec une vieille dame inconnue.

Il levait la tête sans détourner non plus ses yeux fixes, durs, sous ses sourcils un peu crispés. Sa moustache semblait irritée sur sa lèvre. On le trouvait fort beau garçon. Il avait l'allure fière, la taille fine, la jambe droite. Il portait bien son habit que tachait, comme une goutte de sang, le petit ruban rouge de la Légion d'honneur.

Puis venaient les parents, Rose avec le sénateur Rissolin. Elle était mariée depuis six semaines. Le comte de Latour-Yvelin accompagnait la vicomtesse de Percemur.

Enfin ce fut une procession bizarre des alliés ou amis de Du Roy qu'il avait présentés dans sa nouvelle famille, gens connus dans l'entremonde[1] parisien qui sont tout de suite les intimes, et, à l'occasion, les cousins éloignés des riches parvenus,

---

1. *Entremonde* : cercle de gens qui se connaissent bien, qui partagent les mêmes divertissements.

250 gentilshommes déclassés, ruinés, tachés, mariés parfois, ce qui
est pis. C'étaient M. de Belvigne, le marquis de Banjolin, le
comte et la comtesse de Ravenel, le duc de Ramorano, le prince
de Kravalow, le chevalier Valréali, puis des invités de Walter, le
prince de Guerche, le duc et la duchesse de Ferracine, la belle
255 marquise des Dunes. Quelques parents de Mme Walter gardaient un air comme il faut de province, au milieu de ce défilé.

Et toujours les orgues chantaient, poussaient par l'énorme
monument les accents ronflants et rythmés de leurs gorges puissantes, qui crient au ciel la joie ou la douleur des hommes. On
260 referma les grands battants de l'entrée et, tout à coup, il fit
sombre comme si on venait de mettre à la porte le soleil.

Maintenant, Georges était agenouillé à côté de sa femme
dans le chœur, en face de l'autel illuminé. Le nouvel évêque de
Tanger, crosse en main, mitre[1] en tête, apparut, sortant de la
265 sacristie[2], pour les unir au nom de l'Éternel.

Il posa les questions d'usage, échangea les anneaux, prononça
les paroles qui lient comme des chaînes, et il adressa aux nouveaux
époux une allocution chrétienne. Il parla de fidélité, longuement,
en termes pompeux. C'était un gros homme de grande taille, un de
270 ces beaux prélats[3] chez qui le ventre est une majesté.

Un bruit de sanglots fit retourner quelques têtes. Mme Walter
pleurait, la figure dans ses mains.

Elle avait dû céder. Qu'aurait-elle fait ? Mais depuis le jour où
elle avait chassé de sa chambre sa fille revenue, en refusant de
275 l'embrasser, depuis le jour où elle avait dit à voix très basse à
Du Roy, qui la saluait avec cérémonie en reparaissant devant
elle : « Vous êtes l'être le plus vil que je connaisse, ne me parlez
plus jamais, car je ne vous répondrai point ! » elle souffrait une

---

1. Mitre : bonnet haut et pointu, fendu au milieu.
2. Sacristie : salle attenante à une église, garnie de meubles où sont rangés
les objets nécessaires au culte.
3. Prélats : ecclésiastiques de haut rang.

intolérable et inapaisable torture. Elle haïssait Suzanne d'une
280 haine aiguë, faite de passion exaspérée et de jalousie déchirante,
étrange jalousie de mère et de maîtresse, inavouable, féroce, brûlante comme une plaie vive.

Et voilà qu'un évêque les mariait, sa fille et son amant, dans
une église, en face de deux mille personnes, et devant elle ! Et
285 elle ne pouvait rien dire ? Elle ne pouvait pas empêcher cela ?
Elle ne pouvait pas crier : « Mais il est à moi, cet homme, c'est
mon amant. Cette union que vous bénissez est infâme. »

Plusieurs femmes, attendries, murmurèrent : « Comme la
pauvre mère est émue. »

290 L'évêque déclamait : « Vous êtes parmi les heureux de la terre,
parmi les plus riches et les plus respectés. Vous, monsieur, que
votre talent élève au-dessus des autres, vous qui écrivez, qui
enseignez, qui conseillez, qui dirigez le peuple, vous avez une
belle mission à remplir, un bel exemple à donner… »

295 Du Roy l'écoutait, ivre d'orgueil. Un prélat de l'Église
romaine lui parlait ainsi, à lui. Et il sentait, derrière son dos, une
foule, une foule illustre venue pour lui. Il lui semblait qu'une
force le poussait, le soulevait. Il devenait un des maîtres de la
terre, lui, lui, le fils des deux pauvres paysans de Canteleu.

300 Il les vit tout à coup dans leur humble cabaret, au sommet de
la côte, au-dessus de la grande vallée de Rouen, son père et sa
mère, donnant à boire aux campagnards du pays. Il leur avait
envoyé cinq mille francs en héritant du comte de Vaudrec. Il allait
maintenant leur en envoyer cinquante mille ; et ils achèteraient
305 un petit bien. Ils seraient contents, heureux.

L'évêque avait terminé sa harangue[1]. Un prêtre vêtu d'une
étole dorée montait à l'autel. Et les orgues recommencèrent à
célébrer la gloire des nouveaux époux.

Tantôt elles jetaient des clameurs prolongées, énormes,
310 enflées comme des vagues, si sonores et si puissantes, qu'il

---

1. *Sa harangue* : son discours solennel.

semblait qu'elles dussent soulever et faire sauter le toit pour se répandre dans le ciel bleu. Leur bruit vibrant emplissait toute l'église, faisait frissonner la chair et les âmes. Puis tout à coup elles se calmaient ; et des notes fines, alertes, couraient dans l'air,
315 effleuraient l'oreille comme des souffles légers ; c'étaient de petits chants gracieux, menus, sautillants, qui voletaient ainsi que des oiseaux ; et soudain, cette coquette musique s'élargissait de nouveau, redevenant effrayante de force et d'ampleur, comme si un grain de sable se métamorphosait en un monde.

320 Puis des voix humaines s'élevèrent, passèrent au-dessus des têtes inclinées. Vauri et Landeck[1], de l'Opéra, chantaient. L'encens répandait une odeur fine de benjoin, et sur l'autel le sacrifice divin s'accomplissait ; l'Homme-Dieu, à l'appel de son prêtre, descendait sur la terre pour consacrer le triomphe du
325 baron Georges Du Roy.

Bel-Ami, à genoux à côté de Suzanne, avait baissé le front. Il se sentait en ce moment presque croyant, presque religieux, plein de reconnaissance pour la divinité qui l'avait ainsi favorisé, qui le traitait avec ces égards. Et sans savoir au juste à qui il s'adres-
330 sait, il la remerciait de son succès.

Lorsque l'office fut terminé, il se redressa, et donnant le bras à sa femme, il passa dans la sacristie. Alors commença l'interminable défilé des assistants. Georges, affolé de joie, se croyait un roi qu'un peuple venait acclamer. Il serrait des mains, balbutiait
335 des mots qui ne signifiaient rien, saluait, répondait aux compliments : « Vous êtes bien aimable. »

Soudain il aperçut Mme de Marelle ; et le souvenir de tous les baisers qu'il lui avait donnés, qu'elle lui avait rendus, le souvenir de toutes leurs caresses, de ses gentillesses, du son de sa voix, du
340 goût de ses lèvres, lui fit passer dans le sang le désir brusque de

---

1. Vauri et Landeck sont les noms fictifs de chanteurs salariés de l'Opéra de Paris.

la reprendre. Elle était jolie, élégante, avec son air gamin et ses yeux vifs. Georges pensait : « Quelle charmante maîtresse, tout de même. »

Elle s'approcha un peu timide, un peu inquiète, et lui tendit 345 la main. Il la reçut dans la sienne et la garda. Alors il sentit l'appel discret de ces doigts de femme, la douce pression qui pardonne et reprend. Et lui-même, il la serrait, cette petite main, comme pour dire : « Je t'aime toujours, je suis à toi ! »

Leurs yeux se rencontrèrent, souriants, brillants, pleins 350 d'amour. Elle murmura de sa voix gracieuse : « À bientôt, monsieur. »

Il répondit gaiement : « À bientôt, madame. »

Et elle s'éloigna.

D'autres personnes se poussaient. La foule coulait devant lui 355 comme un fleuve. Enfin elle s'éclaircit. Les derniers assistants partirent.

Georges reprit le bras de Suzanne pour retraverser l'église.

Elle était pleine de monde, car chacun avait regagné sa place, afin de les voir passer ensemble. Il allait lentement, d'un pas 360 calme, la tête haute, les yeux fixés sur la grande baie ensoleillée de la porte. Il sentait sur sa peau courir de longs frissons, ces frissons froids que donnent les immenses bonheurs. Il ne voyait personne. Il ne pensait qu'à lui.

Lorsqu'il parvint sur le seuil, il aperçut la foule amassée, une 365 foule noire, bruissante, venue là pour lui, pour lui Georges Du Roy. Le peuple de Paris le contemplait et l'enviait.

Puis, relevant les yeux, il découvrit là-bas, derrière la place de la Concorde, la Chambre des députés. Et il lui sembla qu'il allait faire un bond du portique de la Madeleine au portique du 370 Palais-Bourbon[1].

---

1. Les deux monuments se font face et présentent une symétrie architecturale : tous deux sont ornés d'une colonnade externe et d'un fronton triangulaire.

Il descendit avec lenteur les marches du haut perron entre deux haies de spectateurs. Mais il ne les voyait point ; sa pensée maintenant revenait en arrière, et devant ses yeux éblouis par l'éclatant soleil flottait l'image de Mme de Marelle rajustant en face de la glace les petits cheveux frisés de ses tempes, toujours défaits au sortir du lit.

DOSSIER

Connaissance du contexte historique du roman

Il est bon de connaître certains repères historiques pour comprendre le contexte de l'histoire de Georges Duroy. Cherchez les dates des événements suivants puis placez-les sur l'axe chronologique page ci-contre. Vous indiquerez ceux auxquels il est explicitement fait référence dans le roman.

— Conquête de l'Algérie par la France (maréchal Soult).

— Journées révolutionnaires de juin. Début de la IIe République, Louis-Napoléon Bonaparte élu président (décembre).

— Coup d'État puis plébiscite du prince président (2 décembre).

— Proclamation du Second Empire (Napoléon III). Régime dictatorial. Censure de la presse.

— Libéralisation du régime napoléonien (libertés accordées à la presse et droit de réunion).

— Inauguration du canal de Suez.

— Défaite de Sedan contre la Prusse, chute de Napoléon III. Début de la IIIe République.

— La Commune (gouvernement révolutionnaire populaire) ; Thiers, représentant légal de la République, réprime l'insurrection dans le sang.

— Lois républicaines sur la liberté de la presse. Multiplication des journaux et revues. Succès des républicains aux élections législatives ; démission du président conservateur Mac-Mahon, remplacé par Jules Grévy.

— Lois Jules Ferry sur la gratuité de l'enseignement primaire. Protectorat français sur la Tunisie.

— Scandales financiers à répétition.

— Crise financière. Krach de l'Union générale (association de banques catholiques).

— Montée de l'antisémitisme (presse d'extrême droite, agitation, rixes).

— Loi autorisant le divorce.

1800 ————————————————————→ 1900

Connaissance de l'œuvre

1. Les phrases suivantes sont tirées de *Bel-Ami*. Expliquez-les en les resituant dans leur contexte.

A. « Georges Duroy prie humblement Mme Walter d'accepter ces quelques fruits qu'il a reçus ce matin de Normandie » (p. 157).

B. « Puis, il fit annoncer par les journaux qu'il inviterait tous les gens connus dans la société parisienne à contempler, chez lui, un soir, l'œuvre magistrale du maître étranger, afin qu'on ne pût dire qu'il avait séquestré une œuvre d'art » (p. 354).

C. « C'est ma pauvre maman qui ne doit pas dormir à cette heure, si elle s'est aperçue de mon départ » (p. 396).

D. « Georges prit possession du prie-Dieu voisin, et, dès qu'ils furent immobiles, dans l'attitude de l'oraison : "Merci, merci, dit-il. Je vous adore" » (p. 304-305).

E. « "C'est-ti té, not'fieu ?" Le jeune homme répondit : "Mais oui, c'est moi, la mé Duroy !" » (p. 253).

F. « Mais faites-nous tout de suite une petite série fantaisiste sur l'Algérie. Vous raconterez vos souvenirs ; et vous mêlerez à ça la question de la colonisation » (p. 65-66).

2. Questionnaire de lecture

A. Quel lien unit Georges Duroy à Forestier au début de *Bel-Ami* ? Comment évolue leur relation au cours du roman ?

B. Quel est le nom du journal où Georges Duroy est engagé ? En quoi consiste sa première chronique ?

C. Qui est Rachel ? En quoi sert-elle la construction du personnage de Bel-Ami ? Que révèle-t-elle de sa personnalité ?

D. Qui sont Virginie et Suzanne Walter ?

E. Qui donne à Georges Duroy le surnom « Bel-Ami » ?

F. Pourquoi Duroy rompt-il son premier mariage ?

G. Qui est Laroche-Mathieu ? Quelle image offre-t-il de son milieu ?

H. Qu'achète M. Walter lorsque sa fortune croît considérablement ? Quel effet cette acquisition produit-elle sur Georges Duroy ?

I. Dans quelles circonstances (dans quel lieu, avec quel public) se déroule le second mariage de Bel-Ami ? Comparez-les avec celles de son premier mariage.

J. D'après vous, Duroy est :
- un ambitieux sans morale ni talent
- un ambitieux sans morale mais talentueux
- un ambitieux moral et talentueux

Justifiez votre réponse.

Parcours de lecture

Parcours de lecture n° 1 : un *incipit* efficace

Relisez le début du roman (du début de la première partie, chapitre I, jusqu'à « un désir aussi le travaillait, celui d'une rencontre amoureuse », l. 1-55, p. 35-38) puis répondez aux questions suivantes. Citez le texte pour justifier votre propos.

1. L'*incipit* d'un roman réaliste

A. Quelle est la focalisation utilisée par le narrateur ? Qu'indique ce choix ?

B. Relevez les indications de temps et de lieu. En quoi sont-elles importantes pour un début de roman ?

C. Cherchez le sens de l'expression *in medias res*. En quoi s'applique-t-elle à ce début de roman ? Quelle impression ce début *in medias res* produit-il sur le lecteur ?

D. Relevez les informations qui tendent à donner l'illusion que l'histoire narrée pourrait être tirée de la réalité.

2. Les caractéristiques du personnage

A. Relevez les éléments concernant l'aspect physique du personnage. Quelle impression peut-on tirer de ce portrait physique ?

B. Relevez d'une part les éléments qui connotent (sous-entendent), d'autre part les éléments qui dénotent (désignent explicitement) la psychologie du personnage.

C. Relevez d'une part les éléments qui connotent, d'autre part ceux qui dénotent le statut social du personnage.

3. Le jugement du narrateur

A. Relevez les termes qui dénotent et ceux qui connotent un jugement de la part du narrateur.

B. Comment apparaît la société du XIXe siècle dans ce passage ?

C. En quoi cet *incipit* est-il satirique ?

D. Quels éléments laissent présager de la suite du roman ?

Parcours de lecture n° 2 : le salon des Walter, la peinture critique d'un milieu bourgeois

Relisez le chapitre VI de la première partie (de « Le samedi suivant, il se présenta » à « pour les cartes d'invitation du prochain dîner », l. 180-250, p. 157-160) puis répondez aux questions suivantes. Citez le texte pour justifier votre propos.

1. Le monde des apparences

A. Relevez les termes qui renvoient au luxe tapageur. Que révèlent-ils ? Que nous indique cependant l'expression « procédé économique des gens pratiques » ?

B. Comment interpréter la prédominance des miroirs dans l'appartement des Walter ? Faites un rapprochement avec la glace qui orne l'escalier de l'immeuble des Forestier (p. 56) : quel est le point commun ?

C. En quoi peut-on parler d'une véritable mise en scène ?

2. Derrière les apparences : le vide

A. Sur quoi portent les conversations ? Que pensez-vous de ces sujets de discussion ?

B. Peut-on dire que les personnages sont impliqués dans ce qu'ils font ? Qu'est-ce que cela prouve ?

C. En quoi l'appartement des Walter est-il le symbole de leur milieu social ?

3. Une satire

A. Relevez les éléments qui tendent à présenter les personnages sous forme de caricature.

B. Citez les passages qui peuvent être qualifiés de burlesques et justifiez votre relevé.

C. Reformulez la critique que le narrateur semble adresser à la haute bourgeoisie.

Parcours de lecture n° 3 : la collusion entre la presse, l'argent et le pouvoir politique

Relisez le chapitre II de la deuxième partie (de « Alors commença, dans le journal, une campagne habile et violente contre le ministère », à « Rien n'était changé, en somme », l. 138-198, p. 265-268) puis répondez aux questions suivantes. Citez le texte pour justifier votre propos.

1. L'influence de la presse sur les milieux politiques

A. Relevez les termes qui qualifient le traitement des affaires politiques par *La Vie française*. Que remarquez-vous ?

B. Relevez les expressions qui marquent des relations de conni-vence entre presse et politique.

C. Quel rôle joue Madeleine pour certains hommes influents ?

2. Le portrait de Laroche-Mathieu

A. Relevez les termes qui révèlent la médiocrité du personnage.

B. Quel est l'idéal politique de Laroche-Mathieu ?

C. Est-il ambitieux ?

D. Comparez Laroche-Mathieu et Duroy : quels sont leurs points communs ?

3. L'antirépublicanisme

A. Quel est le danger d'une presse trop libre d'après le texte ?

B. Qu'est-ce qui nous laisse penser que Laroche-Mathieu est représentatif de nombreux hommes politiques de son temps ?

C. Relevez le champ lexical utilisé pour décrire le système politique démocratique. Pourquoi Maupassant fait-il du suffrage universel la cause de la faillite morale du régime républicain ?

D. Qualifiez le ton de ce passage ; relevez, en particulier, des traces d'ironie sarcastique.

Parcours de lecture n° 4 : l'apothéose de Bel-Ami

Relisez le dernier chapitre du roman (de « Lorsque l'office fut terminé, il se redressa », l. 331, p. 414, à la fin) puis répondez aux questions suivantes. Citez le texte pour justifier votre propos.

1. Duroy, être de désir, être désiré

A. En quoi le souvenir de la rencontre avec Mme de Marelle correspond-il au schéma de la rencontre amoureuse ? En quoi cette rencontre est-elle paradoxale ?

B. Relevez les termes qui connotent et ceux qui dénotent le désir amoureux de Duroy. Quelle est la part de naturalisme[1] dans la représentation de ce désir ?

---

1. Naturalisme : terme inventé par Zola pour désigner sa conception du réalisme, c'est-à-dire un réalisme en conformité avec les vérités établies par les scientifiques. Voir présentation, p. 7.

C. En quoi le rapport de Duroy à la foule peut-il être qualifié d'amoureux ? Ce parallèle entre la séduction d'une femme et la séduction d'une foule vous paraît-il pertinent ?

2. L'ambition démesurée de Duroy

A. Relevez les termes qui renvoient à la façon dont Duroy se perçoit lui-même : quels éléments révèlent qu'il vit dans la démesure, presque dans la maladie mentale ?

B. Cherchez le sens du mot « apothéose ». Pourquoi peut-on parler ici de l'apothéose de Duroy ?

C. Sur quel objet se porte désormais l'ambition de Duroy ? Ce nouveau but a-t-il déjà été évoqué précédemment dans le roman ? En quoi la disposition spatiale de la place de la Madeleine permet-elle de donner un caractère quasi fantastique à l'expression de cette ambition ?

3. Une fin heureuse ?

A. Relevez les termes qui expriment la joie de Duroy et de la foule.

B. Comment apparaît la foule dans ce passage ?

C. Le triomphe de Duroy peut-il être interprété comme l'expression du pessimisme de Maupassant ? En quoi peut-on parler d'ironie tragique ?

D. À quel autre passage du roman cet *excipit* fait-il penser ? Que produit cet effet d'écho ?

Du réalisme en littérature, groupement de textes n° 1

1. Définition du réalisme

Relisez la présentation de l'édition (p. 9-11) puis complétez le texte suivant.

Le réalisme est à la fois un registre et un courant. Un **registre**, c'est-à-dire un effet voulu et fabriqué par l'artiste pour faire croire au lecteur (ou au spectateur) que son œuvre, qui est une .... (nourrie par son imagination), pourrait être la .... Un **courant**, c'est-à-dire un ensemble d'écrivains et d'artistes du XIXe siècle qui font du registre réaliste la caractéristique principale de leurs œuvres. Leur but est d'inventer une fiction qui donne .... de la réalité. De ce fait, Maupassant appelle les réalistes des « **Illusionnistes** »[1].

2. Étude de textes fondateurs du mouvement

Stendhal, *Le Rouge et le Noir* (1830)

Dans son roman *Le Rouge et le Noir*, Stendhal (1783-1842) répond à l'accusation qu'un lecteur pourrait lui adresser d'avoir créé un personnage – celui de Mathilde – qui ne corresponde pas à l'image habituelle que l'on se fait des jeunes personnes de son milieu et de son temps.

Eh, monsieur, un roman est un miroir qui se promène sur une grande route. Tantôt il reflète à vos yeux l'azur des cieux, tantôt la fange[2] des bourbiers[3] de la route. Et l'homme qui porte le miroir dans sa hotte sera par vous accusé d'être immoral ! Son miroir montre la fange, et vous accusez le miroir ! Accusez bien plutôt le grand chemin où est le bourbier, et plus encore l'inspecteur des routes qui laisse l'eau croupir et le bourbier se former.

Stendhal, *Le Rouge et le Noir*,
éd. Marie Parmentier, GF-Flammarion, 2013, p. 439.

1. Quelle est la figure de style employée par Stendhal pour définir le roman réaliste ? Analysez-la.

---

1. Voir l'article « Le Roman », p. 429 du dossier.
2. *Fange* : boue sale.
3. *Bourbiers* : endroits très boueux.

2. Le narrateur rend compte d'un reproche adressé au roman réaliste : quel est-il ?

3. Reformulez la réponse que le narrateur apporte à cette accusation. Quel rôle joue la figure de style dans son argumentation ?

Zola, « Gustave Flaubert » (1875)

Émile Zola considère Gustave Flaubert comme un des grands précurseurs du naturalisme. Il s'en explique dans un article qu'il consacre à l'auteur de *Madame Bovary*.

Le premier caractère du roman naturaliste dont *Madame Bovary*[1] est le type, est la reproduction exacte de la vie, l'absence de tout élément romanesque. […] Toute invention extraordinaire en est donc bannie. On n'y rencontre plus des enfants marqués à leur naissance, puis perdus, pour être retrouvés au dénouement. Il n'y est plus question de meubles à secret, de papiers qui servent, au bon moment, à sauver l'innocence persécutée. Même toute intrigue manque, si simple qu'elle soit. Le roman va devant lui, contant les choses au jour le jour, ne ménageant aucune surprise, offrant tout au plus la matière d'un fait divers : et, quand il est fini, c'est comme si l'on quittait la rue pour rentrer chez soi.

Zola, « Gustave Flaubert », *Le Messager de l'Europe*, 1875.

1. Selon Zola, quelle est la première caractéristique du roman réaliste ?

2. Selon vous, qu'est-ce que Zola entend par « élément romanesque » ? Pourquoi cet élément est-il banni du réalisme ?

3. Repérez les exemples donnés par Zola. À quel type de romans font-ils référence ?

4. Qu'est-ce qu'une « intrigue » ? Pourquoi manque-t-elle dans un roman réaliste ?

---

1. *Madame Bovary* : roman de Flaubert paru en 1857 (voir aussi p. 442).

5. Qu'est-ce qu'un « fait divers » ? Pourquoi le roman réaliste peut-il lui être associé ?

6. Quelle est la figure de style employée par Zola dans la dernière phrase de l'extrait ? Que signifie-t-elle ?

Edmond et Jules de Goncourt, préface de *Germinie Lacerteux* (1865)

Le parcours romanesque de Germinie Lacerteux, une domestique en mal d'amour, est si sordide que les frères Edmond (1822-1896) et Jules (1830-1870) de Goncourt se sentent contraints de prévenir les lecteurs contre les duretés de l'histoire qu'ils s'apprêtent à raconter.

Il nous faut demander pardon au public de lui donner ce livre, et l'avertir de ce qu'il y trouvera.

Le public aime les romans faux : ce roman est un roman vrai.

Il aime les livres qui font semblant d'aller dans le monde : ce livre vient de la rue.

[...] Le public aime encore les lectures anodines et consolantes, les aventures qui finissent bien, les imaginations qui ne dérangent ni sa digestion ni sa sérénité : ce livre, avec sa triste et violente distraction, est fait pour contrarier ses habitudes et nuire à son hygiène.

Edmond et Jules de Goncourt, *Germinie Lacerteux*,
éd. Nadine Satiat, GF-Flammarion, 1990, p. 55.

Quels sont les points communs entre ce texte des Goncourt et ceux de Stendhal et de Zola ?

Maupassant, « Le Roman » (1888)

D'abord publiée dans *Le Figaro*, cette étude fut adjointe au roman *Pierre et Jean* (1888) à la demande de l'éditeur Ollendorff, qui jugeait le volume trop mince. Maupassant y défend son parti pris esthétique du réalisme : une volonté de faire vrai, non pas en copiant la réalité, qui n'est pas toujours vraisemblable, mais en la réinventant, pour la rendre plus criante de vérité.

Le réaliste, s'il est artiste, cherchera, non pas à nous montrer la photographie banale de la vie, mais à nous en donner la vision la plus complète, plus saisissante, plus probante[1] que la réalité même.

Raconter tout serait impossible, car il faudrait alors un volume au moins par journée, pour énumérer les multitudes d'incidents insignifiants qui emplissent notre existence.

Un choix s'impose donc – ce qui est une première atteinte à la théorie de toute la vérité.

La vie, en outre, est composée des choses les plus différentes, les plus imprévues, les plus contraires, les plus disparates ; elle est brutale, sans suite, sans chaîne, pleine de catastrophes inexplicables, illogiques et contradictoires qui doivent être classées au chapitre *faits divers*.

Voilà pourquoi l'artiste, ayant choisi son thème, ne prendra dans cette vie encombrée de hasards et de futilités que les détails caractéristiques utiles à son sujet, et il rejettera tout le reste, tout l'à-côté.

Un exemple entre mille :

Le nombre de gens qui meurent chaque jour par accident est considérable sur la terre. Mais pouvons-nous faire tomber une tuile sur la tête d'un personnage principal, ou le jeter sous les roues d'une voiture, au milieu d'un récit, sous prétexte qu'il faut faire la part de l'accident ?

La vie encore laisse tout au même plan, précipite les faits ou les traîne indéfiniment. L'art, au contraire, consiste à user de précautions et de préparations, à ménager des transitions savantes et dissimulées, à mettre en pleine lumière, par la seule adresse de la composition, les événements essentiels et à donner à tous les autres le degré de relief qui leur convient, suivant leur importance, pour produire la sensation profonde de la vérité spéciale qu'on veut montrer.

Faire vrai consiste donc à donner l'illusion complète du vrai, suivant la logique ordinaire des faits, et non à les transcrire servilement dans le pêle-mêle de leur succession.

---

1. *Probante* : convaincante, qui a force de preuve.

J'en conclus que les Réalistes de talent devraient s'appeler plutôt des Illusionnistes.

Maupassant, « Le Roman », dans *Pierre et Jean*, éd. Antonia Fonyi, GF-Flammarion, 2008, p. 47-48.

1. Où se trouve exprimée la thèse de Maupassant ?
2. Pourquoi Maupassant réfute-t-il l'assimilation du réalisme à la photographie ?
3. Repérez et reformulez les arguments de Maupassant.
4. Quel rôle joue l'exemple dans la stratégie argumentative de Maupassant ?
5. Qu'est-ce qu'un illusionniste ? Pourquoi les « Réalistes » sont-ils des « Illusionnistes » ?
6. À vos plumes : rédigez trois arguments, illustrés chacun par un exemple, montrant que *Bel-Ami* n'est pas « la photographie banale de la vie », qu'il n'en donne que l'illusion.

Les représentations de la presse au XIXᵉ siècle, groupement de textes nº 2

Le XIXᵉ siècle est le siècle de la presse écrite : l'invention de la rotative, en 1845, permettant l'impression de dizaines de milliers de feuillets en une nuit et de faire baisser les coûts d'édition, des groupes de presse s'organisent, toute une industrie se met en place, les réseaux de diffusion se multiplient, et le journalisme devient un métier d'avenir. Bien des romans de l'époque rendent compte de cette évolution et en témoignent avec d'autant plus de force que les romanciers qui les composent écrivent souvent eux-mêmes dans les revues et journaux.

Balzac, *Illusions perdues* (1843)

Quarante ans avant Maupassant, Balzac (1799-1850) a exposé sa vision négative de la presse dans un roman largement consacré à ce milieu, *Illusions perdues* (1843). L'extrait suivant rend compte d'une discussion qui, lors d'un souper, met aux prises des journalistes (entre autres, Finot, Blondet, Nathan et Vignon) avec un diplomate allemand.

« L'influence et le pouvoir du journal n'est qu'à son aurore, dit Finot, le journalisme est dans l'enfance, il grandira. Tout, dans dix ans d'ici, sera soumis à la publicité[1]. La pensée éclairera tout, elle…

– Elle flétrira tout, dit Blondet en interrompant Finot.

– C'est un mot, dit Claude Vignon.

– Elle fera des rois, dit Lousteau.

– Et défera les monarchies, dit le diplomate.

– Aussi, dit Blondet, si la Presse n'existait point, faudrait-il ne pas l'inventer ; mais la voilà, nous en vivons.

– Vous en mourrez, dit le diplomate. Ne voyez-vous pas que la supériorité des masses[2], en supposant que vous les éclairiez, rendra la grandeur de l'individu plus difficile ; qu'en semant le raisonnement au cœur des basses classes, vous récolterez la révolte, et que vous en serez les premières victimes. Que casse-t-on à Paris quand il y a une émeute ?

– Les réverbères, dit Nathan ; mais nous sommes trop modestes pour avoir des craintes, nous ne serons que fêlés.

– Vous êtes un peuple trop spirituel pour permettre à quelque gouvernement que ce soit de se développer, dit le ministre. Sans cela vous recommenceriez avec vos plumes la conquête de l'Europe que votre épée n'a pas su garder[3].

---

1. *Sera soumis à la publicité* : sera connu de tout le monde.
2. *Des masses* : du peuple.
3. Le ministre allemand fait référence à la conquête de l'Europe par Napoléon Ier.

— Les journaux sont un mal, dit Claude Vignon. On pouvait utiliser ce mal, mais le gouvernement veut le combattre. Une lutte s'ensuivra. Qui succombera ? voilà la question.

— Le gouvernement, dit Blondet, je me tue à le crier. En France, l'esprit est plus fort que tout, et les journaux ont de plus que l'esprit de tous les hommes spirituels, l'hypocrisie de Tartuffe[1].

— Blondet ! Blondet, dit Finot, tu vas trop loin : il y a des abonnés[2] ici.

— Tu es propriétaire d'un de ces entrepôts de venin, tu dois avoir peur ; mais moi je me moque de toutes vos boutiques, quoique j'en vive !

— Blondet a raison, dit Claude Vignon. Le Journal au lieu d'être un sacerdoce[3] est devenu un moyen pour les partis ; de moyen, il s'est fait commerce : et comme tous les commerces, il est sans foi ni loi. Tout journal est, comme le dit Blondet, une boutique où l'on vend au public des paroles de la couleur dont il les veut. S'il existait un journal des bossus, il prouverait soir et matin la beauté, la bonté, la nécessité des bossus. Un journal n'est plus fait pour éclairer, mais pour flatter les opinions. Ainsi, tous les journaux seront dans un temps donné lâches, hypocrites, infâmes, menteurs, assassins ; ils tueront les idées, les systèmes, les hommes, et fleuriront par cela même. Ils auront le bénéfice de tous les êtres de raison : le mal sera fait sans que personne en soit coupable. Je serai moi Vignon, vous serez toi Lousteau, toi Blondet, toi Finot, des Aristide[4], des Platon[5], des Caton[6], des hommes de Plutarque[7] ; nous serons tous innocents,

---

1. *Tartuffe* : personnage de Molière qui cherche à parvenir à ses fins à force de dissimulation.

2. *Abonnés* : abonnés à des journaux.

3. *Sacerdoce* : dévouement quasi religieux et désintéressé.

4. *Aristide* : homme d'État vertueux du Ier siècle apr. J.-C. qui fut ostracisé (banni) par les Athéniens, qui lui préférèrent, pour occuper le premier rang de la cité, l'éloquent Thémistocle.

5. *Platon* : célèbre philosophe grec du Ve siècle av. J.-C.

6. *Caton* : consul romain du IIe siècle av. J.-C., connu pour sa rigidité morale et sa rigueur intellectuelle.

7. *Plutarque* : historiographe grec du Ier siècle apr. J.-C. qui s'est particulièrement intéressé à la vie des hommes illustres (grecs et romains).

nous pourrons nous laver les mains de toute infamie. Napoléon a donné la raison de ce phénomène moral ou immoral, comme il vous plaira, dans un mot sublime que lui ont dicté ses études sur la Convention[1] : *Les crimes collectifs n'engagent personne.* Le journal peut se permettre la conduite la plus atroce, personne ne s'en croit sali personnellement. »

> Balzac, *Illusions perdues*, éd. Philippe Berthier, GF-Flammarion, 1990, « Un grand homme de province à Paris », p. 319-320.

1. Dressez la liste des personnages qui soutiennent la presse et la liste de ceux qui la condamnent. À qui Balzac donne-t-il la parole plus volontiers ?
2. D'après le diplomate allemand, quelle est l'influence de la presse sur le peuple ?
3. Relevez la figure de style employée pour désigner les journaux. De quelle figure s'agit-il ? Quel effet de sens produit-elle sur le lecteur ?
4. Repérez et reformulez la thèse de Vignon sur la presse.
5. Dans la bouche de Vignon, que signifie la comparaison des journalistes de l'avenir à certaines figures de l'Antiquité ?
6. Comparez cet extrait à la représentation de la presse dans *Bel-Ami* : selon vous, quels sont les points communs de la critique adressée au journalisme ?
7. À vos plumes : Finot prend la parole pour défendre les journaux. Rédigez son discours. Celui-ci devra contrecarrer les propos tenus par les détracteurs de la presse présents au souper et proposer des arguments en faveur du journalisme.

Edmond et Jules de Goncourt, *Charles Demailly* (1868)

Écrit à deux mains par les frères Goncourt, *Charles Demailly* est l'histoire d'un écrivain, qui, comme la plupart des hommes de

---

1. *La Convention* : nom donné à l'Assemblée constituante qui gouverna la France de septembre 1792 à octobre 1795 lors de la Révolution française.

lettres de son temps, travaille dans un journal. Le début du roman est consacré à ce que l'on appelle la « petite presse », ces quotidiens populaires à un sou qui pullulent au XIXᵉ siècle.

La porte intérieure du bureau s'ouvrit. Un grand homme maigre à la tournure militaire, les cheveux gris, les moustaches presque blanches, parut. Il avait un pantalon à pied[1], et des journaux à la main.

« Ah çà ! fit-il en allant à Malgras, et jetant en passant les journaux sur la table, tenez ! vous autres, voilà de quoi avoir des idées… Au fait ! dites-moi un peu, vous ! comment ?… Sapristi ! si je n'étais pas là… Pour une fois que je ne mets pas le nez dans le journal… Mais vous ne savez donc pas ce que c'est qu'une feuille de chou ?

– Monsieur Montbaillard… » fit doucement Malgras.

L'homme au pantalon à pied était Montbaillard, le directeur du *Scandale*.

« Comment, une semaine où nous faisons des envois en province, vous laissez passer une balançoire[2] sur les provinciaux ?… Ce qu'il y a ? il y a trois grands jours que la chanteuse italienne est arrivée, et le service[3] ne lui est pas encore fait ! C'est honteux, ma parole d'honneur ! »

Malgras voulut répondre : « Au prochain départ, je…

– Ne vous pressez pas ! Mais un journal, Malgras, un journal, ça doit sauter à la figure de ces femmes-là quand elles arrivent[4], et faire les papillotes[5] de leurs mères quand elles s'en vont ! Combien d'abonnements[6] ?

– Cinq.

---

1. *Pantalon à pied* : pantalon qui recouvre les chaussures.
2. *Balançoire* : mensonge, baliverne (argot).
3. *Service* : critique de spectacle en échange d'un billet gratuit.
4. Montbaillard est partisan de titres accrocheurs.
5. *Papillotes* : papiers roulés utilisés pour friser les cheveux en tortillon.
6. Le directeur souhaite connaître le nombre de nouveaux abonnements à son journal.

– Cinq ! Que cinq, un jour où il fait du soleil ! Nous allons faire un journal pour l'honneur tout à l'heure ? Il faut que je leur flanque une prime… une orange que je leur ferai payer dix sous ; mais je leur donnerai le papier de soie… Les courtiers[1] ?

– Rien depuis hier, dit Malgras.

– Vous les flanquerez à la porte, et net… Les annonces ?

– La page est prise.

– Le journal est-il fait ? Qu'est-ce qu'il y a ? l'article de tête ? Grindu a-t-il apporté sa machine[2] sur les grains de beauté de Paris ?

– Je n'ai rien vu, dit Malgras.

– Grindu ? dit Mollandeux, vous ne savez donc pas ? il part ; il a six mille francs par an pour promener en Orient un petit jeune homme qui a fait ses farces[3].

– C'est embêtant, dit Montbaillard, il allait bien ce petit Grindu ; il allumait le public… Comment ! Le voilà bonne d'enfant ! … Moi qui avais envie de le lâcher contre une grosse gloire : il aurait fait du train, j'aurais fait des abonnements ; je lui arrangeais une petite affaire bien gentille avec un bon garçon qui aurait eu très peu de salle[4]… et encore un que j'aurais lancé !… Ce sont les épreuves ?… »

Et Montbaillard prit un paquet sur la table.

« Oui. Tenez, dit Malgras, voilà tout le numéro en ordre.

– Mauvais numéro ! dit Montbaillard en le feuilletant. Ça ne dit rien, ça ne pince pas… Mais tous les gens dont on parle là-dedans passeront une bonne nuit !… Qu'est-ce que c'est, ces… bêtises-là ?

– Ces vers ? dit Malgras, c'est du grand poète… Son nouveau volume… Des extraits.

– Ah ! fit Montbaillard, je n'avais pas lu…

---

1. *Courtiers* : personnes chargées de faire connaître et de vendre le journal.
2. *Machine* : ici, article, reportage.
3. *A fait ses farces* : a mené une conduite déréglée. On a confié le jeune homme aux bons soins de Grindu pour l'éloigner de la capitale, lieu de toutes les turpitudes.
4. *Très peu de salle* : très peu d'obligation à rester en salle de rédaction.

« – ... La signature ! » dit finement Mollandeux en achevant la phrase à demi-voix.

« Ma foi, tant pis ! reprit Montbaillard sans entendre, nous serons sages cette semaine ; mais la semaine prochaine, un numéro étincelant ! Nous abîmerons un ténor, un millionnaire, une actrice... et un ami... Nous dirons du ténor qu'il engraisse, du millionnaire qu'il n'a pas le sou, de l'actrice qu'elle est la sœur aînée de sa mère, et de l'ami que nous ne le connaissons pas... Tu feras ça, toi, Nachette.

– Vous avez lu cet article[1] ? dit Mollandeux à Montbaillard, ils vous empoignent... dur !

– Oui... c'est un petit garçon qui veut entrer ici.

– Oh ! mais, reprit Nachette, vous êtes attrapé sur toute la ligne, Montbaillard ! »

Montbaillard haussa les épaules.

« Qu'est-ce qu'ils ont à crier ? Je fais mon affaire, voilà. Je vous paye, n'est-ce pas ? Et plus cher que ça ne vaut ! Eh bien, quoi ? parce que nous parlons des filles[2], n'est-ce pas ? Le public n'en parle pas, hein ?... parce que nous faisons des éreintements[3] ? le public n'en fait pas... des éreintements ?... Est-ce que ça me regarde les *fours*[4] ? C'est comme si on me mettait les succès sur le dos ! Merci ! Les gens qu'on siffle, je les siffle ; les gens qu'on porte en triomphe, je les fais mousser... Je n'ai pas un ennemi, moi, ni un ami... Nous ne sommes pas un journal, nous sommes un baromètre... Pas d'école, pas de parti, pas de coterie[5] : une impartialité !... enfin, quoi ! un public, voilà ce que nous sommes. Est-ce que vous croyez que le public qui a jeté une couronne d'immortelles à mademoiselle

---

1. Mollandeux fait allusion à un article écrit dans un autre journal que le *Scandale*, un article qui s'attaque directement à Montbaillard : ce genre de règlement de comptes entre organes de presse était courant.

2. *Filles* : ici, prostituées.

3. *Éreintements* : critiques violentes et malveillantes.

4. *Fours* : spectacles où ne vient presque aucun spectateur.

5. *Coterie* : association restreinte de personnes réunies par des intérêts communs.

Mars [1] à sa dernière représentation était bien gentil ? Ça enfonce un peu le *Scandale*, ça !… On dirait que je veux leur ôter le pain de la bouche, à tous ces criailleurs-là ! Je m'en moque pas mal… Pour six cents malheureux abonnés qu'ils ont récoltés à la force du poignet !… Ont-ils fini ! »

Edmond et Jules de Goncourt, *Charles Demailly*,
éd. Adeline Wrona, GF-Flammarion, 2007, chap. v, p. 33-36.

1. Qu'indique le titre du journal dirigé par Montbaillard sur la nature de ce journal ?
2. Comment se comporte Montbaillard avec les journalistes ? Justifiez votre réponse.
3. Montbaillard est-il toujours de bonne foi ? Justifiez votre réponse.
4. Qu'est-ce qu'un bon journal pour Montbaillard ?
5. Pour quelles raisons le numéro du *Scandale* qu'il a sous les yeux paraît-il mauvais à Montbaillard ?
6. Quelle place occupe l'argent dans le milieu journalistique ?
7. Quelle raison véritable a poussé un journal concurrent à critiquer les pratiques de Montbaillard ? Rapprochez cette attaque d'un épisode analogue dans *Bel-Ami*.
8. Peut-on dire que le *Scandale* est un journal d'opinion ? Justifiez votre réponse.
9. À quel genre se rattache cet extrait ? Justifiez votre réponse.

Pour aller plus loin : en lien avec l'histoire des arts

Béraud, *La salle de rédaction du Journal des débats* (1889), p. 6 du cahier photos de l'édition

Fondé en 1789, le *Journal des débats*, est un journal de la droite modérée. À l'occasion de son centenaire est commandé à Jean

---

1. *Mademoiselle Mars* : célèbre comédienne de la première moitié du XIXᵉ siècle.

Béraud (1848-1935) un tableau représentant les principaux collaborateurs et administrateurs du journal. Dans cette scène recomposée, on note, suspendue au mur de gauche, la reproduction d'un célèbre tableau d'Ingres donnant à voir le portrait du fondateur du journal, Louis François Bertin.

1. Quels indices nous montrent qu'il s'agit d'une salle de rédaction ?

2. Repérez trois attitudes différentes dans lesquelles se tiennent les journalistes. Quelle impression chacune de ces attitudes produit-elle chez le spectateur ?

3. Que remarquez-vous à propos de l'âge, du sexe et de l'habillement des journalistes ? Que pouvez-vous en conclure sur la composition des collaborateurs du *Journal des débats* ?

Les représentations du féminin et du masculin dans l'œuvre de Maupassant, groupement de textes n° 3

La différence entre hommes et femmes est certes biologique mais surtout sociologique. À chacun des deux sexes, la société tend à imposer une psychologie, une posture, une image, un parcours de vie prédéfinis – assignation des rôles le plus souvent arbitraire et que Maupassant s'est amusé à inverser dans *Bel-Ami* : les femmes peuvent y remplir des fonctions ordinairement dévolues aux hommes (Madeleine est le vrai journaliste du couple), et certains hommes (comme Laroche-Mathieu) peuvent se révéler féminins. L'auteur s'est plu à mettre en scène les non-coïncidences entre l'identité et le genre, afin de montrer à quel point les esprits peuvent se figer dans des représentations toutes faites. Mais lui-même, dans son discours sur les femmes et les hommes, ne se montre pas exempt de tout préjugé.

Guy de Maupassant, « La Moustache » (1883)

Nouvelle publiée par Maupassant sous le pseudonyme de Maufrigneuse, « La Moustache » prend la forme d'une lettre écrite par Jeanne à son amie Lucie, au mois de juillet 1883, depuis le château de Solles. Il pleut, les convives s'ennuient, alors, pour se distraire, ils font du théâtre. Il échoit au mari de Jeanne un rôle de soubrette. Pour parfaire son travestissement, celui-ci se rase la moustache. Or, pour son épouse, cette transformation est un choc, dont elle s'explique auprès de Lucie. Voici un extrait de son argumentaire en faveur de la moustache.

Vraiment, un homme sans moustache n'est plus un homme. Je n'aime pas beaucoup la barbe ; elle donne presque toujours l'air négligé, mais la moustache, ô la moustache ! est indispensable à une physionomie virile. Non, jamais tu ne pourrais imaginer comme cette petite brosse de poils sur la lèvre est utile à l'œil et… aux… relations entre époux. Il m'est venu sur cette matière un tas de réflexions que je n'ose guère t'écrire. Je te les dirai volontiers… tout bas. Mais les mots sont si difficiles à trouver pour exprimer certaines choses, et certains d'entre eux, qu'on ne peut guère remplacer, ont sur le papier une si vilaine figure, que je ne peux les tracer. Et puis, le sujet est si difficile, si délicat, si scabreux[1] qu'il faudrait une science infinie pour l'aborder sans danger.

Enfin ! tant pis si tu ne me comprends pas. Et puis, ma chère, tâche un peu de lire entre les lignes.

Oui, quand mon mari m'est arrivé rasé, j'ai compris d'abord que je n'aurais jamais de faiblesse pour un cabotin[2], ni pour un prédica-

---

1. *Scabreux* : impudique, embarrassant à évoquer.
2. *Cabotin* : mauvais acteur.

teur, fût-il le père Didon[1], le plus séduisant de tous ! Puis quand je me suis trouvée, plus tard, seule avec lui (mon mari), ce fut bien pis. Oh ! ma chère Lucie, ne te laisse jamais embrasser par un homme sans moustaches ; ses baisers n'ont aucun goût, aucun, aucun ! Cela n'a plus ce charme, ce moelleux et ce… poivre, oui, ce poivre du vrai baiser. La moustache en est le piment.

Figure-toi qu'on t'applique sur la lèvre un parchemin sec… ou humide. Voilà la caresse de l'homme rasé. Elle n'en vaut plus la peine assurément.

D'où vient donc la séduction de la moustache, me diras-tu ? Le sais-je ? D'abord elle chatouille d'une façon délicieuse. On la sent avant la bouche et elle vous fait passer dans tout le corps, jusqu'au bout des pieds un frisson charmant. C'est elle qui caresse, qui fait frémir et tressaillir la peau, qui donne aux nerfs cette vibration exquise qui fait pousser ce petit « ah ! » comme si on avait grand froid.

Et sur le cou ! Oui, as-tu jamais senti une moustache sur ton cou ? Cela vous grise et vous crispe, vous descend dans le dos, vous court au bout des doigts. On se tord, on secoue ses épaules, on renverse la tête ; on voudrait fuir et rester ; c'est adorable et irritant ! Mais que c'est bon !

Et puis encore… vraiment, je n'ose plus ? Un mari qui vous aime, mais là, tout à fait, sait trouver un tas de petits coins où cacher des baisers, des petits coins dont on ne s'aviserait guère toute seule. Eh bien, sans moustaches, ces baisers-là perdent aussi beaucoup de leur goût, sans compter qu'ils deviennent presque inconvenants ! Explique cela comme tu pourras. Quant à moi, voici la raison que j'en ai trouvée. Une lèvre sans moustaches est nue comme un corps sans vêtements ; et, il faut toujours des vêtements, très peu si tu veux, mais il en faut !

« La Moustache », *Gil Blas*, 13 mars 1883 ; article repris dans le recueil *Toine* (1885), *Œuvres complètes de Guy de Maupassant*, Louis Conard, 1910, p. 60-62.

---

1. *Le père Didon* : Henri Didon (1840-1900), prêtre dominicain, célèbre prédicateur.

1. Pourquoi Jeanne est-elle gênée de parler de la moustache de son mari ? Quels sont les procédés d'écriture qui marquent cette gêne ?
2. Quelle est la tonalité de la lettre ? Justifiez votre réponse.
3. Quels sont les arguments de Jeanne en faveur de la moustache ?
4. Dans quelle mesure peut-on rapprocher « La Moustache » de *Bel-Ami* ?

2. Maupassant, préface à *Celles qui osent* de René Maizeroy (1883)

René Jean Toussaint, de son nom de plume René Maizeroy, ressemble à George Duroy : ancien sous-officier, grand coureur de jupons, homme de presse médiocre et ambitieux. Il publie un roman sulfureux en 1883, *Celles qui osent*, où sont décrites des femmes qui vivent sans entrave leurs pulsions sexuelles. Guy de Maupassant rédige une préface pour le roman de son ami, où il approuve une telle libération des mœurs.

Que cette occupation agréable [c'est-à-dire l'amour] tienne une grande place dans la vie des femmes, je le comprends, elles n'ont rien à faire. Je m'étonne que, dans la vie d'un homme, elle puisse être autre chose qu'un passe-temps facile à varier, comme une bonne table ou ce qu'on appelle les sports. Quant à la fidélité, à la constance, quelle folie ! Jamais on ne me fera comprendre que deux femmes ne valent pas mieux qu'une, trois mieux que deux, et dix mieux que trois. Qu'on revienne à l'une plus souvent qu'aux autres, c'est naturel, comme il est naturel de manger souvent un plat qu'on aime. Mais n'en garder qu'une, toujours, me semblerait aussi surprenant et illogique que si un amateur d'huîtres ne mangeait plus que des huîtres, à tous les repas, toute l'année.

Maupassant, préface à *Celles qui osent* de René Maizeroy, dans *Œuvres complètes de Guy de Maupassant*, Louis Conard, 1909, p. 247-248.

1. Quelle différence existe-t-il en matière d'amour entre les femmes et les hommes selon Maupassant ?
2. Reformulez l'opinion de Maupassant sur la fidélité conjugale.
3. Déterminez et expliquez la figure de style sur laquelle Maupassant s'appuie pour illustrer son raisonnement.
4. En quoi ce passage nous éclaire-t-il sur le rapport du romancier au personnage de Bel-Ami ?

À vos plumes !
1. Partisan de la « fidélité » et de la « constance » en amour, vous écrivez à Maupassant pour lui témoigner votre réprobation et vous lui donnez vos arguments.
2. Vous vous interrogez sur la place qu'occupent les femmes dans le roman *Bel-Ami* et dans la préface à *Celles qui osent*. Cherchez des arguments et des exemples en faveur de l'idée que Maupassant défend les femmes, d'autres indiquant qu'il est misogyne.

Pour aller plus loin : en lien avec l'histoire des arts

Gervex, *Rolla* (1878),
p. 5 du cahier photos de l'édition
Le peintre Henri Gervex (1852-1929) transpose à son époque « Rolla », poème d'Alfred de Musset de 1833 qui narre les amours de Rolla avec la prostituée Marion.

Vous direz dans quelle mesure ce tableau pourrait être également une illustration de *Bel-Ami*.

Un exemple de récriture : *Madame Bovary*

L'influence de Flaubert sur Maupassant est évidente. Elle ne concerne pas seulement une façon de voir le monde et de représenter la réalité par le roman, mais est aussi une question de style.

Gustave Flaubert, *Madame Bovary* (1857)

Dans le passage suivant, Emma Bovary, qui habite la campagne normande, voyage dans une carriole pour se rendre à Rouen, sur les bords de Seine. Elle contemple le paysage par la fenêtre.

[…] Puis, d'un seul coup d'œil, la ville apparaissait.

Descendant tout en amphithéâtre[1] et noyée dans le brouillard, elle s'élargissait au-delà des ponts, confusément. La pleine campagne remontait ensuite d'un mouvement monotone, jusqu'à toucher au loin la base indécise du ciel pâle. Ainsi vu d'en haut, le paysage tout entier avait l'air immobile comme une peinture ; les navires à l'ancre se tassaient dans un coin ; le fleuve arrondissait sa courbe au pied des collines vertes, et des îles, de forme oblongue[2], semblaient sur l'eau de grands poissons noirs arrêtés. Les cheminées des usines poussaient d'immenses panaches bruns qui s'envolaient par le bout. On entendait le ronflement des fonderies avec le carillon clair des églises qui se dressaient dans la brume. Les arbres des boulevards, sans feuilles, faisaient des broussailles violettes au milieu des maisons, et les toits, tout reluisants de pluie, miroitaient inégale-

---

1. *Amphithéâtre* : grande salle en arc de cercle avec des gradins.
2. *De forme oblongue* : plus longues que larges.

ment, selon la hauteur des quartiers. Parfois un coup de vent emportait les nuages vers la côte Sainte-Catherine, comme des flots aériens qui se brisaient en silence contre une falaise.

Quelque chose de vertigineux se dégageait pour elle[1] de ces existences amassées, et son cœur s'en gonflait abondamment, comme si les cent vingt mille âmes qui palpitaient là lui eussent envoyé toutes à la fois la vapeur des passions qu'elle leur supposait. Son amour s'agrandissait devant l'espace, et s'emplissait de tumulte aux bourdonnements vagues qui montaient. Elle le reversait au dehors, sur les places, sur les promenades, sur les rues, et la vieille cité normande s'étalait à ses yeux comme une capitale démesurée, comme une Babylone[2] où elle entrait. Elle se penchait des deux mains par le vasistas, en humant la brise ; les trois chevaux galopaient. Les pierres grinçaient dans la boue, la diligence se balançait, et Hivert[3], de loin, hélait les carrioles sur la route, tandis que les bourgeois qui avaient passé la nuit au Bois-Guillaume descendaient la côte tranquillement, dans leur petite voiture de famille.

Flaubert, *Madame Bovary*, éd. Bernard Ajac,
GF-Flammarion, 2006, partie III, chap. v, p. 335-336.

Comparez cet extrait avec le chapitre I de la deuxième partie de *Bel-Ami* (de « On dominait l'immense vallée, longue et large » (l. 578, p. 251) à « comme les grains inégaux d'un chapelet verdoyant » (l. 612, p. 252) puis répondez aux questions suivantes.

1. Quels indices permettent de savoir d'où sont décrits les paysages observés ?

2. À partir des notations de formes, de couleurs, de lumière, relevez les lignes principales qui structurent le tableau formé par chaque description.

---

1. *Elle* : désigne Mme Bovary.
2. *Babylone* : ville antique de Mésopotamie, réputée pour sa grandeur, sa richesse, son haut degré de civilisation.
3. Hivert est le conducteur de la carriole.

3. Les personnages s'investissent-ils de la même façon dans l'espace urbain observé ? Justifiez votre réponse en tenant compte de la construction de chaque description et des champs lexicaux utilisés.

4. En quoi peut-on considérer le passage de *Bel-Ami* comme une récriture de l'extrait du roman de Flaubert ?

La réception du roman

Maupassant, « Aux critiques de *Bel-Ami* », *Gil Blas* (7 juin 1885)

Maupassant, arrivant à Rome, y trouve nombre d'articles sévères sur *Bel-Ami* qui vient de paraître. Il répond aux reproches qui lui sont adressés par une lettre ouverte au *Gil Blas*.

Nous recevons de notre collaborateur, Guy de Maupassant, la lettre suivante, que nous nous empressons de publier :

Rome, 1ᵉʳ juin 1885.

Mon cher rédacteur en chef,

Au retour d'une très longue excursion qui m'a mis fort en retard avec le *Gil Blas*, je trouve à Rome une quantité de journaux dont les appréciations sur mon roman *Bel-Ami* me surprennent autant qu'elles m'affligent.

J'avais déjà reçu à Catane un article de Montjoyeux, à qui j'ai écrit aussitôt. Il me semble nécessaire de donner quelques explications dans le journal même où a paru mon feuilleton.

Je ne m'attendais guère, je l'avoue, à être obligé de raconter mes intentions, qui ont été fort bien comprises, il est vrai, par quelques confrères moins susceptibles que les autres.

Donc les journalistes, dont on peut dire comme on disait jadis des poètes : *Irritabile genus*[1], supposent que j'ai voulu peindre la Presse contemporaine tout entière, et généraliser de telle sorte que tous les journaux fussent fondus dans *La Vie française*, et tous leurs rédacteurs dans les trois ou quatre personnages que j'ai mis en mouvement. Il me semble pourtant qu'il n'y avait pas moyen de se méprendre, en réfléchissant un peu.

J'ai voulu simplement raconter la vie d'un aventurier pareil à tous ceux que nous coudoyons chaque jour dans Paris, et qu'on rencontre dans toutes les professions existantes.

Est-il, en réalité, journaliste ? Non. Je le prends au moment où il va se faire écuyer dans un manège. Ce n'est donc pas la vocation qui l'a poussé. J'ai soin de dire qu'il ne sait rien, qu'il est simplement affamé d'argent et privé de conscience. Je montre dès les premières lignes qu'on a devant soi une graine de gredin, qui va pousser dans le terrain où elle tombera. Ce terrain est un journal. Pourquoi ce choix, dira-t-on ?

Pourquoi ? Parce que ce milieu m'était plus favorable que tout autre pour montrer nettement les étapes de mon personnage ; et aussi parce que le journal mène à tout comme on l'a souvent répété. Dans une autre profession, il fallait des connaissances spéciales, des préparations plus longues. Les portes pour entrer sont plus fermées, celles pour sortir sont moins nombreuses. La Presse est une sorte d'immense république qui s'étend de tous les côtés, où on trouve de tout, où on peut tout faire, où il est aussi facile d'être un fort honnête homme que d'être un fripon. Donc, mon homme, entrant dans le journalisme, pouvait employer facilement les moyens spéciaux qu'il devait prendre pour parvenir.

Il n'a aucun talent. C'est par les femmes seules qu'il arrive. Devient-il journaliste, au moins ? Non. Il traverse toutes les spécialités du journal sans s'arrêter, car il monte à la fortune sans s'attarder sur les marches. Il débute comme reporter, et il passe. Or, en général, dans la Presse, comme ailleurs, on se cantonne dans un coin, et les reporters, nés avec cette vocation, restent souvent reporters toute leur vie. On en cite devenus célèbres. Beaucoup sont de braves gens, mariés, qui font cela comme ils seraient employés dans un ministère. Duroy devient le chef des

---

1. *Irritabile genus* : race irritable. L'expression est tirée des *Épîtres* du poète latin Horace (II, 2, v. 102).

Échos : autre spécialité fort difficile et qui garde aussi ses gens quand ils y sont passés maîtres. Les Échos font souvent la fortune d'un journal, et on connaît dans Paris quelques échotiers dont la plume est aussi enviée que celle d'écrivains connus. De là Bel-Ami arrive rapidement à la chronique politique. J'espère, au moins, qu'on ne m'accusera pas d'avoir visé MM. J.-J. Weiss ou John Lemoinne[1] ? Mais comment me suspecterait-on d'avoir visé quelqu'un ?

Les rédacteurs politiques, plus que tous les autres, peut-être, sont des gens sédentaires[2] et graves qui ne changent ni de profession, ni de feuille. Ils font toute leur vie le même article ; selon leur opinion, avec plus ou moins de fantaisie, de variété et de talent dans la forme. Et quand ils changent d'opinion, ils ne font que changer de journal. Or, il est bien évident que mon aventurier marche vers la politique militante, vers la députation, vers une autre vie et d'autres événements. Et s'il est arrivé par la pratique, à une certaine souplesse de plume, il n'en devient pas pour cela un écrivain, ni un véritable journaliste. C'est aux femmes qu'il devra son avenir. Le titre : *Bel-Ami*, ne l'indique-t-il pas assez ?

Donc, devenu journaliste par hasard, par le hasard d'une rencontre, au moment où il allait se faire écuyer, il s'est servi de la Presse comme un voleur se sert d'une échelle. S'ensuit-il que d'honnêtes gens ne peuvent employer la même échelle ?

Mais j'arrive à un autre reproche. On semble croire que j'ai voulu dans le journal que j'ai inventé, *La Vie française*, faire la critique ou plutôt le procès de toute la presse parisienne.

Si j'avais choisi pour cadre un grand journal, un vrai journal, ceux qui se fâchent auraient absolument raison contre moi ; mais j'ai eu soin, au contraire, de prendre une de ces feuilles interlopes[3], sorte d'agence d'une bande de tripoteurs politiques et d'écumeurs de bourses, comme il en existe quelques-uns, malheureusement. J'ai eu soin de la qualifier à tout moment, de n'y placer en réalité que deux journalistes, Norbert de Varenne et Jacques Rival, qui apportent simplement leur copie, et demeurent en dehors de toutes les spéculations de la maison.

Voulant analyser une crapule, je l'ai développée dans un milieu digne d'elle, afin de donner plus de relief à ce personnage. J'avais ce droit

---

1. *J.-J. Weiss*, **John Lemoinne** : collaborateurs au *Journal des débats*.
2. *Sédentaires* : qui se déplacent peu.
3. *Interlopes* : louches, dont l'honnêteté est douteuse.

absolu comme j'aurais eu celui de prendre le plus honorable des journaux pour y montrer la vie laborieuse et calme d'un brave homme.

Or, comment a-t-on pu supposer une seconde que j'aie eu la pensée de synthétiser tous les journaux de Paris en un seul ? Quel écrivain ayant des prétentions justes ou non, à l'observation, à la logique et à sa bonne foi, croirait pouvoir créer un type rappelant en même temps *La Gazette de France*, le *Gil Blas*, *Le Temps*, *Le Figaro*, *Les Débats*, *Le Charivari*, *Le Gaulois*, *La Vie parisienne*, *L'Intransigeant*, etc., etc. Et j'aurais imaginé *La Vie française* pour donner une idée de *L'Union* et des *Débats*, par exemple !... Cela est tellement ridicule que je ne comprends pas vraiment quelle mouche a piqué mes confrères ! Et je voudrais bien qu'on essayât d'inventer une feuille qui ressemblerait à *L'Univers* d'un côté et de l'autre aux papiers obscènes qu'on vend à la criée, le soir sur les boulevards ! Or elles existent, ces feuilles obscènes, n'est-ce pas ? Il en existe aussi d'autres qui ne sont en vérité que des cavernes de maraudeurs financiers, des usines à chantage et à émissions de valeurs fictives.

C'est une de celles-là que j'ai choisie.

Ai-je révélé leur existence à quelqu'un ? Non. Le public les connaît ; et que de fois des journalistes de mes amis se sont indignés devant moi des agissements de ces usines de friponnerie !

Alors, de quoi se plaint-on ? De ce que le vice triomphe à la fin ? Cela n'arrive-t-il jamais et ne pourrait-on citer personne parmi les financiers puissants dont les débuts aient été aussi douteux que ceux de Georges Duroy ?

Quelqu'un peut-il se reconnaître dans un seul de mes personnages ? Non. – Peut-on affirmer même que j'aie songé à quelqu'un ? Non – car je n'ai visé personne.

J'ai décrit le journalisme interlope comme on décrit le monde interlope. Cela était-il donc interdit ?

Et si on me reproche de voir trop noir, de ne regarder que des gens véreux, je répondrai justement que ce n'est pas dans le milieu de mes personnages que j'aurais pu rencontrer beaucoup d'êtres vertueux et probes[1]. Je n'ai pas inventé ce proverbe : « Qui se ressemble, s'assemble. »

Enfin, comme dernier argument, je prierai les mécontents de relire l'immortel roman qui a donné un titre à ce journal : *Gil Blas*, et de me

---

1. *Probes* : respectueux des autres et du droit.

faire ensuite la liste des gens sympathiques que Le Sage nous a montrés, bien que dans son œuvre il ait parcouru un peu tous les mondes[1].

Je compte, mon cher rédacteur en chef, que vous voudrez bien donner l'hospitalité à cette défense, et je vous serre bien cordialement la main.

Guy DE MAUPASSANT

Maupassant, « Aux critiques de *Bel-Ami* »,
cité dans *Bel-Ami*, éd. Adeline Wrona, GF-Flammarion, 2008,
p. 403-413.

1. Quel est le but de l'article de Maupassant ?
2. Reformulez les trois grands reproches faits à l'auteur et les trois arguments offerts en réponse.

---

1. Allusion à un roman de l'écrivain français Lesage : *Gil Blas de Santillane* (1715-1735).